A Semente de Mostarda

Dados Internacionais de Catalogação na Publicação (CIP)
(Câmara Brasileira do Livro, SP, Brasil)

Osho, 1931-1990.

A semente de mostarda / Osho [tradução Ma Anand Samashti]. — 11. ed. — São Paulo : Ícone, 2018.

Título original: The mustard seed: The Revolutionary Teachings of Jesus by Osho.
ISBN 978-85-274-0958-2

1. Misticismo — Discursos, ensaios, conferências 2. Osho, 1931-1990 I. Título.

04-2935   CDD-299.93

Índice para catálogo sistemático:
1. Osho : Filosofia mística de natureza universal
    299.93

Osho

A Semente de Mostarda

11ª edição

Ícone
editora

Título do original:
The Mustard Seed: The Revolutionary Teachings of Jesus

Copyright © 1975, 2009 Osho International Foundation http://www.osho.com
2018, Ícone Editora Ltda.
Todos os direitos reservados.

Publicado mediante acordo com Osho International Foundation,
Osho® é uma marca registrada da Osho International Foundation

Tradução
Ma Anand Samashti

Fotografia da Capa
João Luiz Fanelli

Capa e Diagramação
Andréa Magalhães da Silva

Revisão
Rosa Maria Cury Cardoso

Proibida a reprodução total ou parcial desta obra, de qualquer
forma ou meio eletrônico, mecânico, inclusive através de processos
xerográficos, sem permissão expressa do editor (Lei nº 9.610/98).

Todos os direitos reservados pela
ÍCONE EDITORA
Rua Javaés, 589 — Bom Retiro
CEP: 01130-010 — São Paulo/SP
Fone/Fax: (11) 3392-7771
www.iconeeditora.com.br
iconevendas@iconeeditora.com.br

Sumário

Prefácio...7

Introdução...11

Primeiro Discurso...15

Segundo Discurso...41

Terceiro Discurso...69

Quarto Discurso...95

Quinto Discurso..117

Sexto Discurso..145

Sétimo Discurso..171

Oitavo Discurso..191

Nono Discurso..217

Décimo Discurso...241

Décimo Primeiro Discurso...263

Décimo Segundo Discurso..291

Décimo Terceiro Discurso 323

Décimo Quarto Discurso 349

Décimo Quinto Discurso 373

Décimo Sexto Discurso 399

Décimo Sétimo Discurso 423

Décimo Oitavo Discurso..447

Décimo Nono Discurso..469

Vigésimo Discurso..491

Vigésimo Primeiro Discurso..517

Sobre o Autor 542

OSHO® MEDITATION RESORT 543

PREFÁCIO

OSHO,

Eu vi teus olhos. Tinham paz, não mentiam.
Eu senti tua mão sobre minha fronte.
Se juntar toda a força do mar com a suavidade das nuvens,
ainda assim, não poderei descrever teu toque.
Eu me senti como uma folha tremendo nas mãos de um furacão.
Eu ouvi tua voz.
Ela tem a firmeza dos séculos, a alegria das crianças, o calor da mãe,
o poder de mil cascatas – a mensagem de Deus.
Tu me falaste e meus ouvidos não escutavam, meus olhos não viam,
só minhas mãos se abriram à procura da graça.
Só meu coração compreendia, só minha consciência captava.
Era a voz de muitos Cristos, de muitos Budas, de muitos Mahaviras,
a voz de todos os iluminados e a voz de tantos outros
concentradas ali, naquele pedaço de Puna, perto de Bombaim.
E sua voz me falou e eu ouvi...
E a tua palavra ressoa entre os cantos dos pássaros na floresta no ashram,
cada dia, cada manhã, cada entardecer,
com uma nova mensagem de amor
para estas sociedades neuróticas, violentas e divididas, que tanto amas.
Eu, três vezes Doutorado, duas vezes Ph. D., pensava
que minha ciência, meus títulos e meus livros iam fazer
com que tu me amasses mais. Mas tu me amaste mais

quando em meus olhos tu leste minhas misérias e minhas carências.
Dia a dia sentei-me com os cidadãos da Nova Babel que tu formaste.
Línguas, idiomas, línguas, idiomas, rostos,
diferentes rostos de todos os continentes do mundo,
estavam ali comigo.
Essa era uma Babel diferente: muitas línguas, mas um só coração,
uma mesma pulsação, uma mesma energia que cresce,
até formar um imenso campo energético de paz e de amor,
que poderá salvar as nações da loucura e da violência.
Sentado a teus pés, aprendi mais sobre o Amor de Cristo, sobre e Nada de Buda,
sobre a Alegria dos súfis, e sobre minhas próprias misérias, mais do que tudo o que
universidades, livros e homens haviam me ensinado a vida toda.
Aprendi que estou dormindo.
Você me ensinou a acordar, a viver feliz aqui e agora.
Aprendi que não adianta o passado morto que deprime, nem o futuro incerto que
anseia. Tu me ensinaste que sou uma ponte entre o passado e o futuro,
uma ponte em construção na busca do Infinito.
Aprendi que não sabia amar,
pois o meu amor era um amor egoísta e necessitado.
Tu me ensinaste que o amor é doação.
Aprendi que eu era um homem triste e complicado.
Tu me ensinaste a dançar no meu caminho para Deus
como David dançou na presença da Arca.
Aprendi que não adianta ficar detido durante a vida toda, na busca de poder.
Tu me ensinaste a abrir meu centro bioenergético do amor.
Aprendi que tudo o que sabia sobre o homem era apenas o abecedário.
Tu me ensinaste a verdadeira linguagem
com tua ciência dos sete corpos,
dos sete vales que levam à Unidade Total,
das sete portas através das quais se condiciona o ego,
das seis camadas da consciência e dos níveis de bioenergia.
Aprendi ainda que a ciência da psicologia pode ser superada
através do que tu chamas de a Terceira Psicologia:
um passo além da psicologia patológica de Freud – a primeira psicologia – e
da psicologia do homem normal dos Humanistas – a segunda psicologia.
Tu me ensinaste o caminho para uma Terceira Psicologia

não só do Inconsciente e do Consciente, mas também do Supraconsciente:
a psicologia dos homens felizes, dos homens realizados.
Esta tua Terceira Psicologia
faz da Terapia uma função de amor e leva o homem a encontrar-se consigo mesmo
em Deus, em felicidade, em alegria.
Agora toda a ciência do homem torna-se religiosa e toda a religião torna-se
científica.
Aprendi a não julgar, a não supor, a não maldizer,
pois pensamentos são vibrações sutis que podem ser usadas como espadas que
ferem. Mas Tu me ensinaste a cortar minha cabeça
para não me deixar ser conduzido por minha mente poluída.
E, em troca, estou aprendendo a pensar com um coração sem violência,
com uma nova cabeça além dos condicionamentos,
além das programações que não me permitiam ser eu mesmo.
Aprendi que a vida não é uma luta sem sentido
em uma selva de feras que brigam por dinheiro.
Tu me ensinaste que a vida é felicidade, é contínua celebração,
é canto de paz que reinicia e reinicia a cada manhã,
com cada novo sol e com cada nova luz.
Um dia a semente de mostarda foi semeada em meu coração,
e todo meu ser entrou dentro dessa semente e senti a verdade.
A semente da Verdade está crescendo dentro de mim.
Por isso, imagino, tu me deste o nome de Savya Sachi, Todo Verdade.
Eu já estou crescendo dentro da Semente.
E quero crescer com ela a fim de transformar minha vida,
como Jesus e Tu o fizeram, em uma grande árvore onde as novas gerações de
Aquário irão saciar sua sede de verdade e Amor.
Sei que não estou só nesta Semente. Estão aqui teus 100.000 saniássins
espalhados no mundo inteiro, estão aqui aqueles 1.000 saniássins
que moram em seu ashram em Puna,
e está aqui Tua energia, a energia da Semente, a energia de Deus.

Sua Bênção
Savya Sachi, Swami
(Dr. Egídio Vecchio) Ph.D.

Introdução

Vinte e nove anos depois desta série de discursos, muita coisa se passou. Hoje, o amado Mestre já está dissolvido no vazio absoluto desde 19 de janeiro de 1990. Em 1987 ele voltou a Puna depois de um período vivendo nos Estados Unidos, onde, em outubro de 1985, foi brutalmente acorrentado, preso e envenenado com tálio, na versão moderna da crucificação, 2000 anos depois de Jesus.

Vinte e um países promulgaram leis proibindo-o de entrar (alguns inclusive não o permitiram abastecer o avião), alegando que ele é perigoso (mesmo no aeroporto). O medo dos que detêm o poder é tal, que chega a ser ridículo.

Para o grande público, as informações chegam distorcidas e a história é contada de forma errônea e capciosa, pelos meios de comunicação, representantes do *status quo*.

A grande verdade é que Osho representa, como Jesus, a ruptura das cortinas do templo, a descontinuidade com o passado e a possibilidade de um novo amanhecer para a consciência dos seres humanos.

Esse paralelo entre Osho e Jesus é o mesmo paralelo possível entre Osho e Sócrates, entre Osho e Buda, entre Jesus e Sócrates, Sócrates e Buda, etc... Os homens iluminados são a nossa única possibilidade de libertação (a liberdade de nós mesmos) e, ao mesmo tempo, aqueles mais condenados pela massa ignora, a multidão ignorante, o 'pequeno' homem — o homem com 'h' minúsculo, *the little man*[1].

---

(1) *The little man*, referência ao "Zé Ninguém" de Wilhelm Reich. (N. da T.)

Jesus, Sócrates, Buda, Osho, todos foram condenados (crucificados ou envenenados) pelas massas de seu tempo; poderíamos citar também Mansour, Pitágoras, Anágoras e tantos outros homens do mesmo quilate de consciência.

É muito grande a responsabilidade de introduzir ao leitor as palavras do amado mestre, principalmente, quando ele fala de Jesus a partir do Evangelho segundo Tomé, descoberto em escavações no Mar Morto (a maior descoberta arqueológica do século passado — restaurada por uma comissão internacional de cientistas, sem interferência das instituições religiosas), vinte e um anos antes de Osho proferir os vinte e um discursos entre 21 de agosto e 10 de setembro de 1974.

Para o público brasileiro, na sua grande maioria de raízes cristãs, Jesus sempre foi conhecido na forma em que as seitas cristãs o apresentaram — O Filho de Deus, aquele que está ao lado direito do Deus Pai. A Trindade — Pai, Filho e Espírito Santo —, a Virgem Maria, os milagres, etcétera e, claro, Jesus tem os sermões e as parábolas. É um Mestre.

Desde cedo convivi com a igreja católica, estudei até a Universidade em escolas católicas e vi dentro de mim mesmo surgir um conflito entre a minha natural religiosidade e a religião. Por um lado, a busca do mais alto, do amor, da verdade, da liberdade; por outro, a culpa, o pecado, o medo de Deus pai, o medo da morte. A religiosidade está presente em todos os corações humanos, mas as religiões instituídas nos ensinam a negar a vida e não a vivê-la intensamente.

O Jesus que Osho nos apresenta é com certeza o verdadeiro homem iluminado, amante da vida, independente, fluido, limpo, determinado, sem medo, senhor de si mesmo, o rebelde.

Há vinte e três anos tive o privilégio de reconhecer em Osho aquilo que meu coração clamava; disse para mim mesmo: descobri o guia, entrei no caminho. Muita água já rolou e continuo me sentindo sempre recomeçando, novas dimensões se abrem a todo instante.

A Semente de Mostarda é uma porta, um convite para um universo totalmente diferente de tudo o que vivemos aprendendo. A semente de mostarda é a menor semente e contém a árvore em si, o único milagre, a vida. Venha beber desta fonte inesgotável de sabedoria e experimentar o grande salto, o salto quântico de consciência através das palavras iluminadas do amado Mestre Osho.

Swami Anand Goloka (C. V. Jahara)
Texto original: Rio de Janeiro, 21 de outubro de 1989
Atualizado em Brasília, 16 de junho 2003

Primeiro Discurso

Os discípulos perguntaram a Jesus:

Diga-nos: com o que se parece o Reino dos Céus?

Ele lhes disse:

É como a semente de mostarda —

a menor dentre todas as sementes,

mas, quando cai em terra fértil,

dá origem a uma grande árvore,

que se torna abrigo para todos os pássaros do céu.

Os relacionamentos humanos mudaram muito, e mudaram para pior. Em todas as dimensões, o relacionamento mais profundo desapareceu: a esposa não é mais uma esposa, é apenas uma amiga; o marido não é mais um marido, é apenas um amigo. Amizade é bom, mas não pode ser muito profunda. O casamento é algo que acontece em profundidade. É um comprometimento em profundidade e, a menos que você se comprometa, você permanecerá superficial. A menos que você se comprometa, você nunca dará o salto. Você poderá flutuar na superfície, mas a profundidade não será para você.

É claro, ir para dentro das profundezas é perigoso — tem de ser assim, porque na superfície, você é muito eficiente. Na superfície, você trabalha como um autômato; nenhuma consciência é necessária. Mas, quanto mais você penetrar nas profundezas, mais você terá de se tornar cada vez mais e mais alerta, porque a cada momento a morte é possível. O medo das profundezas criou uma superficialidade em todos os relacionamentos. Eles se tornaram juvenis.

Ter um namorado ou uma namorada pode ser algo divertido, mas isso não se transforma numa porta para o mais profundo, que está escondido em todos e em cada um de nós. Com uma namorada, você pode se relacionar sexualmente, mas o amor não cresce. O amor necessita de raízes profundas. A sexualidade pode existir na superfície, mas a sexualidade é apenas animal, algo biológico. Ela só é bela se for parte de um amor mais profundo. Mas, se ela não é parte de um amor mais profundo, ela é a coisa mais feia possível. A mais feia, porque, então, não há nenhuma comunhão — vocês apenas se tocam e se separam. Apenas dois corpos se encontram, mas não vocês — não eu, não você. Isso tem acontecido em todos os relacionamentos.

Mas... o maior relacionamento desapareceu completamente. E o maior relacionamento é o que existe entre um mestre e um discípulo. Você não será capaz de compreender Jesus se você não puder compreender a dimensão desse relacionamento que existe entre um mestre e seus discípulos. Ele desapareceu completamente. A esposa foi substituída pela amiga, o marido foi substituído pelo amigo, mas o mestre e o relacionamento que existe entre ele e seus discípulos, desapareceu completamente. Ou melhor, esse relacionamento foi substituído por uma coisa muito oposta, que existe entre um psiquiatra e seu paciente.

Entre o psiquiatra e o paciente existe um relacionamento que está fadado a ser doentio, patológico — porque o paciente não está em busca da verdade: não está realmente em busca da saúde... Esta palavra 'saúde' é muito significativa: ela exprime inteireza, significa santidade, significa uma profunda cura no si mesmo. Um paciente não está em busca da saúde, porque, se ele fosse pela saúde, ele não poderia ser outra coisa que não um discípulo. Um paciente vai para se livrar da doença; sua atitude é totalmente negativa. Ele vai apenas para ser forçado a tornar-se normal novamente, simplesmente para tornar-se, de novo, uma parte funcional do mundo normal. Ele está desajustado; ele precisa que o psiquiatra o ajude a se ajustar novamente. Mas ajustar-se a quê? Ajustar-se a este mundo, a esta sociedade que é absolutamente doente?

O que você chama de ser humano "normal" nada mais é do que a patologia normal, a loucura normal, a insanidade normal. O homem "normal" também é insano, mas ele é insano dentro de limites, dos limites aceitos pela sociedade, pela cultura. Às vezes, alguém ultrapassa, vai além dos limites — então, ele se torna doente. Então, toda a sociedade, que é doente, diz que aquela pessoa está doente. E o psiquiatra existe na fronteira, para ajudar aquela pessoa a voltar, a voltar para a multidão.

O psiquiatra não pode ser o mestre, porque ele próprio não é inteiro. E o paciente não pode ser o discípulo, porque ele não foi lá para aprender. Ele está perturbado e não quer ficar perturbado: seu esforço é apenas pelo ajustamento, não pela saúde. O psiquiatra não pode ser o mestre, embora no Ocidente ele tenha fingido ser e, mais cedo ou mais tarde, no Oriente, ele fingirá que é o mestre também. Mas ele não é — ele próprio está doente. Ele pode ajudar os outros a se ajustarem, e isso vai bem: um homem doente pode auxiliar um outro homem doente... — de alguns modos. Mas um homem doente não pode levar um outro homem que esteja doente, a tornar-se inteiro; um louco não pode ajudar um outro louco a ir além da loucura.

Até mesmo seus Freuds, seus Jungs e seus Adlers são absolutamente doentes — não apenas os psiquiatras comuns, mas os maiores dentre eles são doentes e patológicos. Eu lhes contarei algumas coisas e vocês poderão sentir.

Quando quer que alguém mencionasse algo sobre a morte, Freud começava a tremer. Por duas vezes, ele chegou a desmaiar. E caiu da cadeira, apenas porque alguém falou sobre as múmias do Egito. Ele desmaiou! De outra vez também, Jung estava falando sobre a morte, cadáveres e, de repente, Freud tremeu e caiu, desmaiado, ficou inconsciente. Se a morte causava tanto medo a Freud, o que se dizer de seus discípulos?

E por que a morte causava tanto medo? Você pode imaginar um buda com medo da morte? Nesse caso, ele não seria mais um buda.

Jung escreveu que muitas vezes teve vontade de ir a Roma visitar o Vaticano. Principalmente sua biblioteca, a biblioteca Vaticana que é a maior — ela contém os registros mais secretos de todas as religiões que já existiram, muito raros. Mas sempre que ia comprar a passagem, ele começava a tremer — simplesmente por ir a Roma! O que acontecerá quando for para ir à *moksha*[1]? Ele cancelava a passagem e voltava. Ele nunca foi, nunca. Tentou muitas vezes, e finalmente decidiu: "Não, eu não posso ir".

Que medo era esse de ir a Roma? Por que um psiquiatra teria medo de ir à religião? ...porque Roma é justamente o símbolo, a representante. E este Jung criou uma filosofia em sua mente, e essa filosofia estava com medo de ser estilhaçada. É exatamente como um camelo com medo de ir até os Himalaias, porque, quando o camelo se aproxima dos Himalaias, pela primeira vez, fica sabendo que ele não é nada. Toda essa filosofia que Jung criou é pura infantilidade. O homem já criou tantos e vastos sistemas cósmicos, e todos esses sistemas estão agora em ruínas. O medo é porque ir a Roma significa ir às ruínas dos maiores sistemas que o passado criou.

O que se dizer sobre o seu pequeno sistema? O que se dizer sobre esse cantinho que você limpou e enfeitou? O que se dizer sobre a sua filosofia?

Grandes filosofias desabaram e se tornaram pó... Vá a Roma, veja o que aconteceu! Vá a Atenas, veja o que aconteceu! Onde estão as escolas de Aristóteles e de Platão e de Sócrates? Todas desapareceram no pó. Os maiores sistemas, no final, se transformaram em pó; todos os pensamentos, finalmente, mostraram-se inúteis, porque o pensamento é apenas uma coisa criada pelo homem.

Somente no "não pensamento" você pode mesmo vir a conhecer o divino. Através do pensamento, você não pode chegar a conhecer o eterno, porque o pensamento pertence ao tempo. O pensamento não pode ser do eterno; nenhuma filosofia, nenhum sistema de pensamento pode ser eterno. Esse era o medo!

Pelo menos quatro ou cinco vezes, Jung fez reservas e cancelou. E esse homem, Jung, é um dos maiores psiquiatras. Se ele tinha

---

(1)   *Moksha* — palavra da tradição hindu que se refere à libertação definitiva do ciclo de nascimento e morte.

tanto medo de ir a Roma, o que se dizer de seus discípulos? Nem mesmo vocês têm medo... — não porque vocês sejam melhores do que Jung, mas simplesmente porque vocês são mais inconscientes. Ele tinha consciência de que, em Roma, sua cabeça rolaria; de que, no momento em que ele olhasse para as ruínas de todos os grandes sistemas... Um tremor, um medo da morte... — pois: "O que acontecerá ao meu sistema? O que acontecerá comigo?" — tomaria conta. Ele treme e volta e, em suas memórias, escreve: "Então, finalmente, abandonei todo o projeto. Não irei a Roma".

A mesma coisa aconteceu a Freud muitas vezes. Ele também tentou ir a Roma. Assim, não parece que seja simplesmente uma coincidência... — e ele também tinha medo. Por quê? Freud tinha tanta raiva quanto você tem, Freud era tão sexual quanto você, tinha tanto medo da morte quanto você, era tão neurótico em seu comportamento quanto você. Então, qual é a diferença? Ele pode ter sido um homem mais inteligente, pode ter sido um gênio talvez, ou pode ter ajudado um pouco; mas ele era tão cego quanto você no que diz respeito ao supremo, no que diz respeito ao mais secreto, ao âmago mais íntimo do ser.

Não, a psiquiatria não pode tornar-se uma religião. Ela pode tornar-se um bom hospital, mas não pode tornar-se um templo — isso não é possível. Um psiquiatra pode ser necessário, porque as pessoas estão doentes, desajustadas; mas um psiquiatra não é um mestre e um paciente não é um discípulo. Se você vier a um mestre como um paciente, então, você perderá, porque um mestre não é um psiquiatra. Eu não sou um psiquiatra.

As pessoas vêm a mim e dizem: "Estou sofrendo desta ansiedade mental, de neurose, disto e daquilo".

Eu digo: "Está bem, mas eu não vou tratar da sua ansiedade, vou tratar de **você**. Não estou interessado em suas doenças, estou simplesmente interessado em **você**. As doenças estão na periferia, e não há nenhuma doença onde **você** esteja".

Uma vez que você vem a perceber quem você é na realidade, todas as doenças desaparecem. Elas existem, basicamente, porque você tem escapado de si mesmo, você tem evitado o encontro básico, porque você não quer olhar para si mesmo.

Por que você não quer olhar para si mesmo? O que lhe aconteceu? A menos que você esteja pronto para se defrontar consigo mesmo, você não pode se tornar um discípulo, porque um mestre não pode fazer nada se você não estiver pronto para se defrontar consigo mesmo. Ele somente pode ajudá-lo a encarar a si mesmo.

Por que você tem tanto medo...? Porque alguma coisa deu errada em algum ponto do passado. A criança nasce e não é aceita como ela é. Muitas coisas têm se ser mudadas, impostas: ela tem de ser disciplinada. Ela possui muitas partes que a sociedade e os seus pais não podem aceitar; assim, essas partes têm de ser negadas, reprimidas. Somente algumas partes podem ser aceitas e apreciadas. Então, a criança tem de dar um jeito. Ela tem de negar muitos fragmentos de seu ser que não podem ter permissão para se manifestar. Ela tem de negá-los tanto, que ela mesma se torna inconsciente deles. Isso é a repressão, e toda a sociedade existe na repressão.

A maior parte do ser da criança tem de ser reprimida, jogada completamente na escuridão. Mas essa parte reprimida faz valer seus direitos, tenta rebelar-se, reagir; ela quer vir para a luz e você tem de forçá-la para trás sempre e novamente. Por isso você tem medo de encarar a si mesmo. Por que, o que acontecerá com a parte reprimida? Ela voltará, ela estará ali. O que acontecerá com o inconsciente? Se você se defrontar consigo mesmo, o inconsciente estará presente, tudo o que você negou estará presente. E isso lhe dá medo.

A menos que uma criança seja totalmente aceita, como ele ou ela é, esse medo está fadado a permanecer. Mas ainda não existiu nenhuma sociedade que aceite a criança completamente — e parece que essa sociedade não existirá nunca, porque isso é quase impossível. Assim, a repressão está fadada a existir, um pouco mais, um pouco menos. E todo mundo, um dia, terá de enfrentar esse problema de defrontar-se consigo mesmo.

Você se torna um discípulo no dia em que se esquece do que é bom e do que é mau; do que é aceito e do que não é aceito. Você somente se torna um discípulo no dia em que estiver pronto para expor todo o seu ser a si mesmo.

O mestre é apenas uma parteira. Ele o ajuda a passar por um novo nascimento, o ajuda a renascer. E o que é o relacionamento entre o mestre e o discípulo? Um discípulo tem de confiar; ele não pode duvidar. Se ele duvidar, ele não poderá se expor. Quando você duvida de alguém, você se encolhe; você não consegue se expandir. Quando duvida... Surge um estranho, então, você se fecha — você não pode ficar aberto, porque você não sabe o que aquele estranho vai fazer com você. Você não pode ficar vulnerável diante dele; você tem de proteger-se, tem de criar uma armadura.

Com um mestre, é preciso abandonar a armadura completamente — esse tanto é imperativo. Até mesmo com um amante, você pode levar sua armadura um pouquinho — diante de um amado, você pode não ficar tão aberto. Mas, com um mestre, a abertura tem de ser total — caso contrário, nada acontecerá. Mesmo que você oculte apenas uma pequena parte de si, o relacionamento não existirá. A confiança total é necessária. Só então os segredos podem ser revelados; só então as chaves podem ser-lhe ofertadas. Mas, se você está se escondendo, isso significa que você está lutando contra o mestre. E, nesse caso, nada pode ser feito.

Com o mestre, a luta não é a chave, a entrega é a chave. Mas a entrega desapareceu do mundo completamente. Muitas coisas contribuíram para isso.

Por três ou quatro séculos, ensinaram ao homem a ser individualista, egoísta; ensinaram ao homem a não se entregar, mas a lutar; a não obedecer, mas a rebelar-se; o homem foi ensinado a não confiar, mas a duvidar.

Houve razões para isso. É porque a ciência cresce através da dúvida. A ciência é profundo ceticismo. Ela funciona não através da confiança: ela funciona através da lógica, do argumento, da dúvida. Quanto mais você duvida, mais científico você se torna. O caminho é exatamente o oposto do caminho da religião.

A religião funciona através da confiança — quanto mais você confia, mais religioso você se torna. A ciência operou milagres e esses milagres são bem visíveis. A religião operou milagres maiores, mas esses milagres não são visíveis. Até mesmo quando um buda está presente, o que você pode sentir? O que você pode ver? Ele não é visível — visivelmente, ele é só um corpo. Visivelmente, ele é tão mortal quanto você; visivelmente, ele ficará velho e morrerá um dia. Invisivelmente, ele é imortal. Mas você não tem olhos para ver aquilo que é invisível, você não tem a capacidade para sentir o mais profundo, o desconhecido. Eis por que somente olhos confiantes, pouco a pouco, começam a sentir e tornam-se sensíveis.

Quando você confia, isso significa fechar estes dois olhos. Eis por que a confiança é cega, exatamente como o amor é cego — mas a confiança é até mais cega do que o amor.

Quando você fecha estes dois olhos, o que acontece? Uma transformação interna acontece. Quando você fecha estes olhos que olham para fora, o que acontece com a energia que passa pelos olhos? Essa energia começa a mover-se para dentro. Ela não pode fluir dos olhos para os objetos; então, ela começa a voltar, ela vira um retorno. A energia tem de se mover, a energia não pode ficar estática — se você fecha uma saída, ela começa a descobrir uma outra. Quando os dois olhos estão fechados, a energia que estava se movendo através desses dois olhos, começa a retornar — há uma conversão. E essa energia alcança o terceiro olho. O terceiro olho não é uma coisa física: ele é exatamente aquela energia, que se move através dos olhos em direção aos objetos exteriores, agora retornando em direção à fonte. Essa energia se torna o terceiro olho, a terceira forma de se ver o mundo. Somente através desse terceiro olho um Buda é visto; somente através desse terceiro olho um Jesus é percebido. Se você não tem esse terceiro olho, Jesus estará presente, mas você não o verá... — muitos o perderam.

Em sua cidade natal, as pessoas pensavam que ele fosse apenas o filho do carpinteiro José. Ninguém, ninguém pôde reconhecer o que tinha acontecido àquele homem: que ele não mais era o filho do carpinteiro, que ele havia se tornado o filho de Deus. Esse é um fenômeno interno. E quando Jesus declarou "Eu sou o filho do divino, meu pai está no céu", as pessoas riram e disseram: "Ou você ficou louco, ou você é um tolo, ou um homem muito astuto. Como o filho de um carpinteiro pode, de repente, transformar-se no filho de Deus?". Mas, há um modo...

Somente o corpo nasce do corpo. O ser interior não nasce do corpo: ele nasce do espírito santo, ele é do divino. Mas, primeiro, você tem de alcançar os olhos de ver, você tem de alcançar os ouvidos de ouvir.

É um assunto muito delicado, compreender Jesus: você tem de passar por um grande treinamento. É exatamente como compreender música clássica. Se, de repente, você puder ouvir música clássica pela primeira vez, você sentirá: "Que coisa mais absurda é essa...!?". Ela é tão delicada... um longo treinamento é necessário.

Você tem de ser um aprendiz durante muitos, muitos anos. Só então os seus ouvidos estarão treinados para captar o sutil — e, então, não haverá nada como a música clássica. Então, a música comum, do dia a dia, como a música dos filmes, não será música absolutamente: é simplesmente ruído e, mesmo assim, estúpido. Por seus ouvidos não estarem treinados, você vive com esses ruídos e pensa que isso é música. Mas, para a música clássica você precisa ter ouvidos muito aristocráticos. Um treinamento é necessário e quanto mais você for treinado, mais o sutil se tornará visível.

Mas a música clássica não é nada diante de Jesus, porque esta é a música cósmica. Você tem de estar tão silencioso, sem uma única vibração de pensamento, nem um único movimento no seu ser; somente então, você pode ouvir Jesus, pode compreender Jesus, pode conhecê-lo.

Jesus ia repetindo sempre e novamente: "Os que têm ouvidos, serão capazes de me compreender. Aqueles que têm olhos vejam! Eu estou aqui". Por que ele ia repetindo "Aqueles que têm olhos, que vejam! Aqueles que têm ouvidos, ouçam!"? Por quê? Ele está falando de uma outra dimensão de compreensão, somente um discípulo pode compreender. Muito poucos compreenderam Jesus, mas isso está na própria natureza das coisas, está fadado a ser assim. Muito poucos... — e quem eram esses poucos? Não eram eruditos estudiosos, não; eles não eram professores das universidades, não; não eram pânditas ou filósofos, não. Eles eram pessoas comuns: um pescador, um camponês, um sapateiro, uma prostituta... — eram pessoas comuns, as mais comuns, as mais comuns dentre as mais comuns.

Por que essas pessoas podiam compreender? Deve haver algo de extraordinário no homem comum. Deve haver algo especial que existe no homem comum e que desapareceu dos assim chamados "extraordinários". O que é? É a humildade, a confiança.

Quanto mais você é treinado no intelecto, menos confiança é possível; quando você não é treinado no intelecto, mais confiança é possível. Um camponês confia, ele não tem nenhuma necessidade de duvidar. Ele coloca as sementes no campo e confia que elas nascerão, germinarão quando a estação certa chegar. Elas germinarão. Ele espera e ora; e, na estação certa, aquelas sementes germinam e se transformam em plantas. Ele espera e confia. Ele vive com as árvores, as plantas, os rios, as montanhas... Não há nenhuma necessidade de duvidar: as árvores não são astutas, você não precisa de nenhuma armadura para se proteger delas; as montanhas não são astutas... — não são políticas, não são criminosas — você não precisa de nenhuma armadura para se proteger delas. Não precisa de nenhuma segurança ali, você pode ficar aberto.

É por isso que quando você vai para as montanhas, repentinamente sente um arrebatamento. De onde isso vem? Das montanhas? Não! Vem porque você colocou suas armaduras de lado, não há necessidade de ter medo. Quando você vai até uma árvore, de repente você sente a beleza. Ela não está vindo da árvore, está vindo de dentro de você. Mas, com a árvore, não há nenhuma necessidade de se proteger, você pode ficar à vontade, pode se sentir em casa. As flores não vão atacá-lo de repente; as árvores não podem ser um ladrão, elas não podem furtar nada de você. Assim, quando você vai até as montanhas, até o mar, até a floresta, você põe de lado sua armadura.

As pessoas que vivem em contato com a natureza têm mais confiança. Num país que seja menos industrializado, menos mecanizado, com menos tecnologia, que viva mais com a natureza, há mais confiança. É por isso que não se pode conceber Jesus nascendo em Nova Iorque — quase impossível. *Freaks*[2] jesuíticos podem nascer lá, mas não Jesus. E esses *freaks* são simplesmente neuróticos — "Jesus" é só uma desculpa. Não, você não pode imaginar Jesus nascendo lá, é quase impossível. E mesmo que ele nascesse lá, ninguém lhe daria ouvidos; mesmo que ele estivesse lá, ninguém seria capaz de reconhecê-lo. Ele nasceu numa época sem tecnologia, sem ciência; o filho de um carpinteiro. Viveu toda a sua vida com gente pobre, simples, que vivia em contato com a natureza. Esses podiam confiar.

Jesus foi até o lago certo dia, de manhã bem cedo. O sol ainda não havia surgido no horizonte. Lá ele encontrou dois pescadores que tinham acabado de jogar suas redes para pescar, quando Jesus chegou e disse: "Olhem! Por que estão perdendo tempo? Eu posso torná-los pescadores de homens. Por que estão perdendo sua energia pescando peixes? Venham, sigam-me!".

---

(2)   *Freaks* — como eram chamados os integrantes do movimento contracultural do final dos anos sessenta nos Estados Unidos; *hippie*. (N. da T.)

Se ele tivesse dito isso para você, enquanto você estivesse sentado em seu escritório ou em sua loja, você lhe teria dito: "Vá embora! Eu não tenho tempo! Não desperdice meu tempo!". Mas aqueles dois pescadores olharam para Jesus, eles olharam para Jesus sem nenhuma dúvida. O sol estava nascendo e o homem era lindo, esse homem Jesus. E seus olhos... — eles eram mais profundos que o lago. E o que irradiava daquele homem era maior do que irradiava do sol. Eles jogaram suas redes de lado e seguiram Jesus.

Isso é confiança. Nem uma única pergunta: "Quem é você, estranho?". Eles não o conheciam. Ele não era daquele povoado. Eles nunca o tinham visto, nunca o tinham ouvido. Mas aquilo foi o suficiente — o chamado, o convite foi suficiente. Eles ouviram o convite, olharam para Jesus, sentiram sua sinceridade e o seguiram.

Justo na hora em que eles estavam saindo da cidade, um homem veio correndo e disse àqueles dois pescadores: "Aonde vocês vão? Seu pai morreu de repente. Voltem!".

Então, eles perguntaram a Jesus: "Nós podemos ir para casa e enterrar nosso pai? Depois, voltaremos".

Jesus lhes disse: "Não se preocupem com o morto. Existem mortos suficientes na sua cidade. Eles enterrarão seus mortos. Venham e sigam-me. Não se preocupem com os mortos". E aqueles dois pescadores o seguiram. Isso é confiança — eles ouviram, eles viram Jesus.

Ele quis dizer — e ele estava certo: "Quando o pai já está morto, o que se pode fazer? Quando alguém está morto, está morto. Não há nenhuma necessidade de ir. E existem mortos bastante na cidade — eles farão o resto, farão o ritual, enterrarão seu pai. Venham e sigam-me!". Assim, eles foram e nunca mais voltaram, nunca mais olharam para trás. Confiança significa não olhar para trás. Confiança significa não mais voltar.

Uma mente que duvida, está sempre olhando para trás, sempre pensando na alternativa, sempre pensando no que não foi feito, sempre pensando se fez o certo: devo voltar ou seguir esse louco? Quem sabe...? — ele diz que é filho de Deus, mas quem sabe? Ninguém sabe nada sobre Deus, ninguém sabe sobre seus filhos... — "e esse homem se parece conosco!". Mas os pescadores seguiram Jesus.

Se você segue um homem como Jesus, mais cedo ou mais tarde, ele se tornará infeccioso. Mas, no começo, você tem de segui-lo. Mais cedo ou mais tarde, você sentirá que ele é o filho de Deus — e não apenas isso: através dele, vocês compreenderão que vocês também são filhos de Deus. Mas, no começo, é preciso confiar. Se no começo houver dúvida, as portas ficam fechadas.

Esse relacionamento entre mestre e discípulo desapareceu devido aos três séculos de triunfo da ciência. A ciência triunfou muito, e isso fez milagres — milagres inúteis naturalmente, porque eles não acrescentaram um único bocado à felicidade humana. E um milagre é inútil se a felicidade não for aumentada através dele. Ao contrário, a felicidade decresceu. Quanto mais tecnologia, mais conforto, mas menos felicidade: esse é o milagre que a ciência fez. Quanto mais as coisas podem ser feitas por artefatos mecânicos, menos você é necessário. E quanto menos você é necessário, mais você se sente fútil, inútil, insignificante. Mais cedo ou mais tarde, o computador o substituirá e, então, você não será necessário, absolutamente. Então, você poderá cometer suicídio, porque o computador fará tudo.

A felicidade surge do ser necessário. Quando você é necessário, você se sente feliz, porque você sente que seu ser tem significado, você sente que sua vida tem significado, você sente que você é necessário e que, sem você, as coisas seriam diferentes. Mas, agora, sem você, nada será diferente. Ou melhor, as coisas ficarão melhores sem você, porque as máquinas podem fazer tudo melhor do que você. Você é apenas um obstáculo, apenas uma coisa ultrapassada. O homem é a coisa mais ultrapassada hoje em dia, porque, a cada ano, tudo vem numa nova edição: sai um novo modelo de Ford, um novo modelo de todas as coisas. Somente o homem permanece um modelo ultrapassado. Entre tantas novas coisas, você é a única coisa velha.

A mente moderna, constantemente, se sente insignificante, porque ninguém precisa de você. Nem mesmo as crianças precisarão de você, porque o governo, um instituto do estado, tomará conta delas. Seu velho pai e sua velha mãe não precisarão de você, porque haverá abrigos — abrigos do governo, do estado — que tomarão conta. Quem precisa de você? E, quando você sente que ninguém precisa de você, você vira simplesmente um fardo... — como você pode ser feliz? Nos velhos tempos, você era necessário.

Em algum lugar, um místico judeu, Hillel — que deve ter sido um homem muito confiante, um homem de prece —, disse a Deus em sua prece: "Não pense que só eu preciso de você — você também precisa de mim. Você não será nada sem mim. Se Hillel não estiver aqui, quem vai orar? Quem o respeitará? Eu sou necessário. Assim, lembre-se disto: eu preciso de você, isso é certo; mas você também precisa de mim".

Quando todo o universo precisava de você — até mesmo Deus —, então, você tinha um significado, uma significância, uma fragrância. Mas, agora, ninguém precisa de você. Você pode ser facilmente dispensado, você não é nada. A tecnologia criou o conforto e ela o tornou dispensável. A tecnologia lhes tem dado casas melhores, mas não homens melhores, porque homens melhores precisam de uma outra dimensão... — e essa dimensão não é da mecânica. Essa dimensão é da consciência não da mecanicidade.

A ciência não pode criar um Buda ou um Jesus, mas pode criar uma sociedade onde um Buda é impossível. Muitas pessoas vêm a mim e perguntam por que não mais há budas agora, não mais *tirtânkaras*, não mais Jesuses? Por causa de vocês! Vocês criaram uma tal sociedade, que agora se torna cada vez mais e mais impossível para um homem simples existir, para um homem inocente existir. E mesmo que ele exista, você não o reconhecerá. A questão não é que os budas não mais existam: a questão é que é difícil vê-los, mas eles estão aí. É possível que você esteja passando por eles todos os dias, quando você vai para o seu escritório. Mas você não pode reconhecê-los, porque você está cego.

A confiança desapareceu. Lembre-se disto: Jesus viveu numa era de confiança, de profunda confiança. Toda a sua glória e toda a sua significância podem ser compreendidas somente através dessa dimensão de confiança.

Agora, podemos entrar neste pequeno fragmento dos dizeres de Jesus:

> *"Os discípulos perguntaram a Jesus: Diga-nos: com o que se parece o reino do céu?"*

Eles não eram pesquisadores, não eram pessoas curiosas, não estavam ali para discutir. Suas perguntas eram inocentes. Quando uma pergunta é inocente, somente então, um Jesus pode respondê-la.

Quando uma pergunta é inocente? Você sabe? Se você já tem a resposta, então, a pergunta não é inocente. Você pergunta "Deus existe?" e você já tem a resposta. Você já sabe que sim, que existe, e você vem a mim apenas para confirmar. Ou você sabe que não existe, e você vem apenas para ver se este homem sabe ou não. Se a resposta existe, então, a pergunta é ardilosa, então, ela não é inocente. Então, ela não pode ser respondida por um Jesus, porque Jesus só pode responder inocência.

Quando um discípulo pergunta, não há nenhuma resposta em sua mente. Ele não sabe, ele simplesmente não sabe e é por isso que está perguntando. Lembre-se disto, quando você perguntar algo, lembre-se bem: você está perguntando porque já tem uma resposta? Você está perguntando através de algum conhecimento? Então, não pode haver nenhum encontro. Então, mesmo que eu responda, a resposta nunca o alcançará. Você não está suficientemente vazio para receber a resposta. A resposta já existe: você já está prevenido, envenenado.

Há dois tipos de perguntas: uma vem a partir do conhecimento e, então, a resposta é inútil, porque nesse caso somente um debate é possível, não um diálogo. Mas quando você pergunta a partir da ignorância, sabendo bem que você não sabe; quando você sabe que você não sabe, e pergunta, você se tornou um discípulo. Agora, não será um argumento. Você está com sede e pede água; está com fome e pede comida. Você não sabe e pergunta; você está pronto para receber. Um discípulo pergunta sabendo bem que não sabe. Quando você não sabe, você é humilde. Quando sabe, você se torna egoísta; e um Jesus não pode falar para egos.

> *"Os discípulos perguntaram a Jesus" — 'discípulos' quer dizer 'aqueles que estão inteiramente conscientes de que não sabem' — "Diga-nos: com o que se parece o reino do céu?"*

Jesus falava sempre sobre o Reino dos Céus e isso criou muito problema. A própria terminologia criou muito problema, porque a palavra 'reino' é política e os políticos ficaram com medo. Ele foi crucificado, porque eles pensaram: "Esse homem está falando sobre um reino que está para vir à terra, está dizendo 'eu sou o rei desse reino'. Esse homem está tentando fazer uma revolução, depor o governo e criar um outro reino!".

O rei, o vice-rei, os oficiais, os sacerdotes, todos eles ficaram apavorados. E aquele homem era influente, porque as pessoas o ouviam; e as pessoas não somente o ouviam: quando quer que o ouvissem, elas se transformavam, tornavam-se flamejantes, ficavam totalmente renovadas; algo acontecia dentro delas. Assim, os sacerdotes, o vice-rei Pôncio Pilatos, o rei Herodes, todo o governo — ambos, o governo secular e o governo sagrado —, todos ficaram apavorados com aquele homem. Ele parecia ser perigoso. Jamais existira um homem tão inocente. Contudo, ele parecia perigoso. Ele foi mal compreendido.

Mas... há sempre a possibilidade de um Jesus ser mal compreendido. O problema é que ele tem de usar a linguagem de vocês, porque não existe outra linguagem. O que quer que ele diga, ele tem de dizer nas palavras de vocês. Não existem outras palavras e as suas palavras já estão sobrecarregadas — elas já carregam significado demais, elas estão muito carregadas. Ele estava simplesmente falando do reino de Deus, do reino do céu. Mas "reino"?! — essa palavra é perigosa. 'Reino' dá uma indicação de política.

Jesus não era um revolucionário deste mundo. Ele era um revolucionário, um mestre revolucionário, mas do mundo interior. Ele falava do reino interior. Mas até mesmo os discípulos não estavam conscientes do que ele falava. Quando você chega a um mestre, há um encontro entre duas dimensões diferentes. O encontro é exatamente como o encontro do céu e da terra... bem na fronteira. Se a confiança está presente, você pode avançar céu adentro; se a confiança não está presente, você se mantém agarrado à terra. Se a confiança está presente, você pode abrir suas asas e avançar. Mas, se a confiança não está presente, você fica agarrado à terra. Esse homem traz um perigo para você. O que é o reino do céu? Que tipo de reino...? Esse reino é absolutamente oposto, diametralmente oposto ao reino deste mundo. E Jesus explicou e explicou, mas era difícil fazer as pessoas compreenderem. Ele dizia: "Em meu reino de Deus, os mais pobres serão os mais ricos, os últimos serão os primeiros". Ele falava exatamente como Lao-Tzu — e ele era um homem como Lao-Tzu. "O último será o primeiro no meu reino de Deus." Ele estava dizendo que o mais humilde será o mais significativo, o mais pobre será o mais rico, e que aquele que absolutamente não é reconhecido aqui, será reconhecido lá — tudo de cabeça para baixo. Tem de ser assim.

Se você parar perto de um rio e o rio estiver silencioso, sem nenhuma ondulação, e você olhar o seu reflexo, ele estará de cabeça para baixo. O reflexo está sempre de cabeça para baixo. Neste mundo estamos realmente de cabeça para baixo, e, se tivermos de nos colocar da maneira correta, todas as coisas terão de ser colocadas com o lado correto para cima. Mas isso vai parecer como se todas as coisas estivessem de cabeça para baixo. É necessário um estado de caos.

Buda tornou-se um mendigo — o último homem deste mundo. Ele era um rei, mas o reino de Deus pertence ao último. Ele deixou o reino deste mundo, porque o reino deste mundo é simplesmente inútil, é um fardo sem significado. Você o carrega, mas ele não é uma fonte de nutrição. Ele o destrói. Ele o envenena — embora possa ser um veneno tão lento, que você não o possa sentir.

Um homem estava bebendo e um outro estava passando por ali, um amigo. Então, o amigo disse:

— *O que você está fazendo? Isso aí é um veneno lento. O homem disse:*

— *Eu sei... não estou com pressa.*

Seja o que for que você chame de vida, é veneno lento, porque, no final, o leva à morte, o mata — não faz outra coisa. Você pode não estar com pressa, mas isso não muda nada na qualidade do veneno. Ele pode ser lento, pode não estar com pressa, mas mesmo assim ele o matará. O reino deste mundo pertence à morte; o reino do céu pertence à vida eterna. Assim, Jesus diz: "Os que estiverem prontos, venham a mim. E eu lhes darei vida abundante".

Jesus estava passando por um povoado. Ele estava com sede e foi até um poço. Uma mulher tirava água do poço e Jesus disse: "Estou com sede. Dê-me um pouco de água".

A mulher replicou: "Mas eu pertenço a uma casta muito baixa e isso não é permitido, não posso lhe dar água".

Jesus disse: "Não se preocupe. Dê-me água e, em troca, eu também lhe darei da água do meu poço. Uma vez que você beba dele, você jamais terá sede novamente".

Os discípulos estão perguntando: *"Com o que se **parece** o reino do céu?"* — porque aquilo que não é conhecido por nós, só pode ser explicado em termos de 'parece'. Daí todos os mitos. Mitologia significa tentar explicar coisas que vocês não sabem e que não podem saber neste estado de mente, através de algo que sabemos. Tentar explicar o desconhecido em termos do conhecido, trazer algum entendimento até você, onde você está — isto é mito.

O reino do céu não pode ser explicado de modo direto, imediatamente. É impossível. A menos que você entre nele, não há nenhum outro meio de se dizer algo sobre ele. O que quer que seja dito estará errado. A verdade não pode ser dita. Então, o que Jesus, Lao Tzu e Buda fazem continuamente, durante anos? Se a verdade não pode ser dita, o que eles estão fazendo? Eles estão tentando lhes explicar o que não pode ser explicado, através de alguns símbolos que vocês conhecem — tentando explicar o desconhecido através do conhecido. Esta é a coisa mais difícil do mundo — parábolas, mitos, histórias.

E há pessoas tolas que tentam analisar um mito, dissecá-lo e dizer: "Isso é um mito, não é verdade". Elas analisam e dissecam, fazem uma cirurgia no mito e, então, dizem "isso é um mito, não é História". Mas ninguém jamais disse que mito é História. E o mito não pode ser dissecado, porque ele é simplesmente simbólico. É exatamente como se houvesse um marco na estrada com uma seta, e na seta estivesse escrito "Déli"[3], e você dissecasse a pedra, dissecasse a seta, a tinta, a química e tudo o mais e, depois, dissesse: "Algum estúpido fez isto — não há Déli nenhuma aqui!".

Mitos são marcos, setas indicando o desconhecido. Eles não são a meta, simplesmente indicam. Esse é o significado da pergunta dos discípulos: *"Diga-nos, com o que se parece o reino do céu?"* Nós não podemos perguntar o que é o reino do céu. Olhe para a qualidade da pergunta: nós não podemos perguntar o que é o reino do céu — isso seria demais. Não podemos esperar a resposta para isso tampouco. Podemos somente perguntar com o que ele se parece, o que significa: "Diga algo que possamos saber; dê algumas indicações através das quais possamos ter um vislumbre".

É exatamente como um homem cego perguntando com o que a luz se parece. Como você pode perguntar o que é a luz quando

---

(3)   Nova Déli — capital da Índia. (N.da T.)

você é cego? Se você perguntar, a própria pergunta impedirá a resposta. Ela não pode ser respondida. A luz pode ser conhecida, mas você precisa ter olhos. Mas "Com o que a luz se parece?" significa: "Diga algo na linguagem dos cegos".

Todas as parábolas são verdades na linguagem dos cegos; todas as mitologias são verdades vestidas com a linguagem dos cegos. Assim, não as disseque; você não encontrará nada ali. São apenas indicações. E se você tiver confiança, as indicações serão maravilhosas.

Em certo templo no Japão, não há nenhuma estátua de Buda. As pessoas entram e perguntam: "Onde está a estátua?". Não há nenhuma estátua, mas, em um pedestal, há simplesmente um dedo apontado para o céu — e isto é Buda. O sacerdote dirá: "Este é Buda". Não sei se o sacerdote compreende isso ou não — aquele dedo apontado para a lua. O que é um buda? Apenas um dedo apontado para a lua!

Os discípulos perguntam com que o reino do céu se parece: "Conte-nos, conte-nos em uma parábola, em uma história que nós, crianças, possamos compreender. Nós não sabemos, não temos nenhuma experiência. Diga algo que possa nos dar um vislumbre".

Jesus lhes disse: "É como a semente de mostarda — a menor entre todas as sementes, mas, quando cai em terra fértil, dá origem a uma grande árvore, que se torna abrigo para todos os pássaros do céu".

Jesus usou a semente de mostarda muito frequentemente por várias razões. Primeira: a semente de mostarda é a menor semente. Deus é invisível, menor do que o mínimo; assim, como se pode indicá-lo? No limite da visão, está a semente de mostarda, a menor coisa... Além dela, você não será capaz de compreender, porque além está o invisível. A semente de mostarda é o limite, a menor coisa no mundo do visível — pode-se vê-la, mas ela é muito pequena. Se for além, você entra no mundo do sutil, aquele que é menor do que o menor. Essa semente de mostarda existe no limite.

E essa semente de mostarda não é apenas a menor coisa visível, ela também possui uma qualidade misteriosa: quando cresce, ela se torna a maior das plantas. Assim, ela é um paradoxo: a semente é a menor e a planta é a maior. Deus é o invisível e o universo é o mais visível; o universo é a árvore, a planta, e Deus é a semente: Deus é o não manifesto e o universo é o manifesto.

Se você quebrar uma semente, não encontrará a árvore ali. Você pode dissecá-la, mas não encontrará a árvore escondida ali. E você pode dizer que não há nenhuma árvore e que as pessoas eram simplesmente tolas ao dizer que uma grande árvore estava escondida naquela semente, pois não há nada ali. Isso é o que os analistas estiveram sempre fazendo. Você lhes diz que esta flor é bela; eles a levarão ao laboratório e a dissecarão para descobrir onde está a beleza. Eles virão com produtos químicos e outras coisas, dissecarão a flor, a analisarão e classificarão diferentes fragmentos da flor em muitos frascos — mas não haverá um único frasco no qual eles encontrarão a beleza. Não, eles sairão do laboratório e dirão: "Você deve ter estado sob o efeito de alguma ilusão, você esteve sonhando — não há nenhuma beleza. Dissecamos a flor toda, não sobrou nada, e não há nenhuma beleza".

Há coisas que são conhecidas somente em sua inteireza — você não as pode dissecar. Elas são maiores que suas partes, esse é o problema — um problema básico para aqueles que estão em busca da verdade. A verdade é maior do que todas as partes reunidas. Ela não é apenas a soma das partes, é maior do que as partes. Uma melodia não é apenas a soma de todas as notas, de todos os sons. Não, é algo maior. Quando todas as notas se encontram, uma harmonia: uma harmonia, que não estava lá nas simples notas, torna-se manifesta. Eu estou falando com você; você pode dissecar minhas palavras, elas todas serão encontradas num dicionário, mas você não poderá me encontrar no dicionário. E você pode dizer: "As palavras estão todas aqui. Então, para que me incomodar?".

Aconteceu certa vez que Mark Twain foi ouvir um amigo que era padre... — o amigo vinha insistido por muitos e muitos dias. Ele era um dos maiores oradores, um orador muito poético; e ele era muito apreciado. Quando quer que ele falasse, a igreja ficava repleta, mas Mark Twain nunca ia ouvi-lo. O amigo insistiu repetidamente, até que Mark Twain disse: "Está bem, vou nesta semana".

Para aquele domingo, o padre preparou o que tinha de melhor: organizou em sua mente o que sabia de mais belo, porque Mark Twain estava vindo. Mark Twain sentou-se bem na frente e o padre fez o seu melhor sermão até então. Ele trouxe toda a sua energia para o sermão que foi realmente belo — era uma sinfonia, uma poesia.

Mas pouco a pouco o padre começou a ficar apreensivo, porque Mark Twain estava sentado ali como um morto. Nem ao menos um vislumbre de apreciação passava por sua face. As pessoas aplaudiram tantas vezes, elas estavam arrebatadas, mas Mark Twain simplesmente sentado ali, sem dar absolutamente qualquer indicação de estar impressionado, de um jeito ou de outro, nem negativa, nem positivamente. Ele permanecia indiferente — e a indiferença é mais mortal do que qualquer atitude negativa, porque, se você está contra algo, pelo menos você tem alguma atitude em relação àquilo; se você é contra, você dá algum significado à coisa. Mas, se fica indiferente você diz que aquilo é absolutamente inútil, nem mesmo digno de se ser contra.

Quando o sermão terminou, Mark Twain foi embora no carro com o padre. O padre não conseguia perguntar nada e permaneceu silencioso. Só quando Mark Twain estava saltando do carro, o padre disse: "Você não disse nada sobre a minha palestra".

Mark Twain disse: "Ela não tem nada de novo. Eu tenho um livro em minha casa e você simplesmente copiou tudo dele. É uma palestra de empréstimo e você não pode me fazer de tolo. Você pode enganar aqueles tolos lá da igreja, mas eu sou um homem letrado e eu estudo. Por acaso, ainda ontem à noite eu estava lendo aquele livro".

O padre não podia acreditar naquilo. Ele disse: "O que você está dizendo? Eu não o copiei de lugar nenhum. É impossível!".

Mark Twain disse: "Todas as palavras que você disse estão lá. E amanhã eu lhe enviarei o livro". E o dia seguinte chegou; ele lhe enviou um exemplar de um grande dicionário e ele disse: "Você pode encontrar todas as palavras aqui!".

Essa é a mente do analista. Ele pode matar a poesia imediatamente. Ele diz que aquilo é simplesmente um conjunto de palavras. Ele não pode ver entre as palavras, ele não pode ver nas entrelinhas — e a poesia reside aí. A beleza está ali, e o êxtase e Deus e tudo o que é significativo sempre residem entre as palavras, nas entrelinhas.

A semente de mostarda é a menor e contém o maior. Você não pode ver Deus, porque ele é o menor — a semente de mostarda —; mas você pode ver o universo. E, se o universo existe, a semente tem de existir. Como pode haver uma árvore sem a semente? Pode haver uma árvore sem a semente? Quer você possa vê-la ou não, esse não é o ponto. Pode este universo existir sem uma causa final, sem uma fonte? O Ganges[4] existe — pode o Ganges existir sem uma fonte? E este universo não é somente vasto. Há uma harmonia tão grande nele, uma sinfonia universal tão grandiosa, um sistema universal de tamanha magnitude! Ele não é um caos... — tanta disciplina nele, tudo em seu devido lugar. E aqueles que bem sabem, dizem que este é o melhor de todos os mundos possíveis, que nada pode ser melhor do que ele.

Deve haver uma semente, mas a semente é muito pequena, menor do que a semente de mostarda. A semente de mostarda é usada como um mito, para indicar. Aqueles homens que estavam perguntando, eram pescadores e camponeses e jardineiros, e eles podiam compreender a parábola, a parábola da semente de mostarda. Se você dissecá-la, você perderá. Se você dissecar a religião, você perderá: ou você pode vê-la diretamente, sem dissecá-la, ou você não pode vê-la.

Há um meio do qual a confiança faz uso: na semente, você não pode ver a árvore, mas você pode plantar a semente na terra — eis o que a confiança fará. A pessoa dirá: "Está certo, isto é uma semente; confio em que se tornará uma árvore e eu vou pô-la no campo. Encontrarei o solo adequado e protegerei esta semente. Vou esperar e orar; amarei e terei esperança, e sonharei...".

O que mais você pode fazer? Você pode semear as sementes e esperar e sonhar, e ter esperança e rezar. O que mais você pode fazer? Então, um dia, de repente, você acorda e a semente se tornou uma coisa nova, um novo broto está surgindo da terra. Agora, a semente não mais é uma semente — está se tornando uma árvore, ela está florescendo.

O que acontece quando a semente se torna árvore? Isso também faz parte da parábola. A semente tem de morrer — somente então,

---

(4)   Pronuncia-se [gangues].

ela pode se tornar uma árvore. Deus morreu dentro deste universo: ele não pode ficar afastado, ele está nele, ele perdeu-se nele. É por isso que você não pode encontrar Deus. Você pode ir aos Himalaias, a Meca, a Kashi ou a qualquer lugar que queira, mas você não o encontrará em nenhum lugar, porque ele está aqui, em todo lugar, exatamente como a semente está agora em toda a árvore — a semente morreu dentro da árvore e tornou-se a árvore. Deus morreu dentro deste universo, dentro desta existência, e tornou-se o cosmos.

Ele não é uma coisa separada. Não é como um carpinteiro que faz uma coisa e permanece separado. Isso não é possível. Ele é como uma semente — a árvore cresce a partir dela, mas, depois, ela desaparece na árvore. Você pode encontrar Deus de novo somente quando esta árvore desaparecer.

Os hindus têm dito que você pode encontrar Deus no começo da criação ou você pode encontrá-lo no fim da criação. No começo, quando o mundo não existe, a semente está ali, mas você não está ali para encontrá-la... — porque vocês fazem parte da árvore, vocês são folhas da árvore. Ou ele estará no *pralaya*, quando o mundo todo se dissolve, quando a árvore fica velha e morre. E isso acontece com cada árvore: quando a árvore fica velha, novas sementes surgem novamente... — milhões de sementes.

No *pralaya*, você encontrará milhões de deuses novamente... mas, então, você não estará lá — eis o problema.

Há somente um modo de se encontrar Deus: você pode encontrá-lo somente se você encontrá-lo aqui e agora, em cada folha. Se você estiver procurando em uma determinada imagem — num Krishna ou num Rama —, então, você não o encontrará. Eles também são folhas — é claro, mais belas, mais vivas, mais verdes, porque perceberam Deus, perceberam que ele está em todo lugar.

Quando Jesus diz: "O reino de Deus é como semente de mostarda", ele está dizendo milhões de coisas. Esta é a beleza de uma parábola: você diz quase nada, não diz muito e, ainda assim, diz muitas coisas. Quando a semente morre, o universo aparece; quando a semente morre, a árvore aparece. Esse é o reino de Deus, aqui está o reino do céu. E se você estiver procurando por ele em algum outro lugar, você estará procurando em vão. Se você quer olhar dentro do Reino de Deus, você também tem de tornar-se como uma semente e morrer... — e, de repente, a árvore aparece: você não mais existe e Deus existe. Você jamais encontrará Deus. Se você está presente, Deus não está presente, porque a semente está presente. Quando você desaparece, Deus está presente — desse modo, não há nenhum encontro de fato.

Quando você não está, Deus está presente. O vazio em suas mãos e Deus está presente. Quando você não mais está presente, então Deus está. Novamente um paradoxo: a semente contém a árvore, mas a semente também pode matar a árvore. Se a semente se tornar por demais egoísta, se ela pensar "eu me basto", e se ela ficar com medo da morte, então, o próprio invólucro se tornará prisão: a própria casca que estava protegendo a árvore antes de ela chegar ao solo certo, se tornará prisão. E, então, a árvore morrerá na semente.

Vocês são como sementes que se tornaram prisões. Um Buda, um Jesus é uma semente que não é uma prisão: a semente, a cela, morreu e agora a árvore germinou.

"Ele lhes disse: É como a semente da mostarda — a menor dentre todas as sementes, mas quando cai em terra fértil, dá origem a uma grande árvore, que se torna abrigo para todos os pássaros do Céu."

"...mas quando cai em terra fértil...". O solo correto é necessário. Apenas a morte da semente não fará nada, porque você pode morrer numa pedra e, então, não haverá nenhuma árvore, haverá morte simplesmente. Você tem de encontrar o solo correto, a terra correta — e esse é o significado do discipulado. Trata-se de um treinamento. Discipulado é um treinamento, um aprendizado para se tornar uma terra correta, fértil. A semente existe, mas a terra correta tem de ser encontrada. Você tem a árvore dentro de você; o mestre pode somente dar-lhe a terra correta. Ele pode cultivá-lo, pode jogar as ervas daninhas fora, pode tornar o solo digno para receber. Ele pode tornar o solo rico, com fertilizantes... — ele é um jardineiro.

Você já contém tudo, mas, ainda assim, precisará de um jardineiro — caso contrário, você continuará jogando as sementes em qualquer lugar. Elas podem cair numa estrada cimentada e elas morrerão ali; ou cairão numa calçada e as pessoas pisarão nelas e elas morrerão. É necessário alguém quando você estiver morrendo, alguém que possa protegê-lo. Veja: quando uma criança nasce, precisa-se de uma parteira. Ninguém diz que seria bom sem uma parteira... Uma parteira é necessária porque o momento é muito delicado. Mas maior é o momento em que a verdade nasce; maior é o momento em que Deus nasce em você — maior do que todos os nascimentos.

O mestre não é nada mais do que uma parteira. Caso contrário, sem um mestre, muitas coisas são possíveis: um aborto pode acontecer e a criança pode morrer antes de nascer. O mestre é necessário para protegê-lo, porque o novo broto é muito delicado, indefeso — algo pode acontecer a ele. É muito perigoso. Mas se você confiar... — e é necessário confiança, não há outro meio, pois, se você duvidar, você se contrai e a semente não morre. Mas, se você confia, a semente morre. A semente não pode conhecer a árvore, eis o problema. A semente quer ter certeza de que "se eu morrer, tornar-me-ei uma árvore". Mas como você pode dar certeza à semente?

Eis a absurdidade da fé. A fé é absurda. Você quer estar certo de que: "Eu posso tornar-me um *saniássin*, eu posso renunciar a tudo, estou pronto para morrer, mas qual é a garantia de que, quando a semente não existir mais, a árvore existirá?". Quem pode lhe dar a garantia e como a garantia pode ser dada? E mesmo que a garantia seja dada, a semente a quem ela é dada não existirá. Que garantia pode provar à semente que, quando ela não mais existir a árvore existirá? Nenhuma garantia é possível.

Eis por que a fé é absurda: acreditar no que não pode ser acreditado é o significado de fé; não há nenhum modo de se acreditar naquilo e, ainda assim, você crê. A semente morre com uma profunda confiança e a árvore nasce. Mas uma "terra fértil" é necessária, o solo correto é necessário. Todo o discipulado é justamente para tornar-se um solo fértil.

"...dá origem a uma grande árvore que se torna abrigo para todos os pássaros do Céu." E, quando sua árvore está realmente crescida, quando ela se torna uma "árvore-Buda", então, milhões de pássaros que estão na busca vêm e fazem abrigo. Sob Jesus, muitos "pássaros do céu" fizeram abrigo; sob Buda, muitos "pássaros

do céu" fizeram abrigo. Para aqueles que estão em busca do mais profundo, essa árvore — a "árvore-Buda", a "árvore-Jesus" — torna-se um abrigo e, ali, eles podem sentir o palpitar do desconhecido. Ali, eles podem confiar; ali, eles podem chegar a um entendimento com o desconhecido e, dali, eles podem dar o salto.

"O reino do céu é como a semente de mostarda...". Você é o reino do céu, você é como a semente de mostarda. Esteja pronto para morrer, esteja pronto para a sua morte! É claro que haverá tremor e medo e apreensão... O salto vai ser difícil. Muitas vezes, você pode voltar, muitas vezes você chegará até a borda e regredirá e fugirá, porque existe um abismo. A semente só pode conhecer o abismo, a semente não pode conhecer a árvore. Não há nenhum meio da semente testemunhar a árvore brotando — não há nenhum meio. A semente tem de morrer e de confiar no desconhecido — que a árvore acontecerá.

Se você estiver pronto para morrer, acontecerá. Vá e plante sementes na terra: quando a árvore tiver brotado, então, cave a terra outra vez e veja onde está a semente. Ela terá desaparecido, ela não estará ali. Vá e cave em um Buda, em um Jesus — você não mais encontrará o homem, a semente. Esse é o significado de Jesus ser o filho de Deus, não mais o filho do carpinteiro José — porque a semente veio do carpinteiro José e de Maria, mas agora a semente desapareceu, a casca desapareceu. Essa árvore jamais vem do visível, ela vem do invisível.

Olhe para Jesus: a semente não mais está ali, somente Deus está. Esteja pronto para morrer, de modo que você possa renascer. Abandone a mente, o corpo, o ego, a identidade. Subitamente, você descobrirá que algo novo está nascendo dentro de você: você se tornou um útero, você está grávido. E estar espiritualmente grávido é o pico da criação, porque você está criando a si mesmo através disso. Nada é comparável a isso. Você pode criar uma grande pintura ou uma grande escultura, mas nada pode ser comparado a quando você cria a si mesmo, a quando você se torna o criador de si mesmo.

"...mas quando cai em terra fértil..." Esteja pronto para morrer! Mas, antes de estar pronto para o salto, torne-se "a terra fértil" — torne-se um discípulo, torne-se um aprendiz, torne-se humil-

de, torne-se como se não existisse. Logo, logo, você realmente não existirá — mas prepare-se para isso, comporte-se como se você já não existisse. Então... a semente *dá origem a uma grande árvore, que se torna abrigo para todos os pássaros do céu"*.

Tem acontecido sempre assim. Você está aqui, perto de mim; minha semente está morta — eis por que você está aqui. Não é por sua causa que você está aqui, é "por causa de mim". Mas dizer "por causa de mim" não é correto, porque não existe nenhum "mim" — a semente desapareceu e agora ela é simplesmente uma árvore. E se você tiver algum vislumbre da sua própria possibilidade através de mim, o trabalho está feito.

"O reino do céu é como a semente da mostarda..." Vocês são as sementes, vocês são a possibilidade desse reino. Esteja pronto para morrer, porque esse é o único meio de se renascer.

Basta por hoje.

SEGUNDO DISCURSO

Jesus disse:
Os homens possivelmente pensam que eu vim
lançar a paz sobre o mundo, e
eles não sabem que eu vim
lançar divisões sobre a terra —
fogo, espada, guerra.

Pois se houver cinco em uma casa,
três estarão contra dois
e dois contra três;
o pai contra o filho
e o filho contra o pai,
e eles permanecerão solitários.

Jesus disse:
Eu lhes darei o que o olho não viu,
e o que o ouvido não ouviu,
e o que a mão não tocou,
e o que não surgiu no coração do homem.

Jesus é muito paradoxal, mas repleto de significado por isso mesmo. Para entranhar significado, muitas coisas têm de ser compreendidas. Em primeiro lugar: a paz é possível se todo mundo estiver quase morto. Não haverá nenhuma guerra, nenhum conflito, mas não haverá nenhuma vida tampouco. Esse seria o silêncio do cemitério. Mas isso não serve para nada; então, até mesmo a guerra é melhor, porque, na guerra, você está vivo e vital.

Há um outro tipo de paz... — uma dimensão totalmente diferente de paz, quando você está vital, vivo, mas centrado no seu ser: quando o autoconhecimento aconteceu, quando você se tornou iluminado, quando a chama está acessa e você não mais está na escuridão. Então, haverá mais vida, mais silêncio, mas o silêncio pertencerá à vida, não à morte — não será o silêncio do cemitério.

Este é o paradoxo a ser compreendido: a guerra é ruim, o ódio é ruim: eles são os males sobre a terra e devem desaparecer. A doença é ruim, a saúde é boa; a doença deve desaparecer, mas você deve se lembrar de que um homem morto jamais adoece — um cadáver pode deteriorar-se, mas não pode ficar doente. Assim, se você não compreende, todos os seus esforços criam um mundo morto. Não haverá doenças, nem guerra, nem ódio — mas nenhuma vida tampouco.

Jesus não gostaria desse tipo de paz. Esse tipo de paz é inútil; então, este mundo seria melhor com guerra... Mas muitos têm se empenhado, e a atitude deles é simplesmente negativa. Eles pensam: "Se a guerra acabar tudo ficará bem". E isso não é tão fácil assim. E essa não é somente a concepção do homem comum — até mesmo grandes filósofos, como Bertrand Russel, pensam que se a guerra acabar tudo ficará bem. Isso é negativo — porque a guerra não é o problema, o problema é o homem. E a guerra não está do lado de fora, a guerra é interna. Se você não tiver lutado a guerra interna, você a lutará do lado de fora. Se você tiver lutado a guerra interna e tiver saído vitorioso, então, a guerra externa cessará. Esse é o único caminho.

Na Índia, chamamos Mahavira de "o conquistador", "o grande conquistador" — o *jinna*. A palavra '*jinna*' significa conquistador. Mas, ele jamais lutou com alguém; assim, quem ele conquistou? Ele jamais acreditou na violência, jamais acreditou na guerra, jamais acreditou na luta. Por que se chama esse homem, Mahavira, de "o grande conquistador"? Esse não é o seu nome original; seu nome original era Vardhaman. O que aconteceu? Que fenômeno ocorreu? Esse homem conquistou a si mesmo e, uma vez que você se conquiste, sua luta contra os outros cessa imediatamente — porque a luta contra os outros é apenas um truque para você se esquivar da guerra interna. Se você não está bem consigo mesmo, então, há apenas dois modos: ou você suporta a sua inquietação, ou a projeta em cima dos outros. Quando você está internamente tenso, você está pronto para lutar — qualquer motivo serve. O motivo é irrelevante. Você saltará em cima de qualquer um: o empregado, a esposa, o filho.

Como você se livra dos seus conflitos e inquietações internos? Você torna o outro responsável, então, você passa através de uma catarse. Você pode ficar com raiva agora, você pode expelir sua raiva e violência e isso lhe dará uma libertação, um alívio — claro que temporariamente, porque internamente nada mudou. O homem tornará a acumular, ele ainda permanece o velho. Amanhã, ele irá acumular raiva novamente — o ódio —, e terá de projetá-lo.

Você luta contra os outros, porque você continua acumulando lixo dentro de si e necessita jogá-lo fora. Uma pessoa que conquistou a si mesmo tornou-se um autoconquistador, não tem nenhum conflito interno. Sua guerra cessou. Ele é uno internamente — lá não há dois. Tal homem jamais projeta, tal homem não lutará contra mais ninguém.

Assim, esse é o truque da mente para evitar o conflito interno, porque o conflito interno é mais doloroso — por muitas razões. A razão básica é que cada um tem uma imagem de si como sendo um bom homem. E a vida é de tal ordem, que, sem essa imagem, seria muito difícil viver.

Os psiquiatras dizem que as ilusões são necessárias para se viver. A menos que você tenha se tornado iluminado, as ilusões são necessárias para se viver. Se você pensar que você é tão ruim, tão demoníaco, tão mau, se essa imagem — que é a verdade do que você é — permanecer, então, você não será capaz de viver absolutamente. Você perderá toda autoconfiança, e ficará tão repleto de autocondenação, que não será capaz de amar — você realmente não será capaz de se movimentar, não será capaz de olhar para um outro ser humano. Você se sentirá tão inferior, tão ruim, tão demoníaco, que morrerá — esse sentimento se tornará um suicídio. E isso é uma verdade... — então, o que fazer?

Um modo é mudar essa verdade; é se tornar um homem de Deus, não um homem do diabo — tornar-se divino. Mas, isso é difícil, árduo, uma dura longa caminhada. Mas ela tem de ser feita: somente então, o diabo pode tornar-se divino. Ele pode tornar-se divino! Você pode não estar ciente da raiz da palavra 'diabo': ela vem da mesma raiz da palavra de onde vem a palavra 'divino'. Ambas, 'diabo' e 'divino', vêm da mesma raiz sânscrita, *deva*. O diabo pode se tornar divino, porque o divino se tornou diabo. A possibilidade existe: elas são dois polos da mesma energia. A energia que se tornou azeda, amarga, pode se tornar doce. Uma transformação interior é necessária, uma alquimia interior é necessária — mas isso é demorado e árduo. E a mente sempre procura pelo atalho, onde exista menor resistência. Assim, a mente diz: "Por que se importar em se tornar um homem bom? Basta acreditar que você é bom". Isso é fácil, porque nada tem de ser feito. Basta pensar que se é bom, basta criar uma imagem de que se é belo, celestial, de que ninguém é como você, e até mesmo essa ilusão de bondade lhe dá energia para viver.

Se as ilusões podem lhe dar tanta energia, você pode conceber quanto acontecerá quando a verdade é percebida. Até mesmo a ilusão de que você é bom lhe dá vida para se mover, dá-lhe pernas para ficar em pé, dá-lhe confiança. Você fica quase centrado até mesmo com a ilusão, e esse centro que acontece na ilusão é o ego. Quando você está realmente centrado, isso é o si mesmo (*self*). Mas isso acontece somente quando a verdade é percebida: quando suas energias internas foram transformadas — o mais baixo transformou-se no mais alto, o terreno no celestial; quando o diabo se tornou divino; quando você se tornou radiante com a glória que é sua; quando a semente brotou, quando a semente de mostarda se transformou numa grande árvore.

Mas esse é um longo processo: a pessoa precisa da coragem para esperar, a pessoa precisa não se deixar tentar pelo atalho. E, na vida, não há atalhos — somente as ilusões são atalhos. A vida é árdua, porque somente através de árdua luta o crescimento chega até você — ele nunca vem facilmente. Você não pode consegui-lo de um modo barato; nada que seja barato pode auxiliá-lo a crescer. O sofrimento auxilia — o próprio esforço, a própria luta, o longo caminho lhe dá precisão, crescimento, experiência, maturidade. Como uma pessoa pode alcançar maturidade através de um atalho? Existe uma possibilidade — atualmente estão fazendo experiências com animais e, mais cedo ou mais tarde, trabalharão com seres humanos. Existe uma possibilidade: você pode receber injeções de hormônios. Uma criança de dez anos pode receber injeções de hormônios e ela se tornará um jovem de vinte anos. Mas, você pensa que ela atingirá a maturidade que teria atingido se tivesse passado através dos dez anos de vida? A luta, o surgimento do sexo, a necessidade de controlar, a necessidade de amor — ser livre e ainda assim controlado, ser livre e ainda assim centrado; conviver com o outro, sofrer por amor, aprender... — tudo isso não existirá. Esse homem que aparenta vinte anos tem na verdade apenas dez anos de idade. Através dos hormônios, você pode somente desenvolver o seu corpo.

Mas eles estão fazendo isso com animais, com frutas, com árvores. Uma árvore pode receber uma injeção e a árvore que levaria três anos para florescer naturalmente, florescerá em um ano. Mas alguma coisa estará faltando àquelas flores. Isso será difícil de ver, porque vocês não são flores, mas elas perderão alguma coisa. Elas foram forçadas, não passaram pelo sazonamento. As frutas surgirão logo, mas essas frutas não estarão tão amadurecidas; alguma coisa estará faltando nelas, elas são artificiais.

A natureza não tem pressa. Lembre-se: a mente está sempre com pressa, a natureza nunca está com pressa — a natureza espera e espera... — ela é eterna. Não há necessidade de ficar com pressa; a vida vai indo e vai indo e vai indo... — ela é uma eternidade. Mas, para a mente, o tempo é curto; então, ela diz "tempo é dinheiro". A vida nunca diz isso. A vida diz "Experiência!", não "Tempo!". A vida espera, ela pode esperar; a mente não pode — a morte está se aproximando... Para a vida, não há morte nenhuma, mas, para a mente, há morte.

A mente tenta sempre encontrar um atalho. E a maneira mais fácil de encontrá-lo é criando uma ilusão: pense que você é aquilo que quer ser — então, você fica neurótico. Foi isso o que aconteceu a muitas pessoas que estão nos hospícios. Elas pensam que são Napoleão ou Alexandre, ou qualquer outra pessoa. Elas acreditam nisso e comportam-se de tal maneira.

Ouvi contar a respeito de um homem que estava sendo tratado, psicanalisado. Ele pensava que era o grande Napoleão. Após três ou quatro anos de tratamento e de psicanálise, o psiquiatra pensou: "Agora ele está absolutamente bem". Então ele disse:

— Agora você já está bom e pode ir para casa. — O homem disse:

— Casa?! Diga 'Para o seu palácio' — ... ele ainda era Napoleão.

Fica muito difícil se você se tornou Napoleão... — ser tratado fica muito difícil, porque, mesmo que você seja tratado e fique curado, o que vai acontecer é que você vai sair perdendo.

Um general encontrou um capitão que estava sempre bêbado; assim, ele o abordou. O homem era muito bom — os bêbados são quase sempre bons, eles são pessoas belas, só que pegando um atalho. Então o general disse:

— Você é um bom homem e eu o aprecio e todos aqui o amam, mas você está se desperdiçando. Se você puder permanecer sóbrio, logo, logo, será um coronel. — O homem riu e disse:

— Não vale a pena, porque enquanto estou bêbado já sou o general! Assim, não vale a pena: se eu ficar sóbrio eu somente vou me tornar um coronel e, enquanto estou bêbado eu sempre sou o general!

Há muita coisa envolvida na ilusão. Como esse homem pode sair de sua ilusão? — foi tão facilmente que ele se tornou o general...

A mente encontra atalhos e as ilusões são atalhos; *maya*[1] é o que existe de mais fácil e mais barato para se adquirir. A realidade é dura, árdua: a pessoa tem de sofrer e passar através do fogo. Quanto mais você passa pelo fogo, mais amadurecido você fica; quanto mais amadurecido, mais valioso. Sua divindade não pode ser comprada num mercado; e barato: você não pode pechinchar por ela, você tem de pagar com toda a sua vida. Quando toda sua vida está na fogueira, somente então, ela acontece.

Você luta contra os outros, porque esse é um modo fácil. Você fica pensando que você é bom, o outro é mau, e a luta fica externa.

---

(1)   *Maya* — ilusão. (N. da T.)

Se olhar para si mesmo, então, a luta se torna interna: você verá que você é mau, é difícil encontrar uma pessoa mais demoníaca que você. Se você olhar para dentro, então, você verá que você é absolutamente mau, e que algo tem de ser feito. Uma luta interna, uma guerra interna tem início.

E, através desse conflito interno — e trata-se de uma técnica, lembre-se, é uma das maiores técnicas que têm sido usadas através dos séculos —, se há conflito interno, então, você se torna integrado. Se há conflito interno, então, além das partes conflitantes, surge um novo centro do testemunhar. Se há conflito interno, então, as energias são envolvidas, todo o seu ser torna-se agitado: o caos é criado e desse caos nasce um novo ser.

Todo novo nascimento necessita do caos: todo este universo nasceu do caos. Antes de você realmente nascer, o caos será necessário — essa é a guerra de Jesus. Ele disse: "Eu não vim para trazer a paz". Não que ele não tenha vindo para lhe dar paz, mas não a paz barata que você gostaria de receber. Agora, tente entender estas palavras:

> *Jesus disse: Os homens possivelmente pensam que eu vim lançar a paz sobre o mundo, e eles não sabem que eu vim lançar divisões sobre a terra — fogo, espada, guerra.*

Quando você vem a um mestre como Jesus, você vem pela paz. Você está, felizmente, inconsciente de que você veio à pessoa errada. Como você está, você não pode ter paz. E, se alguém lhe der paz, isso será morte para você. Como você está, se você se tornar pacificado, o que isso significará? Significará que a luta cessou antes de você ter obtido alguma coisa. Como você está, se alguém o tornar silencioso, o que isso significará? Você não terá alcançado nenhum si mesmo, e você ficará consolado pela sua situação. Esse é o meio pelo qual você pode distinguir um falso mestre de um mestre verdadeiro — o falso mestre é um consolo, ele lhe dá paz como você está, ele nunca se incomoda em mudá-lo — ele é um tranquilizante. É exatamente como as pílulas para dormir: você vai a ele e ele o consola.

Mas, se você vem a um mestre verdadeiro, o critério é este: seja qual for a paz que você tenha, ela também será destruída — seja qual for a "tranquilidade" que você tenha, ela vai ser atirada aos cães. Ele criará mais tumulto, mais conflito. Ele não irá consolá-lo, porque ele não é seu inimigo — todos os consolos são venenos. Ele o ajudará a crescer. O crescimento é difícil, você terá de passar por muitas dificuldades. Muitas vezes você tentará escapar deste homem, mas você não pode, porque ele o perseguirá. O consolo não é o objetivo... — ele não pode lhe dar uma falsa paz. Ele lhe dará crescimento e, a partir desse crescimento, um dia você florescerá. E esse florescimento será a paz verdadeira, o silêncio verdadeiro. O consolo é falso.

As pessoas vêm a mim e eu posso ver o modo em que elas vêm, os problemas que trazem: elas querem consolo. Alguém se aproxima e diz: "Estou em muita dificuldade. Minha mente não tem paz, estou muito tenso. Dê-me algo — abençoe-me, de modo que eu me pacifique".

Mas o que isso significa? Se esse homem ficar em paz, o que isso significará? Então esse homem não vai mudar nunca. Não, esse não é o caminho. Mesmo que um verdadeiro mestre o console, isso será apenas como uma isca. Você será fisgado num consolo e, então, pouco a pouco, ele criará o caos.

Você tem de passar pelo caos, porque como você está, você está absolutamente errado. Nesse estado, se alguém o consolar, será seu inimigo. Com essa pessoa você estará perdendo tempo, vida, energia e, no final, o consolo de nada servirá. Quando a morte vem, todos os consolos se evaporarão.

Houve um velho homem cujo filho morreu. Ele me procurou e disse: "Console-me!".

"Não posso fazer isso, é pecado."

"Eu vim para isso" — disse ele.

"Você pode ter vindo para isso, mas eu não posso fazê-lo."

"Mas eu fui a tal *shankaracharya* e ele me consolou. Ele disse: 'Não se preocupe, porque seu filho renasceu em um céu elevado'."

Eu conheci o filho dele também, e isso é impossível, porque ele era um político — todos eles vão para o inferno, nunca vão para o céu. E não apenas ele era um político, mas um político bem-sucedido: ele era um ministro de Estado, com toda a esperteza de um político, com toda a ambição de um político. Como ele pode ir para o céu? E aquele velho homem era também um político. Basicamente, ele não estava perturbado porque seu filho estava morto: a coisa básica era que sua ambição estava morta, porque, através daquele filho, ele estava conseguindo cada vez mais e mais e mais e mais... Ele próprio tinha ficado velho. Ele tinha trabalhado durante toda a sua vida, mas ele era um pouco tolo, não fora muito esperto, um pouco ingênuo. Ele trabalhara muito, sacrificara toda a sua vida, mas nunca atingiu nenhum cargo. E essa era a dor profunda — era uma ferida. E, então, através do filho, ele foi tentando e o filho foi conseguindo. Agora que o filho estava morto, toda a sua ambição também estava morta.

Quando eu lhe disse "essa é a razão de você estar sofrendo tanto; não se trata de seu filho", ele ficou muito perturbado. Ele disse: "Eu vim em busca de consolo e você está me perturbando ainda mais. Pode ser..." — ele disse — "O que você diz soa verdadeiro. Pode ser que a minha ambição seja a causa do meu sofrimento e que não seja por meu filho que eu esteja chorando — pode ser pela ambição. Mas não diga coisas tão duras para mim, estou sofrendo tanto agora! Meu filho está morto e você fica me dizendo coisas tão pesadas! Eu fui a tal *mahatma*, e a tal *shankaracharya*, e a tal guru e todos eles me consolaram. Eles disseram: 'Não se preocupe, a alma é eterna; ninguém morre jamais. E seu filho — ele não era uma alma comum, ele chegou a um céu elevado'".

Essas são palavras de consolo, e se aquele homem velho continuar ouvindo esses consolos, ele estará perdendo uma grande oportunidade. Estará perdendo uma oportunidade na qual ele poderia encarar a sua ambição, que é o seu problema. Ele poderia ter travado batalha com o fato de que toda ambição é inútil, fútil, porque se trabalha e trabalha e trabalha e, então, a morte leva tudo. Ele poderia ter penetrado isso. Mas não, ele parou de vir a mim. Ele vinha a mim, mas, desde esse dia, nunca mais veio. Ele foi a outros que o consolariam.

Você está aqui para ser consolado? Então, você está no lugar errado. É isso que Jesus diz. Ele diz: *Os homens possivelmente pensam que eu vim lançar a paz sobre o mundo, e eles não sabem que eu vim lançar divisões sobre a terra — fogo, espada, guerra.*

Quando quer que um homem como Jesus venha, o mundo imediatamente fica dividido entre os que estão a favor dele e os que estão contra ele. Você não encontra uma única pessoa indiferente a Jesus. Quando quer que um tipo-Jesus esteja presente, o mundo imediatamente fica dividido. Alguns são a favor dele e outros são contra ele, mas ninguém fica indiferente. É impossível ficar indiferente a Jesus. Se você ouve a palavra, se você olha para o Jesus, imediatamente você é dividido: ou você se torna um amante ou se torna um odiento; ou se alinha ou fica contra; ou o segue ou começa a trabalhar contra ele.

Por que isso acontece? Porque um homem como Jesus é um imenso fenômeno e ele não é deste mundo. Ele traz, para este mundo, algo do além. Os que temem o além, imediatamente tornam-se inimigos — é o meio que usam para se proteger. Para aqueles que têm um desejo, uma semente oculta em algum lugar, que estiveram buscando e buscando e buscando e ansiado profundamente pelo além, este homem torna-se carismático, este homem torna-se uma força magnética... — eles se apaixonam. Eles estiveram esperando por este homem durante muitas vidas.

Imediatamente o mundo fica dividido: ou você é a favor de Cristo ou você é contra ele. Não há nenhuma alternativa — você não pode ficar indiferente. Você não pode dizer "pouco me importa"; é impossível, porque uma pessoa que pode permanecer no meio, se tornará ela mesma um Jesus. Uma pessoa que pode ficar no meio, sem amor nem ódio, irá além da própria mente. Você não pode ficar no meio — você cairá, você se tornará um "direitista" ou um "esquerdista", você ficará deste lado ou daquele. Ele cria um grande tormento — não somente nos indivíduos, mas na sociedade também, na terra: tudo vira um conflito, começa uma grande guerra. Desde Jesus, nunca mais houve paz no mundo. Jesus criou uma religião. Ele trouxe algo para o mundo que criou tanta divisão, tanto conflito em todas as mentes, que ele se tornou o foco de toda a História. É por isso que dizemos "antes de Cristo" e "depois de Cristo" — ele tornou-se o ponto de referência.

A História é dividida, o tempo é dividido com Jesus. Ele está na fronteira. Antes de Jesus, é como se o tempo fosse de uma qualidade diferente; depois de Jesus, o tempo se tornou de uma outra qualidade diferente. Com Jesus, começa a história. Sua atitude, sua abordagem em direção à mente humana, é muito diferente daquela de um Buda ou de um Lao Tzu. O objetivo supremo é único, o florescimento supremo será único, mas a abordagem de Jesus é absolutamente diferente. Ele é singular.

O que ele está dizendo? Ele está dizendo que através do conflito o crescimento é alcançado; através da luta o centramento acontece; através da guerra a paz floresce. Mas não o tome literalmente: o que quer que ele esteja dizendo é uma parábola. O cristianismo tomou-o literalmente e perdeu o ponto básico. Então, os cristãos pegaram a espada em suas mãos e mataram milhões desnecessariamente, porque não era isso que Jesus queria dizer. Então, a igreja, a igreja de Jesus, tornou-se uma igreja guerreira, tornou-se uma cruzada. Os cristãos lutaram contra muçulmanos, hindus, budistas... — lutaram por toda parte. Mas eles perderam o ponto básico. Jesus estava falando de outra coisa. Ele não estava falando de espadas deste mundo; ele trouxe uma espada de um mundo diferente. O que é essa espada? É um símbolo. Você tem de ser cortado em dois, porque em você duas coisas se encontram: este mundo — a terra — e o céu; eles se encontram dentro de você. Uma parte sua pertence ao lodo, à sujeira; uma parte sua pertence ao divino. Você é um ponto de encontro, e Jesus trouxe uma espada para separá-lo, de modo que a terra caia na terra e o divino entre no divino.

Você não pode fazer nenhuma distinção quanto ao que pertence à terra. Quando você tem fome, você pensa que **você** tem fome? Jesus diz: "Não, tome minha espada e corte isso!". A fome pertence ao corpo, porque ela é uma necessidade corpórea. A consciência não tem fome; ela toma ciência porque o corpo não tem nenhuma consciência.

Você já deve ter ouvido uma velha história *Panchtantra*... Aconteceu de uma enorme floresta pegar fogo acidentalmente. Dois homens estavam lá, um era cego e o outro era aleijado. O aleijado não podia andar, não podia correr, mas podia ver; e o cego podia andar e correr, mas ele não podia ver. Assim, eles fizeram um pacto: o cego colocou o aleijado em seus ombros e, como o aleijado podia ver e o cego podia andar, eles tornaram-se um único homem. Saíram da floresta — salvaram suas vidas.

Isso não é apenas uma história — é o que aconteceu dentro de você. Uma de suas partes sente fome, mas não pode saber disso, porque ela não tem olhos para ver. Seu corpo sente fome, seu corpo sente desejo sexual, seu corpo sente sede, seu corpo precisa de conforto — todas as necessidades são do corpo — e sua consciência somente vê, seu si-mesmo é somente uma testemunha. Mas ambos fizeram um pacto, porque, sem o corpo, a consciência não pode andar, não pode se mover, não pode fazer nada; e, sem a consciência, o corpo não pode perceber o que é necessário, quer o corpo tenha fome ou sede.

A "espada" de Jesus significa que essa solução conciliatória tem de ser realizada conscientemente e, então, uma distinção tem de ser feita. O que pertence à terra, pertence à terra; cumpra-o, mas não fique obcecado. Se você tem fome, o corpo tem fome, tome ciência disso, satisfaça a fome, mas não fique obcecado. Há muitas pessoas que se tornam obcecadas, que vão comendo e comendo e comendo e, então, um dia, elas ficam tão frustradas com a comilança que começam a jejuar e jejuar e jejuar. Mas as duas coisas são obsessões — comer demais é tão ruim quanto jejuar demais. Um equilíbrio correto é necessário. Mas quem pode dar o equilíbrio? Você tem de se tornar dois, você tem de se tornar totalmente ciente de que: "Isto é da terra, mas eu não sou da terra". Essa é a espada de Jesus. Ele diz: *"...eu vim para lançar divisões sobre a terra: o fogo, a espada, a guerra".*

Por que "fogo"? O fogo é um símbolo cabalístico muito antigo e um velho símbolo hindu muito antigo também. Os hindus sempre falaram sobre o fogo interior — eles chamam esse fogo interior de *tap*, porque ele é quente. E ao ato de acender esse fogo interior de modo que o seu fogo fique queimando internamente, eles dão o nome de *yagna*. E há técnicas para inflamar esse fogo interno. Neste exato momento ele está quase extinto, coberto pelas cinzas. Ele tem de ser atiçado, descoberto, reacendido: mais combustível é necessário, e o combustível tem de ser dado. Quando o fogo interior queima em sua totalidade, de repente, você é transformado — porque não há nenhuma transformação sem fogo. Você põe a água para ferver e em um determinado grau, a uns cem graus, a água se evapora, torna-se vapor — toda a qualidade muda.

Você já observou que, quando a água se transforma em vapor, toda a qualidade muda? Quando ela é água, ela sempre flui para baixo. Essa é a natureza da água, fluir para baixo. Ela não pode fluir para cima, é impossível. Mas, quando a cem graus ela se evapora, toda a sua natureza muda: o vapor flutua para cima, jamais para baixo. Toda a dimensão muda e isso acontece através do calor.

Se você for a um laboratório químico, o que encontrará? Se você retirar o fogo de lá, nada acontecerá ali, porque cada transformação, cada nova mudança, cada mutação é através do fogo. E o que é você exceto fogo? O que você está fazendo quando está vivendo? Quando você respira, o que você respira? Você respira oxigênio e o oxigênio não é nada mais do que combustível para o fogo. Quando você corre, mais fogo é necessário; assim, você respira mais profundamente. Quando você repousa, menos fogo é necessário; assim, você respira menos profundamente, porque menos oxigênio é necessário. O oxigênio é combustível para o fogo. O fogo não pode existir sem oxigênio, porque o oxigênio se inflama. Você é fogo — a cada momento, através do alimento, do ar, da água, o fogo é criado em você. Quando ele é demasiado, você tem de liberá-lo. Quando os animais sentem o ímpeto sexual, dizemos que eles estão "quentes". Isso é significativo, porque se trata de um tipo de calor. Trata-se de um tipo de calor e, quando você está com mais fogo do que pode absorver, ele tem de ser liberado, e o sexo é uma válvula de escape.

Lembre-se: nos países quentes, o povo é mais sensual do que nos países frios. Os primeiros livros de sexologia apareceram nos países quentes: o **Kamasutra** de Vatsyayana e o **Kokashastra** do pândita Koka apareceram primeiro. Os primeiros freudianos estavam no Oriente, três mil anos antes de Freud. No Ocidente, o sexo começou a ter importância há pouco tempo. Num país frio, não há fogo suficiente no corpo para criar muita sexualidade. Somente nos últimos três ou quatro séculos, o sexo se tornou muito importante no Ocidente, porque agora o país pode ser frio, mas existe o aquecimento central. Assim, as pessoas não são tão frias; caso contrário, o fogo do corpo continuamente luta contra o frio. Eis por que no Oriente a população continua aumentando e é muito difícil controlar seu crescimento, mas o Ocidente não tem tanta explosão populacional.

Ouvi contar que, quando os primeiros astronautas russos desceram na Lua, eles ficaram muito felizes. Mas levaram um susto ao ver três chineses andando por lá. Olharam para eles e perguntaram:

— Como vocês conseguiram chegar aqui antes de nós? Vocês não têm meios, não têm nenhuma tecnologia, nenhuma ciência suficientes! Como vocês conseguiram? Vocês fizeram um milagre! Como vocês chegaram aqui? —Os chineses responderam:

— Não foi um milagre, foi uma coisa muito simples: matemática. Nós subimos nos ombros uns dos outros e chegamos aqui!

Os chineses podem conseguir, os indianos podem conseguir, não há nenhum problema. Uma vez que decidam, eles podem chegar a qualquer lugar!

O sexo é um fenômeno de calor, um fenômeno de fogo. Quando quer que o fogo esteja ardendo, você se sente mais sexual; e quando quer que o fogo não esteja ardendo tanto, você se sentirá menos sexual. Toda coisa que acontece em você, quer seja uma transformação sexual em seu corpo ou uma transformação espiritual, depende do fogo.

Os hindus, os cabalistas, os judeus e os sufis... Jesus foi treinado em uma comunidade essênica — numa secretíssima sociedade esotérica que conhecia muitos métodos para se criar o fogo interior. Assim, fogo não é apenas o fogo que você conhece. Se esse fogo puder ser elevado a um determinado nível... mas só é possível trazê-lo a um determinado grau se ele não for liberado, e é por isso que todas as religiões que usam esse fogo são contra o sexo. Se ele for liberado através do sexo, então, ele não pode ser levado a um determinado grau, porque então você tem um escape. Assim, todos os escapes têm de ser completamente fechados de modo que não haja nenhum escapamento do fogo e ele alcance o ponto de cem graus... — um certo grau no qual, de repente, a transformação acontece. A alma e o corpo são separados — a espada funcionou! Então, você sabe o que é terra em você e o que é céu; então, você sabe o que veio de seu pai e de sua mãe, e o que veio do invisível.

"(...) o fogo, a espada, a guerra..." Um profundo conflito interior é necessário. Você não deve ficar letárgico, não deve relaxar, a menos que o relaxamento aconteça — e isso é totalmente diferente. Você precisa lutar e criar conflito e fricção. Fricção é a palavra certa para a guerra interior. Gurdjieff trabalhou através da fricção: ele criava fricção no corpo. Você pode não saber agora, mas lembre-se disto: um dia você ficará ciente de que seu corpo tem muitas camadas de

energia. Quando você não está em fricção, então, você usa somente a camada superficial. Se mais conflito surgir, a camada superficial esgota-se e, então, a segunda camada começa a funcionar.

Tente fazer isso dessa maneira: você sempre vai dormir às dez da noite. Às dez, de repente, você sentirá a sonolência chegando a você — não vá dormir. Os sufis usaram esse método muito frequentemente, e Jesus também o usou — a vigília. Ele ficava a noite toda sem dormir: no deserto, durante quarenta dias e quarenta noites, ele não dormiu. Ele permaneceu sozinho nas montanhas sem dormir. O que acontece? Se você não dormir às dez, por alguns minutos você se sentirá muito, muito letárgico, cada vez mais e mais sonolento e sonolento e sonolento. Mas, se você resistir e lutar, uma fricção será criada, você se tornará dois: o que quer dormir e o que não quer dormir. Agora há duas partes lutando. Se fincar o pé e não se render, de repente, você notará que todo o sono desapareceu e que você está tão bem como nunca esteve pela manhã. De repente, toda a sonolência se foi, você está bem disposto e, mesmo que resolva ir dormir, será difícil agora. O que aconteceu? Havia somente duas possibilidades e, através da fricção entre elas, a energia foi criada.

Energia é sempre criada através de fricção. Toda a ciência depende de se criar fricção; então, a energia é criada. Todos os dínamos são simplesmente técnicas de fricção para se criar uma luta, uma guerra entre duas coisas. Você cria uma guerra: seu corpo quer ir dormir e você não quer ir dormir. A fricção está presente, e muita energia é criada.

Se você se render, isso será muito ruim, porque, se você se rende, o corpo vence e a consciência perde a luta. Assim, se você tentar, tente somente com uma mente determinada a não se render — caso contrário, será melhor não tentar. Os métodos de fricção são perigosos: se tentar fazê-los, você tem de vencer. Se você não vencer você está perdido, porque então você perde sua confiança. Sua consciência ficará mais fraca e o corpo ficará mais forte. E se você perder muitas vezes, então haverá cada vez menos e menos possibilidade de vencer.

Uma vez que você use qualquer método de fricção, então faça questão de vencer. E uma vez que vença, você alcança uma camada diferente de energia. Agora então, você vê que, se você vence, a energia que estava na outra parte é absorvida por você; assim, você se torna mais forte. E, então, cada luta o tornará mais forte, sempre mais forte, até chegar um momento em que toda a energia do corpo seja absorvida pelo si-mesmo.

Gurdjieff usou a fricção ao máximo e de maneiras inacreditavelmente perigosas. Quando já estava bem idoso, a poucos anos de sua morte, ele provocou um sério acidente de automóvel. Ele fez aquilo — realmente não foi um acidente. Na vida de pessoas como Gurdjieff não há acidentes — elas são tão conscientes, que os acidentes não são possíveis. Mas a pessoa pode permitir que aconteça um acidente ou pode até mesmo provocar um — ele realmente criou um.

Ele era um motorista veloz e em toda a sua vida nunca houve um único acidente. Ele também era um motorista audacioso; todos os que andaram de carro com ele ficavam no limite: a qualquer momento... Ele era absolutamente louco, não acreditava em nenhuma regra de trânsito ou seja lá o que fosse. Ele ia daqui para lá, e tão depressa quanto possível, e qualquer coisa podia acontecer a qualquer momento — mas nunca aconteceu.

Certa manhã, ao sair de seu *ashram*, em Fontainebleau, em direção a Paris, alguém lhe perguntou: "Quando você estará de volta?". Ele disse: "Se tudo acontecer como penso que vai acontecer, ao entardecer; caso contrário, difícil dizer".

E ao anoitecer, quando regressava, houve um acidente. O acidente foi tão grave e perigoso que os médicos disseram que ninguém poderia ter sobrevivido — impossível! O carro inteiro partira-se em pedaços. Mas Gurdjieff foi encontrado. Ele tinha sessenta fraturas por todo o corpo — estava quase morto. Mas ele foi encontrado, perfeitamente consciente, deitado sob uma árvore bem longe do carro. Ele havia andado até a sombra e estava deitado lá, perfeitamente consciente. Ele não ficou inconsciente. Ele foi levado ao hospital perfeitamente consciente. Ele disse que nenhuma anestesia deveria ser dada a ele — ele queria permanecer perfeitamente consciente.

Essa foi a maior fricção que ele criou com seu corpo. O corpo estava bem à beira da morte; ele criou toda aquela situação e quis permanecer absolutamente alerta. Ele permaneceu alerta e, nesse momento, ele alcançou o maior *centramento* que pode acontecer a um homem: ele se tornou centrado, em sua consciência — a camada terrena foi completamente separada. Ele se tornou um veículo: ele podia usá-lo, mas ele não estava identificado com o veículo.

Esse é o significado dado por Jesus quando ele diz: Eu trouxe o fogo, a espada, a guerra — embora *os homens possivelmente pensem que eu vim lançar a paz sobre o mundo...*

> *Pois se houver cinco em uma casa,*
>
> *três estarão contra dois*
>
> *e dois contra três;*
>
> *o pai contra o filho*
>
> *e o filho contra o pai,*
>
> *e eles permanecerão solitários.*

"Pois se houver cinco em uma casa..." Isso é uma parábola: no seu corpo, há "cinco na casa" — os cinco sentidos, os cinco *indriyas*. Realmente, bem lá no fundo você possui cinco corpos, porque cada sentido tem seu próprio centro; e cada sentido o vai manipulando na direção própria dele. O olho diz: "Veja!" — para a beleza; a mão diz: "Toque, é tão agradável!". O olho absolutamente não está interessado em tocar; a mão absolutamente não está interessada em olhar para uma linda pessoa, um lindo corpo ou uma bela árvore.

Todos os cinco sentidos existem como cinco centros separados e a sua mente é simplesmente uma coordenadora; ela vai coordenando entre esses cinco. Quando você me olha e me ouve, você ouve a partir dos ouvidos e vê a partir dos olhos. Os olhos nunca ouvem, os ouvidos nunca olham. Então, como você pode concluir que ouve a mesma pessoa que você vê? Como você pode concluir? A mente vai coordenando. Ela é um computador: seja o que for que os olhos mandam para dentro, seja o que for que os ouvidos mandam para dentro, ela combina e lhe dá a conclusão.

O método de fricção que Gurdjieff usou, que Jesus usou... E os que conhecem os segredos mais íntimos da vida de Jesus dizem que ele não foi crucificado, mas que fez com que o crucificassem, exatamente como Gurdjieff. Ele deu um jeito de ser crucificado — foi um drama que ele montou.

Os que o estavam crucificando pensavam que o estavam matando, mas um homem como Jesus não pode ser forçado a morrer. Ele poderia ter escapado muito facilmente, pois era sabido por todos que ele ia ser preso. Ele poderia ter saído da capital ou saído do país, não havia nenhum problema, mas ele foi para a capital. Dizem que ele desempenhou todo aquele papel, e que Judas não era seu inimigo mas sim o amigo que ajudou, que ajudou Jesus a ser preso. A coisa toda foi desenhada e controlada por ele.

O que aconteceu na cruz foi a última guerra interior, a última e a maior fricção. Quando ele estava morrendo, mas não perdendo a confiança no divino; quando a terra estava caindo de volta à terra; quando a divisão era absoluta, total, ele absolutamente não estava identificado. Ele permitiu aquilo.

Gurdjieff dizia que essa crucificação de Jesus foi um drama e que, realmente, o autor do drama não foi nem Pôncio Pilatos nem os sacerdotes dos judeus, mas o próprio Jesus. Ele administrou, e administrou tão belamente que, até hoje não foi descoberto — não exatamente — o que aconteceu e como.

Você não é capaz de se imaginar planejando sua própria crucificação, mas é isto o que é religião: administrar a própria crucificação. Ir para a cruz significa ir ao clímax da fricção — onde está a morte.

Jesus disse: Pois se houver cinco em uma casa três estarão contra dois e dois contra três...

A fricção tem de ser criada. Os sentidos têm de lutar e a luta tem de ser feita conscientemente. Os sentidos lutam continuamente, mas a luta não é consciente — você está profundamente adormecido e a luta vai continuando. O olho está continuamente lutando contra o ouvido, o ouvido está continuamente lutando contra o olho... — porque eles são competidores.

Você já observou que um cego tem mais capacidade auditiva do que um homem que tem olhos? É por isso que cegos tornam-se belos músicos, cantores. Por que isso acontece? Eles têm mais capacidade para o som, o ritmo, mais sensibilidade em seus ouvidos. Por quê? Porque os olhos não mais são competidores. A energia que estava sendo usada pelos olhos ficou disponível para os ouvidos — eles são os competidores.

Seus olhos estão usando oitenta por cento da sua energia, deixando apenas vinte por cento para os outros quatro sentidos. Eles estão famintos, ficam lutando continuamente. Os olhos tornaram-se o máximo, a força ditatorial. Você vive através dos olhos e alguns sentidos morreram completamente. Algumas pessoas não possuem nenhum olfato, esse sentido morreu completamente — elas não se incomodam, nem mesmo têm consciência de que não possuem olfato. Os olhos tiraram partido do nariz completamente, porque um está tão perto do outro que pode ser explorado. As crianças têm o sentido do olfato, mas pouco a pouco ele é perdido porque os olhos vão usando cada vez mais e mais energia. O olho tornou-se o centro do seu ser — o que não é bom.

Os métodos de fricção usam os sentidos uns contra os outros. Em muitos métodos, o buscador permanece com os olhos fechados durante muitos meses. A energia começa a movimentar-se, pode-se senti-la. Se ficar com os olhos completamente fechados durante três meses, você será capaz de sentir a energia movendo-se continuamente em direção aos ouvidos, em direção ao nariz... Seu sentido do olfato pode voltar, você pode começar a cheirar. Tem havido métodos e escolas onde os buscadores separam completamente um sentido contra o outro — cria-se uma luta. Se você fechar os ouvidos durante três meses e simplesmente ver, não ouvir, então você verá que há um constante movimento de energia.

Se puder ver a luta dos seus sentidos, você ficará distante, porque você será uma testemunha. Você não mais é os olhos, não mais os ouvidos, não mais as mãos, não mais o corpo — você será uma testemunha. A luta continua dentro do corpo e você é um expectador. Esse é o significado, o significado mais profundo da parábola, mas é também verdadeiro em um outro sentido.

> Pois se houver cinco em uma casa, três estarão contra dois e dois contra três; o pai contra o filho e o filho contra o pai, e eles permanecerão solitários.

Em um outro sentido também, isso é verdadeiro, pois, em uma família de cinco, três estarão contra dois e dois contra três. Quando quer que aconteça uma pessoa religiosa em uma família, a fricção começa, porque, para uma família, a pessoa religiosa é a pessoa mais perigosa. A família pode tolerar qualquer coisa, exceto a religião, porque uma vez que você se torne religioso, você não ficará identificado com o corpo.

A família está relacionada ao corpo: seu pai é seu pai devido ao seu corpo. Se você pensa que você é seu corpo, então, você está relacionado com seu pai. Mas se você fica sabendo que você não é o corpo, quem é pai? Como você está relacionado com ele? Sua mãe deu nascimento ao seu corpo, não a você. Você está muito identificado com o corpo, pois você pensa que sua mãe deu nascimento a você.

Mas quando você não está mais identificado — a identificação é quebrada —, então, quem é sua mãe? Ela não deu nascimento a você, mas somente a este seu corpo que vai morrer. Assim, a mãe não lhe deu a vida, em vez disso, ao contrário, a mãe deu a você mais uma morte. O pai não deu vida a você, ele deu a você mais uma possibilidade de morrer. Uma vez que você não esteja identificado com o corpo, você se separa da família, torna-se desarraigado.

Assim, a família é capaz de tolerar o fato de você ir a uma prostituta. Isso está bem, não há nada de errado — em vez disso, ao contrário, você está se identificando ainda mais com o corpo. Se você se torna um alcoólatra, se você é um bêbado, fica tudo bem, porque você está ficando cada vez mais e mais identificado com o corpo. Não há nada de errado nisso. Mas se você se torna um meditador, se você se torna um *saniássin*, então, isso não é bom. Então, fica difícil, porque você está sendo desarraigado. Então a família não mais tem poder sobre você; então, você não mais faz parte da família, porque você não mais faz parte deste mundo.

Assim, Jesus diz: "O pai estará contra o filho e o filho estará contra o pai"; e: "Eu vim para romper, para dividir, para criar conflito e fricção".

Isso é verdade. Você pode venerar um buda, mas pergunte ao pai do buda — ele está contra ele. Pergunte aos parentes do buda — eles estão contra ele, porque esse homem saiu fora do controle deles. Não somente isso: ele está também ajudando outros a irem além do controle da sociedade, da família.

A família é a unidade básica da sociedade. Quando você vai além da sociedade, você tem de ir além da família, mas isso não quer dizer que você deva odiá-la — esse não é o ponto —; nem que você deva ir contra ela — esse não é o ponto tampouco. Isso vai acontecer de qualquer jeito. Uma vez que você comece a encontrar a si mesmo, tudo o que havia antes vai ficar corrompido, vai haver um caos. Então, o que você deve fazer? Eles vão puxá-lo de volta, eles tentarão trazê-lo de volta, eles farão todos os esforços para conseguir isso. O que fazer então?

Há dois caminhos: um é o velho modo de fugir deles, não lhes dando nenhuma oportunidade — mas eu penso que esse não mais é aplicável. O outro é ficar com eles, mas como um ator: não lhes dê a oportunidade de saber que você está indo para além deles. Ande! Deixe que essa seja a sua jornada interior, mas, exteriormente, preencha todas as formalidades: toque os pés de seu pai e de sua mãe e seja um bom ator.

O velho caminho não pode ser usado por muitos. Eis por que a terra não pode se tornar religiosa, porque... — quantas pessoas poderiam sair da sociedade? E mesmo que saíssem da sociedade, a sociedade teria de cuidar delas. Quando Buda estava aqui, ou Mahavira, ou Jesus, então, milhares deixaram suas famílias. Mas ainda assim somente milhares — milhões ficaram para trás e tiveram de cuidar deles. A terra toda não pode se tornar religiosa se esse for o único caminho. E este tampouco é bom. Isso pode ser feito de um modo mais belo, e esse modo mais belo é se tornando um ator.

Um *saniássin* deve ser um bom ator. Por ser um bom ator eu quero dizer que você não está relacionado absolutamente, mas você continua a preencher as formalidades. Lá no fundo você está desarraigado, mas você não dá nem mesmo um sinal de que você está desarraigado. E qual é a utilidade de se dar um sinal? — porque, então, eles começarão a tentar mudá-lo. Não lhes dê nenhuma chance. Deixe que isso seja uma jornada interior e, exteriormente, seja completamente formal. Eles ficarão felizes então, porque eles vivem em formalidades. Eles vivem do lado de fora, não precisam de sua devoção interna. Eles não precisam do seu amor interior — basta a amostragem.

Estes são os dois caminhos: um é o de Buda e Jesus; o outro é o de Janak e o meu. Fique onde quer que você esteja. Não crie nenhuma aparência externa mostrando que você está mudando e se tornando um religioso, porque isso pode criar problemas e você, exatamente agora, pode não estar bastante forte. Crie o conflito do lado de dentro, mas não o crie do lado de fora. O conflito interno é mais do que suficiente — ele lhe dará o crescimento, a maturidade necessária.

"... o pai contra o filho e o filho contra o pai, e eles permanecerão solitários." Essa palavra 'solitário' deve ser profundamente compreendida. Quando você se torna religioso, você se torna solitário; então, não há nenhuma sociedade para você, você fica sozinho. E aceitar que você é sozinho é a maior transformação que lhe pode acontecer, porque a mente tem medo de ficar sozinha — a mente quer alguém em quem se dependurar, para se agarrar. Sozinho, você sente um tremor, um medo se agarra em você. "Sozinho...!?" E, imediatamente, você corre em direção à sociedade — para o clube, para a reunião, para a seita, a igreja... algum lugar onde haja gente, onde você possa sentir que não está sozinho, onde você possa se perder no meio da multidão. Eis por que a multidão se tornou tão importante. Vá às corridas, vá ao cinema... — mas, é necessária uma multidão na qual você não mais se sinta solitário, onde você possa relaxar.

Mas um homem religioso é um solitário, porque ele está tentando alcançar o pico mais alto. Ele não está para se perder nas outras pessoas. Ele tem de se lembrar, tornar-se mais diligente, tornar-se mais consciente e alerta — e ele tem de aceitar a verdade. Esta é a verdade: todo mundo é sozinho e não há nenhuma possibilidade de qualquer conjuminação. Sua consciência é um pico solitário. Mas essa é a beleza dela e você tem medo dela sem necessidade. Imagine o Everest no meio de uma multidão de Everests — então, toda a sua beleza fica perdida. O Everest é belo e desafiador porque é sozinho, um pico solitário. Um homem religioso é como o Everest: ele se torna um pico solitário — sozinho; e ele vive disso e desfruta-o. Isso não significa que ele não se movimentará na sociedade, isso não significa que ele não amará. Ao contrário, somente ele pode amar. Ao contrário, somente ele pode movimentar-se na sociedade, porque somente ele é. Você não é; assim, como você pode amar? Ele pode amar, mas seu amor não vai ser como uma droga, ele não vai se perder. Ele pode compartilhar, ele pode dar-se completamente e, ainda assim, permanecer ele-mesmo. Ele pode dar-se a você e, ainda assim, não ficar perdido, porque sua diligência permanece o pico mais interno. Lá, naquele santuário, ele permanece sozinho. Ninguém entra ali, ninguém pode entrar ali.

No mais profundo âmago do seu ser, você é sozinho.

A pureza da solitude e a beleza da solitude...

Mas, ao contrário, você sente medo. Como você viveu em sociedade — você nasceu em sociedade, você foi educado pela sociedade —, você se esqueceu completamente de que você também pode ser sozinho. Assim, mover-se por alguns dias dentro da solidão, simplesmente para sentir a sua solitude, é belo. Depois vá à rua, mas leve a sua solitude com você. Não se perca por lá. Permaneça consciente e alerta: ande no meio da sociedade, vá para o meio da multidão, mas permaneça sozinho. Você pode ser sozinho no meio da multidão, se quiser: você pode estar no meio da multidão mesmo enquanto está sozinho, se quiser. Você pode ir ao Himalaia e ficar lá sentado e pensando na cidade — você estará no meio da multidão.

Isto aconteceu quando Junnaid veio ao seu Mestre: ele estava sozinho e o mestre estava sentado em um templo. Quando Junnaid entrou, o Mestre estava sozinho e disse: "Junnaid, venha sozinho! Não traga a multidão com você!". Assim é claro, Junnaid, olhou para trás, porque ele pensou que havia mais alguém entrando com ele. Mas não havia ninguém. O mestre riu e disse: "Não olhe para trás, olhe para dentro".

Então Junnaid fechou os olhos e viu que o mestre estava certo. Ele havia deixado a esposa, mas sua mente estava presa a ela; ele havia deixado os filhos, mas a imagem deles ainda estava presente; e os amigos que tinham ido despedir-se dele ainda estavam em sua mente.

O Mestre disse: "Saia e volte sozinho, porque como eu posso conversar com toda esta multidão?".

Assim, Junnaid teve de esperar fora do templo durante um ano, para se livrar "desta multidão". E depois de um ano, o Mestre o chamou: "Agora, Junnaid, você está pronto, entre. Agora você está sozinho e é possível um diálogo".

Você pode carregar a multidão; você pode também estar no meio da multidão e, ainda assim, sozinho. Tente isto: na próxima em vez que estiver andando na rua no meio da multidão, sinta-se sozinho — e você é sozinho não há problema, você pode senti-lo. E uma vez que você possa sentir que você é sozinho, você se tornou um solitário. Jesus diz que veio para torná-los solitários, para vocês ficarem sozinhos.

Eu lhes darei o que o olho não viu,

e o que o ouvido não ouviu,

e o que a mão não tocou,

e o que não surgiu no coração do homem.

Seus olhos podem ver o que está fora, eles não podem ver dentro, não há meio. Seus ouvidos podem ouvir o que está fora, eles não podem ouvir dentro, não há meio. Eles são saídas, todos os sentidos são saídas. Não há um único sentido que seja entrada. Assim, quando todos os sentidos param de funcionar, subitamente, você está dentro — não há nenhum sentido que vá para dentro.

Jesus diz: *Eu lhes darei o que o olho não viu* — mas, antes, torne-se um solitário. E isso é o que quero dizer por um *saniássin*: um solitário. Primeiro, torne-se um *saniássin*, primeiro perceba que você é sozinho, e fique à vontade com essa solitude. Não tenha medo. Em vez disso, desfrute-a; em vez disso, veja a beleza dela, o silêncio, a pureza e a inocência. Nenhuma sujeira jamais entrou ali, porque ninguém entrou nesse santuário. Ele permaneceu eternamente puro, ele é virgem; ninguém esteve ali.

Sua virgindade está oculta dentro de você. Torne-se um *saniássin*, um solitário e, então, Jesus diz: *Eu lhes darei o que o olho não viu...*

Quando você se torna um solitário, totalmente sozinho, subitamente, você percebe o que nenhum olho pode ver, nenhum ouvido pode ouvir e o que a mão não tocou. Como você pode tocar o seu si-mesmo? Você pode tocar o corpo, mas não o si-mesmo. A mão não pode entrar lá, ela não pode tocar a sua consciência — não há meio.

E a última frase é a mais bela já proferida por qualquer pessoa nesta terra: *e o que não surgiu no coração do homem* — ...porque, a alma está além até mesmo do coração. É claro, o seu coração está muito fundo lá dentro, mas, ainda assim, no que tange à alma, ele também está fora, não está dentro. As mãos estão de fora, os olhos estão de fora, o coração também está de fora, na periferia. O âmago mais interno do ser não é nem mesmo o coração. A fome surge no seu corpo, o amor surge no seu coração — não a prece. A prece é ainda mais profunda, mais profunda que o coração. A fome é uma necessidade corpórea; o amor é uma necessidade do coração. Deus é uma necessidade do além, nem mesmo do coração. A pessoa tem de transcender a mente, a pessoa tem de transcender o coração também. A pessoa tem de transcender todas as periferias, de modo que somente o centro permaneça.

E o que não surgiu no coração do homem? Deus não surgiu no coração do homem. Na mente, surge a ciência, surge a filosofia; no coração, surge a arte, a poesia... — mas não a religião. A religião surge em uma camada mais profunda, no mais profundo além onde não há nenhuma meta: no seu próprio centro, que não é nem mesmo o coração.

Eu lhes darei (...) o que não surgiu no coração do homem. Aquilo que está além e além e além... Você não pode pegá-lo, você não pode vê-lo, você não pode ouvi-lo, você não pode nem mesmo senti-lo. Aqui, Jesus transcende até os místicos que são do coração.

Há três tipos de místicos: primeiro, os místicos da cabeça — eles falam em termos de teologia, de filosofia, eles têm provas para a existência de Deus. Não há absolutamente nenhuma prova, ou: tudo é uma prova. Mas não há nenhuma necessidade para uma prova e você não pode provar a existência de Deus de modo algum, porque todas as provas podem ser questionadas e todas as provas podem se mostrar erradas. Depois, há os místicos do coração: eles falam do amor, do amado, do divino, de Krishna; eles falam através de canções, de poesia — são românticos. Sua busca é mais profunda do que a da cabeça, mas, ainda assim, não profunda o bastante.

Jesus diz: "Eu lhes darei algo que não surgiu nem mesmo no coração..." — onde nenhuma teologia alcança e nenhuma poesia tem qualquer vislumbre; nem lógica nem amor: onde ambos cessam.

"Eu lhes darei o que não surgiu no coração do homem." Esta é a mais profunda, é a mais recôndita possibilidade — e Jesus a abre. Mas no cristianismo isso é perdido. O cristianismo começou a inventar teorias em torno disso, ele se tornou um negócio da cabeça

— não somente um negócio do coração, tornou-se um negócio da cabeça. Os cristãos produziram grandes teólogos. Veja a *Suma Teológica* de Tomás de Aquino: centenas de volumes de teologia. Mas eles perderam, porque Jesus não está na cabeça. E por causa desses teólogos orientados pela cabeça, os místicos que eram do coração, que eram um pouco mais profundos, foram banidos da Igreja. Eckhart e Francisco foram banidos. Foram considerados tolos, ou que tinham ficado loucos, ou que viraram hereges — porque eles falaram do coração, falaram do amor.

Mas Jesus foi perdido por ambos. Ele absolutamente não é orientado pela cabeça nem orientado pelo coração. Ele diz: simplesmente jogue fora todas as orientações; jogue fora tudo o que está fora e venha para o âmago mais profundo, onde somente a existência está. Você pode chegar a isso e, se você vier a isso, então, cada mistério é revelado e todas as portas são abertas. Mas, mesmo à porta, você pode perder. Se você permanecer orientado pela cabeça, você permanecerá diante da porta teorizando, ou pode também ficar diante dela poetando — falando em poesia e cantando.

Ouvi contar que o Mulla Nasruddin certa vez foi ao psiquiatra e disse:

> — *Eu estou muito confuso, faça alguma coisa agora. Isso está impossível! Todas as noites eu tenho tido um sonho que se repete: eu estou diante de uma porta e fico tentando empurrá-la e empurrá-la e empurrá-la... Há um sinal na porta, e eu empurro e empurro sem parar. Todas as noites eu acordo transpirando; e a porta nunca se abre.* — O psiquiatra começou a anotar tudo o que ele dizia. Depois de ouvir durante meia hora, perguntou:

> — *Agora me diga, Nasruddin, o que está escrito nessa porta, que sinal é esse?* — *Nasruddin respondeu:*

> — *Está escrito: "Puxe!".*

Se na porta está escrito "puxe", então, não continue empurrando... Caso contrário, você terá um sonho repetitivo, você empurrará eternamente! Não há absolutamente nenhum problema: simplesmente veja o que está escrito na porta. E Jesus diz que nem "cabeça" nem "coração" está escrito na porta — trata-se de algo que está além de ambos.

Assim, faça uma coisa: vá além. Nem caia vítima da lógica, do intelecto, nem se torne vítima das emoções, da sentimentalidade. A cabeça está no corpo e o coração também está no corpo. Vá além dos dois. O que está além? Lá, está a simples existência, você simplesmente é.

Ser é sem quaisquer atributos. Esse simples "estado-de-ser" (*beingness*) é *dhyan*, esse simples "estado-de-ser" é meditação — e isso está escrito na porta.

Subitamente, a porta se abre quando você é um simples ser — não emoções, não pensamentos; nenhuma nuvem ao seu redor, desanuviado; nenhuma fumaça ao redor da chama, simplesmente a chama. Você já entrou! *...e o que não surgiu no coração do homem, eu lhe darei.*

Chega por hoje.

TERCEIRO DISCURSO

Jesus disse:
Tomei minha posição no meio do mundo
e na carne apareci para eles.

Encontrei-os todos embriagados,
nenhum deles encontrei sedento.

E minha alma ficou aflita pelos filhos dos homens,
porque eles são cegos em seus corações
e não veem que vazios vieram para o mundo,
e que vazios caminham para sair do mundo novamente.

Mas agora eles estão embriagados.
Quando tiverem se livrado de seu vinho
Então, se arrependerão.

Jesus disse:
Se a carne veio para a existência

por causa do espírito,

é assombroso;

mas, se o espírito veio para a existência

por causa do corpo,

trata-se do assombro dos assombros.

Mas eu me assombro em como essa grande riqueza

fez seu lar nesta pobreza.

Jesus, ou Buda, ou qualquer outra pessoa acordada, achará todos vocês embriagados. A embriaguez é de muitos tipos, mas a embriaguez existe. Você não está alerta, não está acordado: você simplesmente pensa que está acordado e alerta. Seu sono continua do nascimento até a morte.

Gurdjieff contava uma pequena história. Havia um homem que possuía milhares de ovelhas, e que estava sempre com problemas, porque as ovelhas se extraviavam e ficavam vítimas de animais selvagens. Assim, ele perguntou a um sábio, e o sábio sugeriu: "Tenha cães de guarda." Então, ele passou a ter centenas de cães para tomar conta das ovelhas. Eles não permitiam que as ovelhas saíssem e, se alguma ovelha tentava sair, eles a matavam.

Pouco a pouco, eles ficaram tão viciados em matar, que começaram a assassinar as ovelhas — tornaram-se perigosos. Assim, o homem foi ao sábio novamente e disse: "Ficou perigoso, os protetores tornaram-se assassinos". Isso sempre acontece — basta ver os políticos: eles são os protetores, os cães de guarda, mas, uma vez que se tornem poderosos, começam a matar.

O sábio disse: "Então, só há um modo; irei até lá". Ele foi, e hipnotizou todas as ovelhas e lhes disse: "Vocês estão acordadas, alertas, completamente livres. Vocês não são propriedades de ninguém!". Então, aquelas ovelhas permaneceram nesse estado hipnótico e não iam mais a lugar nenhum. Elas não fugiam, pois aquilo não era uma prisão; e todas acreditavam ser a dona, a mestra de si mesma. Mesmo quando alguma delas era morta pelo dono, elas pensavam: "Este é o destino dela, não o meu. Ninguém pode me matar. Eu tenho um ser imortal e sou totalmente livre; assim, não há necessidade de fugir". Então, não havia mais nenhuma necessidade de cães de guarda, e o dono podia ficar descansado, porque as ovelhas estavam hipnotizadas, elas viviam semiadormecidas. E esse é o estado em que vocês se encontram — no qual Jesus os encontrou, no qual eu os encontro. Mas ninguém os hipnotizou — trata-se de uma auto-hipnose. Vocês são os dois, tanto o sábio que hipnotizou a ovelha como a ovelha que foi hipnotizada — vocês se auto-hipnotizaram.

Há um certo método de auto-hipnose: se você pensar continuamente um determinado pensamento, você será hipnotizado por ele; se você olhar para uma coisa continuamente, você será hipnotizado por ela; se você insistir em algo continuamente, você será hipnotizado por aquilo.

> *Certa vez um poeta francês foi aos Estados Unidos. Ele estava numa excursão em Nova Iorque e o guia o levou até o arranha-céu Empire States. O poeta olhou pasmado. Ele olhou e tornou a olhar para o prédio e disse: "Isso me faz lembrar de sexo".*
>
> *O guia ficou espantado. Já tinha ouvido muitos tipos de reações, mas aquela era uma coisa nova. Ninguém jamais tinha comentado, olhando para o Empire States, que ele lembrava sexo. Assim, ele perguntou: "Se você não se ofende, por favor, diga-me por que ele o faz lembrar de sexo?"*
>
> *O francês respondeu: "Tudo me lembra sexo!"*

Se você continuamente pensa em sexo, você fica hipnotizado — então, tudo será sexual para você. Mesmo que vá a um templo, o templo o fará lembrar-se de sexo. A questão não é aonde você vai, porque você carrega a sua mente com você e a sua mente vai criando um mundo ao seu redor. Uma pessoa está hipnotizada pelo sexo, outra está hipnotizada pela riqueza, outra está hipnotizada pelo poder — mas todo mundo está hipnotizado. E ninguém fez isso com você — foi você mesmo quem o fez: isso é trabalho seu. Mas você o tem feito há tanto tempo, que se esqueceu completamente de que você é o mágico e a ovelha.

Uma vez que um homem perceba que "eu sou o sábio e a ovelha", então, as coisas começam a mudar, porque entrou a primeira centelha de transformação. Agora então, você nunca mais pode ser o mesmo novamente, porque a hipnose começou a desmantelar-se.

Aconteceu uma ruptura — alguma coisa de consciência entrou em você.

Você pode ter diferentes objetos de hipnose; descubra qual é o objeto da sua hipnose — aquele que o atrai mais, aquele que se tornou o ponto focal do seu ser — e, então, olhe para ele, para como você fica hipnotizado por ele. A repetição é o método da hipnose: olhar para qualquer coisa continuamente, ou pensar sobre aquilo continuamente... Se você for a um hipnotizador, ele dirá: "Você está adormecendo, adormecendo, adormecendo, adormecendo..." Ele vai repetindo a mesma coisa em uma voz monótona e, logo, logo, você estará dormindo profundamente. Ele não estava fazendo nada além de simplesmente repetir a mesma coisa. Ouvindo aquilo repetidamente, você adormecerá — você terá hipnotizado a si mesmo.

Lembre-se disso, porque você está fazendo isso continuamente e isso está sendo feito pela sociedade continuamente. Todo o mecanismo da propaganda consiste na repetição. Os políticos continuam repetindo certas coisas. Eles vão repetindo e não se incomodam se você ouve ou não. Ouvir não é o que importa, porque, se eles simplesmente continuarem a repetir, pouco a pouco você ficará convencido, persuadido, não logicamente, não racionalmente — eles nunca discutem com você — mas simplesmente pela repetição você ficará hipnotizado.

Hitler permaneceu repetindo que os judeus eram a razão da miséria e do declínio da Alemanha: "Uma vez que os judeus sejam destruídos, não haverá mais problema. Vocês são os donos do mundo todo, são uma raça especial; vocês vieram aqui para dominar — são a raça-mestre".

No começo, nem mesmo seus amigos acreditavam nisso. Nem ele mesmo acreditava, porque era uma mentira muito evidente! Mas, à medida que ele continuou, pouco a pouco, as pessoas começaram a acreditar naquilo — elas ficaram hipnotizadas. E, quando outras pessoas ficaram hipnotizadas, ele também ficou hipnotizado pelo pensamento de que devia haver alguma verdade naquilo. "Quando milhões de pessoas acreditam na coisa, deve haver alguma verdade nela." Assim, seus amigos começaram a acreditar. Então, aquilo se tornou uma hipnose mútua e, toda a Alemanha entrou na coisa.

Uma das raças mais inteligentes comportou-se de um modo muito tolo! Por quê? O que aconteceu à mente alemã? Pura repetição, propaganda.

Hitler escreveu em sua autobiografia, *"Mein Kampt"*, que há um processo simples de se transformar uma mentira em verdade — simplesmente vá repetindo-a continuamente —; e ele sabia disso a partir da sua própria experiência. Se você fica repetindo uma determinada coisa... — você fuma, e vai fumando todo dia — isso se torna uma hipnose. Então, mesmo sabendo que é algo inútil, fútil, tolo, perigoso à saúde, nada pode ser feito, porque agora é uma auto-hipnose.

A mulher de Mulla Nasruddin estava lendo para ele, um artigo contra o fumo. Os especialistas haviam chegado à conclusão de que o câncer e a tuberculose e outras doenças podem ser provocadas pelo ato de fumar. Ele escutou e disse:

— *Pare com essa insensatez! É tudo besteira, e eu lhe digo: pretendo continuar fumando até morrer! — A mulher, desanimada, perguntou:*

— *Está bem, faça como quiser. Mas o que o faz pensar que quando morrer, você irá parar?*

Realmente, se você está sob hipnose, ela jamais para. A morte não faz muita diferença: na próxima vida, começa de novo do mesmo modo, porque a próxima vida começa de onde a última foi interrompida; ela é uma continuidade. Assim, quando nasce uma criança, ela não é realmente uma criança, ela é muito, muito velha, muito antiga. Ela traz consigo todos os seus carmas, todos os *samskaras* e condicionamentos. Ela começa como um homem velho — ela já tem suas hipnoses. É isso o que os Hindus chamam de *samskaras*, carmas.

O que são os carmas? Qual é o significado profundo da teoria do carma? Carma é um método de auto-hipnose. Se você repete uma ação continuamente, você fica hipnotizado por ela; então, o carma, a ação, torna-se o mestre e você é simplesmente um escravo. O que você conseguiu através do sexo? Conseguiu alguma coisa ou ele é uma pura repetição? Mas você o tem repetido há tanto tempo, que se parar agora sentirá que está perdendo alguma coisa. Se você continuar, sentirá que nada foi conseguido. Se nada é conseguido pela continuação, então, você não estará perdendo nada por parar com ele... Então, por que você sente que alguma coisa é perdida? É simplesmente o velho hábito — um *samskara*, um condicionamento, um carma. Você tem repetido isso tantas vezes e ficou hipnotizado por ele. Agora tem de repeti-lo, ele tornou-se uma obsessão, é compulsivo.

Uma pessoa vai comendo sem parar. Ela sabe que isso é ruim, ela sofre por causa disso, ela fica continuamente doente; mas, mesmo assim, quando se senta para comer, ela não consegue fazer nada. É compulsivo. O que é compulsão? Como ela fez aquilo durante tanto tempo, ela ficou hipnotizada por aquilo. Ela está embriagada.

Mulla Nasruddin chegou em casa, certa noite, muito tarde, deviam ser três horas da madrugada. Ele bateu na porta. Sua mulher ficou com muita raiva, mas Mulla disse:

> — *Espere! Antes me dê um minuto para explicar, depois você começa. Eu estava com um amigo muito doente.* — *Sua mulher disse:*

> — *Uma história bem provável... mas me diga o nome desse seu amigo.* — *Mulla Nasruddin, pensou e pensou e pensou, e então disse triunfante:*

> — *Ele estava tão doente que nem pôde me dizer o nome!*

A mente, se ela estiver embriagada, pode encontrar desculpas, mas todas são falsas como esta: "Meu amigo estava tão doente, que nem pôde me dizer seu nome". Para o sexo você encontrará desculpas, para fumar você encontrará desculpas, para o seu desejo de poder você encontrará desculpas, mas todas elas são rotas. O fato real é que você não está pronto para reconhecer que essas coisas se tornaram compulsivas, que você está sob uma obsessão, que você está sob uma hipnose.

Foi isso o que Jesus encontrou: todo mundo embriagado e profundamente adormecido. Você não pode achar isso, porque você mesmo está adormecido. A menos que acorde, você não pode ficar consciente do que está acontecendo à sua volta. O mundo todo está se movendo em um sonambulismo. É por isso que há tanta miséria, tanta violência, tanta guerra. É desnecessário, mas tem de ser assim, porque as pessoas que estão adormecidas e embriagadas não podem ser responsáveis por nada. Se alguém fosse a Jesus para perguntar o que poderia fazer para mudar, Jesus diria: "Você não pode fazer nada para mudar, a menos que se torne consciente". O que você pode fazer? O que pode fazer um homem que dorme profundamente, para mudar seus sonhos? O que ele pode fazer...!?

As pessoas levavam a mesma pergunta a Gurdjieff — e Gurdjieff é o homem mais representativo de Jesus nestes tempos, não o papa do Vaticano. Gurdjieff é o mais representativo, porque ele acreditava nos mesmos métodos de fricção com os quais Jesus esteve trabalhando; e ele os utilizava. Ele criou muitos tipos de cruzes para as pessoas se crucificarem e serem transformadas. Gurdjieff também dizia que você não pode fazer nada a menos que você **seja**. Se você não está acordado — não está presente —, você simplesmente crê que você **é**. Essa crença não o ajudará.

Agora veja essas palavras. São todas muito profundas, abissais, muito significativas; e podem tornar-se fachos de luz no seu caminho. Lembre-se delas!

Jesus disse:

Tomei minha posição no meio do mundo

e na carne apareci para eles.

Encontrei-os todos embriagados,

nenhum deles encontrei sedento.

Jesus nunca renunciou ao mundo, ele ficou no meio de todos nós. Ele não era um escapista: andou pelo mercado, viveu com a multidão. Ele falou com prostitutas, trabalhadores, lavradores e pescadores. Ele não saiu do mundo, ele permaneceu aqui, no meio de vocês. Ele conheceu o mundo melhor do que qualquer pessoa que tenha fugido dele.

Não é de se admirar que a mensagem de Cristo tenha se tornado tão poderosa. A mensagem de Mahavira nunca se tornou tão poderosa, mas Jesus converteu quase a metade do mundo. Por quê? Porque ele permaneceu no mundo, compreendeu o mundo... — seus caminhos, o povo, a mente. Ele andou com eles, ele ficou sabendo como funcionavam — adormecidos, embriagados — e começou a descobrir caminhos e meios para despertá-los.

Na última noite, quando Jesus foi preso — ou deu um jeito de ser preso —, quando o último ato do drama foi encenado, um discípulo estava com ele. E Jesus lhe disse: "Esta é minha última noite; assim, entrarei em profunda oração. Tenho de orar e você deve manter vigilância. Não durma! Eu virei e verei... e esta é minha última noite, lembre-se!".

Jesus foi e, depois de meia hora, voltou novamente. O discípulo dormia profundamente. Ele o despertou e disse: "Você está dormindo e eu lhe disse para manter vigilância, porque esta é minha última noite. Permaneça alerta, porque eu não estarei aqui novamente! Então, você pode dormir para todo o sempre, se quiser. Mas comigo... pelo menos na minha última noite, permaneça alerta!".

O discípulo disse: "Me desculpe! Eu me senti com tanto sono, que não resisti. Mas vou tentar de novo".

Jesus foi novamente para a oração. Meia hora depois ele estava de volta e o discípulo dormia profundamente. Ele o despertou novamente e disse: "O que você está fazendo!? A manhã já está chegando e eu serei preso!".

O discípulo respondeu: "Me desculpe, me perdoe, mas a carne é muito forte e a vontade é muito fraca; e o corpo estava tão pesado, que eu pensei: 'O que há de errado em dormir um pouquinho?' — Quando você voltasse, eu já estaria acordado novamente."

Jesus voltou uma terceira vez e o discípulo estava dormindo profundamente...

Essa é a situação de todos os discípulos. Muitas vezes eu fui a vocês e os encontrei adormecidos. Sempre que vim até vocês eu descobri que estavam profundamente adormecidos. A sonolência tornou-se simplesmente a segunda natureza. O que significa sonolência? Significa que você não tem consciência de que você **é** — então, seja o que for que você faça é irresponsável. Você é louco e seja o que for que faça, você o faz como um embriagado.

Mulla Nasruddin foi preso. Quando saiu do tribunal, ele disse a um amigo:

— *Não foi nada fácil: primeiro o juiz me multou em cinquenta rúpias por beijar uma mulher; e depois, quando ele olhou para a mulher, me multou em mais cinquenta por estar embriagado!*

...isso porque a mulher quase não era uma mulher. Era tão feia que ninguém poderia beijá-la se estivesse nos seus sentidos...

Vocês têm beijado todas as espécies possíveis de coisas, as mais feias. Isso é possível, somente porque você está embriagado e adormecido. Você alguma vez já pensou nas coisas pelas quais está obcecado? Como são feias! Você pode encontrar algo mais feio do que o poder? Pode achar um homem mais feio do que Hitler, Napoleão, Alexandre...? Mas essa é a sua ambição também: bem no fundo, você gostaria de ser como Napoleão, Alexandre, Hitler... — bem-sucedido no mundo, poderoso no mundo... Mas você pode descobrir algo mais feio do que eles?

O poder é a coisa mais feia, mas todo mundo quer poder, dominação. Você já viu a feiura da riqueza? Ela tem que ser feia, não pode ser bela, porque ela depende da exploração. O sangue está ali, a morte está ali, e muitos foram privados de suas vidas... Somente assim a sua conta bancária pode crescer. Não se pode encontrar nada mais feio do que isso, mas, bem lá no fundo, todo mundo está em busca de riqueza.

Se chegar o dia do juízo final, primeiro você será multado em cinquenta rupias e, quando Deus olhar as coisas que você esteve beijando, você será multado em mais cinquenta... porque você estava embriagado; caso contrário aquilo não seria possível.

Diz Jesus: *Tomei minha posição no meio do mundo e na carne apareci para eles.*

E ele não era um espírito. Muitos mestres continuamente visitam vocês em espírito. Buda ainda bate à sua porta, mas em espírito. E se você não pode ver uma pessoa que veio na carne, como pode reconhecer Buda?

Neste século, quando H. P. Blavatsky descobriu — ou redescobriu — a existência de Mestres que continuam trabalhando e ajudando, em espírito, as pessoas que estão no caminho, ninguém acreditou nela. Achavam que ela havia ficado louca, e as pessoas diziam: "Dê-nos provas — onde estão esses mestres?". Uma das maiores coisas que a Teosofia alcançou foi a redescoberta dos mestres, porque qualquer pessoa que tenha se iluminado permanece no mundo, pois não há nenhum outro lugar para ir. Esta é a única existência que existe. Assim, a pessoa permanece, mas sem o corpo, o seu ser continua funcionando, ajudando, porque essa é a sua natureza — não é algo que ela tenha de fazer.

É exatamente como uma luz: uma luz está presente, e ela vai iluminando todas as coisas que estão à volta dela. Mesmo que o caminho seja ermo e ninguém passe por ele, a luz mesmo assim continua brilhando, porque essa é a sua natureza. Se alguém vier por esse caminho, então, a luz estará presente e o guiará; não que seja algo que tenha de ser feito da parte dela — trata-se simplesmente da sua natureza. Sempre que um ser se torna iluminado, ele permanece um guia. Mas você não pode reconhecer um guia em espírito se não pode reconhecer um guia no corpo.

Jesus diz: "Apareci na carne para eles — eu estava no corpo, eles podiam me ver, eles podiam me escutar, eles podiam me sentir, mas, ainda assim, eles perderam. Eles perderam porque... *encontrei-os todos embriagados*. Eles não estavam ali realmente, nenhuma consciência absolutamente. Bati em suas portas, mas eles não estavam em casa".

Se Jesus chegar a sua casa e bater à porta, você estará ali para recebê-lo? Você estará em algum outro lugar — você nunca está em casa. Você vai para toda parte do mundo, exceto para a sua casa. Onde é a sua casa? Dentro de você — onde o centro de consciência está, é a sua casa. Você nunca está ali, porque somente em profunda meditação você pode estar ali. E, quando você está em profunda meditação, você pode reconhecer Jesus imediatamente — quer ele venha no corpo ou sem corpo, não faz nenhuma diferença. Se você estiver em casa, reconhecerá o toque. Mas se você não estiver em casa, o que pode ser feito? Jesus tocará e você não estará presente para recebê-lo. Este é o significado da palavra 'embriagado': não estar em casa.

Realmente, sempre que você quer se esquecer de si mesmo, você toma álcool, drogas — sempre que você quer se esquecer de si mesmo, você bebe. A bebida significa esquecimento e o todo da religião consiste em 'lembrar-se'. Eis por que todas as religiões insistem contra a bebida. Não que haja algo de errado no beber em si — se você não está trilhando o caminho, não há nada de errado nisso. Mas se você está trilhando o caminho, então, não pode haver nada mais errado do que isso, porque todo o caminho consiste em lembrar-se de si mesmo — e bebida é esquecimento.

Mas... por que você quer se esquecer de si mesmo? Por que você anda tão aborrecido consigo mesmo? Por que você não pode viver consigo mesmo? Por que você não pode ficar alerta e à vontade? Qual é o problema? O problema é que sempre que você está alerta, sozinho, você se sente vazio — você sente como se não fosse ninguém. Você sente um nada internamente e esse nada se torna um abismo. Você se assusta e começa a fugir dele.

Bem lá no fundo de você, você é um abismo, e é por isso que você continua fugindo. Buda chamou esse abismo de não eu, *anatta*. Não há ninguém do lado de dentro. Quando você olha, é uma vasta expansão, mas não há ninguém lá — simplesmente o céu interior, um abismo infinito, sem fim, sem começo. No momento em que você olha, tem uma tonteira, começa a correr, você foge imediatamente. Mas para onde você pode fugir? Aonde quer que você vá, esse vazio estará com você, porque ele é você. É o seu **Tao**, a sua natureza. A pessoa tem de chegar a um acordo com isso.

Meditação nada mais é do que chegar a um acordo com seu vazio interior: reconhecê-lo, não escapar; viver através dele, não fugir; ser através dele, não fugir. Então, subitamente, o vazio torna-se a plenitude da vida. Quando você não foge dele, ele torna-se a coisa mais linda, a mais pura, porque somente o vazio pode ser puro. Se alguma coisa está presente, a sujeira entrou; se há alguma coisa ali, então, a morte entrou; se há alguma coisa ali, então a limitação entrou. Se há alguma coisa ali, então, Deus não pode estar lá. Deus significa o grande abismo, e supremo abismo. Ele está ali, mas você nunca é treinado para olhar para dentro dele.

É exatamente como quando você vai às montanhas e olha para dentro do vale: você fica tonto. Então, você não quer olhar porque um medo o invade — você pode cair. Mas nenhuma montanha é tão alta e nenhum vale é tão profundo como o vale que existe dentro de você. E quando quer que você olhe para dentro de si, você sente uma tonteira, uma náusea — você imediatamente foge, fecha os olhos e começa a correr. Você tem corrido por milhões de vidas, mas não chegou a lugar nenhum, porque não pode.

A pessoa tem de chegar a termos com o vazio interior. E uma vez que você chega a termos com ele, subitamente, o vazio muda sua natureza — torna-se o todo. Então, ele não é vazio, não é negativo: ele é a coisa mais positiva da existência. Mas a aceitação é a porta.

Eis por que existe tanta atração pelo álcool, o LSD, a maconha... — as drogas. E há muitos tipos de drogas: físicas, químicas, mentais; a riqueza, o poder, a política — tudo é uma droga.

Olhe para um político: ele está drogado, ele está embriagado de poder — ele não caminha sobre a terra. Olhe para um homem rico: você pensa que ele caminha sobre a terra? Não, seus pés jamais tocam a terra, ele está muito acima, ele é rico. Somente os homens pobres caminham sobre a terra, somente mendigos; o homem rico voa pelo céu. Quando você se apaixona por uma mulher, de repente você está nas alturas; de repente, você não caminha mais sobre a terra — um romance começou. Toda a qualidade do seu ser fica diferente, porque agora você está embriagado. O sexo é o álcool mais forte que a natureza lhe deu.

Jesus disse: *Encontrei-os todos embriagados, nenhum deles encontrei sedento.*

Isto tem de ser compreendido, um ponto muito delicado: se você está embriagado por este mundo, você não pode ter sede pelo outro. Se você está embriagado com álcool comum, com vinho comum, você não pode ter sede do vinho divino — impossível! Quando um homem não está embriagado por este mundo, surge uma sede. E essa sede não pode ser satisfeita por nada que pertença a este mundo. Somente o desconhecido pode satisfazê-la, somente o invisível pode satisfazê-la.

Assim, Jesus diz uma coisa muito contraditória: *Encontrei-os todos embriagados, nenhum deles encontrei sedento.* Ninguém estava com sede, porque eles pensavam que já haviam encontrado a chave, o tesouro, o reino. Assim então, não havia nenhuma busca.

Deus é uma embriaguez de um outro tipo. Kabir disse: "*Aisi tari lagi* — eu caí em tamanha embriaguez que agora nada pode perturbá-la — ela é eterna". Pergunte a Omar Khayyam... — ele sabe, ele fala sobre o vinho do outro mundo. E Fitzgerald o compreendeu de forma totalmente errada, porque Omar Khayyam não está falando do vinho que você consegue aqui: ele está falando do vinho divino, que é o símbolo súfi para Deus. Uma vez que você esteja embriagado de Deus, então, não haverá mais nenhuma sede absolutamente.

Mas este mundo e o seu vinho podem lhe dar somente um alívio temporário, podem lhe dar somente intervalos temporários de esquecimento. E a diferença é diametral: quando alguém se embriaga com o vinho de Deus, ele fica totalmente alerta, consciente, completamente desperto; quando alguém se embriaga com este mundo e seus vinhos, fica hipnotizado, adormecido, movimenta-se sonolentamente, vive num estado de sono — toda a sua vida é um longo sonho. *Encontrei-os todos embriagados, nenhum deles encontrei sedento.*

> *E minha alma ficou aflita pelos filhos dos homens,*
>
> *porque eles são cegos em seus corações*
>
> *e não veem que vazios vieram para o mundo,*
>
> *e que vazios caminham para sair do mundo novamente.*
>
> *E minha alma ficou aflita... Você não pode compreender o sofrimento que acontece a um Jesus ou a um Buda quando olham para vocês, embriagados deste mundo, sem nenhuma sede pelo divino, pela verdade; vivendo de mentiras e acreditando nas mentiras como se fossem verdades — e perdendo por nada, perdendo tudo por nada. Então, acontece que as menores coisas transformam-se em barreiras.*

Certa vez aconteceu de um homem estar muito doente. A doença era que ele sentia, o tempo todo, seus olhos latejando e os ouvidos tilintando. Pouco a pouco, ele foi enlouquecendo, porque aquilo acontecia vinte e quatro horas por dia. Ele não podia dormir, não podia trabalhar.

Então, ele foi consultar os médicos. Um médico sugeriu: "Remova o apêndice"; assim, o apêndice foi removido, mas nada aconteceu. Um outro sugeriu: "Extraia todos os dentes"; então, todos os dentes foram extraídos. Nada aconteceu. O homem simplesmente envelheceu, eis tudo. Então, alguém sugeriu que as amídalas deveriam ser extraídas. Há milhões de pessoas que querem sugerir coisas e, se você lhes der ouvidos, elas o acabarão matando. Assim, suas amídalas foram removidas, mas nada aconteceu. Então, ele consultou o melhor médico conhecido. O doutor deu o seguinte diagnóstico:

— Não se pode fazer nada, porque a causa não pode ser encontrada. Você viverá no máximo mais seis meses. E eu tenho de ser franco com você, porque tudo o que podia ser feito já foi feito. Não há nada mais a fazer.

O homem saiu do consultório e pensou: "Se eu só tenho seis meses de vida, então, por que não vivê-los bem?". Ele era um miserável e nunca tinha vivido; assim, ele comprou o carro mais caro e mais moderno, comprou a casa mais bonita, encomendou trinta ternos e mandou até fazer camisas novas sob medida.

Ele foi ao alfaiate, que tomou nota das medidas e lhe disse:

— Trinta e seis de punho e dezesseis de colarinho.

— Não! Quinze! Eu sempre usei quinze!

O alfaiate mediu outra vez e disse:

— Dezesseis! — O homem disse:

— Mas eu sempre usei quinze. — O alfaiate disse:

— Está bem, seja como quiser, mas eu lhe digo: você ficará com os olhos latejando e os ouvidos tilintando.

E essa era a razão de toda a sua doença! Você está perdendo o divino não por grandes causas. Não! Apenas por um colarinho quinze — e os olhos não podem ver, eles estão latejando; e os ouvidos não podem ouvir, eles estão tilintando. A causa da doença do homem é simples, é porque ele está viciado em pequenas coisas.

As coisas deste mundo são muito pequenas. Mesmo que você tenha um reino, o que ele é? Uma coisa muito pequena. Onde estão os reinos que existiram na História? Onde está a Babilônia? Onde está a Assíria? Onde está o reino do faraó? Todos desapareceram, são apenas ruínas — e esses reinos eram grandes... Mas o que foi alcançado com eles? O que Gengis Khan alcançou? O que Alexandre alcançou? Todos os reinos são apenas coisas triviais.

E você não sabe o que está perdendo — você está perdendo o reino de Deus. Mesmo que você se torne bem-sucedido, o que você conseguirá através disso? Aonde você vai chegar através disso? Olhe para as pessoas bem-sucedidas, faça um diagnóstico sobre elas: aonde elas chegaram? Elas continuam em busca da paz mental — mais do que você. Elas também têm medo da morte, e tremem, exatamente como você.

Se você olhar para as pessoas bem-sucedidas, minuciosamente, descobrirá que esses "deuses" também têm pés de barro. A morte os levará e, com a morte, todo o sucesso desaparece, toda a fama desaparece. A coisa toda parece um pesadelo: tanto esforço, tanto sofrimento, tanta privação... — e não se ganha nada. No final, a morte chega e tudo desaparece como bolha de sabão. E, por causa dessa bolha, o que é eterno fica perdido.

E minha alma ficou aflita pelos filhos dos homens,

porque eles são cegos em seus corações

e não veem que vazios vieram para o mundo,

e que vazios caminham para sair do mundo novamente.

Vazios vocês chegaram, mas não exatamente vazios: cheios de desejos. Vazios irão embora, mas não exatamente vazios: novamente, cheios de desejos. Mas desejos são sonhos. Você permanece vazio — eles não têm nada de substancial em si. Você nasce vazio, e, então, anda no mundo e acumula coisas, acreditando que essas coisas lhe darão um preenchimento. Você permanece vazio. A morte arrebata todas as coisas, você volta para dentro do túmulo, novamente vazio.

Em que ponto chega toda essa vida? A que significado e conclusão? O que você alcança através dela? Essa é a aflição de um Jesus ou de um Buda ao olhar para os homens. Eles estão cegos. E por que estão cegos? Onde está essa cegueira? Não é que eles não sejam hábeis — são muito hábeis, mais do que precisam, mais do que podem, mais do que seria bom para eles. Eles são muito hábeis, espertos. Eles pensam que são sábios... Não que eles não possam ver, eles podem ver, mas eles podem ver somente as coisas que pertencem a este mundo. Seus corações estão cegos, seus corações não podem ver.

Você pode ver com o seu coração? Você já viu alguma coisa com seu coração? Muitas vezes, você pode ter pensado "o sol está nascendo e a manhã está linda", e pensa que isso está vindo do coração. Não...! Porque sua mente ainda está tagarelando: "o sol é belo, a manhã é bela". E você pode estar simplesmente repetindo ideias dos outros. Você realmente já percebeu que a manhã é bela... — esta manhã, o fenômeno que está acontecendo aqui? Ou você está repetindo as palavras?

Você vai até uma flor. Você vai realmente? A flor tocou seu coração? Ela chegou ao seu ser mais profundo? Ou você apenas olha para a flor e diz: "Ela é linda, bela!". Essas são palavras quase mortas, porque não estão vindo do coração. Nenhuma palavra jamais vem do coração; sentimentos vêm, mas não palavras. As palavras vêm da cabeça, os sentimentos vêm do coração. Mas nós somos cegos aí. Por que somos cegos aí? Porque o coração conduz a caminhos perigosos.

Assim, ninguém tem permissão de viver com o coração. Seus pais cuidaram para que você vivesse com a cabeça, não com o coração, porque o coração pode conduzi-lo ao fracasso neste mundo. Ele conduz mesmo; e, a menos que você fracasse neste mundo, você nunca ficará sedento pelo outro. A cabeça conduz ao sucesso neste mundo. Ela é esperta, calculista, ela é manipuladora — ela o conduz ao sucesso. Assim, todas as escolas, todos os colégios e universidades lhe ensinam como ser mais "da cabeça", como ser mais "intelectual". E aqueles que são intelectuais, ganham as medalhas de ouro. Eles são bem-sucedidos e, então, possuem as chaves para entrar neste mundo.

Mas um homem de coração será um fracasso, porque não pode explorar ninguém. Ele será tão amoroso, que não poderá explorar. Ele será tão amoroso, que não poderá ser mesquinho, um acumulador. Ele será tão amoroso, que irá compartilhar; e, o que quer que tenha, ele dará, ao invés de tomar as coisas das pessoas. Ele será um fracasso. E ele será tão verdadeiro, que não poderá enganá-lo. Ele será sincero, honesto, autêntico. Mas ele será um estranho neste mundo, onde somente as pessoas espertas podem ser bem-sucedidas. Eis por que todo pai cuida para que, antes que o filho entre no mundo, o coração do filho se torne cego, completamente fechado. Você não pode orar, você não pode amar. Pode? Você pode orar...?

Você pode orar — vá a uma igreja no domingo: as pessoas estão orando, mas tudo é falso, até mesmo a oração delas vem de suas cabeças. Elas a aprenderam, ela não vem do coração. Seus corações estão vazios, mortos, não sentem coisa alguma. As pessoas "amam", casam-se e nascem-lhes filhos — não do amor. Tudo vem do cálculo, tudo vem da aritmética. Você tem medo do amor, porque ninguém sabe aonde o amor o conduzirá. Ninguém conhece os caminhos do coração — eles são misteriosos. Com a cabeça, você vai no caminho certo, na autoestrada; com o coração, você anda dentro da selva. Não há estradas, nenhuma sinalização; você tem de encontrar o caminho por si mesmo.

Com o coração, você é individual, solitário; com a cabeça, você faz parte da sociedade. A cabeça foi treinada pela sociedade, ela faz parte da sociedade. Com o coração você se torna um solitário, um marginal. Assim, cada sociedade cuida de matar o coração, e Jesus diz: "...*porque eles são cegos em seus corações e não veem que vazios vieram para o mundo, e que vazios caminham para sair do mundo novamente.*

Somente o coração pode ver o quanto você está vazio. O que você ganhou? Que maturidade, que crescimento aconteceu a você? Que êxtase chegou até você? Nenhuma bênção ainda? Todo o passado tem sido uma coisa podre. E, no futuro, você tentará repetir o passado... O que mais você pode fazer? Essa é a aflição de um Jesus, de um Buda. Ele se sente infeliz por você.

Mas agora eles estão embriagados.

Quando tiverem se livrado de seu vinho

Então, se arrependerão.

Isso diz respeito a você. Não pense "neles" — "eles" significa "você": quando você se livrar de sua embriaguez, você se arrependerá. Esta palavra 'arrepender' tornou-se muito significativa. Todo o cristianismo depende do arrependimento; nenhuma outra religião dependeu tanto do arrependimento. O arrependimento é belo se vem do coração, se você percebe que "Sim, Jesus está certo, nós temos desperdiçado nossas vidas".

Esse desperdício é o pecado — não que Adão tenha cometido o pecado — esse desperdício da sua vida, da possibilidade, do potencial, da oportunidade de crescer e de se tornar semelhantes a Deus ou se tornar deus; desperdiçar esse tempo, desperdiçá-lo com coisas fúteis, juntando lixo inútil. E quando você se tornar consciente, você se arrependerá. E se esse arrependimento vier do coração, ele o limpará. Nada limpa como o arrependimento. E essa é uma das coisas mais belas do cristianismo.

No hinduísmo, não há nenhum segredo sobre o arrependimento. Eles não fizeram essa chave funcionar, absolutamente. Ela é única para o cristianismo. Se você se arrepende totalmente, se o arrependimento vem do coração, se você chora e lamenta, se todo o seu ser sente e se arrepende de que você esteve perdendo a oportunidade dada por Deus — que você não tem sido grato, você tem se comportado mal, tem desrespeitado seu próprio ser... —, você sente o pecado. Este é o pecado! — não que você tenha matado alguém, ou que tenha roubado; isso não é nada. Esses são pecados menores que nascem desse pecado original: você ter vivido embriagado. Você abre os olhos, seu coração fica cheio de arrependimento e, então, um grito, um choro surge do seu ser. Não há nenhuma necessidade de palavras, você não precisa dizer a Deus "eu me arrependo, perdoe-me". Não há necessidade. Todo o seu ser se torna um arrependimento. De repente, você está limpo de todo o passado. Essa é uma das chaves mais secretas que Jesus entregou ao mundo.

Os jainistas dizem que você tem de trabalhar muito, que é um longo processo: tudo o que você fez no passado tem de ser desfeito. Se você cometeu um erro no passado, ele tem de ser desfeito. É matemático: se você cometeu um pecado, você tem de fazer algo para equilibrá-lo. E os hindus dizem que você cometeu tantos pecados, que você está em tal ignorância — tantas ações a partir da ignorância, e o passado é tão vasto, que não é fácil livrar-se disso. Muito mais trabalho será necessário, somente então você pode limpar o passado.

Mas Jesus deu uma bela chave. Ele diz: "Arrependa-se e todo o passado fica limpo!" Parece ser uma coisa muito inacreditável, porque... como isso pode acontecer? E essa é a diferença entre hindus, budistas, jainistas e o cristianismo. Os hindus, os budistas e os jainistas não podem acreditar jamais que isso possa acontecer simplesmente pelo arrependimento, porque eles não sabem o que é o arrependimento. Jesus se ocupou dele. É uma das mais antigas chaves.

Mas compreenda o que é o arrependimento. Simplesmente dizer as palavras, não serve; e, dizê-las indiferentemente, não serve. Quando todo o seu ser se arrepende, todo o seu ser pulsa e você sente isso em cada poro, em cada fibra... — que você errou; e que você errou porque você estava embriagado e que agora você se arrepende —, subitamente, há uma transformação. O passado desaparece e a projeção do futuro a partir do passado desaparece; você é arremessado para o aqui e o agora, é arremessado para o seu próprio ser. E, pela primeira vez, você sente o nada interior. Ele não é negativamente vazio. É simplesmente que o templo é tão vasto, como o espaço... Você é perdoado. Jesus diz que você é perdoado no momento em que se arrepende.

O Mestre de Jesus foi João Batista. Todo o seu ensinamento era: "Arrependa-se! Porque o dia do julgamento está próximo!". Esse foi todo o seu ensinamento. Ele era um homem muito selvagem, um grande revolucionário, e andou de um canto a outro do seu país, simplesmente com uma mensagem: "Arrependa-se, porque o dia do julgamento está muito próximo!". É por isso que os cristãos abandonaram completamente a teoria do renascimento. Não que Jesus não estivesse ciente do renascimento — ele sabia, ele sabia muito bem que há um ciclo contínuo de renascimentos. Mas ele abandonou completamente a ideia exatamente para dar totalidade ao arrependimento.

Se há muitas vidas, seu arrependimento não pode ser total. Você pode esperar, pode adiar. Pode pensar: "Se nesta vida eu perdi, não há nada de errado. Na próxima vida...". Eis o que os hindus têm feito. Eles são as pessoas mais preguiçosas do mundo, devido a essa teoria. E a teoria está certa, esse é o problema. Eles podem sempre adiar, não há pressa. Por que ser tão apressado? Eis por que os hindus nunca se incomodaram com o tempo. Eles nunca inventaram relógios e, se fosse por eles, eles não os inventariam. Assim, para a mente hindu, o relógio é realmente um elemento estrangeiro: um relógio na casa de um hindu não assenta bem. O relógio é uma invenção cristã, porque o tempo é curto, corre rápido — não se trata de um relógio, mas da vida escorrendo rápido pelas suas mãos. Esta morte vai ser a última, você não pode adiar.

Simplesmente para evitar o adiamento, todo o ensinamento de Jesus e de João Batista — que foi seu mestre, foi quem iniciou Jesus nos mistérios — depende disto: Arrependa-se! Pois não há mais tempo... Não adie nada para mais tarde, porque então você estará perdido. Eles trazem a coisa toda a essa intensidade.

Se subitamente eu digo: "Este vai ser o último dia, e amanhã o mundo vai desaparecer, a bomba H vai ser lançada"; e, depois, eu digo: "Arrependam-se!" — ...então, todo o seu ser ficará focado, centrado, você estará aqui e agora. E, então, surgirá um grito, um choro, um grito selvagem do seu ser. Ele não será em palavras — será mais existencial do que isso —, ele virá do coração. Não somente os seus olhos chorarão, mas o seu coração estará repleto de lágrimas, todo o seu ser estará repleto de lágrimas: você perdeu...

Se esse arrependimento acontece — essa é uma intensidade que surge por se estar alerta —, todo o passado é limpo. Não há nenhuma necessidade de desfazê-lo. Não, porque ele nunca foi uma realidade. Ele foi um sonho. Não há nenhuma necessidade de desfazê-lo, basta acordar. E junto com o sono, todos os sonhos e pesadelos desaparecem. Eles nunca existiram em realidade: eles eram apenas seus pensamentos. E não seja preguiçoso em relação a isso — ...porque você tem adiado durante muitas vidas. Você pode adiar por muitas mais — o adiantamento exerce uma grande atração para a mente. A mente sempre diz "amanhã", sempre. O amanhã é a morada. O amanhã é a morada de todos os pecados, e a virtude surge neste exato momento.

Ouvi contar:

> Era uma escola, uma escola de missionários cristãos. Nessa escola havia alguns alunos não cristãos também, a quem também era ensinada a **Bíblia**: as parábolas e as histórias. E eles tinham de aprender. Um dia, o diretor da escola perguntou a um garoto:
>
> — Quem foi o primeiro homem e quem foi a primeira mulher?
> — O garoto respondeu:
>
> — Adão e Eva. — O inspetor ficou satisfeito e perguntou:
>
> — A que nacionalidade eles pertenciam?

O garoto respondeu:

> — Eram indianos.
>
> O inspetor ficou um pouco perturbado, mas ainda assim perguntou:

— Por que você pensa que eles pertenciam à nacionalidade indiana? Por que você pensa que eles eram indianos? — E o garoto respondeu:

— É fácil! Eles não tinham nenhum abrigo sobre suas cabeças, nenhuma roupa para usar, nada para comer exceto uma maçã para ser dividida entre os dois — e mesmo assim eles acreditavam que aquilo era o paraíso! Eles eram indianos!

Os indianos estão satisfeitos com o que quer que seja. Não estão preocupados em fazer nada, porque pensam: "A vida é tão longa, por que se preocupar? Por que ter pressa? Não há nenhuma necessidade de correr!".

O cristianismo criou uma intensidade através da ideia de que há somente uma vida. E lembre-se bem: os hindus estão certos no que diz respeito à teoria, e os cristão estão errados no que diz respeito à teoria. Mas a teoria jamais é uma questão para Jesus. O problema é a mente humana e sua transformação — e, às vezes, a verdade pode ser venenosa; às vezes, a verdade pode torná-lo um preguiçoso.

Eu lhes darei um outro exemplo que será de ajuda. Gurdjieff costumava dizer que vocês não têm nenhuma alma eterna. Você pode alcançá-la, mas não a tem — você pode perder a chance de tê-la. E, se você não a alcançar, você morrerá e nada sobreviverá. E Gurdjieff dizia que somente um em milhões atinge à alma, que, então, prossegue. O corpo é deixado e a alma prossegue. Mas isso não acontece a todos. A alma não lhe é dada, ela tem de ser elaborada, ela é uma cristalização. Quando há a elaboração, então, temos um Mahavira, um Buda, um Jesus — eles tornam-se eternos. Não você! — Gurdjieff dizia que vocês são simplesmente vegetais! Serão comidos, serão dissolvidos — vocês não têm nenhum centro; assim, quem pode sobreviver?

Ele estava novamente usando a tática de Jesus. Ele não estava certo, porque você realmente tem alma, uma alma eterna. Mas essa teoria é perigosa, porque, quando você ouve dizer que tem uma alma eterna, que você é *Brahma*[1], você vai dormir. Isso se torna

---

(1) *Brahma* — a Suprema Realidade.

uma coisa hipnótica: se você já é isso, por que se preocupar? Qual a necessidade do *sadhana*? Qual é a necessidade de meditar? "*Aham Brahmasmi* — eu já sou Deus." Assim, você vai dormir, porque não sobrou nada para se fazer. Teorias podem matar, mesmo teorias verdadeiras podem matar. Gurdjieff não está certo, mas ele é mais compassivo. E vocês são tão mentirosos, que somente mentiras podem ajudá-los. Somente mentiras podem trazê-los para fora das suas mentiras, da mesma forma que quando um espinho está na sua carne, um outro espinho é necessário para tirá-lo.

Jesus sabia bem, ele sabia sobre a reencarnação — ninguém sabia tão bem quanto ele. Mas ele simplesmente abandonou a ideia, porque ele tinha estado na Índia! Ele olhou para a mente indiana, viu que toda a mente havia se tornado um adiamento, por causa da teoria da reencarnação; e ele abandonou essa teoria. Gurdjieff também esteve na Índia e no Tibet, e ele olhou para toda a insensatez que tinha acontecido devido à crença de que você já tem dentro de si tudo o que é necessário. Você já é divino, não há nenhuma necessidade de fazer qualquer coisa. Assim, mendigos pensam que são imperadores — e então, por que se preocupar?

Gurdjieff começou a ensinar nas mesmas linhas, o cunho essencial era o mesmo. Ele dizia que ninguém já tem uma alma pronta: você pode criá-la, você pode perdê-la, portanto não a tome como coisa garantida — trabalhe para isso! Se você fizer muito esforço, somente então nascerá um centro, e esse centro viverá; mas não você como você está, porque vocês são simplesmente vegetais. E ao dizer que vocês são simplesmente vegetais, ele criou um novo mito. Ele disse: "Vocês são vegetais para a lua, alimento para a lua". Ele fez uma piada, mas é uma piada muito bela, e muito significativa. Ele disse que todas as coisas no mundo são alimento para uma outra coisa: este animal come aquele, aquele animal come outra coisa. Cada coisa é alimento para outra coisa; assim, como o homem pode ser uma exceção? O homem deve ser alimento para algo, e Gurdjieff disse: "O homem é o alimento para a lua e, quando a lua está com muita fome, há guerras. Quando a lua está com muita fome, há guerras, porque muitas pessoas são necessárias. Mas ele estava fazendo piada sobre a lua, ele não estava falando a sério. Mas os seguidores são sempre cegos; assim, eles tomaram até essa piada como uma verdade. Os seguidores de Gurdjieff continuam

dizendo que esta é uma das maiores verdades que ele descobriu...
— se ele voltasse, ele riria.

Ele estava brincando, mas quando Gurdjieff brinca, ele brinca significativamente. E a insistência, a ênfase, era em que vocês são vegetais — no estado em que estão. Somente este tanto pode ser feito com vocês: a lua pode comê-los. Você pode encontrar algo mais estúpido do que a lua? Difícil encontrar! Quando os astronautas chegaram lá, eles pensavam que iam realizar todos os sonhos e toda a poesia do mundo, porque o homem sempre esteve pensando em chegar à lua. Mas quando chegaram lá, não havia nada. A lua é nada — você é alimento para nada. A lua é apenas um planeta morto. E você é alimento para um planeta morto, porque você está morto!

Lembre-se disto: o cristianismo, principalmente Jesus, sabe muito bem que há encarnação, a reencarnação, o renascimento. A vida é uma longa continuidade, esta morte não será a derradeira morte. Mas, uma vez que isso seja dito, você relaxa. E todo o método de Jesus depende da fricção: você não tem permissão de relaxar, você tem de lutar, de criar fricção, de modo que você possa tornar-se cristalizado.

Mas agora eles estão embriagados.

Quando tiverem se livrado de seu vinho

Então, se arrependerão.

Jesus disse:

Se a carne veio para a existência

por causa do espírito,

é assombroso;

mas, se o espírito veio para a existência

por causa do corpo,

trata-se do assombro dos assombros.

Eu acho que Karl Marx não viu isso...! Fico imaginando o que ele teria pensado se tivesse chegado até essas palavras de Jesus. Jesus diz: ... *a carne veio para a existência por causa do espírito* ... como todas as religiões dizem — Deus criou o mundo. Isso significa que a carne saiu do espírito, a matéria saiu da mente; a consciência-em-si é a fonte, o mundo é simplesmente um subproduto. Então, Jesus diz: ...*é assombroso!* — é um mistério.

Mas, se o espírito veio para a existência por causa do corpo... — como dizem os ateus, como dizem os materialistas, Karl Marx, Charvak e outros... Marx diz que a consciência é um subproduto da matéria. É isto que dizem todos os ateus: o mundo não é criado a partir do espírito, mas o espírito é simplesmente um "subfenômeno", um epifenômeno da matéria; ele vem da matéria, ele é simplesmente um subproduto... Então Jesus diz: ...*se o espírito veio para a existência por causa do corpo, trata-se do assombro dos assombros.* No primeiro caso é simplesmente *um assombro*: que Deus criou o mundo. Mas o segundo caso, *trata-se do assombro dos assombros* — que o mundo criou Deus. Acreditar no primeiro caso é difícil; acreditar no segundo é quase impossível.

É possível que o mais baixo nasça do mais alto, exatamente como um homem pode pintar um quadro. Nós podemos dizer que o quadro veio do pintor, isso é um assombro, uma bela pintura. Mas se alguém diz que o pintor veio da pintura, trata-se do assombro dos assombros. Como pode o espírito sair da matéria se ela ainda não existe? Como a flor pode vir se ela já não estiver na semente? Mas Jesus diz: de qualquer modo, ambos são assombrosos. Mas a terceira coisa é o maior assombro, e a terceira coisa é esta:

Eu me assombro em como essa grande riqueza

fez seu lar nesta pobreza.

Você é pobre, um mendigo, porque você está sempre desejando, sempre pedindo por mais. Desejar é mendigar. E uma mente desejosa é uma mente mendicante. Você pode ser um imperador, não faz nenhuma diferença — você simplesmente se torna um mendigo importante, isso é tudo, um grande mendigo, isso é tudo. Mas você continua mendicante.

Um místico muçulmano, Farid, morava perto de Déli, num pequeno povoado. O Imperador Akbar era um dos discípulos de Farid. Akbar costumava ir até ele, e Farid era um faquir pobre. Certa vez, quando a cidade veio a saber que Akbar costumava visitar Farid, os aldeãos reuniram-se e disseram a Farid: "Akbar costuma lhe visitar; então, você pode pedir a ele alguma coisa para nós. Pelo menos, temos necessidade de um hospital, temos necessidade de uma escola. E, basta você pedir, o pedido será aceito, porque o próprio imperador costuma vir até você".

A aldeia era pobre, sem instrução, e lá não havia nenhum hospital; assim, Farid disse: "Está bem, mas não sou muito eficiente em pedir, porque não peço nada há muito tempo. Mas, se vocês acham assim, eu irei até ele". Assim ele foi.

Pela manhã, ele chegou ao palácio. Todo mundo sabia que Akbar era seu seguidor; assim, ele teve permissão de entrar imediatamente. Akbar estava no seu santuário — ele tinha feito um pequeno santuário, onde costumava orar — e ele estava orando. Como ele estava em oração, Farid ficou parado, esperando. Quando a prece terminasse, ele faria o pedido.

Akbar não sabia que Farid estava parado atrás dele. Ele fez a oração e, no final, disse: "Deus onipotente, faça meu império ainda maior, dê-me mais riquezas".

Farid ouviu e afastou-se. Quando Akbar terminou sua oração, olhou para trás — Farid estava descendo as escadas. Ele chamou: "Como você veio aqui? E por que está indo embora?".

Farid disse: "Eu vim para encontrar um imperador, mas encontrei aqui também um mendigo. Assim, é inútil! E se você está pedindo a Deus, por que eu não posso pedir a ele diretamente? Por que um intermediário? E Akbar, eu pensava que você fosse um imperador, mas eu estava enganado".

Akbar relatou a história na sua autobiografia, e ele diz: "Naquele momento, eu compreendi: o que quer que se consiga não faz diferença, porque a mente continua pedindo cada vez mais e mais".

Jesus diz que este é *o assombro dos assombros*: ...*como essa grande riqueza* — o ser divino, a divindade de Deus — *fez seu lar* em tamanha pobreza. Gente embriagada, adormecida, pobre, pedindo continuamente durante toda a sua vida... pedindo por coisas feias, lutando por coisas feias, obcecadas por males e doenças... — e Deus fez delas o seu templo, e Deus fez delas a sua morada... fez sua morada em você! Jesus diz que isso é o melhor — impossível, incompreensível — mistério. Assombro dos assombros! Nada pode transcender a isso.

Esta é a aflição de um Buda, de um Jesus: olhar para vocês, imperadores, que têm o reino de Deus, mendigando: pedindo coisas inúteis, desperdiçando seu tempo, sua vida, energia, oportunidade.

Arrependam-se! Vejam o que andaram fazendo. Parecerá tão tolo, você nem será capaz de acreditar que você andou fazendo aquilo. A coisa toda parecerá um absurdo!

Olhe para o que esteve fazendo com a sua vida, olhe para o que você esteve fazendo com você mesmo. Você é simplesmente uma ruína, e a ruína está crescendo todo dia. No final, você será simplesmente uma ruína, estará totalmente arruinado. E no seu coração mendicante, na sua mente mendicante, habita o rei, o supremo. Isso é um assombro!

E um Jesus sente muitíssimo. Por isso ele fica tão triste, que não pode rir. Não que o riso seja difícil para ele — ele não pode rir por sua causa. Ele fica tão triste, sente tanto por você, que vai desenvolvendo métodos, descobrindo chaves para destrancá-lo, para fazer de você o que você já é, para fazê-lo perceber quem você é.

Atravesse essas palavras e lembre-se de uma palavra-chave: Arrepender-se. E se você puder vir a perceber que o arrependimento é a chave, isso limpará todo o seu passado. Você, subitamente, estará puro e virgem novamente.

E quando você está puro, Deus está presente, porque Deus não é nada mais do que a sua pureza, a sua virgindade.

Basta por hoje.

QUARTO DISCURSO

Jesus disse:
Não pensem do amanhecer ao anoitecer
e do anoitecer ao amanhecer
sobre o que vestirão.

Os discípulos perguntaram:
Quando serás revelado a nós
e quando nós veremos a ti?

Jesus disse:
Quando tirarem suas roupas sem se sentirem envergonhados
e pegarem suas vestes e colocarem-nas sob seus pés
e pisarem nelas como as criancinhas —
então, vocês contemplarão o filho daquele que vive,
e não temerão.

O homem não vive como ele é, mas sim como ele gostaria de ser: não com a face original, mas com uma face pintada, uma face falsa. Eis todo o problema. Quando você nasce, você tem uma face própria — ninguém a perturbou, ninguém a modificou. Mas, mais cedo ou mais tarde, a sociedade começa a elaborar a sua face. Ela começa a esconder a original, a natural, aquela com a qual você nasceu e, então, muitas faces lhe são dadas, para diferentes ocasiões, porque uma única face não serve.

As situações mudam; assim, você precisa de muitas faces falsas, máscaras. De manhã à noite e desde a noite até de manhã, milhares de faces são usadas. Quando você vê um homem poderoso se aproximar, você muda de máscara; quando você vê um homem que é um mendigo se aproximar, você fica diferente. O tempo todo, a cada momento, há uma constante mudança na face.

A pessoa tem de ficar alerta sobre isso, porque se tornou tão mecânico, que você não precisa nem ficar ciente disso, ela vai mudando por si mesma. Se um serviçal entra na sala, você nem olha para ele. Você age como se ele não fosse um homem, como se ele não existisse, como se ninguém tivesse entrado. Mas quando o chefe chega na sala, você imediatamente salta, tem uma face risonha, recebe-o, dá as boas vindas, como se o próprio Deus tivesse entrado na sala.

Observe sua face, as mudanças que ocorrem continuamente. Olhe-se ao espelho e pense nas muitas faces que você pode trocar. Olhe no espelho e traga a face que aparece quando você se aproxima de sua esposa; olhe para a face de quando você se aproxima de sua amada; olhe para a face de quando você fica ambicioso, de quando você tem raiva; crie a face de quando você se sente sexual; crie a face de quando você se sente insatisfeito, frustrado. E observe no espelho: você descobrirá que você não é um único homem — você é uma multidão. E às vezes será até difícil reconhecer que todas essas faces pertencem a você. Um espelho pode ser uma grande bênção. Você pode meditar no espelho, mudar suas faces e olhar para elas. Isso lhe dará um vislumbre de quão falsa sua vida se tornou. E nenhuma dessas faces é você.

No zen, esta tem sido uma das mais profundas meditações: descobrir sua face original, a que você tinha antes de vir para este mundo — e a que você terá quando deixar este mundo, porque você não pode carregar todas essas faces com você. Elas são truques, técnicas para iludir, técnicas de defesa, são armaduras à sua volta. Essas faces têm de ser abandonadas, somente então, você pode ver Jesus, porque, quando você vê sua face original, você viu Jesus.

Jesus não é nada mais do que a sua face original. Buda não está do seu lado de fora, nem Jesus. Quando você abandona toda a falsidade e fica nu — sem qualquer manipulação, sem qualquer mudança, simplesmente você no original, sem qualquer mudança, modificação... —, você é Jesus; Jesus em sua absoluta glória é revelado. Não é no filho de José que ele é revelado — subitamente, você se torna Jesus. E somente o semelhante pode conhecer o semelhante — lembre-se sempre desta lei: se você é como Jesus, somente então, você pode reconhecê-lo; caso contrário, como iria reconhecê-lo? Quando você sente seu próprio ser interior, então, você pode reconhecer o ser interior de outra pessoa.

A luz pode reconhecer a luz, a luz não pode reconhecer a escuridão. E como a escuridão reconheceria a luz...? Se você é falso, você não pode reconhecer um homem real, e Jesus é o homem mais real, o mais real que é possível. Ele não é um mentiroso, ele é autêntico e, se você está mentindo na sua vida continuamente — ...suas palavras, seus gestos, tudo é uma mentira... —, então, como você pode reconhecer Jesus? É impossível. Na sua total nudez você reconhecerá o Jesus de dentro e, somente então, o de fora será reconhecido. O de dentro é o primeiro a ser reconhecido, porque o reconhecimento somente pode vir da fonte mais interna do ser. Não há outro meio.

Um dos mais antigos ditados judeus é que você começa a procurar Deus somente quando já o encontrou. Isso parece paradoxal, mas é absolutamente verdadeiro, porque... como você começará a procurá-lo se ainda não o descobriu — descobriu-o dentro de si, percebeu-o dentro de si mesmo? Somente então, a busca se inicia. Mas, então, não há realmente nenhuma necessidade de se buscar. A busca se inicia e termina no mesmo ponto — o primeiro passo é o último passo.

Há somente um passo entre você e o divino. Não há dois passos. Assim, não há nenhum caminho. Simplesmente um passo: abandone todas as falsidades que você pôs em cima de si mesmo, abandone todas as máscaras que você tomou emprestadas.

Mas, porque temos faces? Qual é a necessidade delas e qual é o medo de abandoná-las? Todo o mecanismo tem de ser compreendido, somente então, essas palavras ficarão claras para você.

Primeiramente: você nunca amou a si mesmo — caso contrário, não haveria nenhuma necessidade. Você se odeia e, se você se odeia, você esconderá a sua face. Se você se odeia, como pode revelar sua face aos outros? Você mesmo a odeia, você mesmo não a quer ver; então, como pode revelá-la aos outros? Por que aconteceu de você odiar-se?

Todo o condicionamento da sociedade depende da criação de ódio por si mesmo em você, uma autocondenação, uma culpa. Estão aí as religiões, estão aí os padres, está aí a sociedade — todo tipo de exploração existe sobre essa semente básica, que você odeie a si mesmo.

Por que você iria se confessar a um padre se você não se odiasse? Qual é a necessidade? Quando você se odeia, você se sente culpado; quando você se odeia, você sente que alguma transformação é necessária; quando você se odeia, você sente que alguma ajuda é necessária — alguém é necessário para mudá-lo, para torná-lo amável, digno de ser amado. Seus pais lhe dizem: "Você está errado! Isto é errado! Aquilo é errado!". Eles vivem dizendo: "Não faça isto, não faça aquilo!".

Ouvi contar:

Uma criancinha queria brincar na praia com a areia. A mãe disse:

— Não, porque a areia é úmida e você irá estragar as suas roupas. — Então, a criancinha quis ir para perto da água. A mãe disse:

— Não, de jeito nenhum! Não! Lá é muito escorregadio e você poderá cair. — Então a criancinha quis brincar de correr por ali, e a mãe disse:

— Não! Você pode se perder no meio das pessoas! — Então a criança pediu um sorvete, porque o vendedor de sorvete estava por perto. A mãe disse:

— Não, porque isso sempre cria um problema na garganta e faz mal para a saúde. — Aí a mãe disse para uma pessoa que estava a seu lado:

— Você já viu criança mais neurótica?

A criança não é neurótica — a mãe é neurótica. Brincar com areia não é neurose, ir para perto da água não é neurose, correr e pular por ali não é neurose, mas uma mente neurótica sempre diz "Não!". Uma mente neurótica nunca diz "Sim!", porque uma mente neurótica não pode permitir a liberdade para sua própria pessoa; assim, como pode uma mente neurótica permitir liberdade para você? E essa mãe e quase todas as mães são assim, e todos os pais. Lembre-se: quando você se tornar mãe ou quando você se tornar pai — eles são todos assim. A liberdade é exterminada e a criança, pouco a pouco, é forçada a sentir que ela é neurótica, que ela é errada. O que quer que seja que ela proponha fazer, ela recebe um "Não!".

Ouvi contar sobre um menininho que foi à escola pela primeira vez; voltou, e sua mãe lhe perguntou:

— O que você aprendeu lá? — A criança disse:

— Aprendi que meu nome não é "Não". Sempre pensei que meu nome fosse "Não". Você sempre diz: "Não faça isso! Não vá lá! Não seja assim!" Então eu pensei que o meu nome fosse "Não". Lá na escola é que eu fiquei sabendo que esse não é o meu nome.

Se você é neurótico — e toda a sociedade é neurótica —, há uma corrente de neurose que passa de uma geração para uma outra. Isso vai indo num *continuum* e, até agora, nenhuma sociedade foi capaz de criar uma geração não neurótica ou uma era não neurótica. Somente, às vezes, alguns indivíduos têm sido capazes de sair da prisão, mas isso muito raramente acontece, porque a prisão é muito grande e seus alicerces muito fortes. O sistema é muito antigo, ele é mantido por todo o passado e, quando nasce uma criança, é quase impossível imaginar que ela será capaz de ser saudável e não neurótica.

É quase impossível, porque todos ao redor são loucos e forçam a criança a ser como eles são. Eles matarão a liberdade dela e criarão o sentimento de que ela é errada, de que ela está sempre errada. Isso cria uma condenação, uma autocondenação — você começa a odiar a si mesmo. E lembre-se: se você odeia a si mesmo, você não conseguirá amar nenhuma outra pessoa. Impossível! Como você pode amar alguém se você odeia a si mesmo? Se o veneno existe na fonte, ele envenenará todos os seus relacionamentos. Assim, você nunca será capaz de amar alguém.

E lembre-se da segunda coisa que segue como consequência lógica: se você odeia a si mesmo, como você pode pensar que alguém vai amá-lo ou amá-la? Se você não pode amar a si mesmo, quem vai amá-lo ou amá-la? Assim, você sabe bem lá no fundo, que ninguém vai amá-lo ou amá-la; e mesmo que alguém tente, você jamais acreditará nele ou nela. Você vai continuar suspeitando de que a pessoa deve estar lhe enganando. Como alguém pode amá-lo ou amá-la? — ...você não pode amar a si mesmo...

Assim, mesmo que alguém o ame, você ficará cético quanto a isso, em dúvida. Você não pode confiar, e encontrará modos e meios de provar que ele não o ama. E quando fica provado, você fica à vontade, então, está tudo certo.

Esse rancor é a base de todas as falsas faces — você começa a se esconder. As roupas existem não devido ao clima, que é justamente a menor parte nisso. Elas existem para esconder o corpo, elas existem para esconder a sexualidade, elas existem para esconder o animal em você. Mas o animal é vida — tudo o que é vivo em você é semelhante ao animal. Exceto pela cabeça, tudo em você é semelhante ao animal. Assim, tudo tem de ser escondido, exceto a cabeça. Somente a cabeça, o pensamento, não é semelhante ao animal; assim, ela é permitida. A sociedade ficaria muito feliz se todo o seu corpo fosse decepado e somente a cabeça existisse.

Eles estão tentando fazer isso, e os experimentos têm tido êxito. É possível todo o corpo ser deixado de lado e a mente continuar funcionando. O cérebro continua funcionando apenas por meio de auxílios mecânicos: um coração mecânico continua batendo, um sistema sanguíneo artificial continua movimentando o sangue, fazendo-o circular no cérebro — e o cérebro existe sem o corpo. Os cientistas estão fazendo muitos experimentos, e eles estão confusos a respeito do que o cérebro estaria pensando internamente, porque o corpo não existe mais — o cérebro pode estar tendo sonhos, estar pensando, pensando pensamentos, criando sistemas.

Eles tiveram êxito nisso há bem poucos anos. Mas a sociedade tem tido êxito com o mesmo experimento, de um modo diferente: todo o seu corpo é decepado, separado da sua consciência; somente sua cabeça tem permissão de ficar. Se, de repente, você encontrar seu corpo sem a cabeça, estou certo de que você não reconhecerá que aquele é o seu corpo. Se você de repente encontrar seu corpo sem a cabeça, você será capaz de reconhecer que aquele é o seu corpo? Você nunca o viu; nem mesmo no banheiro, você nunca viu o seu corpo. As roupas tornaram-se demasiadas. Elas não estão apenas no corpo: elas estão na mente também.

Dois aluninhos da escola estavam passando por um grande muro e ficaram curiosos para saber o que estava acontecendo por trás do muro. Encontraram um buraquinho, mas era muito difícil de alcançá-lo; assim, um menino subiu nos ombros do outro menino, olhou pelo buraco e disse:

— Fantástico! Tem um monte de gente lá jogando, mas eles estão todos nus. Acho que é um clube de nudismo. — O outro menino ficou excitado e disse:

— Conte mais! São homens ou mulheres. — O que estava olhando respondeu:

— Não dá pra saber. Eles não têm roupas.

Um homem é reconhecido como homem por causa de suas roupas; uma mulher é reconhecida como mulher por causa de suas roupas. O menininho estava certo. Ele disse: "Como posso saber quem eles são? Eles estão sem roupas". As roupas são a identidade. Eis por que um rei não lhe permite usar roupas iguais às dele — não! Se as pessoas comuns começarem a usar roupas como as do rei, então, onde ele ficará? Isso não pode ser permitido, porque ele deve ser algo especial.

Roupas são identidades. E tornam-se tão pesadas sobre você que, até mesmo em sonhos, você nunca se vê nu, você sempre se vê vestido com roupas. Isso é sério! Isso foi muito fundo. Mesmo em sonhos, você nunca se vê nu, a sociedade nua. Não! As roupas entraram no próprio inconsciente, porque um sonho é um fenômeno inconsciente. Pelo menos em um sonho, deveria ser natural, mas nem mesmo neles você é natural; as máscaras, as faces continuam.

Toda essa falsidade existe, essa pseudopersonalidade existe, porque, na base, você se odeia. Você quer se esconder, ninguém deve conhecer seu eu real, porque, como eles serão capazes de tolerá-lo se vierem a conhecer? Como amarão aquilo, como apreciarão aquilo? Vocês se tornaram atores. Essa é a base do ensinamento de Jesus.

> *Jesus disse:*
>
> *Não pensem do amanhecer ao anoitecer*
>
> *e do anoitecer ao amanhecer*
>
> *sobre o que vestirão.*

Não pense em faces, roupas, falsidades. Permaneça você mesmo como você é, aceite-se como você é. Difícil, muito difícil, porque, se você pensa sobre si mesmo como você é, de repente, você não se sente bem.

De onde surge esse mal-estar? Ele surge, porque você tem aprendido com os professores, e esses professores são os maiores envenenadores da vida. Eles não são professores realmente, são inimigos. Eles têm ensinado: "Isso é animal, aquilo é animal — e você é um **homem**". O que eles estão dizendo? Eles estão dizendo: "O que quer que seja animal em você, rejeite-o!".

E eu lhe digo que o homem não é algo contra o animal, o homem é o supremo animal. Não algo contra... — o mais alto, o próprio pico. Se você nega a animalidade, você nega a sua própria fonte de vida. E, então será sempre falso.

Se você fizer amor com uma mulher e negar a sua animalidade, o que você fará? Eis por que muitas pessoas se tornaram quase incapazes de amar. Talvez você fique surpreso ao saber que, no Oriente, eu penso que noventa e nove por cento das mulheres jamais conheceram qualquer orgasmo. O mesmo era o caso no Ocidente também, mas, agora, está mudando. Noventa e nove por cento das mulheres nunca tinham conhecido qualquer êxtase sexual, porque isso nunca lhes foi permitido. Os homens tinham permissão de ser um pouco semelhantes aos animais, mas as mulheres nunca. Elas devem ficar imóveis enquanto fazem amor, mortas, quase como um cadáver. Elas não devem mostrar qualquer emoção, elas não devem mostrar que estão desfrutando — porque somente mulheres que não prestam se dão ao desfrute no sexo. A uma prostituta é permitido o desfrute, mas a uma esposa não. Se uma esposa se permitir desfrutar o sexo e se sentir extasiada, então, o marido ficará ofendido e pensará logo que "essa mulher não é muito boa", porque ela deveria se comportar como uma deusa, não como um animal. Mas, comportar-se como uma deusa sem ser uma deusa, fatalmente cria falsidade. A mulher fica deitada ali, morta, como cadáver, sem nenhuma emoção.

Você já observou a palavra 'emoção'? Ela vem da mesma raiz de 'movimento', 'moção'. Quando você está em uma emoção, todo o seu corpo se move: ele é vibrado, ele palpita, fica vivo — ele é selvagem. Não, a uma mulher não é permitido ser selvagem, ser viva. Ela tem de permanecer como cadáver, morta; então, ela é uma boa mulher, então, ela transcendeu a animalidade. Mas, se você negar o sexo e disser que "isso é animal", então, você terá de escondê-lo.

Nos Estados Unidos, há apenas três ou quatro anos, um fabricante de brinquedos enfrentou um grande problema e o caso foi levado ao tribunal federal. O problema foi que eles criaram alguns bonecos com pênis, vaginas — bonecos reais. Se uma menina tem um rosto, ela deve ter uma vagina; se um menino tem um rosto, ele deve ter um pênis. Mas brinquedos com órgãos sexuais!? Ele teve problemas, e teve de cancelar sua produção... Ele fez uma coisa linda, mas os tribunais não o permitiriam, a sociedade não o permitiria.

Por que seus brinquedos não têm órgãos sexuais se têm tudo o mais? Você quer que a criança fique sem ciência de um fato? — ...então, você está criando uma face falsa. E por que as pessoas ficaram tão enlouquecidas contra aqueles brinquedos? Brinquedos são brinquedos! Mas os sacerdotes, os missionários, os assim chamados benfeitores ficaram loucos e levaram o homem ao tribunal. E ele tinha feito uma coisa bela, uma coisa histórica. As crianças devem conhecer o corpo inteiro, porque o corpo todo é belo. Por que escondê-lo, por que decepá-lo? Um medo, um medo profundo da animalidade. Mas vocês são animais, é um fato: você pode transcendê-lo, mas não pode destruí-lo. Destruição significa uma única coisa: se você destruir o fato, você criará uma face falsa, sua máscara será uma coisa falsa, sua divindade será simplesmente uma máscara.

Se você transcendê-lo, então, sua divindade será alguma coisa autêntica. Mas transcendência significa aceitá-lo: passar através do fato em estado de alerta, sem ficar perdido nele, passar através dele e ir acima. E a negação significa nunca entrar nele, nunca passar através dele, simplesmente esquivar-se dele. Na vida, não podemos nos esquivar de nada; e, se você se esquivar, você permanecerá sempre imaturo, juvenil, você jamais será um adulto. A vida tem de ser vivida — somente então, você realmente cresce. Chega um momento em que você transcende o sexo, mas esse momento chega através do conhecimento, esse momento chega através da experiência; esse momento chega através do aprofundamento da consciência e do amor — não através da negação, não através da repressão.

Jesus diz: *Não pensem do amanhecer ao anoitecer e do anoitecer ao amanhecer sobre o que vestirão*. Não vista nada. Eu não estou dizendo para você ir e andar nu pela cidade; mas não vista mais nada: simplesmente seja você mesmo! Seja o que for o que a vida lhe tenha feito, aceite-o, desfrute-o, dê as boas-vindas a isso! Celebre-o! Seja grato ao divino por ele tê-lo criado, o que quer que você seja. Não rejeite, porque quando você rejeita algo em você, você está rejeitando Deus, porque ele é o criador, ele o criou assim.

É claro, ele sabe mais do que você. Quando você rejeita qualquer coisa em você, você está rejeitando o criador, você está descobrindo falhas no universo, na própria natureza. Isso é tolice, estupidez, mas pessoas assim tornaram-se muito respeitáveis.

Jesus diz "não pense no que você vai vestir", simplesmente mova-se espontaneamente na vida. Responda à vida, mas não ponha nenhuma falsidade entre você e o fluxo da vida.

Viva cada momento sem pensar, porque o pensamento é a máscara mais profunda. Você vai até uma mulher e você começa a ensaiar na mente o que você vai dizer, "Eu te amo", ou "Não há ninguém como você". Se você está fazendo um ensaio, você não está amando; caso contrário, não haveria necessidade disso, porque o amor fala por si mesmo, o amor flui por si mesmo, por conta própria — as coisas acontecem. As flores desabrocham, mas por conta própria — nenhum ensaio é necessário.

Certa vez, Mark Twain foi questionado por um amigo... — ele estava vindo de uma palestra onde havia feito uma bela conferência, e o amigo lhe perguntou: "Que tal? Você gostou da sua palestra?"

Mark Twain respondeu: "Que palestra? —...porque há a que eu preparei; a que eu dei; e a que eu gostaria de dar — sobre qual delas você está perguntando?" .

Mas assim é toda a sua vida: você prepara determinada coisa, você faz outra coisa, e você gostaria de ter feito uma outra inteiramente diferente. Por que isso acontece... tanta divisão? Porque você não é espontâneo. Quem é espontâneo precisará somente de uma coisa, de nada mais: estar alerta, consciente. Então, a pessoa responderá a partir de sua consciência. Você prepara, porque você é desatento, não consciente. Você tem medo, você é medroso, porque quem sabe qual será a situação adiante? "Estarei eu apto a responder, ou não?" O medo...! Então você se torna falso. Mas Jesus diz: *Não pensem sobre o que vestirão.*

> *Os discípulos perguntaram:*
>
> *Quando serás revelado a nós*
>
> *e quando nós veremos a ti?*
>
> *Jesus disse:*
>
> *Quando tirarem suas vestes sem se sentirem envergonhados*
>
> *e pegarem suas vestes e colocarem-nas sob seus pés*
>
> *e pisarem nelas como as criancinhas —*
>
> *então, vocês contemplarão o filho daquele que vive,*
>
> *e não temerão.*

Tente compreender cada uma dessas palavras. Os discípulos perguntaram: *"Quando serás revelado a nós?"*... Jesus estava ali, revelado em toda sua glória; ele estava presente para eles, diante deles. Eles estão perguntando ao próprio Jesus: *"Quando serás revelado a nós?"*... Eles pensam como se Jesus estivesse se escondendo.

Uma vez, perguntaram a Buda. Ele estava passando por uma floresta. Folhas secas estavam no caminho, as folhas estavam caindo, o vento soprando e fazia muito ruído nas folhas secas caídas. Ananda perguntou — não havia mais ninguém por perto, porque alguns discípulos tinham ido à frente e alguns outros estavam vindo atrás, seguindo-os; mas, naquele momento, somente Ananda estava perto de Buda. Ele disse: "Eu sempre quis perguntar uma coisa: você já revelou todas as coisas que você tem? Ou você está escondendo alguma coisa de nós?"

Buda responde: "Minha mão é mão aberta — um buda não tem mão fechada. Olhe para esta floresta como ela se revela, nada está escondido. Sou exatamente tão aberto quanto esta floresta, e um buda não tem mão fechada". Então, ele pegou algumas folhas secas em sua mão e disse: "Agora, minha mão está fechada, você não pode ver aquelas folhas". As pessoas avarentas com seus conhecimentos, aquelas que não gostariam de compartilhá-los — são como mãos fechadas". Aí então, Buda abriu sua mão, as folhas caíram ao chão e ele disse: "Mas a mão de um buda não é como um punho. Ele é aberto. Já revelei tudo. E se você sente que alguma coisa ainda está escondida, é por sua causa, não por minha causa".

Jesus está ali, presente... Os discípulos estão perguntando: *"Quando serás revelado a nós"*... Ele está revelado! *e quando nós veremos a ti?"* Eles pensam como se Jesus estivesse se escondendo. Não, Jesus não está se escondendo. Em vez disso, bem ao contrário, os discípulos é que não estão abertos, estão fechados; os olhos deles não estão abertos. Eles estão escondidos, não Jesus.

A verdade não está escondida — você é que está fechado. A verdade é revelada em todo lugar, a cada momento. A verdade, por sua própria natureza, não pode ficar escondida. Somente as mentiras tentam se esconder; não a verdade — somente as mentiras são reservadas. A verdade é sempre parecida com a mão aberta; ela nunca é parecida com o punho. Mas, você está fechado.

"O problema está com vocês" — foi o que Jesus disse. *"Quando tirarem suas vestes sem se sentirem envergonhados"* — ...porque você pode tirar suas roupas e, ainda assim, continuar sentindo vergonha; então, essa nudez não é uma nudez realmente, essa nudez não é inocente. Vergonha é dissimulação.

No cristianismo, a vergonha é o pecado original. Você já ouviu a história do que aconteceu a Adão e Eva. Em que momento o pecado aconteceu? Tem havido uma contínua pesquisa para se descobrir em que exato momento o pecado aconteceu. Eles tinham sido proibidos de comer o fruto da árvore do conhecimento, mas eles foram tentados. É natural: quando quer que qualquer coisa seja proibida, a tentação vem — é assim que a mente se comporta.

Mas a mente tem um outro truque também: ela o tenta, mas sempre faz outra pessoa responsável. Quando quer que alguma coisa seja proibida, a mente fica interessada, aquilo torna-se um convite. A mente quer saber, meter o nariz, investigar.

Adão e Eva foram tentados por si mesmos, não havia mais ninguém lá. Mas a história diz que o diabo, Satanás, os tentou. Esse é um truque da mente, jogar a responsabilidade em cima de outra pessoa. E esse "Diabo" nada mais é do que um bode expiatório, esse "Diabo" nada mais é do que um truque da mente para descartar-se de todas as responsabilidades. Você é tentado, mas o "Diabo" é o tentador; assim, você não é o responsável. Ele o persuadiu, o seduziu; assim, ele é o pecador, não você. Mas a tentação veio da proibição, e isso foi um truque da mente. A história é bela:

> *Deus disse: "Não comam o fruto desta árvore!". Se eles tivessem confiança, então, teriam evitado a árvore. Mas eles não tinham confiança. Eles disseram: "Por quê? Por que Deus nos proíbe esta árvore? E esta árvore é a árvore do conhecimento!". A mente deve ter dito a eles: "Se comerem, vocês se tornarão semelhantes aos deuses, porque serão conhecedores. E ele os está proibindo, porque ele é invejoso. Ele os está proibindo, porque ele não gostaria que vocês se tornassem semelhantes aos deuses. Vocês se tornariam conhecedores, então, nada ficaria escondido de vocês". Mas a história diz que foi o diabo que os tentou e lhes disse: "Ele proibiu isso, porque tem inveja e medo". Essa foi simplesmente uma situação para Adão e Eva provarem se tinham confiança ou não — nada mais.*

Mas a mente persuadiu-os... — a mente é o "Diabo". O Diabo veio em forma de uma serpente, e a serpente é o mais antigo símbolo da esperteza — a mente é a serpente, a coisa mais esperta. Adão e Eva responsabilizaram o Diabo, jogaram a responsabilidade no Diabo — e Adão também jogou a responsabilidade em Eva. O homem sempre disse que a mulher é a tentadora; assim, o homem sempre esteve condenando as mulheres. Em todas as escrituras do mundo, a mulher é a tentadora: ela o conduz à tentação, ela o seduz, e ela é a causa de todos os problemas. Assim, seus supostos santos continuam condenando as mulheres.

Esse é o modo da mente. Eva diz: "o Diabo"; Adão diz: "Eva"; e se você perguntar ao Diabo — se você o encontrar em algum lugar... —, ele dirá: "Foi Deus! Por que, em primeiro lugar, por que ele proibiu? Isso criou todo o problema. Caso contrário, o jardim do Éden era tão grande e havia milhões de árvores, que, por conta própria, eles nunca teriam encontrado a árvore do conhecimento. 'Proibido!' Eles sabiam que aquela era a árvore e, então, todo o jardim tornou-se desinteressante, todo o interesse deles ficou focado — foi culpa de Deus!".

Mas a história é bela e tem milhões de dimensões no seu entorno; ela pode ser interpretada de muitas, muitas maneiras — essa é a beleza de uma parábola. Eles pegaram o fruto da árvore, comeram-no e, imediatamente, ficaram envergonhados de sua nudez. Em que ponto o pecado acontece? Ao desobedecerem a Deus? Se você perguntar ao papa no Vaticano, ele dirá: "Ao desobedecerem a Deus", porque os padres gostariam de que você sempre obedecesse, que nunca desobedecesse.

Se você perguntar aos filósofos, aos teólogos, eles dirão: "Ao comerem o fruto do conhecimento". Porque, quando você começa a pensar, os problemas surgem. A vida sem pensar é inocente — as crianças são inocentes, porque não podem pensar; as árvores parecem tão belas, porque não podem pensar. O homem parece tão feio, porque sua mente está sempre carregada e tensa com preocupações e pensamentos e sonhos e devaneios; e ele está sempre carregado — toda a graça é perdida. Assim, se você perguntar aos filósofos existencialistas, eles dirão que é por causa da árvore do conhecimento.

Mas se você perguntar aos psicólogos, cuja abordagem é mais profunda, eles dirão: "Por causa da vergonha". Porque, quando sente vergonha, você começa a odiar a si mesmo. Quando você sente vergonha, você começou a se rejeitar. Mas isso surge através do conhecimento. As crianças não podem sentir vergonha: elas andam nuas facilmente, não há nenhum problema. Você as força, pouco a pouco, a sentirem-se envergonhadas — "Não fique nu!". Quanto mais elas se tornam conhecedoras, então, cada vez mais elas se escondem.

Jesus disse: *"Quando tirarem suas roupas sem se sentirem envergonhados..."* Mas o que Adão e Eva fizeram? Eles taparam seus órgãos sexuais com folhas de parreira, a primeira roupa inventada — o mundo começou.

Como você pode entrar novamente no Jardim do Éden? Jogue fora suas folhas de parreira! — eis o que Jesus diz. Ele diz que esse é o caminho de volta ao paraíso. Este é o caminho de volta: *"Quando tirarem suas roupas sem se sentirem envergonhados..."* Porque você pode tirar suas roupas e permanecer envergonhado; então, lá no fundo, as roupas ainda estarão presentes: você está se escondendo, não está aberto. Assim, nudez não é estar despido — você pode estar despido, mas não nu.

A nudez tem uma dimensão mais profunda: significa "nenhuma vergonha", nenhum sentimento de estar envergonhado; significa aceitar seu corpo em sua totalidade, tal como ele é. Sem nenhuma condenação na mente, sem nenhuma divisão no corpo — uma simples aceitação, então, isso é nudez. Mahavira não fica despido, ele não era membro de um clube de nudismo; ele fica nu; ele fica nu como uma criança. Num clube de nudismo, você não fica nu. Até a sua nudez é calculada, é manipulação da mente. Você está revoltado, você está se rebelando, você está contra a sociedade — como a sociedade acredita nas roupas, você está tirando as roupas. Mas isso é uma reação; assim, você não é inocente, inocente como uma criança.

Jesus diz: *"...e pegarem suas vestes e colocarem-nas sob seus pés e pisarem nelas como as criancinhas — então, vocês contemplarão o filho daquele que vive e não temerão".*

Primeiramente, você deve aceitar sua nudez como se estivesse diante de Deus, exatamente como uma criança pequena diante de seu pai e sua mãe — sem nenhuma vergonha. Você não deve ficar envergonhado diante do divino, então, você será real. Se a vergonha estiver presente, então, as máscaras serão usadas, elas fatalmente serão usadas.

Em segundo lugar, se o sentimento de estar envergonhado desaparecer, você não terá nenhum temor. Eles andam juntos: se você se sentir envergonhado, terá medo; se não se sentir envergonhado, não terá medo, absolutamente. O medo desaparece junto com a vergonha. E quando o medo e a vergonha desaparecerem, seus olhos se abrem — e, então, você verá o filho de Deus, ou *"o filho daquele que vive"*; então, Jesus lhe é revelado; então, você pode conhecer um buda.

As pessoas vêm a mim e perguntam: "Como podemos reconhecer se um mestre é iluminado ou não?". Você não pode reconhecer um mestre iluminado tal como você está. É exatamente como um cego perguntando como ele pode reconhecer se a luz está acesa ou apagada. Como um cego pode reconhecer isso? O reconhecimento necessita de olhos e os olhos de um cego são fechados. Você não pode reconhecer se um homem é realizado ou não, iluminado ou não, se ele é realmente um cristo ou não — você não pode reconhecer. Caso contrário, como Jesus poderia ser crucificado se as pessoas o tivessem reconhecido?

Eles o trataram muito mal, fizeram-no parecer tolo, forçaram-no a mostrar-se tolo. No dia em que ele estava carregando a cruz para o Gólgota, havia soldados, garotos, uma massa de gente ao seu redor jogando pedras e coisas sujas, divertindo-se: "Este é o 'Rei de Israel'; este é o 'Filho de Deus'! Esse filho de carpinteiro?! Ele ficou louco!". Fazendo piadas, colocaram a coroa de espinhos em sua cabeça e disseram: "Olhem! Eis o 'Rei de Israel', eis o 'Filho de Deus'!".

E, então, quando ele foi crucificado, a piada final foi colocá-lo entre dois ladrões, um de cada lado. Ele foi crucificado como um criminoso, com dois ladrões. E não somente a multidão, os ladrões também fizeram piadas de Jesus. Um dos ladrões disse: "Agora que vamos todos ser crucificados, lembre-se de nós — não se esqueça de nós em seu 'reino de Deus'. Nós também estamos sendo crucificados com você; assim, não se esqueça de nós, porque você é 'o Filho'! Assim, quando chegar ao reino de Deus, faça alguns preparativos para nós também. E você pode fazer isso — você pode fazer qualquer coisa!". Eles também estavam debochando. Fizeram com que Jesus parecesse um tolo.

Por que nós deixamos de reconhecer Jesus? Nós temos nossos olhos fechados. E os seus olhos estão fechados devido à sua roupagem — não apenas devido às suas roupas, mas por muitos tipos de roupagem: roupas de vergonha, de medo, de ódio de si mesmo, de autocondenação, de culpa — camadas e mais camadas de roupagem.

Jesus disse: *"Quando tirarem suas vestes sem se sentirem envergonhados e, pegarem suas roupas e colocarem-nas sob seus pés e pisarem nelas como as criancinhas"*...

Quando, de início, uma criança é forçada a usar roupas pela primeira vez, ela se rebela. Ela é contra isso, porque isso confina sua liberdade e lhe dá uma falsidade. Sua resistência é natural. Mas você a força, você a persuade. "Quando você sair, você tem de pôr as roupas; quando voltar, aí, você não precisa delas — porque na rua as roupas são necessárias. De outro modo, você não pode vir conosco". E ela quer ir; assim, ela tem de vestir as roupas.

Mas, ao voltar, é isto que ela fará: ela tirará as roupas, e não somente as tirará, ela também pisará nelas. Elas são as inimigas, elas a tornam falsa. Ela não é mais ela mesma quando aquelas roupas estão presentes. Agora ela é livre novamente. Ela celebrará esta nudez tirando as roupas e pondo-as debaixo dos seus pés, pisando nelas e celebrando a nudez. Se vocês fizerem isso, como as crianças: *"...então, vocês contemplarão o filho daquele que vive, e não temerão"*.

Na sua nudez não há nenhum medo, porque o medo é algo acrescentado a você — o medo é criado através da vergonha. Muitas religiões têm criado a culpa, de modo que você se sinta culpado... sinta-se envergonhado e então torne-se medroso. Então, nasce uma neurose e, então, você se dirige para as mesmas pessoas que criaram a culpa e o medo em você. Dirige-se para a mesmas pessoas para aprender como transcendê-los! Elas não podem ajudá-lo, porque elas são as criadoras do medo. Elas dirão: "Reze a Deus e seja temente a Deus". Elas não podem conduzi-lo para além do medo. Jesus pode conduzi-lo para além do medo, mas, então, a coisa toda tem de ser demolida, desde seus próprios fundamentos. Este é o fundamento: não se aceite, e você sempre terá medo.

Aceite-se, e não haverá nenhum medo. Não pense em termos de "devo" ou "não devo", de "tenho de" e "não tenho de", e você nunca terá medo. Seja verdadeiro e confie na realidade; não lute contra a realidade. Se o sexo está presente, está presente, aceite-o; se a raiva está presente, está presente, aceite-a. Não tente criar o oposto — "Estou com raiva, isso não é bom: não devo ter raiva; devo perdoar" "Sou sexual, isso não deve ser assim, tenho de ser celibatário." Não crie o polo oposto, porque, quando você cria o polo oposto, você está tentando criar máscaras. A raiva permanecerá; seu perdão será apenas uma face falsa; o sexo estará presente, mergulhando cada vez mais e mais no inconsciente e, em sua face, haverá uma máscara de *brahmacharya*[1]. Mas isso não vai ajudar.

Ouvi contar:

> *Um cientista estava trabalhando para descobrir o segredo dos diamantes. Ele trabalhou arduamente e quase todas as pistas lhe foram reveladas, exceto num único ponto. Se ele viesse a descobrir aquela única coisa, ele se tornaria o homem mais rico do mundo. Ele trabalhou arduamente, mas não conseguiu descobrir a única pista. Então, alguém sugeriu:*

> *— Você está desperdiçando sua vida e seu tempo. Ouvi dizer que há uma mulher no Tibete, uma mulher muito sábia, e ela sabe todas as respostas. Vá até ela e faça a simples pergunta sobre isso, o seu problema, e ela lhe dará a resposta. Por que desperdiçar tempo aqui?*

O homem viajou para o Tibete, mas isso levou muitos anos. Foi muito difícil alcançar a sábia mulher. Ele teve de passar por muitas privações e várias vezes sua vida esteve por um fio, mas ele chegou lá. Pela manhã, ele bateu na porta e a sábia o atendeu. Ela era uma mulher muito bonita, como ele nunca vira antes. E ela não era somente bela, mas todo o seu ser era convidativo — em seus olhos, um ar de "Aproxime-se!". Ela disse:

> *— Muito bem, então você chegou... Meu marido saiu e esta é a regra: você pode fazer somente uma pergunta e eu a responderei. Uma pergunta somente, lembre-se, nenhuma segunda pergunta. — O cientista soltou sem pensar:*

> *— Quando seu marido estará de volta?*

Essa era a única pergunta que o trouxera até ali... Em algum lugar, bem no fundo do seu inconsciente, o sexo deveria ser o problema, o problema verdadeiro. Trabalhar com diamantes, encontrar o segredo dos diamantes, deve ter sido uma distração. Bem lá no fundo, no inconsciente, ele devia estar pensando: "Quando eu me tornar o homem mais rico do mundo, todas as mulheres, todas as lindas mulheres, serão minhas" — em algum lugar, embora ele pudesse não estar consciente disso.

---

(1)   *Brahmacharya* — celibatário.

Você pode ir trabalhando na superfície sem estar ciente do inconsciente, mas, no momento certo, ele virá, explodirá. Fugir é fútil. Somente a transformação pode ajudar, e a transformação precisa de profunda aceitação de seu ser, tal como você é. Sem nenhum julgamento, sem dizer "Isto é bom, aquilo é ruim!" — sem qualquer avaliação. Não seja um juiz! Simplesmente confie em sua natureza e flua com ela, e não tente nadar contra a correnteza — isso é o que significa nudez.

Mova-se com a vida, em profunda confiança, para onde quer que ela o conduza. Não crie seu próprio objetivo; se você criar seu próprio objetivo, você se tornará falso. A vida não tem nenhum objetivo. Se **você** tem um objetivo, você está contra a vida. A vida não se movimenta como um negócio: ela se movimenta como a poesia; a vida não se movimenta a partir da cabeça: ela se movimenta a partir do coração — ela é um romance. A confiança é necessária, a dúvida não será de ajuda. A vida não é científica: ela é irracional. A vida não acredita em Aristóteles nem nos lógicos: ela acredita no amor, nos poetas, ela acredita nos místicos. Ela é um mistério a ser vivido, não um enigma a ser resolvido — ela não é um quebra-cabeça, não é um problema. O segredo está aberto, somente você está fechado. Ele é revelado em todos os lugares: em cada árvore, em cada folha, em cada raio de sol ele é revelado — mas você está fechado.

Por que você está fechado? Você não aceita a vida dentro de você, como pode aceitar a vida fora? Aceite! Comece a partir do centro do seu ser. Aceite a si mesmo tal como você é e, então, você começará a aceitar todas as coisas tal como são. E, com a aceitação, vem a transformação: você nunca mais será o mesmo que é, uma vez que aceite.

A transformação acontece por si mesma, ela vem por conta própria, mas ela sempre vem num estado de "deixar fluir". É isto o que Jesus diz: fique nu, de modo que você possa deixar fluir. Abandone tudo o que a sociedade lhe deu — esse é o significado de 'roupagem'. A sociedade não lhe deu o ser, ela lhe deu o ego. Abandone as roupagens e o ego desaparece. Pense em si mesmo andando nu pelas ruas.

Um homem chamado Ibrahim foi ao seu mestre — Ibrahim tornara-se rei quando sua busca começou. Ele foi ao mestre e o mestre lhe perguntou:

— *Você está preparado para aceitar tudo?*

Ibrahim respondeu:

— *Eu vim para isso — diga e eu farei.*

O Mestre olhou-o e disse:

— *Está bem. Tire as suas roupas!*

Os discípulos ficaram pouco à vontade, porque Ibrahim era um grande rei e aquilo era demasiado e desnecessário. Aquilo nunca havia sido pedido a nenhum deles; assim, por que uma coisa tão dura para o rei? Um discípulo chegou a sussurrar no ouvido do mestre:

— *Isso é demais, não seja tão duro — você nunca nos pediu isso!*

Mas o mestre acrescentou:

— *E pegue seus sapatos nas mãos e ande pelas ruas, batendo na sua cabeça com os sapatos! Ande nu por toda a cidade!*

Aquela cidade era a capital, mas Ibrahim fez o que ele disse. Nu, ele andou por toda a capital batendo na cabeça com seus próprios sapatos. E conta-se que, quando voltou, ele estava iluminado.

O que aconteceu? Ele era um homem de grande potencial, eis por que o mestre exigiu tanto. Um mestre exige somente o tanto que é possível para você. Quanto mais potencial você tiver, mais ele exigirá, mas, se você for simplesmente pobre, ele não exigirá tanto. Ibrahim era um homem de muito potencial — ele mesmo tornou-se um grande mestre por seu próprio direito. O que aconteceu? Isso aconteceu, como Jesus está dizendo a seus discípulos: roupagem abandonada, ego abandonado — tudo o que a sociedade lhe deu.

Muitas vezes o ego cai por si mesmo, porque ele é um fardo, mas, novamente, você volta a colocá-lo na sua cabeça e o carrega. Muitas vezes você é um fracasso, muitas vezes você não obtém sucesso. Muitas vezes o ego cai por si mesmo, mas, novamente, machucado, frustrado, derrotado, fracassado, você volta a carregar o fardo com alguma esperança. Aqui está uma história que ouvi contar:

Certo dia, o leão foi até o tigre e perguntou:

— *Quem é o chefe desta floresta? — O tigre respondeu:*

— *É claro, mestre, é você. Você é o rei!*

Então, o leão foi até o urso, agarrou-o e perguntou:

— *Quem é o mestre? Quem é o chefe? — O urso respondeu:*

—*É claro, não é nem preciso perguntar: você é o rei de todos os animais. Você é o chefe!*

E, então, o leão foi até o elefante e fez a mesma pergunta: — Quem é o chefe aqui?

O elefante agarrou o leão e jogou-o longe, pelo menos a uns quinze metros. Ele caiu sobre uma rocha, sangrando, contundido, fraco, mas levantou-se e disse:

— *Se você não sabe a resposta certa, esta não é a maneira de se comportar!*

É isso o que você tem feito... Mas você não abandonará, você também dirá: "Se você não sabe a resposta certa, esta não é a maneira de se comportar! Por que ficar tão bravo? Você poderia simplesmente dizer: 'Eu não sei a resposta!'".

Se você puder reconhecer que, no fracasso, tudo o que essa sociedade lhe deu cai, o fracasso torna-se o começo do maior sucesso possível na vida. Eis por que apenas no fracasso o homem se torna religioso — ...se ele puder reconhecer o fracasso. É muito difícil tornar-se religioso quando se obtém sucesso. Então, a roupagem está lhe dando tanto, por que se preocupar em ficar nu? Então, a roupagem é um investimento tão bom! Mas, no fracasso, de repente, você toma ciência da nudez que está presente. Não pode escondê-la, você pode somente se enganar.

Use seus fracassos! E, quando você for jogado contra uma rocha, contundido e sangrando, não repita a estupidez do leão. Reconheça que não há nenhum sucesso neste mundo. Não pode haver, porque essa coisa toda é tão falsa... e, com faces falsas como você pode ter sucesso? Mesmo os seus Napoleões, os seus Secundars, os seus Alexandres e os seus Gêngis Khans, são todos fracassos.

Um Jesus é bem-sucedido, porque se sustenta em sua originalidade, se sustenta em sua natureza. Tente entender isso — e não somente através da compreensão, mas abandonando, pouco a pouco, a sua roupagem: fique nu e você será puro. Então, você terá jogado fora aquela maçã que Adão e Eva comeram; então, a porta do paraíso é aberta novamente.

Os cristãos dizem que com Adão e Eva a humanidade foi expulsa do paraíso; com Jesus, as portas estão novamente abertas — você pode entrar. Mas isso não acontecerá simplesmente por se ser um cristão. Você terá de reconhecer Jesus, e esse reconhecimento vem somente quando você se reconheceu como Jesus — nada menos que isso funciona.

Basta por hoje.

QUINTO DISCURSO

Jesus lhes disse:
Se vocês jejuarem,
gerarão pecado em si mesmos;
e se vocês orarem,
serão condenados;
e se vocês derem esmolas,
farão mal a seus espíritos.
E, se vocês forem para qualquer terra
e percorrerem suas regiões:
se vocês forem recebidos,
comam o que colocarem à sua frente
e sanem os doentes dentre eles.
Pois o que entrar pela sua boca
não os maculará,
mas o que sair da sua boca,
eis o que os maculará.

Essa é uma enunciação muito estranha, mas muito significativa também. Parece entranha, porque o homem não é verdadeiro, ele vive na falsidade. Assim, seja o que for que faça, vai ser falso.

Se você orar, orará por razões erradas; se você jejuar, jejuará por razões erradas — porque você está errado. Assim, a questão não é o que é certo fazer; a questão é como ser certo em seu ser. Se o seu ser estiver certo, então, seja o que for que você faça, estará certo automaticamente; mas, se o seu ser não estiver certo, se você não estiver centrado, não for autêntico, então, seja o que for que faça, vai ser errado.

No final, tudo depende não do que você faz, mas do que você é. Se um ladrão vai orar, sua oração vai ser errada, porque... como é possível uma oração nascer de um coração que tem estado enganando todo mundo — roubando, mentindo, prejudicando? Como é possível a oração vir do coração de um ladrão? É impossível. A oração pode modificá-lo, mas de onde vem a oração? Ela vem de você. Se você estiver doente, sua oração vai ser doentia.

Mulla Nasruddin certa vez candidatou-se para um emprego. No formulário, ele mencionou muitas qualificações. Ele declarou: "Obtive o primeiro lugar em minha universidade, e me ofereceram a vice-presidência de um banco nacional. Recusei, porque não estou interessado em dinheiro. Sou um homem honesto, um homem verdadeiro. Não tenho nenhuma ambição, eu não me preocupo com o salário; seja o que for que vocês me pagarem, estará bem. E eu adoro trabalhar — sessenta e cinco horas por semana".

Quando o superintendente que estava conduzindo a entrevista olhou para o formulário, ficou surpreso e disse:

— *Meu Deus! O senhor não tem nenhuma fraqueza?*

Nasruddin disse:

— *Somente uma: sou mentiroso!*

Mas essa única abrange todo o resto. Não há nenhuma necessidade de se ter nenhuma outra fraqueza, essa única é o bastante. Não há muitas fraquezas em você, você tem somente uma — dessa única, nascem todas as outras. E você tem de lembrar-se da sua fraqueza, porque esta vai segui-lo aonde quer que você vá, como uma sombra; seja o que for que você faça, ela dará o colorido.

Assim, a coisa básica em religião não é o que fazer, a coisa básica é o que ser. "Ser" significa seu âmago mais profundo, "fazer" significa suas atividades superficiais na circunferência. "Fazer" significa seu relacionamento com os outros, com o mundo exterior;

e "ser" significa você tal como você é, sem relacionar-se, como você é internamente.

Você pode ficar sem fazer nada, mas você não pode ficar sem o ser. O fazer é secundário, dispensável. Um homem pode permanecer inativo, sem fazer nada, mas um homem não pode ficar sem ser — assim, ser é a essência. Jesus, Krishna, Buda, todos falam sobre o ser; e os templos, as igrejas, as mesquitas, as organizações, as seitas, os assim chamados gurus, os professores e os padres, todos eles falam sobre o fazer. Se você perguntar a Jesus, ele falará sobre o seu ser e em como transformá-lo. Se você perguntar ao papa no Vaticano, ele falará sobre o que fazer, sobre moralidade. A moralidade está interessada no fazer; a religião, no ser.

Estas distinções têm de ser mantidas tão claras quanto possível, porque tudo o mais depende disto. Quando quer que nasça uma pessoa como Jesus, nós não a compreendemos. E a má compreensão acontece porque nos falta esta distinção: ele fala sobre o ser e nós o ouvimos e interpretamos como se ele estivesse falando sobre o fazer.

Se você compreender isso, então, essas palavras serão muito claras e muito úteis. Elas podem se tornar uma luz em seu caminho. Caso contrário, elas serão muito estranhas e contraditórias; e parecerão antirreligiosas. Quando Jesus as proferiu, deve ter parecido aos padres que suas enunciações eram antirreligiosas, eis por que eles o crucificaram. Eles pensaram que aquele era o homem que estava vindo para destruir a religião.

Olhe para a afirmação — aparentemente, assim parece. Jesus lhes disse:

Se vocês jejuarem,

gerarão pecado em si mesmos;

E nós sempre ouvimos dizer que a religião ensina o jejum, porque ela sempre disse, repetidamente, que, quando você jejua, você é purificado através disso. Toda a religião dos *jainas*[1] depende do jejum. Se eles ouvirem essas palavras de Jesus dirão: "Esse homem é perigoso, e os judeus fizeram bem ao crucificá-lo!".

---

(1)   *Jainas* — pronuncia-se: [jenas] — pertencentes ao jainismo, religião surgida a partir de Mahavira, na Índia, no século VI a.C. (N. da T.)

Os judeus também ficaram perturbados: tais palavras eram rebeldes e toda a moralidade deles poderia ser perdida. Se você disser ao povo *"Se vocês jejuarem, gerarão pecado em si mesmos"*, o próprio jejum se torna um pecado!

...e se vocês orarem,

serão condenados;

Você alguma vez já ouviu dizer que, se você orar, você será condenado? Então, o que é religião? Nós pensamos que religião é ir à igreja e orar a Deus; e Jesus diz: *se vocês orarem, serão condenados;*

e se vocês derem esmolas

farão mal a seus espíritos.

A mais estranha enunciação, mas muito significativa. Jesus está dizendo que, como você está, você não pode fazer nada certo. A ênfase não está em jejuar ou não jejuar; a ênfase não está em dar esmolas ou não; a ênfase não está em orar ou não. A ênfase é esta: o que quer que você faça agora — do jeito em que você está — irá sair tudo errado.

Você pode orar? Você pode ir ao templo, porque isso é fácil, mas você não pode orar. A prece precisa de uma qualidade diferente — essa qualidade você não a tem; assim você pode somente enganar a si mesmo, que você está orando. Vá e olhe para as pessoas que estão orando em um templo: elas estão simplesmente se enganando, elas não têm essa qualidade característica do espírito da oração. Como você pode orar? E se você tiver essa qualidade, que necessidade há de ir ao templo ou à igreja? Onde quer que você esteja, a oração estará presente: você anda, caminha... e isso é oração! Você come, ama... e isso é oração! Você olha, respira... e isso é oração! Porque essa qualidade está sempre presente, ela é simplesmente como a respiração. Então, você não pode estar em um momento de não oração. Mas, então, não há a necessidade de se ir ao templo ou à igreja. As igrejas e os templos existem para aqueles que querem se enganar, para aqueles que não têm nenhuma qualidade de oração e, assim mesmo, gostariam de acreditar que estão orando.

Um homem estava morrendo — um pecador. Ele nunca tinha ido ao templo, nunca tinha orado, nunca tinha ouvido o que os sacerdotes diziam, mas, no momento da morte, ficou com medo. Ele pediu ao padre que fosse lá, ele suplicou. Quando o padre chegou, havia uma multidão. Muitas pessoas estavam lá, porque o pecador era um grande homem, um homem de sucesso; ele era um político, tinha poder, tinha dinheiro. Assim, muitas pessoas se juntaram.

O pecador pediu ao padre para chegar perto, porque ele queria dizer algo em segredo. O padre chegou perto e o pecador sussurrou-lhe nos ouvidos:

> — *Eu sei que sou um pecador e sei muito bem que nunca fui à igreja, que não sou um membro da igreja. Não sou um homem religioso de modo algum, nunca orei; assim, sei muito bem que o mundo não vai me perdoar. Mas ajude-me, dê-me um pouco de confiança, diga-me que Deus me perdoará! O mundo não vai me perdoar, eu sei, e nada pode ser feito quanto a isso agora — mas diga-me só uma coisa: que Deus vai me perdoar!*

> — *Bem* — *disse o ministro, o padre* —, *talvez ele o faça, porque ele não chegou a conhecê-lo do modo que nós o conhecemos...*

Talvez ele o faça, porque ele não chegou a conhecê-lo do modo que nós o conhecemos... Mas, se você não pode enganar o mundo, pode enganar a Deus? Se você não pode enganar mentes comuns, pode enganar a mente divina? Trata-se simplesmente de um consolo, de uma coisa confortadora: "Talvez". Mas esse "talvez" está absolutamente errado; não se agarre a esse "talvez"!

A prece é uma qualidade que pertence à essência e não à personalidade. Personalidade é aquilo que você tem feito, trata-se de um relacionamento com os outros. A essência é o que veio para você — não tem nada a ver com o seu fazer —, é um presente de Deus. A prece pertence à essência: é uma qualidade; não é nada que você faça.

O que é jejuar? Como você pode jejuar? E por que as pessoas jejuam? A afirmação de Jesus é muito profunda; mais profunda do que qualquer afirmação de Mahavira sobre o jejum. Jesus está dizendo uma verdade psicológica muito profunda, e esta verdade é que a mente se move para os extremos: uma pessoa que é demasiadamente obcecada por comida pode jejuar facilmente. Parecerá estranho, paradoxal, que uma pessoa que come demais possa jejuar facilmente, que uma pessoa glutona possa jejuar facilmente. Mas somente esse tipo de pessoa pode jejuar facilmente. Uma pessoa que sempre foi equilibrada em sua dieta, achará quase impossível jejuar... Por quê? Para responder a isso temos de entrar na fisiologia e na psicologia do jejum.

Primeiramente na fisiologia, porque essa é a camada mais externa. Se você come demais, você acumula demasiada reserva, junta muita gordura. Então, poderá jejuar muito facilmente, porque a gordura nada mais é do que um reservatório, trata-se de uma reserva. As mulheres podem jejuar mais facilmente do que os homens — e vocês sabem disso. Se observar as pessoas que estão jejuando, principalmente entre os *jainas*, você descobrirá que, para cada homem que jejua, quatro ou cinco mulheres estão jejuando — essa é a média. O marido não pode jejuar, mas a esposa pode. Por quê? Porque o corpo feminino acumula mais gordura e fica mais fácil se você tem mais gordura em você, porque, num jejum, você tem de comer sua própria gordura. Eis por que você perde um ou dois quilos de peso por dia. Para onde vai esse peso? Você está comendo a si mesmo, trata-se de um tipo de alimento.

As mulheres jejuam facilmente elas acumulam mais gordura do que os homens — eis por que seus corpos são mais redondos. As pessoas gordas podem jejuar com muito mais facilidade, elas podem entrar em dietas — elas estão sempre à cata de dietas.

Um homem, um homem saudável comum, pode acumular tanta gordura, que por três meses ele pode jejuar e não morrerá; noventa dias — esse tanto de reserva pode ser acumulada. Mas se você é magro e fino — quer dizer, se você tem comido de modo equilibrado, somente o suficiente para a atividade física do dia a dia, e não acumulou muita gordura... — você não pode jejuar. É por isso que o culto ao jejum existe sempre entre os ricos, nunca entre os pobres.

Observe: sempre que um homem pobre celebra um dia religioso, ele celebra com um banquete; e sempre que um homem rico celebra um dia religioso, ele o celebra com o jejum. Os *jainas* são as pessoas mais ricas da Índia; daí, seu jejum. Mas um muçulmano... — um muçulmano pobre, ou um hindu pobre —, quando o dia religioso chega, ele faz um banquete, porque durante o ano inteiro ele esteve com fome; então, como ele pode celebrar o dia da religião com mais jejum? Ele já está jejuando o ano inteiro, e o dia religioso tem de ser diferente dos dias comuns. Assim, esta é a única diferença: ele vestirá roupas novas e terá um bom banquete, e se alegrará e dará graças a Deus. Essa é a religião do homem pobre.

Agora, nos Estados Unidos, o jejum e o culto ao jejum se desenvolverá rapidamente. Já está se desenvolvendo, porque os Estados Unidos se tornaram tão ricos e o povo está comendo tanto, que, agora, vindo de algum lugar, o jejum tem de entrar. Nos Estados Unidos, todos os cultos ao jejum têm crescido rapidamente — podem ter diferentes nomes mas, fisiologicamente, seus corpos devem ter mais gordura do que é necessário e, então, jejuar é fácil.

Em segundo lugar, psicologicamente, você pode estar obcecado por comida. A comida deve ser a sua obsessão: você deve estar comendo demais, comendo, comendo e comendo, e pensando em comer mais, cada vez mais e mais. Esse tipo de mente, um dia, ficará farta de comida e de pensar em comida. Se você pensar demais sobre qualquer coisa, ficará farto dela. Se você obtiver muito de qualquer coisa, acabará ficando farto daquilo. Então, o oposto se torna atraente: você têm comido demais; agora, precisa jejuar. Pelo jejum, você voltará a ser capaz de comer novamente com gosto, o apetite voltará — esse é o único jeito.

A mente tem uma lei básica que é: ela pode mover-se para o oposto muito facilmente, mas ela não pode permanecer no meio. O equilíbrio é o ponto mais difícil para a mente; os extremos são sempre fáceis. Se você é um comilão, você pode se tornar um jejuador, porque esse é um outro extremo — mas você não pode permanecer no meio. Você não pode ficar no alimento correto, numa dieta correta. Não! Ou este lado ou aquele — a mente sempre tende para o extremo. Ela é exatamente como o pêndulo de um relógio: vai para a direita, depois para a esquerda; então, volta para a direita... Mas, se parar no meio, o relógio para, não haverá nenhuma possibilidade de o relógio se mover. Se a sua mente parar no meio, então, o pensar para, então, o relógio para. Mas se for para o extremo, mais cedo ou mais tarde, o oposto se tornará novamente significativo, atraente, e você terá de ir para o oposto.

Jesus compreendeu isso bem, muito bem. E ele diz: *"Se vocês jejuarem, gerarão pecado em si mesmos"*...

O que é pecado? Na terminologia de Jesus, o extremo, mover-se para o extremo é pecado. Permanecer exatamente no meio é estar além do pecado. Por quê? Por que é pecado se mover para o extremo? Mover-se para o extremo é pecado, porque, no extremo, você escolheu uma metade e a outra metade foi negada — e a verdade é inteira. Quando você diz "comerei demais", você escolheu uma metade. Quando você diz "não comerei nada", você novamente escolheu outra metade, você escolheu algo. No meio, não há nenhuma escolha: você alimenta o corpo, e você não está obcecado nem deste modo, nem daquele — você não está obcecado de modo algum, você não é neurótico. O corpo sacia suas necessidades, mas você não fica sobrecarregado pelas necessidades dele.

Esse equilíbrio está além do pecado. Assim, quando quer que você tenha um desequilíbrio, você é um pecador. A ideia de Jesus é que uma pessoa muito apegada a este mundo é pecadora, mas, se ela se move para o outro extremo, renuncia ao mundo, se torna demasiadamente contra o mundo, então, ela está em pecado novamente. Uma pessoa que aceita o mundo, sem escolher este modo ou aquele, transcende-o.

Aceitação é transcendência. "Escolha" significa que você entrou em cena, seu ego entrou; agora, você está lutando.

Quando quer que você vá para um extremo, você tem de lutar continuamente, porque um extremo não pode nunca estar à vontade — somente no meio você pode estar à vontade. No extremo, você estará sempre tenso, preocupado; a ansiedade estará presente. Somente no meio, quando você está equilibrado, não há nenhuma ansiedade, nenhuma angústia — você está em casa, nada o preocupa, porque não há nenhuma tensão. Tensão significa o extremo. Você tentou muitos extremos, eis por que está tão tenso.

Ou você anda atrás de mulheres e, então, o sexo continuamente gira em sua mente, ou você virou-se contra elas e, então, o sexo também gira em sua mente. Se você estiver existindo em função do sexo, então, o sexo será a única coisa na mente, a fumaça. Se você estiver contra ele, se for um inimigo, então novamente, o sexo estará na sua mente — porque dos amigos você se lembra, mas dos inimigos você se lembra ainda mais. Algumas vezes, os amigos podem ser esquecidos, mas os inimigos nunca, eles estão sempre aí — como você pode se esquecer de seu inimigo? Assim, as pessoas que se movimentam no mundo do sexo ficam cheias de sexo. E vá aos mosteiros, olhe nos mosteiros onde estão as pessoas que se moveram para o outro extremo — elas estão continuamente com o sexo, toda a mente delas se tornou sexual.

Coma demais, torne-se obcecado por comida, como se toda a sua vida existisse para comer; então, continuamente, haverá comida na mente. Depois jejue, então, também continuamente, a comida estará na mente. E, se algo ficar sempre na mente, vai se tornar um fardo. A mulher não é o problema, o homem não é o problema — sexo sempre na mente é o problema. Comida não é um problema: você come e acabou; mas comida na mente, sempre, aí está o problema.

E se houver muitas coisas na mente o tempo todo, a mente fica dissipando energia; a mente se torna lerda, entediada, tão carregada que a vida parece simplesmente sem sentido. Quando a mente está descarregada, leve, fresca, então, a inteligência acontece, então, você olha para o mundo com novos olhos, com uma consciência nova, descarregada. Então toda a existência é bela — essa beleza é Deus! Então, toda a existência é viva — essa vivacidade é Deus. Então, toda a existência é extática, cada momento dela, cada instante dela, abençoado — essa bem-aventurança, esse êxtase é Deus.

Deus não é uma pessoa em algum lugar, esperando por você; Deus é uma revelação neste mundo. Quando a mente está silenciosa, clara, leve, jovem, fresca, virgem... — com uma mente virgem, Deus está em todo lugar. Mas a sua mente está morta, e você a tornou morta através de um processo específico. Esse processo é o movimento de um extremo para outro e, então, novamente desse extremo para um outro, mas nunca parando no meio.

Ouvi contar que um bêbado estava caminhando por uma rua extensa, muito ampla. E ele perguntou a um homem:

— Onde está o outro lado da rua? — A noite estava descendo, a luz desaparecendo, ele completamente bêbado e a rua era muito larga. Ele não podia ver bem e por isso perguntou: "Onde está o outro lado?". O homem sentiu pena e o levou para o outro lado. Quando o bêbado chegou do outro lado, perguntou a um outro homem:

— Onde está o outro lado? — O homem tentou levá-lo para o outro lado. Mas o bêbado fincou pé e disse:

— Espere! Que tipo de gente há por aqui? Eu estava lá e perguntei "Onde está o outro lado?". Eles me trouxeram até aqui

e, agora, eu pergunto "Onde está o outro lado?" e você diz que é lá! E quer me levar outra vez para aquele lado...?! Que tipo de gente há por aqui? Onde está o outro lado?!

Onde você está não faz nenhuma diferença: o extremo oposto se torna o outro lado e fica atraente, porque a distância cria a atração. Você nem pode imaginar a atração do sexo para um homem que esteja tentando ser celibatário — você nem pode imaginar! Você não pode imaginar a atração da comida para uma homem que esteja jejuando. Você não pode imaginar, porque isso é uma experiência: uma coisa continuamente martelando na sua mente — comida, sexo... E isso pode ficar assim até o fim! Mesmo quando você estiver morrendo, se houver algum extremo ali, você estará obcecado.

Como estar à vontade e relaxado? Não vá para o extremo — esse é o significado da enunciação. Não vá para o extremo! Jesus sabe bem que você está viciado em comida — não entre em jejum, isso não vai ajudar. *"Se vocês jejuarem, gerarão pecado em si mesmos; e se vocês orarem, serão condenados..."*

O que é orar? Comumente, pensamos que orar é pedir alguma coisa, exigir, reclamar — você tem desejos e Deus pode ajudá-lo a satisfazê-los. Você vai à porta de Deus para pedir alguma coisa, você vai como um mendigo. Para você, orar é mendigar. Mas... orar jamais pode ser mendigar: a prece só pode ser um agradecimento, uma gratidão. E estas coisas são totalmente diferentes: quando você vai mendigar, sua prece não é um fim, é simplesmente um meio. A prece não é significativa, porque você está orando para obter alguma coisa — essa alguma coisa é que é significativa, não a oração. E, muitas vezes, você vai e seus desejos não são satisfeitos. Então, você deixará de orar; e dirá: "Inútil!" Para você, a oração é um meio.

A oração jamais pode ser um meio, exatamente como o amor jamais pode ser um meio. O amor é o fim: você ama, não por alguma outra coisa; o amor em si tem um valor intrínseco — você simplesmente ama. É tamanha bênção! Não há nada além, não há nenhum resultado a ser divisado através daquilo. Não se trata de um meio para algum fim, aquilo é o fim. E prece é amor — você simplesmente vai e desfruta — não pedindo, não mendigando.

A própria prece, intrinsecamente, é tão bela! Você se sente tão enlevado e feliz, que você simplesmente vai e dá graças ao divino, pois ele permitiu-lhe ser, ele permitiu-lhe respirar, ele permitiu-lhe ver... — que cores! — ele permitiu-lhe ouvir, ele permitiu-lhe ser consciente. Você não labutou por isso, é um presente. Você vai ao templo com uma profunda gratidão, simplesmente para dar graças: "Seja lá o que for que você me tenha dado, é demasiado. Eu nunca o mereci!". Você merece alguma coisa? Você pode achar que está merecendo de algum modo? Se você não estivesse aqui, você poderia dizer que alguma injustiça tinha sido feita a você? Não! Tudo o que você conseguiu é simplesmente um presente, existe a partir do amor divino. Você não o merece.

Deus transborda em amor. Quando você compreende isso, uma qualidade nasce em você: a qualidade de ser grato. Então, você simplesmente vai e lhe dá graças, então, você simplesmente sente gratidão. Gratidão é prece, e é tão belo sentir-se grato, que nada pode ser comparado a isso, não há nada em comparação a isso. A prece é o clímax da sua felicidade, ela não pode se tornar um meio de algum outro fim.

Jesus diz *"e se vocês orarem, serão condenados"*, porque sua prece estará errada. Jesus sabe que quando quer que você vá ao templo, você vai para mendigar alguma coisa, para pedir alguma coisa. Será um meio e, se você faz da prece um meio, isso é um pecado.

O que é o seu amor? — porque, através do amor, você pode compreender o que acontece na prece. Você ama uma pessoa realmente? Você ama, ou há algo mais ali? Uma gratificação mútua? Quando você ama uma pessoa, você realmente ama a pessoa? Você dá a partir do seu coração, ou você simplesmente explora o outro em nome do amor?

Você usa o outro em nome do amor. Pode ser sexual, pode ser algum outro uso, mas você usa o outro. E se o outro disser: "Não, não me use!" — seu amor continuará presente ou ele desaparecerá? Então, você dirá: "De que vale isso?". Se o outro o aprecia, se uma bela mulher o aprecia, seu ego fica preenchido. Uma bela mulher o admira e você sente, pela primeira vez, que você é um homem. Mas se ela não o aprecia, não o admira, o amor desaparece. Se um belo homem, um homem forte, a admira como uma bela mulher, a aprecia continuamente, você se sente gratificada porque o ego fica preenchido!

Isso é mútua exploração — você o chama de amor. E se isso cria um inferno, não há porque se surpreender: tem de criar inferno, porque o amor é simplesmente o nome e, sob o nome, alguma outra coisa está escondida. O amor jamais cria inferno, o amor é a própria qualidade do céu. Se você ama, você fica feliz, sua felicidade mostrará que você está amando.

Mas olhe para os amantes: eles não parecem estar felizes — somente no começo, quando ainda estão planejando, sem saber, inconscientemente jogando a rede para fisgar o outro; mas a poesia, o romance e toda a insensatez existem simplesmente para fisgar o outro. Uma vez que o peixe seja fisgado, então, eles ficam infelizes, sentem-se como se estivessem numa prisão. O ego de cada um se torna uma prisão, e ambos tentam dominar e possuir o outro.

Esse amor se torna condenação. Se seu amor está errado, sua prece não pode estar certa, porque prece significa amor ao todo — e, se você tem sido um fracasso no amor com um ser humano comum, como poderá ser bem-sucedido no seu amor com o divino?

O amor é simplesmente um passo em direção à prece — você tem de aprender. Se puder amar um ser humano, você conhecerá o segredo. A mesma chave é para ser usada com o divino — milhões de vezes ampliada e multiplicada, é claro. A dimensão é maior, mas a chave permanece a mesma. O amor é um fim em si mesmo e não há nenhum ego envolvido nisso. Quando você está sem ego, há amor. Então, você simplesmente dá sem pedir, sem qualquer retorno. Você simplesmente dá, porque dar é demasiadamente belo, você compartilha, porque compartilhar é tremendamente maravilhoso — então, não há nenhuma barganha. Quando não há nenhuma barganha, nenhum ego, o amor flui — então você não é frio; então, você se dissolve. Essa dissolução tem de ser aprendida, porque somente então você pode orar.

Jesus diz a seus discípulos: *"se vocês orarem"* — e a ênfase está no "vocês" —, *"serão condenados"* — ele conhece seus discípulos muito bem — *"e se vocês derem esmolas, farão mal a seus espíritos"*.

Você já observou o que acontece em seu íntimo quando você dá algo a um mendigo? Aquilo surge da bondade ou surge do ego? Se você está sozinho na rua e chega um mendigo, você diz: "Vá embora!" — porque não há ninguém vendo o que você está fazendo ao mendigo e seu ego não é ferido de modo algum. Mas os mendigos também conhecem a psicologia: eles nunca pedem quando você está sozinho na rua e não há ninguém por perto; ele passa ao largo — aquele não é o momento certo. Mas se você estiver andando com alguns amigos, ele se agarrará a você.

No meio da rua, quando muitas pessoas estão olhando, eles se agarrarão a você, porque, agora então, eles sabem que, se você disser "não", as pessoas pensarão "Que pessoa sem piedade, cruel!". Então, você dá algo para salvar o seu ego. Você não está dando ao mendigo, não se trata de bondade. E lembre-se bem de que, quando quer que você dê, o mendigo irá e contará a outros mendigos que ele o enganou, que ele o fez de bobo. Ele rirá, porque ele também sabe o motivo pelo qual você deu. Não se trata de bondade.

A bondade dá por uma razão diferente: você sente a miséria do outro, você a sente tão profundamente, que se torna parte dela. Não apenas realmente sente a miséria, você também sente a responsabilidade, pois, se um homem está miserável, de algum modo você é responsável — porque o todo é responsável pelas partes: "Estou ajudando uma sociedade que cria mendigos. Eu estou ajudando uma sociedade, um tipo de governo, uma estrutura, que cria a exploração: sou parte disso e este mendigo é uma vítima". Você não sente somente bondade, você sente responsabilidade — você tem de fazer alguma coisa. E se você dá a esse mendigo, você não irá querer que ele agradeça a você. Ao contrário, você é que deve ficar agradecido a ele, se a ajuda vem da bondade, porque você sabe que aquilo não é nada.

A sociedade continua e você tem muito investimento na sociedade que cria mendicância. E você sabe que faz parte desse sistema estabelecido no qual existem pessoas pobres, porque o rico não pode existir sem o pobre. E você sabe bem que você também tem ambições de se tornar rico — você sente toda a culpa, sente o pecado. Mas, então, o dar é totalmente diferente. Se você sente que fez uma grande coisa, porque você deu dois *países*[2] àquele mendigo, então, Jesus diz que *"fará mal a seu espírito"*, porque você não sabe o que está fazendo.

Dê a partir do amor, dê a partir da bondade. Mas então você não estará dando a um mendigo; então, isso não é esmola; então,

---

(2) *Paise* — menor unidade monetária indiana. (N. da T.)

você está simplesmente compartilhando com um amigo. Quando o mendigo se torna um amigo, a coisa é totalmente diferente: você não está acima do mendigo, você não está fazendo alguma coisa grandiosa para o mendigo, o ego não fica preenchido. Ao contrário, você sente: "Eu não posso fazer nada — simplesmente dar essa pequena quantidade de dinheiro não é de muita ajuda".

Isto aconteceu certa vez: um mestre zen vivia em uma cabana numa colina distante, muitas milhas distante da cidade. Numa noite de lua cheia, um ladrão entrou. O mestre ficou muito preocupado, porque não havia nada que pudesse ser roubado, exceto uma única manta, e ele estava usando aquela manta. Assim, o que fazer? Ele ficou tão preocupado, que, logo que o ladrão entrou, ele colocou a manta bem ao lado da porta e se escondeu num canto.

O ladrão olhou ao redor, mas, no escuro, ele não podia ver a manta — não havia nada. Desanimado, frustrado, ele já ia saindo. Então, o mestre gritou: "Espere! Pegue esta manta! Eu sinto muito, porque você veio de tão longe, a noite está fria e não há nada nesta casa. Da próxima vez que você vier, por favor me avise. Eu arranjarei alguma coisa. Sou um homem pobre, mas tomarei algumas providências; assim, você poderá roubar. Mas tenha dó de mim, caso contrário eu me sentirei muito constrangido: leve esta manta — e não diga "não"!". O ladrão não podia acreditar no que estava acontecendo. Ele ficou apreensivo; aquele homem era esquisito, ninguém jamais havia se comportado daquele modo antes. Ele simplesmente pegou a manta e saiu correndo.

Naquela noite o mestre escreveu um poema. Sentado à sua janela — a noite estava fria, a lua cheia brilhava no céu — ele escreveu um poema, e o teor do poema era o seguinte: "Que linda lua! Gostaria de dar esta lua àquele ladrão!". E as lágrimas correram de seus olhos, ele estava lamentando e chorando e sofrendo: "Aquele pobre homem veio de tão longe!".

Mas o ladrão foi preso. Havia outros crimes contra ele, e a manta também foi encontrada com ele. Aquela manta era muito famosa — todo mundo sabia que pertencia ao mestre zen. Assim, o mestre zen teve de ir ao tribunal. O magistrado lhe disse: "Simplesmente diga que esta manta lhe pertence; e isso basta. Este homem roubou esta manta de sua cabana — diga apenas 'sim', isso é tudo".

O mestre disse: "Mas ele nunca a roubou, ele não é um ladrão! Eu o conheço bem. Uma vez ele me visitou, é claro, mas ele não roubou nada: esta manta é presente meu, esta manta foi dada a ele por mim. E eu me senti culpado, pois não havia mais nada para dar. A manta é velha, quase sem valia; e esse homem é tão bom, que a aceitou. Não apenas isso, em seu coração havia agradecimento para comigo".

Jesus diz: *"e se derem esmolas farão mal a seus espíritos"* — porque você dará por razões erradas. Você pode praticar uma boa ação por razões erradas e, então, você falhará, falhará totalmente.

E, se vocês forem para qualquer terra

e percorrerem suas regiões:

se vocês forem recebidos,

comam o que colocarem à sua frente

e sanem os doentes dentre eles.

Duas coisas Jesus está dizendo a seus discípulos. Primeira: "Seja o que for que lhes deem, recebam, não imponham condições".

Os monges *jainas* não puderam sair do país. O budismo expandiu-se muito — quase a metade do mundo se tornou budista — mas os *jainas* permaneceram confinados a este país, e não mais do que três milhões.

Mahavira e Buda eram do mesmo calibre, então por que os *jainas* não puderam enviar sua mensagem para fora? Por causa do monge *jaina*. Ele não sai, ele impõe condições: um tipo especial de comida, preparada de um modo especial, e servida a ele de uma maneira especial. Como ele pode sair do país? Mesmo na Índia, ele só pode se mover pelas cidades onde morem *jainas*, porque ele não aceita comida de nenhuma outra pessoa. Devido a esse hábito, Mahavira se tornou inútil para o mundo; o mundo ficou na impossibilidade de aproveitar um grande homem.

Jesus diz a seus discípulos: *"E, se vocês forem para qualquer terra e percorrerem suas regiões: se vocês forem recebidos, comam o que colocarem à sua frente"* — não imponham condições, de que vocês comerão somente um certo tipo de comida.

Sua caminhada pelo mundo deve ser incondicional. Se você impuser condições, você se tornará uma carga. Eis por que os discípulos de Jesus nunca foram uma carga: eles comeriam o que quer que lhes fosse dado; eles usariam qualquer roupa que obtivessem, eles viveriam em todos os tipos de clima, com todo tipo de gente, misturar-se-iam com todo mundo. Eis porque o cristianismo pôde expandir-se como um fogo: é devido à atitude do discípulo — ele é incondicional.

E Jesus diz para se fazer uma única coisa: *"...e sanem os doentes dentre eles"*. Ele não diz "ensine-lhes o que é a verdade". Não! Isso é inútil! Ele não diz "force-os a acreditarem em minha mensagem". Isso é inútil! "Simplesmente curem os doentes, porque, se uma pessoa está doente, como ela pode vir a compreender a verdade? Como pode compreendê-la? Quando sua alma está doente, como ela pode receber minha mensagem? Cure o doente! Faça-o ficar inteiro, isso é tudo." Uma vez que esteja inteiro e saudável a pessoa será capaz de compreender a verdade, será capaz de compreender Jesus.

"Sejam serviçais, curem — simplesmente ajudem as pessoas a serem curadas." Psicologicamente, todo mundo está doente. Fisiologicamente, as pessoas podem não estar doentes, mas todo mundo está doente no que diz respeito à mente, e uma profunda cura na mente é necessária. Jesus diz: "Seja um terapeuta, vá e cure as suas mentes".

Tente entender qual é o problema com a mente: dividida, ela é doente; não dividida, ela está curada. Se há muitas coisas contraditórias na mente, ela fica doente, fica como uma multidão, uma multidão louca. Mas, se houver somente uma única coisa na mente, ela está curada — porque, através do um, acontece uma cristalização. A menos que a mente seja levada à unidade, ela permanecerá doente.

Há certos momentos em que sua mente também alcança a unidade. Em alguns momentos, às vezes, acidentalmente acontece: uma certa manhã, você se levanta, é cedo, tudo está fresco e o sol está surgindo; a coisa toda é simplesmente tão bela, que você se torna concentrado. Você se esquece do mercado aonde tinha que ir, você se esquece do escritório, você se esquece de que é um hindu, ou um muçulmano, ou um cristão, você se esquece de que é um pai ou uma mãe ou um filho — você esquece este mundo. O sol é tão belo e a manhã tão fresca que você entra nela e se torna um. Por um único momento, quando você é um, a mente é inteira e saudável, você sente uma bem-aventurança surgindo por todo o seu ser. Isso pode acontecer acidentalmente, mas você também pode fazê-lo acontecer conscientemente.

Quando a mente se torna um, uma qualidade mais alta se expressa e a mais baixa imediatamente se assenta. É exatamente como numa escola: quando o diretor está na escola, então, os professores trabalham bem e os alunos estudam bem e há ordem. Mas, quando o diretor sai, os professores tornam-se a maior autoridade e, então, não há tanta ordem, porque os professores estão em liberdade. Então, uma energia mais baixa começa a funcionar — eles vão fumar, vão tomar alguma coisa, começam a fofocar... Ainda assim, se os professores estiverem presentes, os estudantes ficam disciplinados. Mas uma turma vira um caos se o professor sai: ela vira uma turba, uma turba louca. O professor entra na classe — de repente, tudo muda, uma força mais alta entrou —, o caos desaparece.

O caos mostra simplesmente que a força mais alta estava ausente. Quando não há nenhum caos, quando há harmonia, isso simplesmente mostra que a força mais alta está presente.

Sua mente está em caos — um ponto mais alto é necessário, uma cristalização mais alta é necessária. Você é exatamente como alunos de escola, uma turma, uma turma louca, e o professor não está presente. Sempre que você se torna concentrado, imediatamente entra uma função mais alta.

Assim, Jesus diz: "Sane!" A palavra 'sanar' vem da mesma raiz da palavra 'são'; e 'sanar' e 'são' e a palavra 'santo' também vêm da mesma raiz. Cure uma pessoa e ela se tornará sã; quando quer que uma pessoa seja sã, ela se torna santa. Esse é todo o processo. A mente vive em uma doença, porque não há nenhum centro nela. Você tem algum centro na mente? Você pode dizer "este centro sou eu"? A cada momento ele muda: de manhã, você está com raiva; então, você sente que a raiva é você. De tarde, você fica amoroso; então, você pensa "eu sou amor". De noite, você está frustrado e, então, você pensa "eu sou frustração". Há algum centro em você? Ou você é apenas uma multidão em movimento?

Não há nenhum centro como você está, não há nenhum centro ainda — e um homem sem um centro está doente. Um homem saudável é um homem com um centro. Jesus disse: "Centrem as pessoas!"; assim, seja qual for o caos ao seu redor, o centro permanece presente, você permanece centrado vinte e quatro horas por dia; algo permanece contínuo. Esse *continuum* irá se tornar seu si-mesmo[3].

Olhe para isso deste modo: há três camadas de existência. Uma camada é a dos objetos, o mundo objetivo. Por todos os lados seus sentidos denunciam isso — seus olhos veem, seus ouvidos escutam, suas mãos tocam. O mundo objetivo é a primeira camada da existência e, se você se perder nela, você ficará satisfeito com o mais superficial. Há uma segunda camada dentro de você, a camada da mente: pensamentos, emoções, amor, raiva, sentimentos... — essa é a segunda camada. A primeira camada é comum a todos: se eu tiver uma pedra em minha mão, vocês todos serão capazes de vê-la — ela é uma objetividade comum a todos.

Quando você me vê, você nunca me vê, você somente vê o meu corpo. Quando eu o vejo, eu nunca o vejo, eu vejo somente o seu corpo. Mas ninguém pode ver o que está dentro da sua mente. Uma outra pessoa pode ver o seu comportamento — como você age, o que você faz, como reage. Ela pode ver a raiva no seu rosto, o rubor, a crueldade que toma conta, a violência em seus olhos, mas ela não pode ver a raiva dentro da sua mente. Ela pode ver um gesto amoroso que você faz com o corpo, mas ela não pode ver o amor. E você pode estar somente fazendo um gesto, talvez não haja nenhum amor. Você pode enganar os outros simplesmente atuando, e é isso o que você tem feito.

Seu corpo pode ser conhecido por todas as outras pessoas, não a sua mente. O mundo objetivo é comum a todos e esse é o mundo da ciência. A ciência diz que essa é a única realidade porque: "Nós não podemos saber sobre os seus pensamentos — se eles existem ou não, ninguém sabe. Você diz que eles existem, mas eles não são comuns, objetivos — nós não podemos fazer experiências com eles, não podemos vê-los. Você os transmite, mas você pode estar nos enganando... — ou você pode estar enganado — quem sabe?"

---

(3)   Si-mesmo — *self* . (N. da T.)

Seus pensamentos não são coisas, mas você sabe bem que eles existem. Não apenas as coisas existem realmente, os pensamentos também existem. Mas os pensamentos são pessoais, privados, não são comuns.

A camada externa, a primeira camada, a realidade na superfície, cria ciência. A segunda camada, os pensamentos e sentimentos, cria filosofia, poesia. Mas isso é tudo? Matéria e mente? Se isso é tudo, então, você não pode nunca ficar centrado, porque a mente é sempre um fluxo. Ela não tem nenhum centro: ontem, você tinha certos pensamentos, hoje você tem outros pensamentos; amanhã, você terá outros pensamentos novamente — ela é como um rio, não tem nenhum centro nela mesma.

Na mente, você não pode encontrar nenhum centro: os pensamentos mudam, os sentimentos mudam; é um fluxo. Assim, você permanecerá sempre doente, inquieto, você não poderá nunca ser inteiro. Mas há também uma outra camada da existência, a mais profunda. A primeira é a do mundo objetivo — a ciência e seu mundo; a segunda é a do mundo dos pensamentos — a filosofia e a poesia, os sentimentos, os pensamentos. Então, há um terceiro mundo que é o da religião, e esse é o mundo da testemunha — aquela que olha para os pensamentos, aquela que olha para as coisas.

Essa testemunha é única: não há duas. Quer você olhe para uma casa ou feche os olhos e olhe internamente para a figura da casa, o observador permanece o mesmo. Quer você olhe para a raiva ou olhe para o amor, o observador permanece o mesmo. Quer você esteja triste ou feliz, quer a vida tenha virado uma poesia ou a vida tenha virado um pesadelo, isso não faz nenhuma diferença — o observador permanece o mesmo, a testemunha permanece a mesma. A testemunha é o único centro, e essa testemunha é o mundo da religião.

Quando Jesus diz "vá e cure as pessoas", ele está dizendo: "Vá e dê-lhes seus centros, torne-as testemunhas. Então, elas não ficarão nem envolvidas no mundo, nem envolvidas em seus pensamentos: elas ficarão enraizadas em seus seres". E, uma vez que você esteja enraizado no ser, então, tudo muda, a qualidade muda — então, você pode orar.

Mas, então, você não fará a prece por razões erradas; então, a sua prece será uma gratidão. Então, você orará, não como um mendigo, mas como um imperador que tem muitíssimo de tudo. Então, você dará, mas você não dará em função do ego, você dará devido à compaixão, você dará, porque dar é muito belo e o deixa muito abençoado. Então, você pode jejuar, mas esse jejum não será uma obsessão com a comida, esse jejum será totalmente diferente.

Eis o que é o jejum de Mahavira, algo totalmente diferente. Você às vezes se esquecerá do corpo de tal modo, que não notará que há fome; você se desligará tanto do corpo, que o corpo não será capaz de informá-lo de que você está com fome. A palavra 'jejum', em sânscrito, é muito bela; essa palavra é *'upawas'*. A palavra absolutamente não carrega nenhum sentido de comida ou de não comida, ela não tem nada de jejum em si, nada absolutamente; a palavra simplesmente significa "viver mais perto de si mesmo". *'Upawas'* significa "viver mais perto de si mesmo", "estar mais perto de si mesmo". Chega um momento em que você está tão centrado, que o corpo fica completamente esquecido, como se não existisse nenhum corpo. Então você não pode sentir a fome e o jejuar acontece — mas ele é um acontecimento, não é um fazer.

Você pode permanecer nesse centramento por muitos dias. Isso acontecia a Ramakrishna: ele entrava em êxtase por seis ou sete dias e permanecia como se estivesse morto: seu corpo não se movia, mantinha-se na mesma posição — se ele estivesse em pé, continuava em pé. Os discípulos tinham de deitá-lo e tinham de alimentá-lo à força, com um pouco de água, um pouco de leite — mas era como se ele não estivesse ali. Isso é um jejum — porque você não está mais no corpo.

Estando no corpo, você não está mais no corpo. Mas você não pode fazer isso. Como você pode fazer isso? — porque todo fazer é através do corpo, você tem de usar o corpo para fazer qualquer coisa. Esse jejum não pode ser feito, porque esse jejum significa incorporeidade. Ele pode acontecer. Aconteceu a um Mahavira, a um Jesus, a um Maomé — pode acontecer a você também. Jesus diz: "Andem entre as pessoas,

comam o que colocarem à sua frente

e sanem os doentes dentre eles.

Pois o que entrar pela sua boca

não os maculará,

mas o que sair da sua boca,

eis o que os maculará.

Essas são palavras muito significativas. Não se preocupe demais se a comida não é pura, ou se um *sudra*[4] a tocou, ou se uma mulher menstruada passou por perto e a sombra dela a maculou. A questão não é o que você deixa entrar, a questão é o que sai de você — porque, o que sai de você, mostra a sua qualidade: como você transforma o que entrou, esse é o ponto.

Um lótus nasce no lodo; o lodo é transformado e se torna um lótus. O lótus nunca diz: "Não comerei esse lodo, é sujo!". Não, essa não é a questão. Se você é um lótus, nada é sujo. Se você têm a capacidade de um lótus, você tem o poder de transformação, a alquimia, então, você pode permanecer no lodo e uma flor de lótus nascerá. E se você não tem a qualidade de um lótus, então, mesmo que você viva em ouro, somente lodo sairá de você. O que entra não é o que importa. O que importa é que, se você está centrado no ser, seja o que for que entre será mudado, será transformado: receberá a sua qualidade de ser e então sairá.

Isto aconteceu na vida de Buda: ele foi envenenado certa vez, acidentalmente — foi por causa de um alimento estragado, mas foi um acidente. Um homem pobre tinha estado esperando por muitos dias para convidar Buda para ir à sua casa. Assim, certo dia, ele chegou cedo, às quatro horas da manhã, e parou perto da árvore onde Buda estava dormindo, de modo a ser o primeiro a convidá -lo — e ele foi o primeiro. Buda abriu os olhos e o homem disse: "Aceite o meu convite! Tenho esperado por muitos e muitos dias, e estive preparando durante muitos anos. Sou um homem pobre e não tenho muito para lhe oferecer, mas é um anseio muito grande que você venha e coma na minha casa".

Buda disse: "Eu irei".

---

(4)   *Sudra* — pária, membro da casta mais baixa na tradição hindu, privado de todos os direitos religiosos e sociais. (N. da T.)

Exatamente nesse momento, o rei da cidade vizinha aproximou-se com sua carruagem, seus ministros e um longo séquito, e rogou a Buda: "Venha! Eu o convido!".

Buda disse: "Fica difícil. Meus discípulos irão ao seu palácio. Eu já aceitei um convite — e este homem chegou aqui primeiro. No momento em que abri meus olhos, ele foi o primeiro a me convidar; assim, terei de ir com ele".

O rei tentou persuadi-lo de que aquilo não seria bom: "Este homem, o que ele pode lhe dar para comer? Seus filhos estão passando fome, ele não tem nenhuma comida!".

Buda disse: "Essa não é a questão. Ele me convidou e eu tenho de ir". E Buda foi.

O que aquele homem tinha feito? Em Bihar e em outras partes pobres da Índia, as pessoas apanham muitas coisas na estação das chuvas: seja o que for que germine e brote da terra, elas colhem. Um tipo de floração, o *kukurmutta*[5] — uma planta em forma de sombrinha branca, que brota na estação das chuvas — eles o colhem, colocam-no para secar e o guardam para o ano todo. Esse é o único vegetal para eles — mas algumas vezes ele fica envenenado.

Assim, esse homem tinha colhido *kukurmutta* para Buda. Ele o secou e o preparou, mas quando Buda começou a comer, estava muito amargo, estava envenenado. Mas aquele era o único vegetal que o homem tinha preparado e, se Buda dissesse que estava amargo, que não podia comê-lo, o homem ficaria magoado, porque ele não tinha nada mais além daquilo. Assim, Buda continuou comendo sem dizer que o vegetal estava amargo e envenenado. E o homem ficou muito feliz. Buda foi embora e o veneno começou a funcionar. O médico veio e disse: "É um caso muito grave. O veneno entrou na corrente sanguínea e é impossível fazer qualquer coisa — Buda terá de morrer!".

A primeira coisa que Buda fez foi esta: ele reuniu seus discípulos e disse-lhes: "Esse homem não é comum, esse homem é excepcional. Porque o primeiro alimento foi-me dado por minha mãe, e este foi o último alimento — ele é exatamente como minha

---

(5)   *Kukurmutta* — espécie de cogumelo. (N. da T.)

mãe. Assim, honrem-no, porque isso é algo raro! Leva milhares de anos para um buda acontecer e somente duas pessoas têm esta rara oportunidade: a primeira, para ajudar buda a entrar no mundo, é a mãe; e a última, para ajudar-me a entrar no outro mundo, é esse homem. Assim, vão e anunciem ao povo que esse homem deve ser venerado — ele é grande!".

Os discípulos ficaram muito perturbados, porque eles tinham pensado em matar o homem. Quando todo mundo se foi, Ananda disse a Buda: "É demais para nós, prestar respeito a esse homem! Ele é um assassino, ele o matou! Assim, não diga isso. Por que você diz isso?".

Buda respondeu: "Eu os conheço, vocês seriam capazes de matá-lo — eis por que eu disse para irem e renderem-lhe homenagem. Esta é uma rara oportunidade, que acontece somente algumas vezes no mundo: dar ao buda o último alimento".

Foi-lhe dado veneno, mas foi amor que saiu. Esta é a alquimia: ele sente compaixão por aquele homem que quase o matou.

Mesmo quando é dado veneno a um buda, somente amor pode surgir.

Jesus diz: *"Pois o que entrar pela sua boca não os maculará* — nem mesmo veneno pode maculá-lo —, *"mas o que sair da sua boca, isto os maculará"*. Assim, lembre-se de como transformar as coisas: se alguém o insulta, se ele o alimenta com um insulto, isso não o maculará.

O que sai de você agora? Como você transforma o insulto? O que vem de você: amor ou ódio?

Assim, Jesus diz: "Lembre-se do que sai de você, não se preocupe muito com o que entra". Isso tem de ser lembrado por você também, do contrário, todo seu processo poderá dar errado. Se você pensa continuamente no que entra, então, você nunca desenvolve essa capacidade de ser, que pode transformar as coisas. Então, a coisa toda se torna exterioridade: comida pura, esse ou aquele tipo de comida; ninguém deve tocá-lo, você é um *brahmin*[6], uma alma pura.

---

(6)   *Brahmin* — brâmane; membro de uma das quatro castas hindus, aceita como a mais alta. (N. da T.)

Então, a coisa toda se torna absurda! A coisa real não é o que entra: a coisa real é lembrar-se de que você tem de transformar o que entra.

Aconteceu a Shankaracharya: ele estava em Benares e, certa manhã, ele foi tomar o seu banho ritualístico no Ganges, pensando — o velho tipo de mente do *Brahmin* — que o Ganges iria purificá-lo. Quando ele estava voltando, depois de tomar seu banho, um intocável, um *sudra*, o tocou. Ele ficou com muita raiva e disse: "O que você fez?! Terei de ir e de tomar um outro banho! Você me maculou!".

Conta-se que o *sudra* respondeu: "Então, o seu Ganges é inútil, porque, se o Ganges o purifica e, na mesma hora, fresco, purificado, você vem e eu o toco e você fica maculado... — eu sou maior que o seu Ganges!".

E o *sudra* continuou: "Que tipo de sábio é você? Porque tenho escutado você dizer que a unidade absoluta existe em todos. Assim, permita-me fazer uma pergunta: O toque do meu corpo o maculou? Se for assim, isso significa que o meu corpo pode tocar a sua alma. Mas você diz que o corpo é ilusão, simplesmente um sonho! Como pode um sonho tocar a realidade? E como pode um sonho macular a realidade? Como aquilo que não existe pode macular o que existe? Ou, se você diz que não foi o meu corpo, mas a minha alma que o maculou, porque só uma alma pode tocar outra alma, então, não seria eu *Brahman*[7], não seria eu essa unidade da qual você fala? Então, diga-me, quem o maculou?".

Conta-se que Shankara inclinou-se e disse: "Até agora, eu estive apenas pensando sobre a unidade absoluta, era simplesmente uma filosofia. Agora, você me indicou o caminho certo; agora, ninguém pode macular-me. Agora eu compreendo: o um existe, somente o um existe; e o mesmo está em mim e o mesmo está em você".

Então, Shankara tentou por todos os meios descobrir quem era aquele homem. Ele nunca pôde descobrir; nunca foi descoberto quem era aquele homem. Deve ter sido o próprio Deus, deve ter sido a própria fonte, mas Shankara foi transformado.

---

(7)   Brahman — o Absoluto; a suprema realidade; a expansão, a realidade em expansão; o supremo Deus. (N. da T.)

O que entra em você não pode maculá-lo, porque seja o que for que entre, entra no corpo. Nada pode entrar em você, sua pureza é absoluta. Mas seja o que for que saia de você leva sua qualidade, a fragrância do seu ser — isso mostra algo. Se a raiva sai de você, isso mostra que você está doente internamente; se o ódio sai de você, isso mostra que você não está inteiro internamente; se amor e compaixão e luz saem de você, isso mostra que a inteireza foi alcançada.

Eu espero que você compreenda essa estranha enunciação. A incompreensão é fácil e, com pessoas como Jesus, a incompreensão é sempre possível, a compreensão é quase impossível — porque eles falam verdades, e as verdades são sempre paradoxais, porque você não está pronto para ouvir, não está centrado.

Você compreende através da mente e a mente embaralha, fica confusa e interpreta; então, estas palavras tornam-se perigosas. Eu devo lhes contar que essas palavras não foram registradas na versão autorizada da **Bíblia**. Elas foram deixadas de fora, porque o que elas estão dizendo é perigoso! Elas estão registradas, mas não na versão autorizada, não na **Bíblia** em que os cristãos acreditam. Mas quando Jesus estava falando, muitas outras pessoas estavam registrando e esse registro sobreviveu. Ele foi encontrado há vinte anos, no Egito.

Todos esses dizeres que estamos discutindo pertencem a esse registro. Eles não vêm da versão autorizada, porque a versão autorizada não pode nunca estar certa — isso é impossível. Uma vez que você organiza uma religião, o espírito morre; organizada, uma coisa se torna morta. E, então, há também investimento de interesses. Como pode o papa do Vaticano dizer: *"Se jejuarem, gerarão pecado em si mesmos"*? Assim, ninguém jejuaria. *"E se orarem, serão condenados!"* — então, ninguém oraria . *"E se derem esmolas, farão mal a seus espíritos!"* — então, ninguém faria doações. Então, como poderia essa grande organização, a igreja, existir?

Os cristãos têm a maior organização: os padres católicos chegam a doze *lakhs*[8] — milhares e milhares de igrejas por toda a terra. A organização católica cristã é a mais rica organização; nem mesmo os governos são tão ricos, porque todos os governos vão à falência. Mas o papa do Vaticano é o homem mais rico, com a maior

---

(8)   Doze *lakhs* = um milhão e duzentos mil. (N. da T.)

organização do mundo, o único estado internacional — não tão visível, muito invisível, mas com milhões de pessoas trabalhando sob sua ordem.

Como isso pode acontecer? Isso tudo acontece através de doações. E se os cristãos aprendem que Jesus diz: "Não deem, vocês farão mal a seus espíritos!"? E essas igrejas são feitas para se orar nelas. Assim, se as pessoas vêm a saber que Jesus diz: "Não orem, caso contrário você cometerá pecado!"? Quem irá orar ali? E se não houver nenhuma oração, se não houver nenhum jejum, nenhum ritual, nenhuma doação? Então, como os padres poderão existir? Jesus tira o próprio alicerce de toda religião organizada. Então Jesus pode estar ali, mas não pode haver nenhum cristianismo.

Esses dizeres não estão registrados na versão autorizada, eles devem ter sido deixados de fora. Você também pode compreendê-los mal, mas, se você puder sentir o que eu estou dizendo, você compreenderá. Essas palavras não estão contra a prece, não estão contra o jejum, não estão contra o dar e o compartilhar — estão contra suas falsas faces.

O real deve sair do seu ser. Primeiramente, você deve mudar e ser transformado, somente então, o que quer que você faça será bom.

Alguém perguntou a Santo Agostinho: "O que devemos fazer? E eu não sou um homem muito instruído; assim, diga-me resumidamente, em tão poucas palavras quanto possível".

Agostinho disse: "Então, há somente uma única coisa a ser dita: Ame! E, então, seja o que for que você faça, estará certo".

Se você ama, é claro, tudo fica certo; mas se você não ama, então, tudo sai errado.

Amar significa ser sem ego! Amar significa ser centrado! Amar significa: permaneça venturoso! Amar significa: seja grato!

Este é o significado: viver através do ser, não através dos atos — porque os atos estão na superfície, o ser está na profundidade.

Deixe as coisas virem do seu ser. Não conduza e não controle as suas ações, transforme o seu ser. A coisa real não é o que você faz, a coisa real é o que você é.

Basta por hoje.

SEXTO DISCURSO

Jesus disse:
O reino é como um pastor
que tinha cem ovelhas.

Uma delas extraviou-se,
a que era a maior de todas.

Ele deixou para trás as noventa e nove
e saiu em busca daquela,
até que a encontrou.

Extenuado, ele disse à ovelha:
"Eu amo mais a ti
do que às noventa e nove".

Um dos mais enigmáticos problemas tem sido: o que acontecerá aos pecadores, aqueles que se extraviaram? Qual é a relação
entre o divino e o pecador? O pecador vai ser punido? Haverá um

inferno? — ...porque todos os padres têm insistido em que o pecador será punido, que será atirado dentro do inferno. Mas pode Deus punir alguém? Não tem ele compaixão suficiente? E, se Deus não pode perdoar, então, quem será capaz de perdoar?

Muitas respostas têm sido dadas, mas a resposta de Jesus é a mais bela. Antes de entrarmos nesses dizeres, muitas outras coisas têm de ser compreendidas; elas lhe darão a base para a compreensão.

Sempre que punimos uma pessoa, quaisquer que sejam as racionalizações que façamos, nossas razões são diferentes — e lembre-se da distinção entre razão e racionalização.

Você pode ser um pai ou uma mãe, e seu filho ter feito algo que você não aprova. Não interessa se ele fez alguma coisa certa ou errada, porque... — quem sabe o que é certo e errado? Mas você desaprova e tudo o que você desaprova torna-se errado. Pode ser, pode não ser, esse não é o ponto — seja o que for que você aprove está certo. Assim, tudo depende da sua aprovação e da sua desaprovação.

E quando uma criança se extravia, faz algo, a seu ver, errado, você a pune. A principal razão é que ela desobedeceu, não que tenha feito algo errado; a principal razão é que seu ego se sente ferido. A criança entrou em conflito com você e se afirmou. Ela disse "não" a você, o pai, a autoridade, o poderoso; então, você pune a criança. A razão é que seu ego está ferido e a punição é uma espécie de vingança.

Mas a racionalização é diferente: você diz que ela errou e tem de ser corrigida — a menos que seja punida, como ela será corrigida? Assim, ela deve ser punida quando está no caminho errado e deve ser recompensada quando o obedece. Eis como ela deve ser condicionada para uma vida correta. Essa é a racionalização. É assim que você fala sobre isso em sua mente, mas essa não é a razão inconsciente básica.

A razão inconsciente é totalmente diferente: é para colocar a criança em seu devido lugar, para lembrá-la de que você é o chefe e que ela não é o chefe, que você é quem decide o que é errado e o que é certo, que você é quem vai lhe dar a direção; que ela não é livre, que você a possui, que você é seu proprietário — e se ela desobedecer, sofrerá.

Se você perguntar aos psicólogos mais graduados, eles dirão que, em todo comportamento, essa distinção entre razão e racionalização tem de ser muito bem compreendida. A racionalização é um artifício muito astuto — ela esconde a verdadeira razão e lhe dá algo falso, mas aparentemente correto. E isso não está acontecendo somente entre um pai e um filho, uma mãe e um filho. Isso também está acontecendo entre a sociedade e aqueles filhos que se extraviaram. Eis por que existem as prisões, existem as leis — trata-se de uma vingança, uma vingança levada a cabo pela sociedade.

A sociedade não pode tolerar alguém que seja rebelde, porque essa pessoa destruirá toda a estrutura. Ela pode estar certa... Atenas não pôde tolerar Sócrates, não porque ele estivesse errado — ele estava absolutamente certo —, mas Atenas não podia tolerá-lo, porque, se ele tivesse sido tolerado, então, toda a estrutura da sociedade teria desmoronado, seria atirada aos cães; então, a sociedade não poderia ter existido. Assim, Sócrates teve de ser sacrificado pela sociedade.

E Jesus foi crucificado, não porque seja o que for que ele estivesse dizendo fosse errado — nunca tinha havido afirmações tão verdadeiras nesta terra —, mas ele foi sacrificado pela sociedade, porque a maneira em que ele estava falando, a maneira como ele estava se comportando, era perigosa para a estrutura.

A sociedade não pode tolerar isso; assim, ela o punirá. Mas ela também racionaliza; ela diz que é só para colocá-lo no seu devido lugar — ela o pune para o seu próprio bem. E ninguém nunca se incomoda se esse bem alguma vez é alcançado ou não. Nós temos punido os criminosos há milhares de anos, mas ninguém se importa em saber se esses criminosos alguma vez se transformaram através da nossa punição ou não. Os criminosos continuam aumentando; as prisões aumentam, os prisioneiros aumentam — quanto mais leis, mais criminosos; quanto mais tribunais, mais punições. O resultado é absolutamente absurdo: mais criminalidade.

Qual é o problema? O criminoso também pode sentir que é uma racionalização dizer que ele foi punido por ter errado e que, na verdade, ele foi punido porque foi apanhado. Assim, ele também tem sua racionalização: da próxima vez, ele tem de ficar mais esperto e mais astuto, eis tudo. Desta vez ele foi apanhado porque ele não estava alerta, não porque tivesse feito algo de errado. A sociedade provou ser mais inteligente do que ele; assim, da próxima vez, "ela" verá... — ele vai provar que ele é mais esperto, mais astuto, mais inteligente e, então, ele não será apanhado. Um prisioneiro, um criminoso que é punido, sempre pensa que foi punido, não pelo que cometeu, mas porque foi apanhado. Assim, a única coisa que ele vai aprender com a punição é a não ser apanhado novamente.

Assim, sempre que um prisioneiro sai da prisão, ele é um criminoso melhor do que nunca: ele viveu com pessoas experientes dentro da prisão, pessoas com habilidades mais avançadas, que sabem mais, que foram apanhadas e punidas muitas vezes, que sofreram muito, que têm sido enganadas de muitas e muitas maneiras e que estão muito avançadas no caminho do crime. Vivendo com essas pessoas, servindo-as, tornando-se um discípulo delas, ele aprende. Ele aprende através da experiência que, da próxima vez, ele não vai ser preso. Então, ele se torna uma criminoso "melhor".

Ninguém é obstado por causa da punição, mas a sociedade continua pensando que é para acabar com o erro que nós punimos. Ambos estão errados: a sociedade tem uma outra razão — ela se vinga; e o criminoso, ele também compreende — porque os egos compreendem a linguagem um do outro com muita facilidade, por mais inconscientes que sejam —, o criminoso também pensa: "Está bem, eu me vingarei quando chegar minha vez. Veremos". Então, há um conflito entre o ego do criminoso e o ego da sociedade.

Deus é a mesma coisa? — exatamente como uma justiça, um magistrado, exatamente como um pai ou um patrão? Deus também é cruel do mesmo modo que a sociedade? Deus é também a mesma coisa lá no fundo, um egoísta como nós somos? Ele se vingará se você desobedecer? Ele o punirá? Então, ele não mais é divino, então, ele é simplesmente um homem comum como nós.

Este é um dos mais profundos problemas: como Deus se comportará com um pecador que se extraviou? Ele será generoso? Então, há outras coisas implicadas aí. Se ele quer ser justo, ele não pode ter compaixão, porque justiça e compaixão não podem existir juntas. Compaixão significa perdão incondicional, mas isso não é justo, porque é possível...

Um santo orou continuamente durante toda a sua vida, nunca fez nada de errado; estava sempre com medo de ir além dos limites, vivia no seu próprio confinamento — criou uma prisão para si mesmo; nunca cometeu erros, permaneceu virtuoso durante toda a sua vida; nunca se permitiu nenhum prazer dos sentidos, foi muito austero. E então, havia um outro homem que viveu satisfazendo-se: fez tudo o que lhe veio à cabeça, foi aonde quer que os seus sentidos o levassem, desfrutou tudo o que o mundo lhe deu. Fez todos os tipos de coisas, cometeu todos os tipos de pecados. E, então, ambos chegam ao divino, ambos chegam o mundo de Deus.

O que acontecerá? Se o santo não é recompensado e o pecador não é punido, isso será muito injusto. Se ambos forem recompensados, isso também será injusto, porque o santo pensará: "Eu vivi uma vida boa, mas nada de especial me é dado por isso". Se o pecador também é recompensado do mesmo modo, então, de que vale ser um santo? A coisa toda se torna fútil. Dessa forma, Deus pode ser compassivo, mas, então, ele não é justo.

Se ele é justo, então, a aritmética estará clara em nossas mentes: o pecador tem de ser punido e o santo tem de ser recompensado. Mas, então, ele não pode ter compaixão — um homem justo tem de ser cruel, porque, de outro modo, a justiça não pode ser feita. Um homem justo tem de viver na cabeça, não no coração.

Um magistrado não deve ter coração, caso contrário, sua justiça vacilará. Ele não deve ter nenhuma bondade, porque a bondade irá tornar-se uma barreira para se fazer justiça. Um homem que é justo tem de se tornar como um computador, só cabeça: leis, recompensas, punições — nenhum coração entra nele, nenhum sentimento deve ser permitido. Ele deve permanecer um expectador, insensível, como se nele não existisse coração. Mas, então, surge um problema difícil, porque, há séculos, temos dito que Deus é as duas coisas, justo e compassivo; bom, amoroso e, contudo, justo. Então, trata-se de uma contradição, de um paradoxo — como resolver isso?

Jesus tem uma resposta, e a mais bela. Agora tente compreender sua resposta. Será difícil, porque ela irá contra todos os seus preconceitos, porque Jesus não crê em punições. Alguém como Jesus não pode acreditar em punição. Alguém como Jesus não pode ser um crente na punição, porque, lá no fundo, a punição é vingança. Um Buda, um Krishna, um Jesus, eles não podem acreditar na punição. Bem ao contrário, eles podem abandonar a própria qualidade da justiça de Deus. Mas a compaixão não pode ser abandonada, porque a justiça é um ideal humano, a compaixão é divina. A justiça tem condições ligadas a ela: "Faça isto e alcançará aquilo. Não faça isto, caso contrário, você perderá aquilo outro". A compaixão não tem quaisquer condições.

Deus é compassivo. E, para compreendermos sua compaixão, temos de começar pelo pecador.

Jesus disse:

O reino é como um pastor

que tinha cem ovelhas.

Uma delas extraviou-se,

a que era a maior de todas.

Ele deixou para trás as noventa e nove

e saiu em busca daquela,

até que a encontrou.

Extenuado, ele disse à ovelha:

"Eu amo mais a ti

do que às noventa e nove".

Absurdo, ilógico — mas verdadeiro. Tente compreender: *"O reino é como um pastor que tinha cem ovelhas. Uma delas extraviou-se, a que era a maior de todas"*. É sempre assim — aquele que se extravia é sempre o melhor. Se você é um pai e tem cinco filhos, somente o melhor filho tentará resistir a você, negá-lo; somente o melhor filho se afirmará. Os medíocres sempre cederão, mas aquele que não é medíocre se rebelará, porque a própria qualidade de sua mente é rebelde. A inteligência é rebelde: quanto mais inteligente, mais rebelde. E aqueles que não são rebeldes, que sempre dizem sim, estão quase mortos; você pode gostar deles, mas eles não têm vida em si mesmos. Eles o seguem não porque o amam, seguem porque são fracos, têm medo, não podem se erguer sozinhos, não podem enfrentar nada — são débeis, impotentes.

Olhe ao seu redor — as pessoas que você considera boas, são aquelas que quase sempre são fracas. A bondade delas não vem da força delas, vem da fraqueza delas. Elas são boas, porque não podem ousar serem más. Mas que tipo de bondade é essa que vem da fraqueza? A bondade deve surgir de uma força transbordante, somente então ela é boa, porque, então, ela tem vida, é como uma enxurrada de vida.

Assim, sempre que um pecador se torna um santo, a santidade tem sua própria glória. Mas quando quer que um homem comum se torne um santo por causa de sua fraqueza, a santidade é pálida e morta, não há vida nela. Você pode se tornar um santo a partir da fraqueza, mas, lembre-se, então, você perderá. Somente se você se tornar um santo a partir da sua força, você alcançará. Um homem que seja bom porque não pode ser mau, não é realmente bom. No momento em que se tornar mais forte, ele se tornará mau — dê-lhe o poder e o poder o corromperá imediatamente.

Isto aconteceu neste país: Gandhi tinha um grande séquito, mas parece que a bondade de seus seguidores vinha da fraqueza. Eles eram bons quando não estavam no poder, mas, quando chegaram ao poder, quando se tornaram os dirigentes deste país, então, o poder os corrompeu imediatamente.

O poder pode corromper um homem poderoso? Nunca, porque ele já é poderoso. Se o poder pudesse corrompê-lo, o poder já o teria feito! O poder corrompe somente se você é fraco e a sua bondade vem da fraqueza. Lorde Acton disse: "O poder corrompe e corrompe completamente!". Mas eu gostaria de tornar essa frase condicional — essa afirmação não é incondicional, não é categórica, não pode ser. O poder corrompe se a bondade vem da fraqueza. Se a bondade vem da força, nenhum poder pode corromper. Como pode o poder corromper se você já o conhece, quando ele já existe? Mas... é muito difícil descobrir de onde vem a sua bondade. Se você não é um ladrão porque tem medo de ser preso, no dia em que tiver certeza de que agora ninguém pode prendê-lo, você se tornará um ladrão — porque, então, quem irá impedi-lo? Somente o seu medo o estava impedindo. Você não assassinava seu inimigo, porque sabia que seria preso. Mas se surgir uma ocasião em que você possa assassinar o homem e não possa ser preso, não possa ser punido por isso, você o matará imediatamente. Assim, é somente através da sua fraqueza que você é bom.

Mas como a bondade pode surgir da fraqueza? A bondade precisa de energia transbordante. A bondade é um luxo, lembre-se, a santidade é um luxo — ela vem da abundância. Quando há demasiada energia, tanta que você está inundado por ela, então, você começa a compartilhá-la. Então, você não pode explorar, porque não há necessidade. Então, você pode dar a partir do coração, porque você tem tanto que está realmente sobrecarregado. Você gostaria de compartilhar e renunciar, gostaria de lançar fora todas as coisas e dar toda a sua vida como um presente.

Quando você tem alguma coisa, você gostaria de dá-la — lembre-se desta lei: você se prende a alguma coisa somente quando você não a tem realmente; se você a possui, você pode dá-la. Somente quando você pode dar alguma coisa com felicidade, você é o proprietário. Se você ainda está se prendendo a ela, então, lá no fundo, você tem medo e não é o senhor dela. Você sabe, lá no fundo, que ela não lhe pertence e que, mais cedo ou mais tarde, ela será tirada de você. Eis por que você não pode dar. Assim, somente quando uma pessoa dá seu amor é que ela mostra que tem amor; somente quando uma pessoa dá toda a sua vida é que ela mostra que está viva. Não há outro modo de se saber disso.

A partir da fraqueza, aparece muita bondade. Trata-se de uma aparência, trata-se de uma moeda falsa e, uma moeda falsa é exatamente como a uma flor de papel ou uma flor de plástico. Sempre que uma planta floresce, ela floresce somente porque está inundada com muita energia. As flores são luxos — uma planta floresce somente quando pode se permitir o luxo. Se a água não lhe for dada na proporção certa, se os fertilizantes não forem dados na proporção certa, se o solo não é rico, então, a planta pode ter folhas, mas não pode ter flores.

Há uma hierarquia: o mais alto pode existir somente quando há energia para ir para o mais alto. Se você não for bem alimentado, primeiramente desaparecerá a inteligência, porque ela é uma florescência. Num país pobre, a verdadeira pobreza não é a do corpo, a verdadeira pobreza é a da inteligência, porque, se o país é muito pobre, a inteligência não pode existir — ela é uma florescência. Somente quando todas as necessidades do corpo estão satisfeitas, a energia pode mover-se para o mais alto; quando as necessidades do corpo não estão satisfeitas, a energia move-se para preencher primeiramente essas necessidades do corpo, porque a base tem de ser protegida primeiro, a raiz tem de ser protegida primeiro. Se não há nenhuma raiz, não pode haver nenhuma florescência; se não houver o corpo, então, onde a inteligência existirá? E a compaixão é ainda mais alta do que a inteligência, e a meditação mais alta ainda.

Na Índia, Buda e Mahavira foram produzidos quando o país era muito rico. Desde então, tem havido os assim chamados santos, mas não um homem como Buda. Difícil, muito difícil... — porque um tamanho florescimento é possível somente quando há energia sem uso, energia que não precisa ser usada; somente então, a energia pode começar a desfrutar de si mesma. E, quando a energia começa a desfrutar de si mesma, ela começa a se voltar para dentro, ela se torna um retorno para o interior. Então, ela se torna meditação; então, nasce um buda; então, há o êxtase.

Não dê água à planta e, primeiro, desaparecerão as flores; depois, desaparecerão as folhas; então, morrerão os ramos e, somente no último momento, as raízes morrerão — porque, com as raízes, as coisas podem surgir novamente; assim, a planta protege suas raízes. A raiz é o mais baixo, mas o mais baixo tem de ser protegido, porque é a fundação. Quando vêm os bons dias, quando as chuvas chegam e a água está presente, então novamente, a raiz pode brotar, novamente as folhas voltarão e, novamente, haverá uma florescência. Essa mesma hierarquia existe em você.

Seja bom a partir da sua energia, nunca seja bom a partir de sua fraqueza. Eu não estou dizendo "seja mau"... — porque a partir da sua fraqueza, como você pode ser um ou outro? A maldade precisa de energia, tanto quanto a bondade. Você não pode ser mau, não pode ser demoníaco sem energia, e você não pode ser bom sem energia — porque ambos são realidades. Então, o que você pode ser sem energia? Você pode ser simplesmente uma face falsa: você não será nada, você será simplesmente uma fachada, uma fraude, um fantasma, não uma pessoa real — o que quer que você faça, será fantasmagórico. E é isso o que está acontecendo. Então, você criará uma falsa bondade, uma falsa santidade. Você pensará que você é um santo, porque não cometeu nenhum pecado, não porque tenha alcançado o divino.

Quando você alcança o divino, trata-se de uma realização, uma realização de energia positiva. Então, você fica semelhante a

Deus. E não há nenhum esforço para ser semelhante a Deus — isso flui espontaneamente. Você pode resistir a ser mau, mas isso é negativo. Quando você resiste, o desejo está presente; e, se o desejo de fazer o mal estiver presente, você o cometeu — não faz nenhuma diferença. Essa é a diferença entre pecado e crime.

O crime tem de ser um ato. Você pode ir pensando continuamente em cometer um crime, mas nenhum tribunal pode puni-lo, porque nenhum tribunal tem autoridade sobre a mente, somente sobre o corpo — um crime tem de ser um ato. Eu posso permanecer pensando constantemente em matar o mundo todo, mas nenhum tribunal pode me punir só por eu estar pensando constantemente nisso. Eu posso dizer que tenho prazer nisso, mas eu não matei ninguém; isso não se tornou um ato. A ação está sob a lei, não o pensamento; e essa é a diferença entre crime e pecado.

O pecado não faz nenhuma distinção entre seus atos e seus pensamentos: se você pensar, a semente está presente: quer ela brote no ato ou não, não é o problema. Se ela se tornar um ato, então, será um crime. Mas você o pensou, você já cometeu um pecado — para o divino, você tornou-se um criminoso, você se extraviou.

Mas este é o ponto a ser compreendido, um ponto muito difícil: aqueles que se extraviam são sempre mais poderosos do que aqueles que permanecem no caminho.

Os que se extraviam são sempre os melhores. Vá a um hospício e olhe: você verá que as pessoas mais inteligentes ficaram loucas. Olhe para os últimos setenta anos deste século vinte: as pessoas mais inteligentes ficaram loucas, não as medíocres. Nietzsche, uma das maiores inteligências já nascidas, ficou louco, teve de ficar louco — ele tinha energia demais; tanta energia, que não podia ficar confinada; tanta energia, que ela se tornou um transbordamento: ela não podia permanecer um regato bem-comportado, ele não podia canalizá-la — ela era como um oceano, selvagem. Nietzsche ficou louco, Nijinsky ficou louco... Olhe para os setenta anos deste século e verá que os melhores, a nata, exatamente os melhores enlouqueceram; e os medíocres permaneceram sãos.

Isto parece muito absurdo: os medíocres ficam sãos e os gênios enlouquecem. Por que uma pessoa medíocre permanece sã? Não há nenhuma energia para se extraviar. Uma criança se torna uma criança problema quando tem energia transbordando: ela tem de fazer uma coisa ou outra. Somente uma criança débil permanece no canto — se você lhe disser "repita Ram, Ram, Ram", ela repetirá; se você lhe der um rosário, ela o rezará. Mas se a criança for realmente viva, então, ela jogará longe o rosário e dirá: "Isto é uma bobagem! Vou brincar e subir nas árvores, fazer alguma coisa!".

A vida é energia. Só uma mente débil, anêmica, não se extraviará; ela não pode, porque é difícil prover-se de tanta energia — é difícil mover-se a tal extremo, a tal abismo. Mas os que se extraviam — caso sejam encontrados — tornam-se budas. Se Nietzsche tivesse entrado em meditação, ele teria se tornado um buda. Ele tinha a energia para ficar louco, então ele tinha a energia para se tornar iluminado — a energia é a mesma, somente a direção muda. Um buda em potencial ficará louco se não se tornar um buda — ...para onde irá sua energia? Se você não pode ser criativo, a energia se torna destrutiva. Vá a um hospício: você encontrará os homens mais inteligentes lá. Eles são loucos, somente porque não são medíocres. Eles são loucos, porque podem ver mais longe do que você, mais fundo do que você. E quando eles veem mais fundo do que você, as ilusões desaparecem.

A vida como um todo é uma coisa tão enigmática, que, se você puder aprofundar-se nela, será muito difícil permanecer mentalmente são, muito difícil. A pessoa permanece mentalmente sã, porque não pode ver: você vê somente dois por cento da vida, e noventa e oito por cento, dizem os psicólogos, está oculto — porque, se você chegar a vê-los, eles formarão um fluxo tão grande, que você não será capaz de suportar; você ficará insano, enlouquecerá.

Atualmente, alguns psicólogos, aqueles que têm estudado a loucura muito profundamente, como R. D. Laing e outros, estão se deparando com certos fatos. Um dos fatos é este: as pessoas que ficam loucas são as melhores, as pessoas que entram para o crime são as mais rebeldes. Elas podem se tornar grandes santos e não é uma surpresa que um Valmiki tenha se tornado um santo. Valmiki era um *dacoit*, um assassino, vivia de matar e saquear. Um acontecimento súbito... — e ele se tornou iluminado.

Uma pessoa iluminada estava passando e Valmiki, um assassino, um homem que vivia de roubos, assaltou aquele iluminado. O iluminado perguntou: "O que você vai fazer?".

Valmiki respondeu: "Vou roubar de você tudo o que você tem".

O iluminado disse: "Se você puder fazer isso, ficarei feliz, porque tenho algo muito interno. Roube-o, você é bem-vindo!".

Valmiki não pôde compreender aquilo, mas disse: "Estou interessado apenas em coisas exteriores".

O iluminado disse: "Mas elas não ajudarão muito. E por que você está fazendo isso?".

Valmiki respondeu: "Por causa da minha família, pela minha família! Minha mãe, minha mulher, meus filhos... — eles morrerão de fome se eu não fizer isso. E eu só conheço esta arte".

Assim, o iluminado disse: "Amarre-me numa árvore de modo que eu não possa escapar; e volte e diga à sua mãe e à sua esposa e aos seus filhos, que você está cometendo pecado por eles. Pergunte-lhes se estarão prontos para compartilhar da punição. Quando você estiver diante de Deus, quando chegar o último julgamento, estarão eles prontos para compartilhar da punição?".

Pela primeira vez, Valmiki começou a pensar. Ele disse: "É, você pode estar certo. Eu vou perguntar a eles".

Ele voltou para casa, perguntou à sua mulher e ela respondeu: "Por que eu deveria compartilhar da punição? Eu não fiz nada. Se você faz qualquer coisa, a responsabilidade é sua".

E sua mãe disse: "Por que eu deveria compartilhar isso? Sou sua mãe, é seu dever me alimentar. Eu não sei como você faz para trazer pão, isso é responsabilidade sua".

Ninguém estava pronto para compartilhar a punição. E Valmiki foi convertido. Ele voltou, caiu aos pés do iluminado e disse: "Agora, dê-me o interno, não estou interessado no externo. Agora, deixe-me ser o ladrão do interno, porque compreendi que estou sozinho e o que quer que eu faça, é de minha responsabilidade, ninguém vai compartilhá-lo. Nasci sozinho, morrerei sozinho e, o que quer que eu faça é de minha responsabilidade individual, pessoal — ninguém irá compartilhá-lo. Assim agora, tenho de olhar para dentro e descobrir quem eu sou. Acabou! Acabei com todo esse negócio!". Esse homem foi convertido em um segundo.

A mesma história aconteceu com Buda. Havia um homem que estava quase louco, um assassino louco. Ele fez um juramento de que mataria mil pessoas, não menos que isso, porque a sociedade não o tinha tratado bem. Ele se vingaria, matando mil pessoas. E, de cada pessoa morta, ele tiraria um dedo e faria um rosário em torno do pescoço — mil dedos. Por causa disso, seu nome vira Angulimala: o homem com um rosário de dedos.

Ele matou novecentas e noventa e nove pessoas. Então, ninguém mais se aproximava do local onde ele estivesse. Onde quer que se descobrisse que Angulimala estava, o tráfego parava. E, então, ficou muito difícil para ele encontrar um homem, e era preciso apenas mais um.

Buda estava passando por uma floresta. As pessoas vieram das vilas até ele e disseram: "Não vá! Angulimala está aí, aquele assassino louco! Ele não pensa duas vezes, simplesmente mata; e ele não vai pensar se você é um buda. Não vá por esse caminho, há um outro caminho. Você pode ir pelo outro, mas não vá por esta floresta".

Buda disse: "Se eu não for, então, quem irá? Ele está esperando por mais um, tenho de ir".

Angulimala quase cumpriu seu juramento. E ele era um homem de muita energia, pois estava lutando contra toda a sociedade: sozinho, um único homem — e ele havia matado mil pessoas. E os reis tinham medo dele, os generais tinham medo dele e o governo e a lei e a polícia — ninguém podia fazer nada. Mas Buda disse: "Ele é um homem, precisa de mim. Tenho de me arriscar. Ou ele me mata, ou eu o mato". É isto o que os budas fazem: eles apostam, eles arriscam suas vidas. Buda foi. Mesmo os discípulos mais próximos, que diziam que permaneceriam com ele até o fim, começaram a ficar para trás — porque aquilo era perigoso!

Assim, quando Buda chegou ao morro onde Angulimala estava sentado sobre uma pedra, não havia ninguém atrás dele, ele estava sozinho. Todos os discípulos tinham desaparecido. Angulimala olhou para aquele homem inocente... tão belo, como uma criança ele pensou. E até mesmo ele, um assassino, sentiu compaixão por aquela figura. Ele pensou: "Esse homem parece estar absolutamente inconsciente de que eu estou aqui; de outro modo, não passaria por este caminho". E o homem parecia tão inocente, tão belo, que até mesmo Angulimala pensou: "Não é bom matar esse homem. Eu vou deixá-lo. Posso encontrar outra pessoa".

155

Então, ele disse a Buda: "Volte! Pare aí agora mesmo e volte! Não dê mais um passo adiante! Eu sou Angulimala, e estes aqui são os novecentos e noventa e nove dedos; e preciso apenas de mais um dedo — mesmo se minha mãe viesse, eu a mataria para cumprir meu juramento! Assim, não se aproxime, sou perigoso! E eu não sou um crente em religião, não me importo com quem seja você. Você pode ser um monge muito bom, talvez um grande santo, mas não me importo! Só me importo com o dedo, e o seu dedo é tão bom quanto o de qualquer outro! Não dê mais um único passo à frente, senão eu o mato. Pare!". Mas Buda continuou andando.

Então, Angulimala pensou: "Ou esse homem é surdo ou é louco!". Ele gritou novamente: "Pare! Não se mova!".

Buda disse: "Eu parei há muito tempo. Não estou me movendo, Angulimala. Você é que está. Eu parei há muito tempo. Todo o movimento parou, porque toda a motivação parou. Quando não há motivação, como pode acontecer o movimento? Não há nenhuma meta para mim, já alcancei a meta; assim, por que eu deveria me mover? **Você** está se movendo — e eu lhe digo: pare!".

Angulimala estava sentado na pedra e começou a rir. Ele disse: "Você é realmente louco! Eu estou sentado e você diz que estou me movendo! E você está se movendo e diz que parou! Você é realmente um tolo ou um louco — ou não sei que tipo, que estilo de homem é você!".

Buda aproximou-se mais e disse: "Ouvi dizer que você precisa de mais um dedo. No que diz respeito a este corpo, minha meta foi alcançada, este corpo é inútil. Quando eu morrer, as pessoas o queimarão, ele não será útil para ninguém. Você pode usá-lo, seu juramento pode ser realizado: corte fora meu dedo e corte fora a minha cabeça. Eu vim de propósito, porque esta é a última chance de meu corpo ser usado de algum modo; caso contrário, as pessoas o queimarão!".

Angulimala disse: "O que você está dizendo? Eu achava que eu era o único louco por aqui. E não tente ser esperto, porque eu sou perigoso, ainda posso matá-lo!".

Buda disse: "Antes de me matar, faça uma coisa só. Atenda ao desejo de um moribundo: corte fora um galho daquela árvore".

Angulimala bateu sua espada contra a árvore e um galho grande caiu.

Buda disse: "Só mais uma coisa: junte-o outra vez à árvore".

Angulimala disse: "Agora sei perfeitamente bem que você é louco! Eu posso cortar, mas não posso juntar".

Então, Buda começou a rir e disse: "Quando você pode apenas destruir e não pode criar, você não deveria destruir, porque a destruição pode ser feita até por crianças, não há nenhuma bravura nisso. Esse galho pode ser cortado por uma criança, mas para juntá-lo é preciso um mestre. E se você nem mesmo pode juntar um galho à árvore, como pode cortar cabeças humanas? Você já pensou nisso alguma vez?".

Angulimala fechou os olhos, caiu aos pés de Buda, e disse: "Conduza-me nesse caminho!". E dizem que num único instante ele se tornou iluminado.

No dia seguinte, ele era um *bhikkhu*, um mendigo de Buda, e mendigava pela cidade. Toda a cidade fechou as portas. As pessoas ficaram com tanto medo, que diziam: "Mesmo que, de fato, ele tenha se tornado um mendigo, não se pode acreditar nele. Esse homem é muito perigoso!". As pessoas não saíam às ruas. Quando Angulimala ia mendigar, não havia ninguém lá para lhe dar comida, porque... quem correria tal risco? As pessoas ficaram nas sacadas olhando para baixo. E, então, começaram a atirar pedras nele, porque ele havia matado novecentos e noventa e nove homens da cidade. Quase todas as famílias tinham sido vítimas; assim, começaram a atirar pedras.

Angulimala caiu na rua e o sangue escorreu de todo o seu corpo, ele tinha muitas feridas. E Buda aproximou-se com seus discípulos e disse: "Vejam! — Angulimala, como você está se sentindo?".

Angulimala abriu os olhos e disse: "Sou muito grato a você. Eles podem matar meu corpo, mas não podem me tocar — e foi isso o que eu fiz durante toda a minha vida sem nunca perceber o fato".

Buda disse: "Angulimala tornou-se iluminado, tornou-se um *brahmin*, um conhecedor de *Brahma*"[1]. Isso pode acontecer em um

---

(1)   *Brahma* — o deus criador; um dos deuses da trindade hindu. (N. da T.)

único momento, se a energia estiver presente. Se a energia não estiver presente, então, é muito difícil. Todo o sistema do ioga consiste em criar energia, mais energia. Toda a dinâmica do tantra consiste em criar mais energia em você; assim, você se torna um fenômeno transbordante. Então, você pode tornar-se bom ou mau.

Jesus disse: *"Uma delas extraviou-se, a maior de todas"*.

Só aqueles que são grandes, que são os melhores, se extraviam. Os pecadores são as pessoas mais belas do mundo — errados, é claro! Eles podem tornar-se santos a qualquer momento. Os santos são belos, os pecadores são belos, mas as pessoas que estão no meio, são feias... — porque a impotência é a única fealdade: quando você não tem nenhuma energia, quando você já é uma coisa morta — um cadáver —, de algum modo carregando a si mesmo, ou sendo carregado pelos outros.

Por que os melhores, por que os grandes se extraviam? Há um segredo a ser compreendido: o processo de crescimento é que, primeiro, você tem de alcançar o ego. Se você não alcançar um ego cristalizado, a entrega nunca será possível. Parece paradoxal, mas é assim que é. Primeiramente, você tem de alcançar um ego bem cristalizado e, então, tem de abandoná-lo. Se você alcançar um ego cristalizado, a entrega nunca poderá acontecer a você. Como você pode entregar alguma coisa que não tem?

Um homem rico pode renunciar às suas riquezas, mas o que pode fazer um mendigo? Ele não tem riquezas para renunciar. Um grande intelectual pode livrar-se de seu intelecto, mas o que uma pessoa medíocre pode fazer? Como ela pode jogar fora o que não tem? Se você tem conhecimento, você pode renunciar a ele e tornar-se ignorante, humilde; mas se você não tem nenhum conhecimento, como pode renunciar a ele?

Sócrates podia dizer: "Eu não sei nada". Esta é a segunda parte: ele sabia muito, então, ele percebeu que todo conhecimento é inútil. Mas isso não pode ser alcançado por uma pessoa que não tenha se movido como Sócrates. O intelecto tem de ser treinado, o conhecimento tem de ser adquirido, o ego tem de ser cristalizado — essa é a primeira parte da vida. Quando você tem riquezas, então, você pode renunciar a elas — a diferença é grande.

Um mendigo na rua e Buda na rua — ambos são mendigos, mas a qualidade difere absolutamente: Buda é um mendigo por sua vontade própria. Ele não foi forçado a ser um mendigo, é a liberdade dele. Buda é um mendigo porque saboreou das riquezas e descobriu-as fúteis: Buda é um mendigo porque viveu através do desejo e descobriu-o fútil, inútil. Buda é um mendigo porque o reino deste mundo fracassou. Assim, a mendicância de Buda tem uma riqueza em si — nenhum rei pode ser tão rico, porque ele ainda está dando meia volta e Buda já completou o círculo.

Mas um mendigo que nunca foi rico, também está nas ruas... sua mendicância é simplesmente mendicância, porque ele não conhece o sabor da riqueza. Como ele pode renunciar a um desejo se ele ainda não o satisfez? Como ele pode dizer que os palácios são inúteis? Ele não tem nenhuma experiência deles. Como ele pode dizer que belas mulheres não valem nada? Ele não pode dizer isso, porque ele não conheceu lindas mulheres. Somente a experiência pode lhe dar a chave para renunciar. Sem a experiência, você pode se consolar, e muitas pessoas pobres, pobres em muitos sentidos, fazem isso.

Se você não tem uma esposa bonita, você vai dizendo: "Que importância tem? O corpo é apenas o corpo, o corpo é mortal, é a morada da morte". Mas no fundo, bem lá no fundo, o desejo permanece. E o desejo só pode ir embora quando a experiência acontecer, quando você chegar a conhecer. É um consolo. Um homem pobre pode se consolar, dizendo que não há nada nos palácios, mas ele sabe que há; caso contrário, por que estariam todos loucos por riquezas? E ele mesmo é obcecado e louco: nos seu sonhos, ele mora em palácios; em seus sonhos, ele se torna o imperador. Mas, durante o dia, quando é um mendigo andando pelas ruas, ele continua dizendo: "Não me importo, não ligo, eu renunciei!". Esse consolo é inútil — é perigoso, é falso.

A primeira parte da vida para uma pessoa amadurecer corretamente, é alcançar o ego; e a segunda parte — e então o círculo se completa — é renunciar a ele.

Uma criança cresce somente quando resiste a seus pais, quando luta com eles; quando sai de perto deles, move-se contra eles; aí ela alcança seu próprio ego individual. Se ela continuar presa aos pais, seguindo-os, ela nunca será um indivíduo por direito próprio. Ela tem de se extraviar — é assim que a vida tem de ser. Ela tem de se tornar independente. E há sofrimento em se tornar independente. Há uma luta; e você pode lutar somente se você sente que você é. E este é o círculo: se você sente que você é, você pode lutar mais; se você luta mais, você se torna mais, você é mais — você sente: "Eu sou". A criança alcança a maturidade, quando ela se torna totalmente independente. Para ter essa independência, ela tem de se extraviar.

O pecador pode estar procurando ficar independente da sociedade, da mãe, do pai — mas o pecador está procurando a independência e o ego de um modo errado. O santo também está procurando a independência, mas de um modo certo. Os caminhos são diferentes, mas os caminhos errados são sempre os mais fáceis. Tornar-se um santo é difícil, porque, para se tornar um santo, você tem de ter sido um pecador antes. Tente compreender isto: para ser um pecador você não precisa ser um santo antes; mas, para ser um santo, você tem de ser um pecador antes. Caso contrário, sua santidade será pobre, não será rica; ela será fraca, pálida, não será viva; ela será um regato de verão, não um rio transbordante.

"Uma delas extraviou-se, a que era a maior de todas." Tanto quanto sei, a palavra 'maior', no mundo das ovelhas, leva o significado de "a melhor". Porque a maior ovelha é a melhor ovelha — ela tem mais lã, tem mais gordura; assim, ela custa mais caro na compra — se você a vender, ganhará mais. Quanto maior a ovelha, melhor; quanto menor a ovelha, mais inferior. "Maior" significa a melhor — e a melhor se extraviou. Isso é simbólico.

O pastor *"deixou para trás as noventa e nove"* — elas não valiam a pena.

Por que Jesus sempre escolhe o pastor e a ovelha? É muito significativo, sua simbologia é significativa: toda a multidão de mentes medíocres é exatamente como as ovelhas, vive em ajuntamentos. Olhe para as ovelhas andando numa estrada; elas andam como se tivessem uma mente coletiva, não como seres independentes — apertam-se umas às outras, amontoam-se, têm medo de andar sozinhas. Movem-se em conjunto. Ouvi contar:

Um professor perguntou a um garoto cujo pai era pastor:

— Se há dez ovelhas e uma pula a cerca do quintal, quantas ficarão para trás? — O menino respondeu:

— Nenhuma! — O professor espantou-se:

— *O que você está dizendo?! Estou lhe dando um problema de aritmética para ser resolvido. O que você está dizendo? Havia dez ovelhas, uma pulou a cerca. Quantas sobraram?* — *O menino respondeu:*

— *Você pode saber de aritmética, mas eu sei de ovelhas. Nenhuma!*

...porque as ovelhas têm mente coletiva, movem-se em conjunto: se uma pular, todas pularão.

O pastor deixou as noventa e nove e saiu em busca daquela ovelha que se extraviou.

Jesus sempre diz que Deus irá à busca do pecador, não à busca do medíocre, da classe média — porque o medíocre não vale a pena, ele ainda não adquiriu tanto valor. E, além do mais, ele está sempre no caminho; assim, não há nenhuma necessidade de procurá-lo, nenhuma necessidade de buscá-lo — e ele não pode se extraviar.

Eis por que o pastor deixa as noventa e nove ovelhas na floresta, na noite escura, e sai em busca daquela que se extraviou, porque essa se tornou individual, essa alcançou o ego; as outras noventa e nove estavam sem ego, eram uma multidão.

Olhe para todo o seu ser: ele ainda é uma multidão, ou você se tornou um ego? Se você se tornou um ego, então, Deus estará à busca de você, porque vale a pena — você tem de ser procurado, tem de ser encontrado. Você ganhou a metade do círculo e, agora, a outra metade é a entrega; agora, a outra metade pode ser alcançada através de Deus. Somente você pode construir a primeira metade; a outra metade será completada pelo divino. Quando você tem um ego, então, em algum lugar, de alguma forma, Deus está à busca de você, porque você já fez a sua parte, você se tornou um indivíduo. Agora, se você perder a individualidade, você se tornará universal.

Esta é a diferença: antes da individualidade, você é apenas uma multidão — não universal; simplesmente uma multidão, a multidão local. Então, você alcança a individualidade, você se extravia: torna-se independente, torna-se um ego — e, então, quando você perde esse ego, você se torna o oceano, torna-se o todo.

Neste exato momento, vocês não existem; assim, vocês não podem se tornar o todo. Neste exato momento, existe a multidão: vocês são apenas números na multidão. Faz-se isso muito bem nas forças militares, eles dão números aos soldados: um, dois, três, quatro — nada de nomes; porque, realmente, vocês não têm nenhum nome, vocês têm de ganhá-lo. Você é apenas um número, um dígito: um, dois, três, quatro... Assim, quando alguém morre, eles podem escrever no quadro que tais e tais números tombaram. São números, e números podem ser substituídos. Quando o "número um" tomba, ele pode ser substituído por uma outra pessoa, e esta se torna o "número um". Nas forças armadas, há ovelha, e as forças armadas são a sociedade perfeita, a perfeita sociedade de formigas, a multidão. Se você quer conhecer a mente da multidão, olhe para as forças armadas: elas têm de discipliná-lo completamente, de tal modo que você perca toda a independência. Uma ordem é uma ordem, você não tem de pensar sobre ela. Eles ordenam "Direita, volver!", e você se vira à direita! E isso se torna muito profundo. Ouvi contar que...

A mulher de um coronel estava muitíssimo perturbada, porque, sempre que o coronel dormia do lado esquerdo, ele roncava. E isso era muito difícil para ela, porque não se tratava de um ronco comum: era um ronco de coronel. Era como um rugido; assim, ficava impossível para ela dormir. Mas quando quer que o coronel dormisse do lado direito, ele não roncava. Assim, ela foi ao psicanalista e consultou-o sobre isso. Ele disse:

— É simples: quando quer que ele não ronque, vire-o para a direita. — Ela disse:

— É difícil! Ele é pesado e depois fica com raiva. Se eu o sacudo e o acordo, ele fica com raiva. E isso acontece tantas vezes durante a noite, que eu perderia toda a minha noite fazendo isso. — O psicanalista disse:

— Não se preocupe — apenas sussurre no ouvido dele "Direita, volver!", e ele o fará.

E deu certo! Uma ordem é uma ordem — ela estava gravada fundo no inconsciente.

Uma sociedade existe como uma multidão. Você pode torná-la um exército imediatamente, sem nenhum problema. Eis por que Hitler pôde ser bem-sucedido ao transformar todo o país num acampamento militar. Mao foi bem-sucedido ao transformar todo o seu país num acampamento militar. A sociedade vive exatamente na fronteira, você pode modificá-la de modo imediato: um pouco de disciplina e a sociedade pode ser transformada num campo militar. Não há individualidade, porque a individualidade não é permitida, você não deve se afirmar. Trata-se do rebanho de ovelhas, a mente de ovelha.

Você tem alguma consciência de si mesmo? Ou você simplesmente vive como parte da sociedade na qual nasceu? Você é um hindu, um muçulmano, um cristão, um sique, um *jaina*... Mas você é um homem? Você não pode dizer que você é um homem, porque um homem não tem nenhuma sociedade. Um Sócrates é um homem, um Jesus é um homem, um Nanak é um homem — mas você não! Você pertence, mas um homem não pertence a ninguém, ele firma-se em seus próprios pés.

Eis por que Jesus diz: a melhor extraviou-se. E uma vez que a melhor se extraviou, o pastor deixou para trás as noventa e nove e procurou por aquela até que a encontrou.

Você continua orando a Deus, mas ele não o está procurando, eis por que você não o encontra. Antes, torne-se você mesmo; então, ele estará buscando por você. Não há nenhuma necessidade de procurar Deus. E como você pode fazer isso? Você não sabe o endereço, não conhece sua morada. Você somente sabe teorias e palavras sem significado — elas não irão ajudar. Ouvi dizer que...

> Um padre chegou a uma nova cidade. Os táxis estavam em greve e ele queria ir logo para a igreja, porque tinha de fazer o sermão naquela noite. Assim, ele perguntou a um garotinho onde ficava a igreja e o garoto o levou até lá. Quando chegaram à igreja, ele agradeceu ao garoto e lhe disse:
>
> — Estou muito grato por você ter-me ajudado: você não somente me mostrou o caminho, você veio comigo. Se você estiver interessado em saber onde Deus está, venha assistir ao meu sermão desta noite, ao meu discurso. Vou falar sobre o caminho até a morada do divino. — O menino riu e disse:

— O senhor não sabe nem o caminho da igreja, como é que pode saber o caminho do divino? Não vou, não.

Mas eu lhe digo: mesmo que você saiba o caminho até a igreja, isso não faz nenhuma diferença. Todos sabem o caminho até a igreja, mas isso não faz nenhuma diferença, porque a igreja não é a morada dele, nunca foi! Você não pode procurá-lo lá, porque você não o conhece. Ele pode procurá-lo, porque ele o conhece — e este é um dos ensinamentos básicos de Jesus: o homem não pode alcançar o divino, mas o divino pode alcançar o homem. E ele sempre alcança quando quer que você esteja pronto.

Assim, a questão não é procurá-lo, a questão é simplesmente estar pronto e esperar. E a primeira providência é tornar-se indivíduo, "extraviar-se". A primeira coisa é ser rebelde, porque somente então você ganha o ego. A primeira coisa é ir além da multidão — eis o que significa extraviar-se: ir além da esfera formulada, definida, bem delineada pela sociedade, porque, além, existe a largueza; além, existe a vastidão de Deus.

A sociedade é exatamente como uma clareira na floresta. Ela não é real, é criada pelo homem. Todas as suas leis são criadas pelo homem; seja o que for que você chame de virtude, seja o que for que você chame de pecado, é simplesmente criado pelo homem. Você não sabe realmente o que é virtude. A origem latina da palavra 'virtude' é muito bela: a palavra latina significa "poderoso"; não quer dizer "bom", quer dizer "viril", quer dizer "poderoso".

Seja poderoso, afirme-se, erga-se por si mesmo. Não caia vítima da multidão. Comece a pensar, comece a ser você mesmo. E siga seu caminho solitário — não seja uma ovelha!

Noventa e nove ovelhas podem ser deixadas na floresta — não há o que temer por elas. Elas não se perderão, porque elas se amontoarão; assim, elas podem ser encontradas a qualquer momento. O problema não é com elas, mas com aquela única, a melhor, a que abandonou o rebanho. Quando quer que uma ovelha abandone o rebanho, isso significa que há poder ali, e que a ovelha não tem medo da floresta, não tem medo dos animais selvagens, não tem medo absolutamente. A ovelha tornou-se destemida — somente então, ela pode deixar o rebanho. E o destemor é o primeiro passo para se estar preparado.

O ego é o primeiro passo para a entrega. Isso parece absolutamente paradoxal. Você pensará que sou doido, porque você pensa que a humildade é necessária. Eu digo: não! Primeiramente, o ego é necessário, caso contrário, a sua humildade será falsa. Primeiramente, o ego é necessário — afiado, afiado como uma espada. Isso lhe dará uma clareza de ser, uma distinção; e então você pode abandoná-lo. Quando você o tem, pode abandoná-lo. Então, surge uma humildade e essa humildade é totalmente diferente: não é a humildade do pobre, não é a humildade do fraco — é a humildade do forte, é a humildade do poderoso. Então, você pode render-se, mas não antes disso.

"Ele deixou para trás noventa e nove e saiu em busca daquela, até que a encontrou." E lembre-se: você não precisa procurar por Deus, ele virá a você. Simplesmente torne-se valoroso e ele o encontrará — ele tem de fazer um caminho em direção a você. No momento em que alguém, em algum lugar, torna-se cristalizado, toda a energia divina move-se em direção a esse alguém. Deus pode alcançá-lo na forma de um homem iluminado, ele pode alcançá-lo na forma de um mestre, de um guru[2] — em milhões de modos, ele pode alcançá-lo. Mas como ele o alcança não é o caso — é ele que tem de se preocupar com isso, você não tem que se preocupar com isso. Primeiramente, alcance o ego, fique preparado, torne-se individual e, então, o universal pode acontecer a você.

"Extenuado, ele disse à ovelha: Eu amo mais a ti..." A que se rebelou, Deus a ama mais. Os padres dirão: "Que absurdo! A que se extraviou, Deus a ama mais!?" Os padres não podem acreditar nisso, mas é assim que acontece. Jesus é a ovelha perdida, Buda é a ovelha perdida, Mahavira é a ovelha perdida. A multidão vai seguindo na sua mediocridade, enquanto Mahavira, Buda e Jesus são procurados — Deus corre em direção a eles.

Isto aconteceu debaixo da árvore *bodhi*[3], onde Buda estava sentado, perfeitamente individual, com todas as correntes da sociedade, da cultura, da religião, quebradas — todas as correntes quebradas,

---

(2)   *Guru* — professor de mistérios. (N. da T.)
(3)   *Bodhi tree* — 'árvore do conhecimento', nomeada assim, devido a esse acontecimento na vida de Buda. (N. da T.)

perfeitamente só. Então, Deus precipitou-se de todos os lugares, de todas as direções — porque ele está em todas as direções — e Buda tornou-se um deus. E ele havia negado a existência de um Deus, porque essa era uma das maneiras de se extraviar. Ele disse: "Não existe Deus, eu não creio em nenhum Deus". Ele disse que não existia nenhuma sociedade, nenhuma religião. Ele negou os *Vedas*, ele negou o sistema de castas — *brahmins, sudras*[4]. Ele negou toda a estrutura hindu de pensamento. Ele disse: "Não sou um hindu e não pertenço a nenhuma sociedade, e não acredito em nenhuma teoria. A menos que eu saiba a verdade, não vou acreditar em nada!".

Ele continuou negando. Chegou um momento em que ele estava só e não havia nenhum elo com qualquer coisa — todos os elos absolutamente quebrados. Ele tornou-se uma ilha, absolutamente sozinho. Debaixo daquela árvore *bodhi*, há vinte e cinco séculos, Deus precipitou-se, vindo de todos os lugares, na direção daquele homem, até aquela ovelha que tinha se extraviado, e disse a Buda... — *"Extenuado, ele disse à ovelha: Eu amo mais a ti do que às noventa e nove"*. Isso também foi dito a Jesus, foi sempre assim, é a lei fundamental. Deus procura o homem, não o homem a Deus — o homem tem simplesmente de estar preparado.

E como estar preparado? Torne-se individual, seja um revolucionário. Vá além da sociedade, seja destemido, quebre todas as correntes, todos os relacionamentos. Seja só e viva como se você fosse o centro do mundo. Então, Deus precipita-se em sua direção e, na sua precipitação, seu ego é perdido, a ilha desaparece no oceano — de repente, você não existe mais.

Primeiramente, a sociedade tem de ser abandonada — e essa é a mecânica interna — porque o seu ego existe somente com a sociedade. Se você for abandonando a sociedade, chegará um momento em que o ego estará sozinho, porque a sociedade foi abandonada. Mas então, sem a sociedade, o ego não existe, porque a sociedade ajuda-o a existir como um ego. Se você for abandonando a sociedade, pouco a pouco, a base é abandonada. Quando não existe o "tu", o "eu" não existe. No estágio final, o "eu" desaparece, por-

---

(4)   *Brahmin*, a mais alta casta; *sudra*, a mais baixa casta. (N. da T.)

que o "tu" foi abandonado. Quando não há nenhum "tu", "eu" não sou. O "tu" tem de ser abandonado, então, o "eu" some. Mas, abandonando o "tu" antes, o "eu" torna-se mais preciso, cristalizado, centrado, belo, poderoso. Então, ele é consumido — isso é a precipitação do divino.

Jesus foi crucificado por causa desses dizeres. Ele estava tornando as pessoas rebeldes, estava ensinando-as a se extraviarem. Ele estava dizendo que Deus ama aquele que se extravia — o pecador, o rebelde, o egoísta. Os judeus não puderam tolerar isso, era demais. Aquele homem teve de ser silenciado: "Este homem tem de parar — ele está indo longe demais, ele destruirá toda a sociedade!" Ele estava criando uma situação que os sacerdotes não seriam capazes de suportar, a igreja seria dissolvida.

Ele estava contra a multidão — e a multidão é tudo o que está ao seu redor — e a multidão ficou tomada de pânico. Eles pensavam: "Este homem é o inimigo, ele está destruindo a própria base. Sem a multidão, como poderemos viver?". Como ele estava ensinando às noventa e nove ovelhas a se extraviarem, elas se amontoaram ainda mais. E se você continuar ensinando-as, elas se vingarão, elas o matarão, elas dirão: "É demais! Chega!".

Nós vivemos na multidão, somos parte da multidão. Sós, não podemos existir. Não sabemos como ser sós, sempre existimos com o outro. O outro é necessário, é um imperativo. Sem o outro, quem é você? Sua identidade fica perdida.

Este é o problema: as noventa e nove ovelhas criam todas as religiões, e a verdadeira religião só acontece à ovelha que se extravia.

Seja corajoso! Mova-se além da clareira, vá para a selva — a vida existe lá — e, somente então, você crescerá. Pode haver sofrimento, porque não há nenhum crescimento sem sofrimento. Pode haver uma cruz, crucificação, porque sem isso não há maturidade. A sociedade pode se vingar através da crucificação — aceite-a. Isso está fadado a acontecer, porque, quando a única ovelha voltar, as noventa e nove dirão: "Esta é a pecadora! Esta ovelha se extraviou, não faz parte de nós, esta ovelha não nos pertence!".

E essas noventa e nove ovelhas serão absolutamente incapazes de conceber que o pastor esteja carregando aquela ovelha nos ombros — porque essa é a ovelha perdida e ela foi encontrada.

Jesus diz que o pastor voltará para a sua casa, chamará seus amigos e festejará, porque uma ovelha estava perdida e a ovelha foi encontrada. Jesus diz que, sempre que um pecador entra no céu, há regozijo, porque uma ovelha se perdeu e a ovelha foi encontrada.

Basta por hoje.

Sétimo Discurso

Jesus disse:
O reino do pai é como um homem,
um mercador,
que possuía mercadoria
e encontrou uma pérola.

O mercador era prudente.
Ele vendeu a mercadoria
e comprou a pérola para si mesmo.

Você também procura pelo tesouro
que não desaponta, que dura,
onde nenhuma traça se aproxima para devorar
e nenhum verme destrói.

Se você olhar para fora, o mundo dos muitos existirá; se olhar para dentro, então, o mundo do único. Se você for para fora, poderá conseguir muito, mas você perderá o único. E esse único é o verdadeiro centro — se você o perder, terá perdido tudo. Você pode alcançar muito, mas esse muito não contará no final, porque, a menos que a pessoa alcance a si mesma, nada é alcançado.

Se você for um estranho para si mesmo, nem mesmo o mundo inteiro o preencherá. Se você não conseguiu entrar em seu próprio ser, então, todas as riquezas o tornarão ainda mais pobre. Isto acontece: quanto mais riquezas você tem, mais pobreza você sente, porque agora então você pode comparar; com a riqueza exterior, a interior em comparação parece cada vez mais pobre e mais pobre e mais pobre. Desse modo, o paradoxo do homem rico: quanto mais rico ele fica, mais pobre ele se sente; quanto mais ele tem, mais ele sente que está vazio — porque a vacuidade interior não pode ser preenchida por coisas externas. Coisas externas não podem entrar no seu ser. A vacuidade interior pode ser preenchida somente quando você alcança a si mesmo, quando você alcança o seu ser. Faça uma distinção clara: o mundo externo é o mundo dos muitos, mas o único está ausente ali — e o único é a meta. O único está dentro de você; assim, se você procurar do lado de fora, você perderá. Nada será de muita ajuda; seja o que for que você faça, você será um fracasso.

A mente continuará dizendo: "Alcance isto! — então, você ficará preenchido". Quando você alcança aquilo, a mente lhe dirá novamente: "Alcance outra coisa, então, você ficará preenchido". A mente dirá: "Se você não está obtendo êxito, isso quer dizer que você não se esforçou o suficiente. Se não chegou, é porque não está correndo o suficiente". E se você ouvir à lógica da mente — que parece lógica, mas não é —, então, você continuará correndo e correndo e correndo e, no fim, não haverá nada, exceto a morte.

Os muitos formam o reino da morte, o único forma o reino da não morte. O buscador tem de ser procurado, não nos objetos externos, mas na sua subjetividade; você tem de voltar-se para dentro. Uma conversão é necessária, uma volta, uma absoluta meia-volta é necessária; assim, os olhos que veem o lado de fora, começam a ver dentro. Mas como isso acontecerá?

A menos que você fique totalmente frustrado com o mundo, isso não pode acontecer; se permanecer até mesmo uma ligeira esperança, você continuará se movendo. O fracasso é ótimo e, com o fracasso dos muitos, uma nova jornada se inicia. Quanto mais cedo você fracassar no mundo exterior, melhor; quanto mais cedo você se tornar totalmente frustrado, melhor — porque o fracasso exterior torna-se o primeiro passo em direção ao interior.

Antes de entrarmos nesse sutra de Jesus, muitas outras coisas têm de ser compreendidas. Quem é o homem sábio? Aquele que está pronto para perder tudo pelo único. E quem é o tolo? Aquele que perdeu a si mesmo e adquiriu coisas comuns, aquele que vendeu o mestre e encheu sua casa com coisas inúteis.

Ouvi contar, aconteceu certa vez:

Um amigo de Mulla Nasruddin ficou muito, muito rico. E, quando alguém fica rico, ele quer voltar para seus velhos amigos, velhos vizinhos, velha cidade, para mostrar o que conseguiu. Assim, ele foi da capital para sua pequena cidade. Logo na estação, ele encontrou Mulla Nasruddin e disse:

— Nasruddin, você sabia? Eu consegui! Fiquei muito, muito rico, você nem pode conceber! Tenho um palácio com quinhentos quartos, é um castelo! — Mulla Nasruddin disse:

— Sei de algumas pessoas que têm casas com quinhentos quartos. — O amigo disse:

— Tenho dois campos de golfe de dezoito buracos, três piscinas e muitos e muitos acres de gramado! — Nasruddin replicou:

— Conheço um homem em outra cidade que tem dois campos de golfe e três piscinas. — O homem rico perguntou:

— Dentro de casa? — Nasruddin disse:

— Ouça — você pode ter feito muito dinheiro, mas eu também não estou muito mal: tenho asnos, cavalos, porcos, búfalos, vacas, galinhas... — O outro começou a rir e disse:

— Nasruddin, um monte de gente tem asnos, cavalos, vacas, galinhas... — Nasruddin interrompeu-o e perguntou:

— Dentro de casa...!?

Mas seja o que for que você consiga — quer sejam campos de golfe de dezoito buracos, três piscinas e quinhentos quartos; ou asnos, cavalos e vacas... — seja lá o que for que você consiga do lado de fora, não o fará rico, porque, realmente, a casa permanece vazia, você permanece vazio. Nada entra na casa, essas coisas permanecem do lado de fora, porque elas pertencem ao lado de fora — não há nenhum modo de colocá-las para dentro. E a pobreza é interna. Se fosse externa, então não teria havido nenhum problema.

Se você tivesse sentido a vacuidade do lado de fora, na periferia, então ela poderia ter sido preenchida com casas, carros, cavalos ou qualquer coisa. Mas a vacuidade é sentida internamente, você sente insignificância internamente. Não é porque você não tem uma casa grande que há um problema, é que por dentro você se sente totalmente insignificante: por que você existe? Por que toda essa confusão de estar na existência? Por que estar vivo? Para onde isso o está conduzindo?

Todos os dias você acorda de manhã novamente para ir... — e não há para onde ir! Todos os dias, de manhã, você se veste, mas você sabe ao anoitecer, que nada foi alcançado, nenhuma meta foi atingida. Novamente você dorme e, na manhã seguinte, novamente a jornada começa — a insignificância daquele negócio todo! Por dentro você continua sentindo-se vazio, não há nada. Assim, com as coisas exteriores, você pode no máximo enganar os outros, não a si mesmo. Como você pode enganar a si mesmo?

Quanto mais coisas se acumulam, mais a vida é desperdiçada, porque elas têm de ser compradas a custo da vida. Você está menos vivo, a morte se aproximou, as coisas estão crescendo cada vez mais e mais, a pilha está se tornando cada vez maior e maior, e por dentro você está diminuindo. Então, vem o medo: "O que estou atingindo, onde estou chegando? O que eu fiz com a minha vida toda?".

E você não pode ir para trás, o tempo perdido não pode ser retornado a você, não há nenhum modo. Você não pode tê-lo de volta, você não pode dizer "sinto muito, começarei novamente" — isso não é possível. Então, quando você fica velho, você se torna cada vez mais e mais triste. Essa tristeza não se deve à idade física, essa tristeza é porque agora você percebe o que fez a si mesmo: você fez uma casa, é claro, você foi bem-sucedido, é rico, conseguiu prestígio aos olhos dos outros, mas... — e quanto a seus próprios olhos?

Agora você sente a dor, o sofrimento de uma vida desperdiçada, do tempo perdido. A morte está cada vez mais perto e logo,

logo, você se dissolverá com as suas mãos vazias. A vacuidade é interna; você não pode preenchê-la com qualquer coisa que possa ser conseguida no mundo — a menos que você consiga a si mesmo. Daí, a insistência de Jesus de que: "Até mesmo um camelo pode passar pelo buraco de uma agulha, mas um homem que seja rico, não pode passar através do portão do céu". Por quê? O que há de errado com um homem rico?

Não há nada de errado com um homem rico. A ênfase é que aquele que desperdiçou sua vida acumulando coisas no mundo — é isso o que se quer dizer por "homem rico" —, não pode entrar no reino de Deus, porque lá somente entra aquele que alcançou o interno. Ele não pode enganar às portas do céu. Ele não pode entrar, porque ele estará muito gasto, roto, uma ruína. Ele não pode dançar na porta, não pode cantar. Ele não pode entrar com uma certa significância que tenha alcançado em sua vida. Ele estará desenraizado: ele ganhou muito, mas nunca possuiu a si mesmo — e essa é a pobreza. Se você possui a si mesmo, você é rico, realmente rico. Se você não possui a si mesmo, você pode ser um imperador, mas é pobre.

A segunda coisa a ser compreendida é por que continuamos acumulando coisas. A verdade é tão clara, mas mesmo assim continuamos. Ninguém ouve a Jesus ou a Buda e, mesmo que você ouça, mesmo que você sinta que você compreende, você nunca segue sua compreensão. Assim, Buda e Jesus são negligenciados e você continua no seu caminho. Algumas vezes, uma dúvida surge, mas isso é tudo... — novamente você se acomoda e segue seu próprio caminho. Deve haver alguma coisa muito enraizada que nem mesmo um Buda ou um Jesus possam sacudir, possam arrancar. O que é esse profundo enraizamento?

Nós existimos aos olhos dos outros: nossa identidade consiste na opinião dos outros: os olhos dos outros são os espelhos, nós olhamos para a nossa face nos olhos dos outros. Esse é o obstáculo, o problema — porque os outros não podem ver o seu ser interno. O seu ser interno não pode ser refletido em nenhum espelho, seja qual for. Somente o seu exterior pode ser refletido; os reflexos são somente do exterior, do físico. Mesmo que você fique diante de um espelho, somente a sua parte física poderá ser refletida. Nenhum olho pode refletir a sua parte interior.

173

Assim, os olhos dos outros refletem sua riqueza, suas façanhas no mundo, suas roupas... — eles não podem refletir "você". E quando você vê que os outros pensam que é pobre... — isso significa que você não tem boas roupas, uma boa casa, um bom carro — você começa a dirigir-se para essas coisas. Você acumula coisas simplesmente para ver que você é rico aos olhos dos outros. Então, os olhos dos outros começam a refletir que você está se tornando cada vez mais e mais rico, está ganhando poder e prestígio. Sua identidade consiste em seus reflexos; mas os outros podem somente refletir coisas, eles não podem refleti-lo. Por isso, a meditação é muito, muito necessária.

Meditação significa fechar os olhos: não olhar para o reflexo, mas olhar para o seu próprio ser. Caso contrário, o dia inteiro você passa envolvido com os outros. À noite também, quando você dorme, ou você fica inconsciente quando há sono profundo, ou fica novamente envolvido com os outros nos seus sonhos. Viver continuamente com os outros, eis o problema: você nasce numa sociedade, vive numa sociedade, morre numa sociedade — toda a sua existência consiste no social. E sociedade significa: olhos por todos os lados.

O que quer que seja que esses olhos reflitam, eles o impressionam. Se todo mundo disser que você é um homem bom, você começará a se sentir bom. Se todo mundo pensar que você é um homem mau, você começará a se sentir malvado. Se todo mundo disser que você está doente, você começará a se sentir doente. Sua identidade depende dos outros, ela é uma hipnose através dos outros. Entre na solidão — viva com os outros, mas não se esgote com os outros.

Pelo menos durante uma hora por dia, simplesmente feche seus olhos... — fechar os olhos significa que você está fechado para a sociedade, não há nenhuma sociedade, somente você existe; assim, você pode encarar-se diretamente. Vá uma vez por ano, por alguns dias, para as montanhas, para o deserto, onde não haja ninguém, somente você, e veja-se como você é. Caso contrário, viver continuamente com os outros criará uma hipnose em você. Essa hipnose é a razão de por que você continuar influenciando os outros, impressionando os outros. A coisa real não é como viver uma vida rica, a coisa real é como impressionar os outros que você é rico — mas essas são coisas totalmente diferentes.

Os outros ficam impressionados com o que quer que seja que você possua, eles nunca ficam impressionados por você. Se você encontrar Alexandre com roupas de mendigo, você não o reconhecerá, mas se encontrar o mendigo que sempre esteve pedindo esmolas em sua rua, sentado em um trono como Alexandre, você cairá a seus pés, você o reconhecerá!

Aconteceu certa vez: um grande poeta urdo[1], Ghalib, foi convidado para um jantar, pelo imperador. Muitas outras pessoas foram convidadas, quase quinhentas. Ghalib era um homem pobre, é muito difícil para um poeta ser rico... — rico aos olhos dos outros.

Os amigos sugeriram: "Ghalib, você pode tomar emprestado roupas, sapatos e uma boa barraca... porque seu guarda-sol está muito puído, seu casaco desbotado, quase acabado e, com essas roupas e esses sapatos com tantos buracos, não ficará bem!".

Mas Ghalib disse: "Se eu tomar alguma coisa emprestada, vou me sentir muito desconfortável por dentro, porque eu nunca tomei nada emprestado de ninguém — tenho vivido às minhas custas, tenho vivido do meu próprio jeito. Quebrar o hábito de toda a minha vida apenas para um jantar não é bom".

Assim, ele foi para a corte do imperador com suas próprias roupas. Quando ele apresentou seu convite ao guarda, o homem olhou para ele, riu e disse: "De onde você roubou isto? Saia daqui imediatamente, senão será preso!".

Ghalib não podia acreditar naquilo. Ele disse: "Eu fui convidado! Vá e pergunte ao imperador!".

O guarda disse: Todo mendigo pensa que foi convidado! E você não é o primeiro, muitos outros bateram na porta antes. Saia daqui! Não fique parado aqui, porque os convidados estarão chegando logo!".

Assim, Ghalib foi embora. Seus amigos sabiam que isso ia acontecer; assim, eles tinham arrumado um casaco, sapatos e um guarda-sol para ele — coisas tomadas emprestado. Então, ele vestiu as coisas emprestadas e retornou. O guarda inclinou-se e disse: "Entre".

Ghalib era um poeta muito conhecido e o imperador amava sua poesia; assim, ele teve permissão de sentar-se bem ao lado do

---

(1)   Urdo — antiga língua ligada à árabe e à persa. (N. da T.)

imperador. Quando o banquete começou, Ghalib fez uma coisa muito esquisita, e o Imperador pensou que ele parecia um pouco doido. Ele começou a alimentar o seu casaco, e dizendo: "Coma isto, meu casaco! Porque realmente foi você quem entrou, não eu".

O Imperador disse: "O que você está fazendo Ghalib? Ficou doido?".

Ghalib disse: "Não... Eu vim antes, mas não me deixaram entrar. Ora, este casaco veio — eu estou simplesmente com ele, porque o casaco não podia vir sozinho — caso contrário, eu não podia ter vindo!".

Mas isso está acontecendo a todo o mundo — não você, mas o seu casaco é reconhecido pelos outros; assim, você fica bordando o casaco, vestindo-se.

A meditação é necessária para lhe dar um rompimento com os outros, os olhos dos outros, o espelho dos outros. Esqueça-os! Por alguns minutos, simplesmente olhe para dentro... — então, você sentirá a dor e o sofrimento internos, que você está vazio ali. Então, uma transformação se inicia: então, você começa a olhar para as riquezas interiores, o tesouro que existe dentro de você — não para os tesouros que estão espalhados ao seu redor.

Muitas são as riquezas externas; somente um é o tesouro interno. Muitas são as dimensões e direções externas; única, unidi-recionada é a meta interior. Jesus disse:

> *O reino do pai é como um homem,*
>
> *um mercador,*
>
> *que possuía mercadoria*
>
> *e encontrou uma pérola.*
>
> *O mercador era prudente.*
>
> *Ele vendeu a mercadoria*
>
> *e comprou a pérola para si mesmo.*

A história é esta: um homem foi a um país muito distante para ganhar dinheiro. Ele ganhou muito, juntou muita mercadoria, mas, no último momento, encontrou uma pérola. E fez uma troca: ven-deu toda a mercadoria e comprou a pérola. Quando estava voltando, houve um acidente e o navio afundou. Mas, com uma única pérola, ele pôde nadar até margem e chegar a sua casa com seu tesouro intacto.

Esta é a história a qual Jesus se refere: aquele homem comprou um só ao invés de muitos. Assim, mesmo quando o navio afundou, nada foi perdido. O único pode ser salvo, não os muitos. Quando a morte vem e o seu navio afunda, se você tiver uma única pérola, você será capaz de carregá-la até a outra margem; mas se tiver muitas e muitas coisas, você não será capaz de carregá-las. Uma pérola pode ser carregada, mas como você pode carregar muita mercadoria?

Jesus disse: *"O reino do pai é como um homem, um mercador, que possuía mercadoria e encontrou uma pérola. O mercador era prudente..."*. Ele era sábio, porque é tolice vender o único e comprar os muitos. Isto é sabedoria: vender os muitos e comprar o único. A pérola é simbólica do único, o interior.

> *"O mercador era prudente. Ele vendeu a mercadoria e comprou a pérola para si mesmo."*

> *Você também procura pelo tesouro*
>
> *que não desaponta, que dura,*
>
> *onde nenhuma traça se aproxima para devorar*
>
> *e nenhum verme destrói.*

Então, seja como esse mercador, o prudente, o sábio. O que quer que seja que consiga neste mundo, será arrancado de você. Você já observou o fato de que você não pode possuir nada neste mundo realmente? Você simplesmente sente que possui — mas a coisa estava aqui quando você não estava, outra pessoa a possuía. Logo, logo, você não estará aqui, mas a coisa estará aqui e outra pessoa a possuirá. Sua posse é apenas como um sonho: às vezes, está aqui; às vezes, não está.

Isto aconteceu: havia um rei, Ibrahim. Certa noite, ele ouviu um barulho no seu telhado, alguém estava caminhando por lá. Então, ele perguntou: "Quem está aí?".

O homem respondeu: "Não se incomode. Meu camelo se perdeu e estou procurando por ele". Seu camelo estava perdido no telhado do palácio?!

Ibrahim riu e disse: "Seu louco! Desça daí! Camelos nunca se perderam no telhado de um palácio. Vá para casa!".

Mas, então, ele não pôde dormir, porque ele era um homem de contemplação. Ele pensou: "Talvez o homem não fosse louco, talvez tenha dito alguma coisa simbolicamente; talvez seja um grande místico, porque sua voz era tal que, quando ele disse 'não se incomode', havia muito consolo e silêncio nela... a voz era tão musical e harmoniosa, ela não podia ser de um louco. E quando ele disse 'meu camelo se perdeu e estou procurado por ele', a voz era tão penetrante, parecia indicar alguma coisa... Esse homem tem de ser encontrado de manhã! Eu devo ver quem é esse homem, se ele é doido, ou um doido de Deus: se ele estava no telhado simplesmente em sua loucura, ou se foi enviado particularmente a mim, para me dar uma mensagem".

O Rei não pôde dormir a noite toda. Pela manhã, ele disse a seus cortesões para irem e encontrarem esse homem, com aquele tipo de voz. Mas toda a capital foi vasculhada e o homem não pôde ser encontrado, porque... — como se pode encontrar um homem apenas pelo seu timbre de voz? Difícil!

Então, bem no meio do dia, houve um grande atropelo no portão. Um faquir, um mendigo, tinha aparecido e estava dizendo ao guarda: "Deixe-me entrar, porque eu quero ficar alguns dias aqui, neste *sarai*, nesta hospedaria".

O guarda dizia: "Isto aqui não é uma hospedaria, não é um *sarai*[2] — este é o palácio do próprio Rei, sua própria residência!".

Mas o faquir disse: "Não! Sei muito bem que isto aqui é uma hospedaria: os viajantes entram, ficam e se vão. Ninguém é um residente aqui; assim, deixe-me entrar. Falarei com o Rei, que parece ser um homem tolo".

Isso chegou aos ouvidos do Rei, a quem ele foi enviado. O Rei estava furioso e perguntou: "O que você anda dizendo?".

O homem disse: "Escute aqui! Eu vim aqui uma vez antes, mas outra pessoa estava sentada neste trono então. E ele era também o mesmo tipo de tolo que você é, porque ele pensava que esta era a

---

(2)   *Sarai* — hospedaria de beira de estrada para viajantes e mercadores. (N. da T.)

residência dele. Agora você está pensando que esta residência é a sua residência!".

O Rei disse: "Não seja estúpido! E não se comporte de um modo tão incivilizado — ele era meu pai; agora está morto".

O faquir disse: "E eu lhe digo que virei novamente e não o encontrarei aqui. Outra pessoa estará aqui. Será seu filho e me dirá: 'Esta é a minha residência!'. Que tipo de residência é esta? As pessoas vêm e vão... — eu a chamo de hospedaria de viajantes".

A voz pôde ser reconhecida! O Rei disse: "Então você é o louco que estava procurando pelo camelo no telhado!".

O faquir disse: "Sim, eu sou o louco e assim também é você: se você está procurando a si mesmo nas riquezas, você está procurando por um camelo no telhado!".

O Rei desceu de seu trono e disse ao faquir: "Você fica neste *sarai*, mas eu vou embora, porque eu estava aqui somente acreditando que esta era uma residência, que isto era um lar. Se não é um lar, então, eu devo ir e procurar por um lar, antes que seja tarde demais!".

Ibrahim tornou-se um místico por seu próprio direito. E quando ele ficou conhecido, quando ele se tornou um homem realizado, ele vivia do lado de fora da capital — da sua própria capital. Certa vez ela tinha sido sua propriedade; agora, era apenas um *sarai*. Ele vivia do lado de fora dela e, quando alguém passava e perguntava "Onde é o *basti*?" — '*Basti*' significa "a cidade"; mas a palavra é muito bonita, significa "onde o povo reside". Mas Ibrahim lhes mostrava o cemitério. Ele dizia: "Vá pela direita e você encontrará o *basti*, o lugar onde as pessoas residem".

E então as pessoas iam. Mais tarde, voltavam com muita raiva e diziam: "Que tipo de homem é você? Nós perguntamos sobre a *basti*, a cidade, onde as pessoas residem — e você nos mandou para o cemitério!".

Ibrahim ria e dizia: "Então parece que nós usamos termos diferentes para designar as coisas — porque lá no cemitério, uma vez que você entre você é um residente para sempre. Aquela é a verdadeira *basti*, a residência permanente, onde seu endereço nunca muda, porque você fica lá para todo o sempre. Assim, você não está perguntando pela verdadeira *basti*, está perguntado pela cidade que é um cemitério, porque as pessoas estão numa fila simplesmente para morrer.

"Chegou a hora de alguém hoje, a de outra chegará amanhã, a de uma outra, depois de manhã — mas todos estão simplesmente esperando para morrer! E você a chama de 'basti'!? Você chama isso de o lugar onde as pessoas residem? Eu a chamo de marghat, cemitério, onde as pessoas simplesmente estão esperando para morrer, onde não existe nada, exceto a morte."

Se a vida existe, ela não é nada mais do que uma espera pela morte; e como pode a vida ser uma espera pela morte? Como a vida pode ser momentânea? Como a vida pode ser exatamente como um sonho? Ela está aí... — e vai embora e não mais está. A vida deve ser algo eterno. Mas se você está procurando pelo eterno, então, seja como o mercador prudente: venda tudo o que tem! Venda tudo e adquira o um só, a pérola única do seu ser interior que não pode naufragar, que não pode ser arrebatada — porque essa pérola é você. Você pode possuir somente a si mesmo, nada mais pode ser realmente possuído. Você pode viver em uma ilusão — isso é outra coisa.

Você pode viver na ilusão de que possui esta casa, esta esposa, este marido, estes filhos, mas isso é uma ilusão: mais cedo ou mais tarde, o sonho acabará. Você pode possuir somente a si mesmo, porque isso nunca irá embora. O ser é permanente, eterno — ele é atemporalmente seu: não lhe pode ser tomado.

Esta é a diferença entre uma busca mundana e uma busca religiosa: religião significa procurar o eterno, o mundano significa procurar pelo temporal. O mundo existe no tempo e a religião na atemporalidade. Observe um fato claro: quando quer que você feche os seus olhos e os pensamentos caiam, não há nenhum tempo; quando quer que você feche seus olhos e os pensamentos não estão presentes, o tempo desaparece. Quando os pensamentos estão presentes, então, há o tempo; quando as coisas estão presentes, então, há o tempo.

Ao seu redor, existe o tempo, o oceano do tempo. Dentro de você, existe a eternidade, a atemporalidade. Eis por que todos os realizados dizem que, quando você transcende o tempo, quando você foi além do tempo, então, você alcançou a si mesmo, chegou em casa.

Certa vez, aconteceu: Um homem trabalhava numa fábrica. O homem era muito pobre, e ele costumava ir à fábrica montado no seu burro. Mas ele sempre chegava atrasado quando voltava para casa e sua mulher ficava sempre com raiva. Um dia, ele disse a ela: "Tente compreender meu problema: quando toca a última sirene, quando termina o som da última sirene, este burro se tornou tão acostumado, que se eu chegar dois ou três minutos atrasado, ele vem para casa sem mim. E há tanta pressa! Todo mundo quer sair da fábrica imediatamente; assim, quando chego lá fora, muitas vezes já o perdi, o burro já se foi! Ele espera dois ou três minutos no máximo. Se nesse tempo eu já tiver pulado em cima dele, tudo bem; caso contrário, ele parte sem mim e, então, eu tenho de voltar a pé. Esse é todo o problema". Assim, ele pensou que isso resolveria e, então, perguntou à mulher: "Você entendeu a moral da história?".

A esposa respondeu: "Entendi muito bem! Até mesmo um jumento sabe quando é hora de ir para casa!".

Até mesmo um jumento sabe quando é hora de voltar para casa... — mas você ainda não se tornou ciente de onde fica a sua casa e de quando é hora de voltar para casa. Você continua perambulando, continua batendo na porta da casa dos outros: você se esqueceu completamente de onde fica a sua casa. Assim, se você se sente desconfortável, não é de se estranhar. Se você nunca se sente à vontade em lugar nenhum, não é de se estranhar. Você continua viajando de um canto do mundo para outro. Por que essa loucura de ficar viajando de uma cidade para a outra? O que você está procurando? Sempre que alguém tem recursos, fica viajando. As pessoas trabalham e, então, juntam dinheiro simplesmente para viajar pelo mundo — por quê? O que você vai ganhar?

Ouvi contar que certa vez um pesquisador norte-americano estava olhando para dentro de um vulcão grego, bem para o centro do vulcão. Então, ele disse ao guia: "Céus! Parece o inferno!".

O guia disse: "Vocês norte-americanos! Vocês vão a todos os lugares! Se puderem comprar a passagem, irão até mesmo para o inferno!".

Mas por que existe esse desconforto? Por que o homem é um errante lá no íntimo? Porque sua casa está faltando e você está à procura dela. Sua direção pode estar errada, mas seu desconforto é indicativo. Onde quer que você esteja, não é a sua casa — esse é o problema. Assim, você continua procurando por ela, você pode ir até mesmo ao inferno nessa busca, mas não vai encontrá-la em lugar nenhum, porque o seu lar existe dentro de você. E até mesmo um jumento sabe quando é hora de voltar!

É a hora, já está na hora, você já esperou o bastante. Não procure por ela nas coisas, não procure por ela nos outros, não procure por ela do lado de fora — aí você encontrará os muitos, o múltiplo, aquilo que os hindus chamam de *maya*. *Maya* significa os muitos, o múltiplo; *maya* significa o sem fim. Você vai procurando e procurando e não há nenhum fim para isso. É um mundo mágico — *maya* significa a magia dos muitos. O mágico permanece, você continua procurando, mas você nunca obtém nada, porque se trata de um mundo mágico — quando quer que você chega perto dele, ele desaparece como um arco-íris: à distância, ele é belo. Ele o fascina, você fica obcecado por ele; ele entra em seus sonhos, em seus desejos; você gostaria de ter o arco-íris em suas mãos. E, então, você vai indo e indo, mas o arco-íris vai recuando.

Quando quer que se aproxime, você descobre que não há nada. O arco-íris era um sonho, uma realidade ilusória. Os hindus chamaram este mundo de "os muitos", *maya* — um mundo mágico, como se um mágico o tivesse criado. Nada existe realmente, todas as coisas existem através de desejo e sonho. Você o cria através do desejo; você é um criador através do seu desejo — você é quem cria o mundo dos muitos.

Existe um carro, um belo carro. Se não houver nenhuma pessoa na terra, qual será o valor do carro? Quem o apreciará? Quem se interessará por ele? Os pássaros não olharão para ele, os animais não se interessarão. Ninguém prestará nenhuma atenção a ele — ele apodrecerá, vai virar lixo. Mas quando o homem está ali, ele é valioso. De onde vem o valor? Vem do seu desejo: se você o deseja, ele é valioso; se você não o deseja, o valor desaparece. O valor não está na coisa, ele está no seu desejo.

A velha lei da economia era assim: quando quer que houvesse demanda, a oferta se seguia. Mas agora a lei mudou completamente: você oferece e a demanda se segue. Você pode pensar em qualquer pessoa sonhando com um carro no tempo de Buda? Não havia nenhum problema, pois a oferta não existia; assim, como alguém poderia desejar um carro? Agora, todo o mundo dos negócios consiste na criação de novas ofertas. Primeiramente, criam-se as ofertas, depois, fazem a propaganda, criam o desejo; então, a demanda começa — aí, você corre, porque então você pensa: "Agora aqui está aquilo que eu estive esperando durante toda a minha vida. Agora eis aqui 'aquilo' e, uma vez que o consiga, consegui tudo".

Mas o negociante continua inventando novas coisas, a publicidade continua criando novos desejos. Todo ano, eles criam novos carros, novas casas, novos objetivos. Constantemente, eles lhe suprem com novos meios para você se mover para fora — não lhe dão nenhuma brecha para pensar. Seu carro pode estar bom, mas eles dizem que chegou um novo modelo. Assim, agora, andar com o modelo antigo fere o ego. O novo modelo pode não ser melhor — pode até ser pior —, mas o novo tem de ser comprado. Você tem de comprá-lo, porque os vizinhos compraram, porque todo mundo está falando a respeito.

Uma mulher foi ao médico e disse:

— Opere-me de qualquer coisa! — O médico disse:

— O quê?! Você ficou louca? Por que uma operação? Sua saúde está ótima! — A mulher disse:

— Mas está muito difícil — quando quer que eu vá ao clube todas as mulheres ficam falando a respeito de suas operações: uma tirou o apêndice; as amídalas de outra foi removida, e eu me sinto um tanto anormal — não tenho nada para contar! Opere-me de qualquer coisa. Assim, quando eu for ao clube poderei falar a respeito!

Há competição até nas doenças! Você tem de estar à frente de cada um e de todo mundo; seja qual for a consequência, você tem de estar no topo.

Três companheiros de viagem estavam em um trem, conversando. Um deles se gabava da própria mulher:

— Tenho uma mulher. Nós nos casamos há dez anos e até hoje ela vem todas as noites à estação para me esperar. — O outro disse:

— Eu compreendo, porque estou casado há vinte anos e o mesmo acontece comigo: minha mulher ainda vem me encontrar todas as noites na estação.

— *Isso não é nada!* — *disse o terceiro* — *minha mulher tem vindo encontrar-me há trinta anos... e eu nem me casei com ela. Mesmo assim, ela vem me encontrar. Bati os dois!*

Mesmo que as pessoas estejam contando mentiras, você tem de ficar por cima deles, tem de ser o primeiro — seja o que for que as pessoas estejam fazendo. Se o estilo de roupa muda, a nova vestimenta pode parecer neurótica, mas você tem de segui-la. Ninguém está em casa, porque todo o mundo está batendo na porta dos outros.

Lembre-se bem disto: ninguém é um objetivo para você, exceto seu próprio si-mesmo. Você é o objetivo, e você tem de alcançar a si mesmo — nada mais vale a pena.

Isto é o que Jesus diz: *"O reino do pai é como um homem, um mercador, que possuía mercadoria e encontrou uma pérola. O mercador era prudente. Ele vendeu a mercadoria e comprou a pérola para si mesmo. Você também procura pelo tesouro que não desaponta, que dura, onde nenhuma traça se aproxima para devorar e nenhum verme destrói".*

Olhe para o imortal e permaneça alerta; não perca o seu tempo com o que não vai durar, não perca a sua vida por aquilo que vai mudar, aquilo que faz parte do mundo das mudanças.

Então, o que você pode pensar daquilo que vai durar? Você já encontrou algum fato na sua vida que lhe dê a sensação de que vai durar? O mundo visível está ao seu redor — nada dura nele. Nem mesmo as montanhas duram para sempre; elas também ficam velhas, elas também morrem; até mesmo continentes já desapareceram.

Os Himalaias não existiam no tempo dos *Vedas*, porque o *Rigveda* original jamais fala deles. E é impossível não se falar sobre os Himalaias se eles estão presente — impossível! Como se pode negligenciar os Himalaias...!? E os *Vedas* falavam sobre outras coisas, mas nunca sobre os Himalaias. Devido a isso, Lokmanya Tilak decidiu que os *Vedas* foram criados há pelo menos setenta e cinco mil anos. Isso parece significativo, pode ter sido assim; eles podem não ter sido escritos há tanto tempo, mas devem ter existido sob a forma oral durante muitos milhares de anos. Eis por que os Himalaias não são mencionados ali.

Atualmente, os cientistas estão dizendo que os Himalaias são a última aquisição do mundo, as montanhas mais jovens; elas são as mais altas, mas as mais jovens. Elas ainda estão crescendo, ainda são jovens —a cada ano, elas vão crescendo cada vez mais e mais alto. Vindhya é a montanha mais velha sobre a terra — talvez seja por isso que sua curvatura assemelha-se a de um homem velho morrendo. Os hindus têm uma bela história sobre Vindhya:

> Um vidente, Agastya, ia para o sul e era muito difícil cruzar a Vindhya naqueles tempos, pois não havia nenhum recurso. A bela história é que, no momento em que o vidente chegou, Vindhya se curvou simplesmente para tocar-lhe os pés; e o vidente disse: "Voltarei logo; fique na mesma posição; assim, poderei passar sobre você facilmente!". Assim, Vindhya permaneceu curvada e o vidente nunca mais voltou — ele morreu no sul. Mas a história é bela: Vindhya, a mais velha parte da terra, está curvada como um homem velho.

Até mesmo as montanhas são jovens, velhas... elas morrem, nascem... Nada é permanente no mundo exterior. Olhe para as árvores, para os rios, para as montanhas: eles dão a sensação de que tudo é permanente, mas olhe um pouco mais fundo e a sensação desaparece.

Então, olhe dentro e olhe para os seus pensamentos — eles são até mais temporários. Eles continuamente vão se modificando, nem um único pensamento fica; um momento atrás, você estava com raiva e a mente estava cheia de pensamentos raivosos; um momento mais tarde, você está sorrindo e aqueles pensamentos desapareceram completamente, como se nunca tivessem existido. Exatamente como nuvens no céu, eles vêm e vão; eles estão constantemente mudando suas formas, exatamente como as nuvens — eles são exatamente como elas.

Medite sobre as nuvens e você verá que suas formas estão mudando constantemente. Se você não olhar, pode não tomar ciência; caso contrário, verá que suas formas estão mudando continuamente — nem por um único momento a forma de uma nuvem é a mesma. O mesmo acontece em sua mente: a forma de um pensamento é exatamente como a de uma nuvem, ela vai mudando. Essa é a razão pela qual as pessoas não podem se concentrar, porque "concentração" significa que a forma do pensamento deva permanecer constantemente a mesma. Esse é o problema, porque os pensamentos vão se movendo e mudando. O que quer que você faça, ele vai mudando: um pensamento muda para outro, uma forma em outra forma. O mundo dos pensamentos também não é aquilo que dura.

Os montes mudam, as nuvens mudam, somente o céu permanece o mesmo — ele dura. O mesmo se passa dentro de você: as coisas mudam à sua volta e as nuvens, os pensamentos, mudam dentro de você — mas o céu do si-mesmo, o si-mesmo testemunhante, permanece o mesmo. Esta é a pérola: o si-mesmo testemunhante. Ele é sem forma; assim, ele não pode mudar. Se há forma, a mudança vai acontecer. Se não há nenhuma forma, como a mudança pode acontecer? Ele é sem forma, *nirakar*.

Se você vai para essa amorfia dentro de você, no início ela parecerá vazia, porque você não conhece a amorfia, você somente conhece o vazio. Mas não tenha medo, não fique assustado, entre nela. Quando você se tornar familiarizado com ela, quando você se assentar nela, então, o vazio não é vazio: ele se torna amorfia. Quando essa amorfia é alcançada, você tem a pérola. Então, você comprou o um pelo preço de muitos. Até agora, pelo preço de um você comprou os muitos. E o um é a pérola, os muitos são simplesmente pedras falsas. Eles podem parecer muito valiosos, mas não são, porque não podem durar.

A durabilidade — *nityata*, a eternidade — é o critério da verdade; lembre-se bem disso. O que é a verdade? Aquilo que dura, e dura infinitamente. O que é um sonho? Aquilo que começa e chega a um fim; aquilo que não pode durar para sempre. Assim, olhe para aquela pérola que ninguém pode tirar de você, nem mesmo a morte. Na morte, o corpo morrerá; na morte, os pensamentos desaparecerão — mas e você? Você continuará e continuará, e para sempre...

A morte acontece perto de você, mas nunca a você. Ela acontece na vizinhança, mas nunca no centro; ela acontece na circunferência. Você nunca morreu, você não pode morrer. As montanhas desaparecem, as nuvens vêm e vão, mas o céu permanece o mesmo. E você é o céu. A natureza do si-mesmo é exatamente como o espaço: vazio, infinitamente vazio, amorfo. Tudo acontece dentro dele, nada acontece a ele. Eis o que Jesus quer dizer. *"Você também procura pelo tesouro que não desaponta, que dura, onde nenhuma traça se aproxima para devorar e nenhum verme destrói."*

Basta por hoje.

OITAVO DISCURSO

Jesus viu crianças que estavam sendo amamentadas.

Ele disse a seus discípulos:

"Estas crianças que estão sendo amamentadas,

são semelhantes àqueles que entram no reino".

Eles lhe perguntaram:

"Se nos tornarmos crianças, então poderemos entrar no reino?".

Jesus lhes disse:

"Quando tornarem o dois em um

e quando tornarem o interior semelhante ao exterior

e o exterior semelhante ao interior

e o de cima semelhante ao de baixo

e quando tornarem o masculino e o feminino em um só,

de modo que o masculino não seja mais masculino

e o feminino não seja feminino,

então, entrarão no reino".

Esse é um dos mais profundos dizeres de Jesus e um dos mais básicos a ser compreendido pelos buscadores. Ele é também um dos mais difíceis de se alcançar, porque, se ele for alcançado, nada mais resta a se alcançar. Primeiramente, tente compreender algumas coisas e, então, entraremos nisso.

O homem, se vive na mente, não pode nunca ser inocente — e somente na inocência o divino desce, ou você ascende ao divino. A inocência é a porta. A mente é ladina, calculista, é esperta. E, devido a essa esperteza, você perde — perde o reino de Deus. Você pode alcançar o reino deste mundo através da mente, porque, aqui, a esperteza é necessária. Você tem de ser esperto: quanto mais esperto, mais bem-sucedido; quanto mais calculista, mais eficiente nos caminhos do mundo.

Mas a porta para o reino de Deus é exatamente o oposto. Lá, nenhum cálculo é necessário, nenhuma esperteza é necessária. A mente não é necessária absolutamente, porque ela é simplesmente um mecanismo para o cálculo, um mecanismo para se ser esperto. Se você não precisa de nenhuma esperteza, de nenhum cálculo, a mente é inútil. Então, o coração se torna a fonte do seu ser, e o coração é inocente.

Por que você continua sendo esperto? Por que a mente continua pensando em como enganar? Porque essa é a única maneira de a pessoa ser bem-sucedida neste mundo. Assim, os que querem ser bem-sucedidos neste mundo fracassam no reino de Deus. Se você estiver pronto para aceitar o seu fracasso neste mundo, então, você está pronto para entrar no outro mundo. No momento em que alguém está pronto para reconhecer que "o sucesso deste mundo não é para mim, eu não sou a favor dele", imediatamente acontece uma conversão, uma volta. Então, a consciência não se dirige para fora, ela começa a se mover para dentro.

Jesus enfatiza muito a inocência. Por isso, ele está sempre falando sobre a beleza das crianças, ou sobre a inocência das flores, dos lírios, ou da inocência dos pássaros. Mas esse tipo de inocência não ajudará mais, você já a perdeu. Assim, não o imite verbalmente, não tente compreendê-lo literalmente, isso é apenas simbólico.

Você não pode ser uma criança novamente — como isso é possível? Uma vez que você tenha provado do conhecimento, você não pode recuar. Você pode transcendê-lo, mas não recuar, não há nenhum modo de voltar. Você pode ir adiante, você pode ir além, mas você não pode ir para trás — não há como. Você não pode ser uma criança comum novamente. Como!? Como você pode perder aquilo que você ficou sabendo? Mas você pode ir além, você pode transcender.

Lembre-se disso, caso contrário, você pode começar a imitar uma criança e essa imitação será uma esperteza, será mais um cálculo novamente... Como Jesus diz "Seja como uma criança", então, você começa a praticar como ser parecido com uma criança. Mas uma criança nunca pratica. Uma criança é simplesmente uma criança, ela nem mesmo sabe que é uma criança, ela não tem consciência da sua inocência. Sua inocência existe, mas ela não está autoconsciente disso. Mas quando você pratica, então, a autoconsciência está presente. Então, essa infância será uma coisa falsa. Você pode representar, mas você não pode ser uma criança novamente — no sentido literal.

Um santo, um sábio, torna-se semelhante a uma criança num sentido totalmente diferente. Ele transcendeu, foi além da mente, porque ele compreendeu a futilidade dela. Ele compreendeu toda a falta de sentido de ser um homem bem-sucedido neste mundo — ele renunciou àquele desejo de ser bem-sucedido, o desejo de impressionar aos outros: o desejo de ser o maior, o mais importante; o desejo de satisfazer o ego. Ele veio a compreender a absoluta futilidade disso. A própria compreensão transcende. A própria compreensão e... imediatamente você é transformado dentro de uma dimensão diferente.

Então, há novamente uma infância — esta é chamada de a segunda infância. Os hindus chamam este estágio de "duas vezes nascido", *dwij*. Você nasce outra vez, mas este é um nascimento diferente, não vem de um pai e de uma mãe. Ele vem do seu próprio "si-mesmo", não do encontro de dois corpos, não da dualidade. É através do seu "si-mesmo" que ele nasce.

Esse é o significado do nascimento de Jesus — que ele nasceu de uma virgem. Mas as pessoas tomam tudo literalmente e, então, perdem. "De uma virgem" significa "de um só": o outro não está presente; assim, quem pode corromper? Quem pode penetrar? A virgindade permanece absolutamente pura, porque não há nenhum outro. Quando o outro está presente, você perdeu a virgindade. Se, na mente, o outro está presente, você perdeu a inocência. Assim, a consciência do outro, o desejo pelo outro, é a perda da virgindade.

Esse segundo nascimento pode ser virgem; o primeiro está fadado a ser através do sexo — não há outro meio, não pode haver.

Jesus nasceu através do sexo como qualquer outra pessoa — e está certo que seja assim. Jesus é exatamente como você na semente, mas no reflorescimento ele é absolutamente diferente, porque um segundo nascimento aconteceu: um novo homem nasceu. O Jesus que nasceu de Maria não mais existe, ele deu a luz a si mesmo. Na antiga seita essênica, diz-se que, quando um homem é transformado, ele se torna seu próprio pai. Este é o significado: quando dizemos que Jesus não tem nenhum pai, significa que Jesus tornou-se seu próprio pai agora. Isso parece absurdo, mas é assim que é.

O segundo nascimento é um nascimento virginal — e, então, você é inocente novamente. E esta inocência é mais alta do que a de uma criança, porque a criança terá de perder a sua. Ela é um presente da natureza, não foi adquirida pela criança; assim, a adquirida tem de ser tirada. Quando a criança crescer, ela perderá sua inocência — e ela tem de crescer! Mas um sábio permanece inocente. Agora, essa inocência não pode ser tirada, porque ela é o clímax, é o auge do crescimento — não há nenhum crescimento posterior. Se houver crescimento, então, as coisas mudarão; se você tiver alcançado a meta além da qual nada existe, somente então as coisas não mudarão.

Uma criança tem de crescer a cada dia: ela perderá a inocência, se tornará experiente — ela terá de alcançar o conhecimento, terá de se tornar esperta, calculista. Mas, se você ficar muito obcecado com seu mecanismo de cálculo, então, você permanece com o nascimento sexual, o da dualidade. E, então, há sempre um contínuo conflito interno — ...porque você é dois.

Quando você nasce vindo de dois, você vai permanecer dois, porque os dois estão presentes: um homem não é somente um homem, ele é uma mulher também; uma mulher não é somente uma mulher, ela é um homem também — porque ambos nasceram de dois. Seu pai continua existindo em você, sua mãe continua existindo em você, porque ambos participaram, ambos se encontram no seu corpo e suas correntes continuam fluindo — você é dois. E se você é dois, como pode ficar confortável? Se você é dois vai haver um constante conflito. Se você é a junção de duas polaridades opostas, uma tensão sempre vai permanecer. Essa tensão não pode ser perdida, mesmo que você continue tentando descobrir como ser silencioso, como ser pacífico, como alcançar a bem-aventurança. É impossível, porque você é dois!

Para ser silencioso, é necessária a unicidade; assim, você tem de nascer novamente — eis o que Jesus disse a Nicodemos. Nicodemos perguntou-lhe "O que devo fazer?"; Jesus disse: "Primeiramente, você terá de nascer novamente. Somente então, alguma coisa pode acontecer. Exatamente agora, como você está, nada pode ser feito".

E o mesmo eu digo a você: "Exatamente agora, como você está, nada pode ser feito". A menos que você renasça, a menos que você se torne seu próprio pai, a menos que a sua dualidade desapareça e você se torne um só, nada pode ser feito. Quando a mulher interior e o homem interior se encontram, eles se tornam um círculo: eles não estão lutando, eles desaparecem, eles anulam um ao outro e, então, resta a unicidade. Essa unicidade é a virgindade.

Eis o que Jesus quer dizer quando diz "sejam como crianças". Não o tomem literalmente. Mas por que "como crianças"? Porque, quando uma criança é concebida, durante as primeiras semanas ela não é nem macho nem fêmea. Perguntem aos biólogos, eles lhe dirão que ela não é nenhum dos dois. Durante algumas semanas, a criança não é nem macho nem fêmea — ela é ambos... ou nenhum dos dois: a divisão ainda não está distinta. Eis por que a ciência médica atualmente é capaz de mudar o sexo da criança. Algumas injeções podem mudá-lo, porque ambos estão presentes — o macho e a fêmea. O equilíbrio logo será perdido, ou o macho predominará ou a fêmea predominará. E o que quer que predomine se tornará o sexo da criança. Mas, no início, há um equilíbrio, ambos estão presentes. Dependerá dos hormônios agora.

Se injetarmos hormônios masculinos, a criança será macho; se injetarmos hormônios femininos, a criança será fêmea. O sexo pode ser mudado, porque o sexo é uma coisa externa: ele não pertence ao ser, ele pertence somente à circunferência, ao corpo — é algo hormonal, físico. O ser permanece totalmente diferenciado daquilo. Mas logo a distinção aparece: a criança começa a se tornar macho ou fêmea.

No início, a unidade. Então, a criança nasce: fisicamente, agora, ela é um macho ou uma fêmea. Mas, lá no fundo da consciência, a distinção ainda não penetrou; na consciência, ela ainda não é nenhum deles — a criança não sabe se é macho ou fêmea. Alguns meses mais e, então, a distinção entrará na mente. Então, a criança terá um ponto de vista diferente — imediatamente, ela se tornará consciente de si.

No início, o corpo era um só; depois, então, o corpo se separou. Mas mesmo quando o corpo se separa, a criança é una. Então, a criança também se separa: o ser humano desaparece, você fica identificado com o macho ou a mulher, e isso continua por toda a sua vida. Isso significa que você nunca alcança a fonte novamente, o círculo permanece incompleto. Um sábio alcança a fonte novamente, o círculo torna-se completo. E a distinção desaparece, primeiro, na mente — exatamente o reverso!

Na criança, primeiro a distinção entra no corpo; depois, dentro da mente. No sábio, primeiro a distinção desaparece da consciência, depois, do corpo; e, antes que morra, ele é novamente uno. Essa é a segunda infância: ele se torna inocente outra vez — mas essa inocência é muito rica.

A inocência de uma criança é pobre, porque não há nenhuma experiência: a inocência da infância é simplesmente como uma ausência de alguma coisa. Mas a inocência de um sábio é a presença de alguma coisa, não uma ausência. Ele conheceu todos os caminhos do mundo, andou, experienciou tudo o que havia para ser experienciado. Ele andou até o fim do extremo oposto: ele se tornou um pecador, pesquisou fundo, condescendeu, experimentou tudo o que este mundo pode dar e, agora então, saiu de tudo isso. Sua inocência é muito, muito rica, porque a experiência está presente. Você não pode destruí-la agora, porque ele conheceu tudo o que pode ser conhecido — como destruí-la agora? Você não mais pode instigá-lo, toda a motivação desapareceu.

Se você alcançar esse estágio — no início, você era uma criança; no final, você pode se tornar uma criança —, sua vida virou um círculo, completo. Eis o que é a perfeição. Se você não alcançar a fonte novamente, a sua vida ficou incompleta. A incompletude é sofrimento. É isso o que Buda chama de *dukkha*, miséria. Se você está incompleto, há miséria; se você está completo, você está preenchido.

Um sábio morre preenchido — então, não há mais nenhum nascimento, porque, então, não há mais nenhuma necessidade de se voltar ao mundo da experiência. Você morre incompleto e, por causa dessa incompletude, tem de nascer novamente. Seu ser persistirá, nova e novamente, para se completar; e, a menos que você fique completo, você terá de entrar repetidamente no nascimento, na morte. É isso o que os hindus chamam de "roda da vida e da morte". Um sábio pula da roda, porque ele próprio tornou-se um círculo e, agora, nenhuma roda é necessária.

Mas o que acontece para a mente comum? A distinção permanece até o fim, o sexo permanece até o fim. Mesmo que o corpo enfraqueça, a mente continua... — e o sexo é a dualidade básica. Assim, a menos que o sexo desapareça, a unicidade, o não dual, o *Brahma*, não irá acontecer. Lembre-se: o não dual — o *adwaita*, o *Brahma*, o um — não é uma hipótese, não é uma teoria, não é uma doutrina. Não se trata de uma coisa filosófica sobre a qual você possa discutir, não se trata de uma crença — trata-se de uma transcendência do sexo. É um fenômeno biológico muito profundo, é alquímico, porque todo o seu corpo precisa de uma transformação.

Três velhos estavam sentados num banco de jardim, falando de suas misérias — porque... os velhos não têm mais nada para falar. Um velho, que tinha setenta e três anos, disse:

— *Minha audição acabou. As pessoas têm de gritar no meu ouvido e, mesmo assim, não escuto bem! — O outro, de setenta e oito anos, disse:*

— *Meus olhos estão ficando fracos, não posso ver direito e, o que é pior: quase já não distingo uma loira de uma ruiva.*

Então, eles perguntaram ao terceiro homem:

— *Mullah Nasruddin, qual é o seu problema? — Nasruddin, que tinha noventa e três anos, disse:*

— *O meu problema é maior do que o de vocês dois. Na noite passada, aconteceu o seguinte: nós jantamos, tomamos um pouco de vinho e, então, me deitei no sofá e adormeci. Depois de mais ou menos meia hora, eu me dei conta de que minha esposa tinha ido para cama. Assim, eu entrei no quarto e disse a ela: "Chegue um pouco para lá, deixe-me deitar na cama e vamos nos divertir um pouco". Minha mulher respondeu: "O quê!? Já nos divertimos um pouco há apenas vinte minutos!". — Então, Nasruddin bateu na cabeça com muita tristeza e disse:*

— *Senhores, meu problema é que a minha memória está escapando!*

O sexo o segue até o final, até o último dia. E você pode não ter observado, pode não ter pensado sobre isso, mas, se um homem não transcendeu a mente, a última coisa na mente, quando ele morrer, será o sexo — porque essa foi a primeira coisa, quando ele estava nascendo. Fatalmente será a última coisa, é natural... Tente o seguinte:

Quando você for dormir à noite, simplesmente vigie o último pensamento — o último, exatamente o último; depois disso, durma. Lembre-se dele e, pela manhã, você se surpreenderá: esse será seu primeiro pensamento pela manhã — se você puder observar. Ou faça-o de outra maneira: pela manhã, observe o seu primeiro pensamento e lembre-se dele. À noite, esse será o último pensamento, porque a vida é cíclica. O sexo é a primeira coisa na vida e vai ser a última. Se você não o transcender, você será simplesmente vítima, não será senhor de si mesmo.

Você sabe o que acontece quando uma pessoa é enforcada? Se um macho é enforcado, o sêmen é liberado imediatamente. Isso acontece em todas as prisões, quando quer que uma pessoa seja enforcada. A última coisa, quando ela está morrendo, o sêmen é liberado. Qual é o significado disso? Por que deve ser assim? A vida é um ciclo, ela completa a si mesma: essa foi a primeira coisa, através da qual a pessoa entrou na vida; essa será a última coisa, através da qual ela, novamente, entrará em uma outra vida.

Um sábio transcende o sexo — mas um sábio não reprimiu o sexo, lembre-se, porque a repressão não é transcendência. Se você reprime, você ainda está nele; se você reprime, você ainda está dividido. Um sábio não reprimiu nada. Em vez disso, ao contrário, a energia masculina e a feminina, dentro dele, tornou-se uma unidade: agora então, ele não é nem macho nem fêmea. Eis o que Jesus chamou de "eunucos de Deus". Eis o que os hindus querem dizer quando representam Shiva como *ardhanarishwar* — metade homem, metade mulher: ele se tornou uno. E os hindus dizem que Shiva é o deus mais perfeito, o maior — *mahadeva*. Por que eles o chamam de *mahadeva*, o maior? Porque ele é metade-homem e metade-mulher e, quando você é metade homem e metade mulher conscientemente, os dois se tornam um círculo e os dois desaparecem. A dualidade desapareceu, ele tornou-se um só.

Jesus está falando dessa unidade — *ardhanarishwar* — metade-homem, metade-mulher. Então, você não é nenhum dos dois; então, uma nova infância deu partida, a segunda infância: você é *dwij*, nascido duas vezes. Um novo mundo de inocência é descoberto.

Agora entraremos neste sutra:

Jesus viu crianças que estavam sendo amamentadas.

Ele disse a seus discípulos:

"Estas crianças que estão sendo amamentadas,

são semelhantes àqueles que entram no reino".

Eles lhe perguntaram:

"Se nos tornarmos crianças, então poderemos entrar no reino?".

É dessa maneira que os discípulos sempre perdem: eles tomam as coisas literalmente, compreendem demais as palavras — e a mensagem é sem palavras. Eles se apegam demais aos símbolos, eles os tornam muito concretos, mas quando um Jesus fala, seus símbolos não são concretos, são líquidos. Eles mostram alguma coisa, eles não dizem nada. Eles são como indicações, dedos apontando para a lua, sem nada dizerem.

Jesus diz *"estas crianças... são semelhantes àqueles que entram no reino"* e imediatamente pensamos que, se nos tornarmos semelhantes a essas crianças, então seremos capazes, então estaremos aptos, então poderemos entrar no reino de Deus.

Os discípulos perguntaram: *"Se nos tornarmos crianças, então poderemos entrar no reino?".* Jesus disse: "Não! Simplesmente serem crianças não adiantará".

Jesus lhes disse:

"Quando tornarem o dois em um

e quando tornarem o interior semelhante ao exterior

e o exterior semelhante ao interior

e o de cima semelhante ao de baixo

e quando tornarem o masculino e o feminino em um só,

de modo que o masculino não seja mais masculino

e o feminino não seja feminino,

então, entrarão no reino".

É isso o que significa ser criança novamente. Tente compreender cada frase: *"Quando tornarem o dois em um"*...

Esse é o problema básico. Você já observou que, se um raio de sol entra num prisma, imediatamente ele se torna sete? Então, todas as cores do arco-íris aparecem. É assim que acontece um arco-íris: na estação das chuvas, sempre que o ar está cheio de vapor ou de minúsculas gotas d'água, essas gotas d'água suspensas no ar comportam-se como um prisma. Um raio de sol entra e, ele imediatamente se divide em sete — é assim que acontece um arco-íris. Na estação das chuvas, quando o sol sai por detrás das nuvens, um arco-íris estará ali. O raio de sol é branco, branco puro, mas, através de um prisma, ele se torna sete — a brancura some, aparecem sete cores.

Sua mente funciona como um prisma: o mundo é um só, a existência é branco puro e, através da sua mente, ela é dividida em muitos. Todas as coisas, vistas através da mente, tornam-se muitas. Se você estiver bastante alerta, você verá sete coisas em todos os conceitos mentais. A mente divide exatamente como um prisma — em sete. Eis por que dividimos a semana em sete. Mahavira, devido a essa atitude da mente, dividiu toda a sua lógica em sete passos. Eles são chamados de "os sete aspectos da lógica" e, se você perguntasse a Mahavira, ele daria sete respostas.

Você fazia uma pergunta — ele imediatamente lhe dava sete respostas. Isso era muito confuso, porque, se você faz uma pergunta e ele lhe dá sete respostas, você fica mais confuso do que estava antes de chegar. E, devido a essas sete respostas, Mahavira não pôde ser compreendido — era impossível compreendê-lo. Mas ele estava absolutamente correto, porque ele estava dizendo: "Você pergunta através da mente, eu tenho de responder através da mente — e a mente divide tudo em sete". E essas sete contradizem umas às outras fatalmente, porque a verdade só pode ser uma, a verdade não pode ser sete.

Quando você diz uma coisa de sete maneiras, você tem de criar contradições. Se você perguntasse a Mahavira se Deus existe, ele diria: "Sim, Deus existe"; e diria: "Não, Deus não existe". Depois, ele diria: "Sim e não, as duas coisas: Deus existe e não existe"; e depois ele diria: "Nem um nem outro". E dessa maneira ele continuava até sete.

A mente divide como um prisma. Quando quer que você olhe através da mente, todas as coisas se tornam sete. Se você olhar de modo penetrante, serão sete; se você não olhar de modo penetrante, então, dois. Se você perguntar a um homem comum, ele dirá: "Somente duas respostas são possíveis". Se você lhe perguntar sobre Deus, há somente duas possibilidades — ou Deus existe ou não existe. Mas ele está perdendo cinco, porque ele não está muito alerta. Caso contrário, as possibilidades são sete, não duas. Assim, o dois é o início dos muitos, sete é o final dos muitos.

Jesus diz: *"Quando tornarem o dois em um"*. Ele está falando para pessoas muito comuns, enquanto Mahavira estava falando para os maiores eruditos e lógicos. Essa é a diferença entre as audiências: Jesus está falando para gente muito pobre, comum — para a massa; mas Mahavira estava falando para alguns muito selecionados. Ele podia falar sobre o sete, Jesus falava sobre o dois — mas ambos queriam dizer a mesma coisa.

Jesus diz: *"Quando tornarem o dois em um"*. Mahavira diz: "Quando do sete fizerem um, quando o sete desaparecer e sobrar o um, vocês terão alcançado". Jesus diz: "Quando o dois desaparecer e sobrar o um, vocês terão alcançado". A diferença está na audiência, mas eles querem dizer a mesma coisa.

Como pode o dois desaparecer? O que você deve fazer? Nada pode ser feito através da mente, porque, se a mente estiver presente, o dois permanecerá. Como o arco-íris pode desaparecer? Como ele pode desaparecer...? Você simplesmente joga fora o prisma e não há nenhum arco-íris — simplesmente tire as gotas suspensas no ar e o arco-íris desaparece. Não olhe através da mente e o mundo dos muitos desaparece; olhe através da mente e ele está presente.

Não olhe através da mente, coloque-a de lado e veja! As crianças olham para o mundo sem a mente, porque a mente leva tempo para se desenvolver. O corpo vem primeiro, então, mais tarde, vem a mente — ela leva muitos anos realmente. Quando a criança nasce, no primeiro dia ela olha para o mundo e o mundo é um só — a criança não pode fazer quaisquer distinções. Como poderia? Ela não pode dizer "isto é verde e aquilo é vermelho". Ela não conhece o vermelho, ela não conhece o verde, ela simplesmente olha — o mundo é um só. Ele é tão "um", que ela não pode distinguir entre seu próprio corpo e corpo de sua mãe.

Jean Piaget trabalhou muito no desenvolvimento da mente da criança. Ele esteve trabalhando nisso durante toda a sua vida, e chegou a revelar muitas verdades: uma criança não pode fazer nenhuma distinção entre seu corpo e as coisas. Eis por que ela pegará seu próprio dedo do pé e começará a comê-lo, porque ela não pode fazer distinções. Ela não pode pensar que aquele é o seu próprio dedo e que é inútil sugá-lo: ela agarra-o como agarraria qualquer coisa — não há nenhuma distinção. Ela defecará e começará a comer aquilo — isso não é bom, nem mal. Nós diremos "Que porcaria!", mas, para ela, não há nenhuma distinção; assim, o que ela pode fazer?

Devido a isso, durante séculos na Índia, muita gente tem tentado imitar a criança. Assim, eles comem o alimento no mesmo lugar em que defecam, e os tolos os chamam de *paramahansa*, "aqueles que alcançaram". Eles estão simplesmente imitando a criança, elas não fazem nenhuma distinção — mas eles fazem... Caso contrário, qual é a necessidade de fazerem aquilo? Eles fazem a distinção, mas se obrigam a não fazê-la. Buda não faria isso, Jesus não faria isso, Krishna não faria isso, mas esses supostos *paramahansas*... — você pode encontrá-los num lugar ou noutro por todo o país — eles se forçam a não fazer distinções.

Mas quer você faça distinções ou se force a não fazer distinções, a mente permanece o foco: a distinção está presente, mas você a está reprimindo. Você está se comportando de um modo imaturo, mas você não é inocente.

"Quando tornarem o dois em um"... exatamente como a criança. Quando a criança nasce, ela abre os olhos, ela olha, mas ela não pode pensar: o olhar vem primeiro, o pensamento virá depois. Levará tempo, às vezes anos, até a criança se tornar capaz de fazer distinções. Uma criança arrancará imediatamente um brinquedo

das mãos de uma outra criança, e você dirá: "Não faça isso! Isso não está certo, esse brinquedo não é seu!". Você está fazendo uma distinção de propriedade, porque acredita na propriedade do indivíduo. Você pensa "isto é meu, e aquilo não é meu". Para uma criança, não existe nenhuma distinção — um brinquedo é simplesmente um brinquedo. Ela não pode pensar em como ele não é dela. "Se minha mão pode chegar lá e agarrá-lo, ele é meu!" "Meu" e "Seu" ainda não estão definidos.

Uma criança não faz nenhuma distinção entre um sonho e uma realidade. Assim, pela manhã, ela pode estar chorando e berrando, porque ela estava com um lindo brinquedo em seu sonho. "Aonde ele foi parar?" Ela o quer de volta imediatamente. Ela não pode fazer uma distinção entre o sonho e o real — ela não pode fazer quaisquer distinções. Sua inocência existe, porque ela ainda não é capaz de fazer distinções.

E a inocência de um sábio começa quando ele deixa de fazer distinções. Não que ele não possa ver que o verde é verde e o vermelho é vermelho, não que ele não possa fazer a distinção de que: isso é pão e aquilo é uma pedra — mas ele largou a mente. Agora, ele vive através do olhar e não através do pensar. Eis por que os hindus chamaram a filosofia deles de *darshanas*. *Darshan* significa olhar, não pensar; e 'filosofia' não é uma tradução certa, porque 'filosofia' significa pensar — é exatamente o oposto. *Darshan* significa olhar e filosofia significa pensar — são opostos entre si, não podem estar juntos de maneira nenhuma. *Darshan* significa "um olhar como o da criança" — quando as distinções foram largadas. *"Quando tornarem o dois em um e quando tornarem o interior semelhante ao exterior"*... Porque esse "interior" e esse "exterior" também são distinções.

Eu mesmo tenho de dizer: deixe o exterior, venha para o interior; vá para dentro, largue o lado de fora. Mas você pode compreender mal a coisa toda, porque, quando você larga o lado de fora, o lado de dentro será largado automaticamente. Quando o de fora não existe mais, como o de dentro pode existir? Eles são termos relativos: o interior existe somente como o oposto do exterior; quando o exterior não existe mais, não há mais o interior. Primeiramente você larga o exterior e, então, o interior cai por si mesmo automaticamente; não existe nenhum "dentro", nenhum "fora" — você tornou-se um. Se ainda existe o dentro e o fora, então, você ainda é dois, ainda não é um, você ainda está dividido.

Eis por que os monges zen têm dito uma das coisas mais estranhas já declaradas: eles dizem que este mundo é Deus; dizem que a vida comum é religião; dizem que tudo como está, está bem. Nada é para ser mudado, porque o próprio conceito de mudança cria o dois: aquilo que é tem de ser mudado em alguma coisa que deve ser; **A** tem de ser transformado em **B** — e o dois entra. Eles dizem que este próprio mundo todo é divino: Deus não está em algum outro lugar, porque este "algum outro lugar" cria uma dualidade. Deus não é o criador e você não é a criatura — você **é** Deus. Deus não é o criador — esta própria criação é divina; a própria criatividade é Deus.

A mente sempre tenta fazer distinções, essa é a especialidade da mente. Quanto mais distinções você pode fazer, mais esperta é a mente que você tem. E a mente sempre dirá que esses místicos são um pouco tolos, porque as fronteiras não estão claras. Eis por que chamam a religião de misticismo e, por misticismo, eles não querem dizer uma coisa muito boa. Eles querem dizer algo vago como névoa, algo nublado, algo que não é uma realidade clara, mas sim como um sonho.

Os místicos são tolos para os lógicos, porque eles não fazem distinções — e distinções é tudo o que você tem de fazer; você tem de saber o que é o quê! E a lógica pensa que, quanto mais distinções se fazem, mais perto da realidade se chega. Eis por que a ciência — que segue a lógica, que é a aplicação da lógica e nada mais — chegou ao átomo; fazendo distinções, separando tudo, pouco a pouco eles chegaram até o átomo.

A religião — sem separar, mas juntando, abandonando as fronteiras, não delineando as fronteiras — alcançou o supremo, o um. A ciência alcançou o átomo, que quer dizer os muitos, os infinitamente muitos; e a religião alcançou o um, o infinitamente um. As abordagens... A ciência usa a mente e a mente cria fronteiras, distinções nítidas; a religião não usa a mente e, então, todas as fronteiras desaparecem: cada coisa se torna todo o resto, as coisas se encontram. As árvores se encontram com o céu, o céu se derrama nas árvores; a terra se encontra com o céu, o céu alcança a terra.

Se você olhar profundamente dentro da vida, verá que esses místicos estão certos. Todas as fronteiras são feitas pelo homem, não há nenhuma fronteira na realidade. Elas são úteis, práticas, mas não verdadeiras — ajudam de certos modos, mas atrapalham também de certos outros modos.

Tente encontrar distinções. Durante a última semana você se sentiu infeliz — você pode apontar exatamente o momento em que se tornou infeliz? Você pode traçar uma linha? Pode você dizer "exatamente neste tal dia, às nove e meia da manhã em ponto, eu me tornei infeliz"? Não... você não pode traçar uma linha. Se procurar, de repente você descobrirá que a coisa toda é vaga, você não pode dizer quando se tornou infeliz.

Então, você fica feliz — observe quando você se tornar feliz novamente. Você pode não ter percebido, porque não estava atento no passado. Mas agora você está infeliz e em algum momento você se tornará feliz, porque a mente não pode permanecer em um único estado eternamente. Você não pode fazer nada. Mesmo que você queira permanecer infeliz permanentemente, você não consegue. Então, observe: em que exato momento você ficará feliz novamente? Você ficará feliz e novamente perderá o momento, porque ele será muito vago.

O que isso significa? Significa que felicidade e infelicidade não são duas coisas. Eis por que você não consegue fazer a distinção: elas se fundem uma na outra, misturam-se uma na outra, suas fronteiras dissolvem-se uma na outra. Não há fronteiras realmente — elas são como uma onda, são como o morro e o vale: ao morro segue-se o vale; a onda vem e, então, a cavidade da onda. Onde começa o morro e onde termina o vale? Em lugar nenhum! Eles são um só.

É a sua mente que diz "este é o vale e este é o morro". Você pode ter um morro sem o vale? Ou uma colina sem vale? Você pode ter felicidade sem infelicidade? Se você está tentando isso, então, você está buscando pelo impossível. Você pode ter infelicidade sem felicidade? Desista! ...Porque essa felicidade e infelicidade é mais poético. A saúde e a doença são mais fisiológicas. Observe:

exatamente, quando foi que você ficou doente? Onde você pode traçar a fronteira? E quando foi que você ficou saudável? Ninguém pode traçar nenhuma linha de demarcação: doença se torna saúde e saúde se torna doença; amor se torna ódio e o ódio se torna amor; raiva se torna compaixão e compaixão se torna raiva. Pode ser desconfortável conceber, mas os místicos são verdadeiros.

Você era uma criança — quando foi que se tornou jovem? Quando a juventude entrou em você? Você era jovem, um dia você se tornará velho. Observe e marque no calendário: "Neste dia, eu me tornei velho". E se você não pode distinguir quando se torna velho, você pode fazer a distinção entre quando está vivo e quando se torna morto? Até mesmo os cientistas estão em dificuldade sobre quando declarar que um homem está morto. Tudo o que é conhecido até agora é simplesmente utilitário, não verdadeiro.

Quando declarar que um homem está morto? Quando não está respirando? Mas há muitos iogues, que demonstraram em laboratórios científicos, que podem permanecer sem respirar até mesmo durante dez minutos. Assim, o critério de morte não pode ser este de que um homem está morto quando não está respirando mais. Ele pode não ser capaz de voltar a respirar, mas esse não é o critério, porque as pessoas já demonstraram que podem permanecer sem respirar durante dez minutos. Esse homem pode ser um iogue. Ele pode não querer voltar, mas você não tem nenhum direito de declarar que ele está morto. Ainda assim, temos de declarar a morte, porque o morto tem de ser liberado.

Quando um homem está realmente morto? Quando seu coração para de funcionar? Ou quando seu cérebro para de funcionar? Atualmente, em laboratórios científicos, existem cérebros sem corpos — ...e eles estão funcionando. Quem sabe o que estão pensando? Eles podem estar sonhando... Eles podem nem mesmo saber que perderam o corpo... E os cientistas que têm observado esses cérebros que não têm corpo, dizem que eles também têm o mesmo ritmo: eles dormem, têm consciência; dormem, ficam acordados, mostram sinais de que, naquele momento, estão sonhando e mostram sinais de que, naquele momento, não estão sonhando; dão sinais de que estão pensando e mostram sinais de que, algumas vezes, estão com raiva, agitados, tensos; outras vezes, sinais de que estão relaxados. Lá dentro, o que estarão pensando!? Eles devem não estar cientes de que o corpo não existe mais, mas... você pode dizer que essas mentes estão mortas? Elas estão funcionando bem. Que parte pode ser o critério? Que momento pode ser o critério?

Na Segunda Guerra Mundial, na Rússia, eles experimentaram e pelo menos seis pessoas que foram declaradas mortas, devido a uma súbita parada cardíaca, ainda estão vivas. Elas foram declaradas mortas, mas tiveram o sangue bombeado, foram reanimadas — e seis delas ainda estão vivas. O que aconteceu? Elas foram recuperadas!

Existe realmente um limite onde a vida termina e a morte começa? Não! Simplesmente um fenômeno ondular. A vida segue a morte exatamente como uma onda é seguida por uma cavidade. Elas não são separadas, elas são uma coisa só — o ritmo do um.

Os místicos dizem que para propósitos práticos está bem que se divida, mas a realidade é indivisível. O que fazer para conhecer essa realidade indivisível? Simplesmente ponha de lado o mecanismo que divide — é isso o que é meditação. Pôr a mente de lado e olhar... olhar sem a mente. Ficar consciente sem a mente. Ver! — ...e não permita que os pensamentos se estabeleçam como uma tela entre você e o universo. Quando as nuvens — os pensamentos — não estão presentes e o sol brilha em todo o seu esplendor, o mundo é um.

> *"Quando tornarem o dois em um e quando tornarem o interior semelhante ao exterior e o exterior semelhante ao interior e o de cima semelhante ao de baixo e quando tornarem o masculino e o feminino em um só, de modo que o masculino não seja mais masculino e o feminino não seja feminino, então, entrarão no reino."*

A maior e mais profunda distinção é entre macho e fêmea. Você já observou que você nunca se esquece se alguém é macho ou fêmea? Você pode se esquecer do nome, pode se esquecer da religião, pode se esquecer do rosto completamente, mas você nunca se esquece se a pessoa é um homem ou uma mulher. Parece impossível se esquecer disso. Isso significa que o impacto mais profundo na sua memória é deixado pela divisão.

Você encontrou alguém há vinte anos; você não consegue se lembrar de nada — o rosto desapareceu, o nome desapareceu — mas... e quanto a ser um homem ou uma mulher...? Isso permanece, isso fica gravado. Isso causa o mais profundo impacto em você, como se a primeira coisa que você procurasse numa pessoa fosse ver se ela é um homem ou uma mulher — a primeira coisa que você observa e a última coisa que permanece com você. Você pode não estar procurando por isso tão conscientemente, mas, sempre que você olha para uma pessoa, a primeira coisa que você nota, bem no fundo, é se ela é um homem ou uma mulher. Se ela é uma mulher, você se comporta de uma forma; se é um homem, você se comporta de uma outra forma. Se é mulher, então, o homem dentro de você é atraído, quer você saiba ou não. Você pode não ter consciência disso, mas o seu comportamento se torna mais suave.

Hoje em dia, as pessoas que dirigem lojas sabem disso muito bem; assim, todos os vendedores estão, pouco a pouco, sendo substituídos por vendedoras. Está fadado a ser assim: se os compradores são homens, então, é melhor ter uma vendedora, porque então o comprador não pode dizer "não" tão facilmente como ele poderia dizer a um homem. Quando uma mulher calça um sapato em você, toca seus pés... — uma mulher bonita... — de repente, o sapato não é importante, o sapato torna-se secundário. Ele pode estar apertando seus pés, mas você diz: "Lindo! Está muito bom!" — e você tem de comprá-lo... Você está comprando a mulher, não o sapato.

Eis por que em todos os anúncios — racionalmente ou irracionalmente, relacionados ou não relacionados, consistentes ou inconsistentes: não faz a menor diferença se estão anunciando um carro, ou sapato ou qualquer outra coisa — é preciso colocar uma mulher nua perto do que é anunciado. Não é o carro que é comprado, a mulher dentro do carro é que é comprada. O sexo é comprado e vendido, tudo o mais é superficial.

No fundo, você está em busca de sexo — em todos os lugares. Jesus diz que você não será inocente se essa busca de sexo permanecer. Então, você permanecerá dividido: se você for um homem, então, estará procurando uma mulher; se você for uma mulher, estará procurando um homem. Então a busca continuará dizendo respeito ao outro, ela não pode se tornar interna; você não pode ir para dentro, não pode ser meditativo. A mulher o perturbará, ela o seguirá. Se você resistir, se lutar, se fechar os olhos, ela se tornará cada vez mais e mais bela, ela o tentará.

204

O que fazer? Como transcender essa dualidade? Muitos métodos foram usados. A maioria deles é engano puro. As pessoas dizem "pense em cada mulher como sua mãe", mas isso não vai fazer muita diferença, trata-se de um engano. "Pense em cada mulher como sua irmã" — também não faz nenhuma diferença, porque ela permanece uma mulher. Irmãs, mães... isso não faz nenhuma diferença, ela permanece uma mulher e você permanece um homem. Uma profunda busca continua, e essa busca é tão biológica que continua por trás da sua consciência, é uma "subcorrente".

Observe! Você está sentado na sua sala e entra uma mulher. Observe-se, observe o que acontece. De repente, você é uma pessoa diferente! E se ela é bonita, então, você fica transformado mais ainda. O que acontece? Imediatamente, você não mais existe, só existe o homem: você não mais existe, só os hormônios sexuais. Eles começam a funcionar, colocam-no de lado, sua consciência é perdida, você fica quase inconsciente, comporta-se como se estivesse bêbado.

Até agora, nós não fomos capazes de descobrir um álcool maior do que o sexo, uma droga maior do que o sexo: ele imediatamente muda tudo. Se você toma LSD, as coisas ficam coloridas — o sexo é um LSD embutido. Quando quer que você esteja sensual, as coisas se tornam coloridas: todas as coisas ficam com uma aparência diferente, um brilho diferente — você fica mais vivo, não anda, corre; não diz nada, canta. Sua vida torna-se uma dança, você está vivendo numa dimensão diferente.

Quando quer que o sexo não esteja presente, de repente você está de volta ao mundo plano, ao mundo das coisas: não colorido, sem nenhum brilho nele. Você não pode cantar, não pode correr, todas as coisas tornaram-se lerdas. Novamente uma mulher ou um homem entra na sua vida e tudo muda de cor, se torna um romance, existir se torna poesia. O que está acontecendo? E se isso continuar acontecendo, então, você estará novamente em uma dualidade — na mais profunda —, e essa dualidade não lhe permitirá ver o real. E o real é um estado de graça, não é nem feliz nem infeliz.

O real está além da felicidade e da infelicidade. Não é nem tenso nem relaxado, não é nem trevas nem luz — está além. Quando toda a dualidade cessa, então, você é bem-aventurado. Os hindus chamaram isso de *ananda* — significa "além do dois". Você não pode dizer que um sábio é feliz. Ele não é feliz, porque a felicidade tem de ser seguida pela infelicidade. Você não pode dizer que um sábio é infeliz. Um sábio é bem-aventurado, transpôs a dualidade. Agora não há nem morros nem vales; ele anda no chão, anda em um único nível. Não há altos e baixos, porque "alto" e "baixo" existem como uma dualidade.

Assim, Jesus diz: "Quando não há nada em cima e nada embaixo, nenhum acima e nenhum abaixo, quando não há dois, então, você não pode escolher, você simplesmente existe". E essa existência está sobre um só nível: não há ondas, o oceano está absolutamente silencioso e sem ondas, nem mesmo uma ondulação, porque nada sobe e nada desce. O oceano se tornou semelhante a um espelho, sem nenhuma ondulação — toda a agitação cessou.

Toda a agitação existe através da dualidade, e o sexo é a base de toda dualidade. Você pode abandonar todas as outras coisas muito facilmente, mas a coisa básica a abandonar é o sexo. E isso é o mais difícil, porque ele está em cada célula do seu corpo, cada célula do seu ser... — você é um ser sexual, nasceu como um ser sexual. Eis por que Jesus disse: "A menos que você nasça novamente, nada será de ajuda". Como você está, você permanecerá tenso; como você está, você permanecerá miserável.

> *"...e quando tornarem o masculino e o feminino em um só, de modo que o masculino não seja mais masculino e o feminino não seja feminino, então, entrarão no reino."*

Assim, o que deve ser feito? Por dentro, tem de ser feito um círculo. Jesus não disse exatamente o que é para ser feito, porque esses segredos não podem ser dados abertamente, esses segredos podem ser dados somente a discípulos. Jesus deve tê-los dado a seus discípulos, porque, simplesmente por ouvir "Torne-se um!", ninguém vai se tornar um. Simplesmente por ouvir que o macho deve ser fêmea e a fêmea deve ser macho, ninguém vai se tornar um, porque essa é a meta. Qual é o método?

Jesus deve ter mantido esse método secreto. Ele deve tê-lo dado aos discípulos como uma chave secreta, porque esses maiores segredos que podem torná-lo um, também são muito perigosos. Se você falhar, se aplicá-los mesmo de maneira minimamente errada, você enlouquecerá. Esse é o problema, e esse é o medo.

Normalmente, como você está, você é um ser dividido: sua energia masculina buscando energia feminina do lado de fora; sua energia feminina buscando energia masculina do lado de fora — esse é o ser humano normal. A coisa toda tem de ser transformada: sua energia masculina buscando a energia feminina do lado de dentro. O homem dentro de você tentando encontrar a mulher dentro de você é muito perigoso, porque a natureza não regula isso. A natureza lhe deu o ímpeto para encontrar a mulher, para encontrar o homem, e esse ímpeto é natural. Mas tentar sozinho que isso aconteça dentro de você, não é natural. A chave tem de ser aplicada muito, muito delicadamente. Isso pode ser feito somente com um Mestre, alguém que tenha trilhado o caminho. Eis por que os mais profundos segredos da religião não podem ser dados através das escrituras: eles podem ser dados somente através da iniciação.

Eu lhes darei algumas pistas entretanto, de como pode ser feito. Mas lembre-se bem: se você quiser fazê-las, tenha cuidado para não se afastar do que quer que eu diga, para não se desviar, caso contrário, as coisas podem dar errado. É melhor então ser normal, porque muita gente religiosa ficou louca. Esta é a razão: você tem a chave, mas não sabe como usá-la; pode usá-la de modo errado, a fechadura se danifica e, então, será muito difícil consertar a fechadura.

Estes métodos só podem ser aplicados junto a um mestre, de modo que o mestre vá continuamente vigiando o que está acontecendo com você. Eu estou lhes dando algumas coisas, porque eu estou aqui e, se você quiser trabalhar, pode trabalhar.

Primeira coisa: quando quer que faça amor com uma mulher ou um homem, esse é o momento certo para procurar a mulher interior ou o homem interior. Quando quer que você faça amor com uma mulher, faça-o de olhos fechados, faça disso uma meditação. A mulher externa sempre ajuda a mulher interna a acordar. E, quando você faz amor, suas energias internas, ambas, tanto a do macho quanto a da fêmea, chegam a um pico. Quando o orgasmo acontece, ele não é entre você e a mulher externa, ele sempre acontece entre você e a mulher interna.

Assim, se estiver alerta, você se tornará ciente do fenômeno de que, internamente, está acontecendo um encontro de energias.

E quando quer que isso aconteça, o orgasmo será por todo o corpo, não será local, não ficará confinado ao centro sexual. Se ele estiver confinado ao centro sexual, trata-se simplesmente de masturbação, nada mais. Orgasmo quer dizer "o corpo inteiro": cada fibra do corpo pulsa com uma nova vida, com uma nova energia, porque muita energia é liberada pelo encontro. O encontro está acontecendo internamente, mas, se você continuar olhando externamente, você perderá.

O homem externo ou a mulher externa são simplesmente representantes do interior. Quando você se apaixona por um homem ou por uma mulher, você se apaixona somente porque essa mulher, ou esse homem, de algum modo, tem uma correspondência com o interior. Eis por que você não pode dar nenhuma razão por estar apaixonado por aquela mulher, porque não é uma coisa racional, absolutamente.

Você carrega uma mulher internamente. Quando quer que uma mulher se ajuste com essa mulher interna, de repente, você se apaixona. Esse amor não é manipulado por você, não é sua mente que está caindo de amor — é algo muito inconsciente. "Nesta" mulher, você tem um vislumbre: de repente, você sente que "esta é a pessoa certa".

O que faz dessa mulher a pessoa certa? Porque... para os outros, ela não é a pessoa certa: há pessoas que a odiarão, há pessoas que se sentirão repelidas, que sentirão repulsa. Há pessoas que jamais olharão para essa mulher novamente; há pessoas que nunca reconhecerão que ela tenha alguma coisa. E há alguns que rirão de você: "Como você se apaixonou por essa mulher...?! Está louco!?". Mas essa mulher ou esse homem, de algum modo, ajusta-se ao interno. Eis por que o amor é uma coisa irracional: quando acontece, acontece — você não pode fazer nada; se não estiver acontecendo, você não pode fazer nada a respeito.

Quando você faz amor com uma mulher, a energia interna chega a um pico, chega a um crescendo. E, nesse crescendo, não continue olhando para o lado de fora, caso contrário, você perderá uma coisa bela que está acontecendo, uma coisa muito misteriosa que está acontecendo do lado de dentro: você está se tornando um círculo. Seu dois, macho e fêmea, estão se encontrando, você está se tornando *ardhanarishwar*. Neste momento, todo o seu corpo vibrará dos pés à cabeça. Cada nervo do seu corpo vibrará com vida, porque esse círculo se espalha por todo o corpo. Isso não é sexual, é mais do que sexo. Observe! Observe a chegada do pico, o encontro das energias internas. Então, observe quando a maré acaba e o abismo começa. Observe, pouco a pouco, a separação das energias novamente...

Se você fizer isso algumas vezes, você imediatamente se tornará consciente de que a mulher ou o homem externos não são necessários. Isso pode ser feito sem o externo — ...porque isso está acontecendo sem o externo... — o externo é apenas o gatilho. Esse gatilho pode ser criado internamente. E uma vez que saiba como, você poderá fazê-lo internamente. Mas isso tem de ser experienciado, somente então, você saberá — eu não posso dizer como. Você tem de observar, vigiar e, então, você saberá como as energias chegam, como o orgasmo acontece; como elas se separam novamente e, novamente, surge o dois.

Por um único momento, acontece o um dentro de você. Eis por que há tanta atração no sexo — eis por que tanto prazer é originado do orgasmo, porque... por um único momento, você se torna um, o dois desaparece. E no momento do orgasmo, não há mente nenhuma. Se a mente está presente, o orgasmo não pode acontecer. No momento do orgasmo, nem um único pensamento... Todo o prisma é posto de lado. Você é, mas sem pensamentos. Você existe, mas sem nenhuma mente. Isso acontece somente por um momento tão breve, que você pode perdê-lo facilmente: você o tem perdido há muitas vidas. É um instante tão pequeno, que, se você ficar interessado no lado de fora, você o perde.

Assim, feche os olhos e observe o que está acontecendo por dentro. Não tente fazer nada acontecer, simplesmente observe seja o que for que esteja acontecendo. Em pouco tempo, acontece, exatamente como quando você entra numa sala, depois de ter caminhado lá fora, no sol. Você entra na sala e fica tudo escuro, você não pode ver nada, porque seus olhos ainda não estão acostumados ao quarto escuro. Espere! Sente-se e vá olhando silenciosamente. Pouco a pouco, a escuridão desaparecerá e você se tornará consciente das coisas, à medida que seus olhos vão se acostumando a ela.

Vir de fora para dentro é um grande problema, somente porque seus olhos estão acostumados com o lado de fora. O lado de dentro parece escuro e, quando você está pronto, o momento já acabou. Assim, medite cada vez mais e mais com os olhos fechados e olhe para dentro; assim, você pode se tornar sintonizado com a escuridão interna. Não é escuro, apenas parece escuro a você, porque você está acostumado com a luz do lado de fora. Pouco a pouco, vem uma luz difusa, as coisas começam a ficar claras; chega um momento em que as coisas se tornam tão claras, que, quando você abrir os olhos, você descobrirá que o lado de fora é escuridão.

Contam que Arvind disse: "Quando eu vim a saber, pela primeira vez, o que é o lado de dentro, a luz que está do lado de fora se tornou parecida com escuridão. A vida que está do lado de fora se tornou parecida com a morte, porque, agora, algo mais alto, algo maior, algo da fonte estava acontecendo".

Observe como surge o círculo interior, como as duas energias se tornam uma. Nessa unidade, não há mente nenhuma e nenhum pensamento. Olhe! — pouco a pouco, você será capaz de ver o que está acontecendo. E uma vez que você saiba o que está acontecendo, o exterior pode ser abandonado — não há nenhuma necessidade de abandoná-lo, mas ele pode ser abandonado.

Uma mulher é bela, um homem é belo. O amor é bom, nada está errado, ele é saudável e inteiro. Não há nenhuma necessidade de abandoná-lo, mas ele pode ser abandonado e, então, você não mais está dependente dele. Então, você pode permitir que o fenômeno aconteça internamente; e chega um momento em que esse círculo interno permanece para sempre. Com a ajuda do externo, ele não pode permanecer para sempre, porque o externo tem de se separar, a separação é um imperativo. Mas, como o interno, não há nenhuma necessidade de separação; se acontece o casamento interno, não há nenhum divórcio, não há nenhuma possibilidade, porque aquilo está sempre presente, ambos estão presentes. Uma vez que tenham se encontrado não há questão de nenhum divórcio. Com o externo, o divórcio acontece continuamente; num momento vocês estão juntos, no outro momento vocês têm de se separar.

Quando esse círculo permanece continuamente dentro de você, esse é o estado de *ardhanarishwar* — e é isso que Jesus quer dizer: "*...e quando tornarem o masculino e o feminino em um só, de modo* *que o masculino não seja mais masculino e o feminino não seja feminino, então, entrarão no reino".* Então, você entrou: tornou-se perfeito, não está dividido, tornou-se indivisível. Agora você tem um si-mesmo: agora, você tem liberdade e independência; agora, não lhe falta nada, você está completo em si mesmo. A menos que esse círculo aconteça, você sentirá falta de alguma coisa e dependerá dos outros para preencher isso.

Eis por que o sexo parece uma escravidão — ele é! Ele parece uma dependência e, quando quer que você sinta que há dependência, você se ressente disso. Daí a luta constante contra o amor: você tem ressentimento, você não pode abandonar o outro porque você é dependente.

E ninguém quer depender de ninguém, porque toda dependência é uma limitação: o outro tenta dominar, o outro tenta possuir — e, se você é dependente, você tem de permitir ao outro uma certa dominação, porque você tem medo. Esse é um acordo mútuo. "Eu dependerei de você; assim nós dois podemos possuir um ao outro de certos modos, e nós dois podemos dominar um ao outro de certos modos."

Mas ninguém gosta de dominação e posse. Eis por que o amor é tamanha miséria. E se você ama uma pessoa e também se ressente dela, como você pode ser feliz? Até mesmo a mais bela pessoa se torna feia.

Mulla Nasruddin estava sentado com um amigo. Sua mulher chegou e o amigo disse:

— *Suponho que esta seja a sua esposa mais bonita! — Mulla Nasruddin olhou tristemente e disse:*

— *Esta é a minha única esposa!*

Essa tristeza está sempre presente com os amantes, porque nenhuma mulher pode preencher um homem. Mesmo que você tenha todas as mulheres do mundo, isso não será um preenchimento, porque o interior é maior do que o "todas". Todos os homens do mundo não serão capazes de preencher uma mulher — não. Isso não é possível. Uma coisa ou outra estará sempre faltando, porque nenhum homem pode ser exatamente igual ao homem interno. E esse problema do tempo... Somente por um único momento o encontro pode acontecer e, então, a separação, porque nenhum homem pode ser exatamente como o interior.

A menos que você alcance a unidade interna, você se moverá de uma miséria para outra: de uma mulher para outra, de um homem para outro; de uma vida de miséria para uma outra vida de miséria. A mudança pode lhe dar a esperança — mas é irrealizável, a coisa toda é irrealizável.

Quando este círculo acontece, você novamente se torna um, inocente como uma criança; mais do que a criança, mais do que qualquer criança pode ser — você se tornou um sábio.

Medite sobre essas palavras de Jesus e tente fazer o que eu disse. Mas se você quiser tentar, deixe-me saber. Se você começar a trabalhar pelo círculo interno, então, deixe-me saber continuamente o que está acontecendo... — porque, se algo der errado e as duas energias se encontrarem de um modo errado, você ficará louco.

Esse é o medo de se tornar um sábio: se você cai, cai até o fundo, fica louco. Se você alcança, alcança o próprio topo, você se torna um sábio. É sempre assim. Se alguém quer andar nas alturas, tem de ter coragem, porque, se cair, cairá no abismo. O abismo está sempre perto das alturas.

Assim, lembre-se de que é necessário um esforço muito equilibrado, e muitas outras coisas. Se você quiser trabalhar nisso, eu lhe direi, mas isso somente pode ser feito pessoalmente. Eis por que Jesus fala sobre a meta, mas jamais fala sobre o método. O método é para ser dado pessoalmente, é uma iniciação.

Basta por hoje.

Nono Discurso

Jesus disse:

O cisco que está no olho de teu irmão, tu vês,

mas a trave que está no teu olho, não vês.

Quando lançares fora a trave do teu olho,

então, verás claramente

para tirar o cisco do olho de teu irmão.

O conhecimento-de-si é a coisa mais difícil — não porque seja difícil, mas porque você fica com medo de saber sobre si mesmo. Existe um grande medo. Todo mundo está tentando escapar, escapar de si mesmo. Esse medo tem de ser compreendido. E, se esse medo existe, seja o que for que você faça, não vai ajudar muito. Você pensa que quer se conhecer, mas se esse medo inconsciente estiver aí, você continuamente evitará, você continuamente tentará esconder, se enganar. Por um lado, você tentará se conhecer; por outro lado, criará todos os tipos de obstáculos, de modo que não possa se conhecer.

Conscientemente, você pode pensar "gostaria de me conhecer"; mas, no inconsciente — que é maior, mais forte, mais poderoso do que o consciente —, você evitará o conhecimento-de-si. Assim, o medo tem de ser compreendido. Por que você tem medo?

Primeira coisa: se você realmente penetrar-se, a imagem que você criou no mundo se revelará falsa. Todo o seu passado passará a não significar nada, porque ele foi como um sonho. Você investiu tanto nele... você viveu por ele... e agora saber que ele foi um fenômeno falso... você se sente ferido — então, toda a sua vida foi um desperdício.

Se o que quer que você tenha vivido foi uma pseudovida, não autêntica — se você nunca amou, mas apenas fingiu amar, como você pode encarar a si mesmo? ...Porque, então, você virá a saber que a coisa toda foi um fingimento: não somente você fingiu que ama, você também fingiu que é feliz quando ama. Você não enganou a mais ninguém além de si mesmo. E, agora, olhar para trás, olhar para dentro... o medo o pega.

Você tem pensado que você é algo único; todo mundo pensa. Essa é a coisa mais comum neste mundo, a pessoa se pensar extraordinária, algo especial, "a escolhida". Mas se você olhar para si, você virá a saber que não há nada, não há nada sobre o que ser egoísta. Então, aonde vai parar o ego? Ele desabará, ruirá no pó.

O medo existe; assim, você não olha para si mesmo. Ao não olhar, você pode continuar criando sonhos sobre si mesmo, si mesma, imagens sobre si mesmo, si mesma. E é muito fácil e barato criar uma imagem, mas é muito difícil e penoso ser realmente alguma coisa. A pessoa sempre escolhe o mais barato — e você escolheu o mais barato. Agora, olhar para isso é muito difícil.

> *Numa certa casa, o telefone tocou no meio da noite — eram quatro da madrugada. O homem levantou-se da cama, ele estava furioso, e gritou no aparelho:*
>
> *— O que você quer? — O homem do outro lado disse:*
>
> *— Nada! — O outro ficou ainda mais furioso e disse:*
>
> *— Então, por que você me telefonou no meio da noite? — O homem disse:*
>
> *— Porque a ligação é mais barata!*

Se o preço for mais barato, você pode até comprar coisa nenhuma. E eis o que você tem feito. Criar uma imagem de que você é único, é barato, mas ser único é árduo, muito penoso. Muitas e muitas vidas de luta, empenho, muitas vidas de esforço culminam em algo, quando você se torna único. Mas acreditar que você é único é simplesmente barato, você pode fazer isso agora mesmo, não tem necessidade nem de se mexer. E você tem acreditado em coisas baratas — eis por que o medo existe.

Você não pode olhar para si mesmo. Tudo o que você tem pensado ser, você não encontrará aí — e você sabe muito bem disso. Quem saberia disso tão bem quanto você sabe? Se você pensa que você é belo, então, você não pode olhar no espelho se essa beleza é puramente uma ideia. E você sabe muito bem disso! Ao invés de se olhar no espelho, você quebrará todos os espelhos. Quando quer que um homem feio, ou uma mulher feia, se olhe no espelho, ele ou ela pensa que alguma coisa está errada com o espelho — porque é muito doloroso verificar que você não é ninguém.

Você é alguém a seus olhos. Todos os demais podem saber que você não é ninguém, mas você não. Até mesmo um louco pensa que todo mundo é louco. Todo mundo lhe diz "Você é louco!", mas ele não ouvirá, porque isso é muito doloroso. Ele criará todos os tipos de argumentos, de racionalizações para dizer "eu não sou louco".

Isto aconteceu:

Mulla Nasruddin entrou correndo numa fazenda certa noite e perguntou ao fazendeiro:

— Você viu uma mulher lunática passando por aqui?

O fazendeiro perguntou:

— Como ela é?

Nasruddin descreveu-a. Ele disse:

— Ela tem dois metros e dois centímetros de altura, é muito gorda e pesa vinte quilos.

O fazendeiro ficou um pouco confuso e disse:

— Se ela tem dois metros e dois centímetros de altura e é muito gorda, como pode pesar só vinte quilos?

Nasruddin riu e disse:

— Não seja tolo! Eu não lhe disse que ela é um pouco louca?

É sempre o outro que está errado, que é louco. Eis como você protege a sua suposta sanidade — isso é uma proteção. E uma pessoa que não pode olhar para si mesma, basicamente não pode olhar, porque ela não apenas tem medo de olhar para si mesma: basicamente, ela tem medo de olhar. Porque, quando você olha para o outro, o outro pode se tornar o espelho; quando você olha dentro do outro, o outro pode indicar algo sobre você. Você é refletido nos olhos do outro; assim, você não pode olhar para o outro. Você cria uma ficção sobre si mesmo e, então, cria uma ficção sobre os outros; então, você vive num mundo de sonhos — é assim que todo mundo está vivendo.

E, então, você pergunta como ser bem-aventurado. Seu pesadelo é natural: o que quer que você tenha feito, somente um pesadelo pode brotar dali. E você pergunta como ficar à vontade... Ninguém pode ficar à vontade com ficção, somente com o fato. Por mais duro que possa ser aceitar, somente o fato pode deixá-lo não tenso, somente o fato pode conduzi-lo em direção à verdade. Se você nega o factual, então, não há nenhuma verdade para você e, então, você fica girando e girando em torno e nunca atinge o centro. Ouvi contar que certa vez aconteceu o seguinte:

> *Um médico foi ver uma paciente, uma mulher muito doente. Ele entrou no quarto e saiu depois de uns cinco minutos. Ele pediu ao marido que esperava do lado de fora:*

> *— Dê-me um saca-rolha!*

> *O marido ficou um tanto preocupado, sem saber para que seria necessário o saca-rolha. Mas, então, o médico voltou novamente depois de cinco minutos, transpirando, e disse:*

> *— Agora me dê uma chave de fenda!*

> *O marido ficou mais aflito, mas, ainda assim, manteve-se calado... porque os médicos sabem o que fazer... Cinco minutos depois, o médico estava de volta novamente e pediu um cinzel e um martelo. Então, foi demais. O perturbado marido não podia mais suportar e perguntou:*

> *— O que há de errado com minha mulher?*

> *O médico respondeu:*

— *Ainda não sei, porque ainda não fui capaz de abrir minha valise!*

E eu lhe digo que você ainda está lutando com a valise! E não somente isso — que você não seja capaz de abri-la —, mas você nem mesmo quer abri-la. Todos esses saca-rolhas e chaves de fenda e cinzéis e martelos, que você carrega com você, são simplesmente disfarces. Você não quer nem mesmo abrir a valise, porque, uma vez que você abra a valise, então, o que você irá fazer? Então, o paciente — que é você — tem de ser diagnosticado, então, você terá de olhar para dentro de si mesmo.

Assim, todo mundo fica ocupado com a valise — é isso que é o seu negócio, a sua profissão, a sua ocupação. Você pode ser um poeta, ou um pintor, ou um músico, mas todas as suas ocupações são simplesmente meios de permanecer engajado com o lado de fora. Eis por que ninguém está pronto para estar só, nem mesmo por um único momento. É muito amedrontador, porque, quando você está sozinho, você pode se deparar consigo mesmo. Quando você estiver só, o que você fará? Quando você está só, você está com você — e a realidade pode irromper.

Assim, todo mundo tenta estar sempre ocupado, ficar ocupado vinte e quatro horas por dia. Quando você está ocupado, você parece um pouco feliz; quando não está ocupado, você se torna infeliz. Os psicólogos dizem que, se um homem ficar desocupado por um período longo, ele acabará ficando insano. Mas, por quê? Se você é mentalmente sadio, por que ficaria insano se ficasse desocupado por um longo período? Se você for mentalmente sadio, então, um longo período de repouso, um longo período onde nada é feito, o deixará mais sadio, você crescerá. Mas por que você fica insano se for deixado sozinho por um longo período? Porque você é insano! Sua ocupação simplesmente esconde o fato.

Olhe em volta — porque é difícil olhar para si mesmo —, mas olhe em volta, olhe para as pessoas. Um homem está constantemente ocupado com dinheiro. O que ele realmente está fazendo? Ele está focalizando sua mente no dinheiro: assim, ele pode evitar a si mesmo. Ele permanece pensando em dinheiro de manhã, de tarde e de noite. Até mesmo na cama ele pensa em dinheiro e no saldo bancário. E o que ele está fazendo com o dinheiro? É por isso que, quando ele consegue o dinheiro, ele fica perdido — o que fazer agora então? Assim, no momento em que ele consegue o dinheiro sobre o qual pensava, ele começa a pensar em mais dinheiro — ...porque dinheiro não é a coisa que ele realmente buscava. Caso contrário, ao consegui-lo, ele deveria sentir-se preenchido. Mas nem mesmo um Rockefeller ou um Ford se sentem preenchidos.

Quando você tem dinheiro, imediatamente você quer ter mais, porque a motivação básica não é o dinheiro, a motivação básica é como permanecer ocupado. Quando quer que a ocupação não esteja presente, você fica desconfortável, um profundo desconforto surge em você. O que fazer? Se não houver nada para fazer, você lerá o mesmo jornal nova e novamente — o mesmo jornal que você já leu inteiro. Se não houver ocupação, você poderá fazer qualquer coisa que de forma alguma seja necessária, mas não ficará quieto. Daí a insistência de todos os mestres: que, se você puder se sentar durante algumas horas sem fazer nada, logo você se tornará iluminado.

Um estado desocupado de mente é meditação.

Um estado ocupado de mente é o mundo, o *sansar*.

Não importa qual o tipo de ocupação — se você está interessado em dinheiro ou política, ou em serviço social ou revolução, não faz diferença — a sua sanidade mental é a mesma. Mesmo que você deixe Lênine sozinho, ele ficará louco: ele precisa da sociedade e da revolução — se não houver nada para fazer, ser-lhe-á impossível viver, sua sanidade será perdida. Ele é mentalmente são através de vocês. Muito trabalho, a energia é gasta no trabalho — então, você fica exausto e pode ir dormir.

Os velhos parecem quase loucos e excêntricos, e a razão é que eles não têm nada para fazer. A velhice não é a razão — eles agora estão desocupados, não são necessários, aposentaram-se. As pessoas aposentadas sempre se tornam um pouco excêntricas. Algo deu errado com elas. O homem estava bem — ele pode ter sido um presidente ou um primeiro-ministro de um país —, mas aposente-o e veja o que acontece. Imediatamente ele se deteriora. Seu corpo e sua mente, ambos se deterioram e ele começa a se tornar um pouco excêntrico, doido, maluco, porque, agora então, não há mais nenhuma ocupação, ninguém olha para ele, ninguém se interessa por ele. Ele não tem nenhum trabalho para fazer, nenhum lugar para focar sua mente. Todo o torvelinho vai entrando e entrando... — ele se torna um torvelinho.

Os psicólogos dizem que as pessoas aposentadas morrem dez anos mais cedo do que teriam morrido se elas ainda continuassem ocupadas. O que acontece? Por que é tão difícil estar consigo mesmo?

E você sempre pensa que os outros deveriam se sentir felizes com você — sua esposa deveria se sentir feliz com você, seu marido deveria se sentir feliz com você.

Você mesmo nunca se sente feliz consigo mesmo. Assim, como é possível qualquer outra pessoa se sentir feliz com você? Se você é uma personalidade tão entediante a ponto de você mesmo ficar entediado consigo mesmo, como é possível que os outros o possam tolerar? Eles o toleram por outras razões — não porque você seja uma pessoa amorosa — não! Eles a toleram, porque você lhes dá uma ocupação. Um marido é ocupação suficiente para uma mulher, uma mulher é ocupação suficiente para o marido dela. Este é um engano mútuo: eles concordaram em enganar um ao outro e em ajudar um ao outro a se manterem ocupados.

Você não pode olhar para si mesmo, não pode chegar à autor-realização, porque essa é uma meta muito distante. Você não pode voltar-se e ver a "factualidade" sobre si mesmo, e a razão é esta: uma falsa imagem, uma falsa identidade, uma falsa ideia de que você é alguém muito importante, significativo — o mundo todo irá parar se você morrer.

O que acontecerá ao mundo se você não estiver mais aí? Quando você não estava aí, o que estava acontecendo? O mundo estava um pouco mais em paz, isso é tudo. Quando você não estiver aí, haverá um pouco menos de problemas no mundo, isso é tudo — ...porque uma pessoa desconfortável terá desaparecido, e ela estava criando desconforto nos outros. Mas para sustentar o ego, todas essas ficções são necessárias.

Napoleão se tornou um prisioneiro nos seus últimos dias. Foi mantido preso numa pequena ilha, Santa Helena. Ele não era mais nada — ninguém nunca é, mas, agora então, até continuar na ficção era muito difícil. Ele tinha sido um imperador, um dos maiores conquistadores... O que fazer agora? Como permitir este fato de que "não sou mais nada, simplesmente um prisioneiro, um prisioneiro comum"? Mas ele não podia olhar para o fato, ele continuou na velha ficção. Não trocou suas roupas durante seis anos, porque a prisão não lhe daria roupas que se adequassem a um imperador. Suas roupas estavam completamente apodrecidas, as cores se desbotaram, elas ficaram imundas, mas ele não as mudava. O médico da prisão perguntou-lhe: "Por que não troca esse casaco? Ele está tão sujo! Podemos lhe dar roupas melhores e mais limpas".

Napoleão olhou para ele e disse: "Este é um casaco de imperador — pode estar sujo, mas não posso trocá-lo por um casaco qualquer!". Ele andava como se ainda fosse o imperador, falava como se ainda fosse o imperador, dava ordens... — não havia ninguém para ouvir suas ordens, mas ele continuava ordenando. Escrevia cartas e ordens, e ele tinha levado seu bloco de cartas consigo. Na sua mente, ele ainda era o imperador.

O que estava acontecendo com esse pobre homem? E, desocupado, ele começou a estar permanentemente doente. O médico que estava com ele tinha um diário, e no diário ele escreveu: "Percebo que ele não está realmente doente; agora, a doença é simplesmente uma ocupação. Às vezes, ele diz 'meu estômago'; às vezes, 'minha cabeça'; às vezes, 'minhas pernas'..." — e o médico achava que não havia nada errado, seu corpo estava absolutamente bem. Mas agora ele não tinha nada com o que permanecer engajado, agora o único "outro" era o corpo. O mundo todo de outros havia desaparecido, ele estava sozinho. Agora, o corpo era o outro; assim, ele permaneceu ocupado com o corpo.

Muitas pessoas estão doentes como uma forma de ocupação: no mundo, cinquenta por cento das doenças existem como uma ocupação. Você permanece ocupado, então não precisa encarar a si mesmo. Caso contrário, o que teria acontecido a Napoleão? Se ele tivesse encarado a si mesmo, então, teria visto que ele era um mendigo — e isso teria sido demais. Ele morreu um imperador. Antes de sua morte, ele ordenou como ele deveria receber as exéquias, cada detalhe. Ninguém estava ali para seguir aqueles detalhes, porque ninguém estava interessado. Mas ele deu as ordens, e deve ter morrido calmamente, pensando que iria receber exéquias como um imperador.

Com Napoleão, a coisa é muito clara, porque ele tinha sido um imperador. Isso também era uma ficção — ...apoiada pela sociedade... Mas nada havia mudado, Napoleão era o mesmo, somente o apoio tinha desaparecido. Isso é difícil de se compreender... — há ficções nas quais a sociedade o apoia e há ficções nas quais ninguém o apoia. Esta é a diferença entre uma pessoa mentalmente sã e uma insana: a pessoa mentalmente sã é aquela cuja ficção é apoiada pela sociedade — ela manipulou a sociedade para que ela apoiasse a sua ficção; um homem insano é aquele cuja ficção não é apoiada por ninguém — ele está sozinho; assim, você tem de colocá-lo num hospício.

Mas o seu apoio não torna nada real — se é uma ficção, é uma ficção. Se você olhar para si mesmo, imediatamente sentirá que você não é ninguém, não é nada importante. Mas, então, a terra inteira, a base sob seus pés, é desfeita, você está num abismo. ...É melhor não olhar para ele... — simplesmente continue em seus sonhos. Eles podem ser sonhos, mas eles o ajudam a viver de modo mentalmente são.

Não somente você não pode olhar para si mesmo, você não pode olhar para os outros tampouco, porque o outro também é representativo. Assim, você também cria ficções sobre o outro: através do ódio, você cria a ficção de que o outro é um demônio; através do amor, cria a ficção de que o outro é um anjo, ou um deus. Você também cria ficções sobre o outro: você não pode olhar diretamente, não pode ver através deles, sua percepção não é imediata. Você vive num estado de *maya*, em uma ilusão criada por você mesmo. Assim, o que quer que você veja, é exagerado: se você odeia uma pessoa, ela imediatamente transforma-se no demônio; se você ama alguém, ela imediatamente torna-se um deus. Você exagera. Se você vê o mal, então você exagera e transforma aquilo na suprema maldade; se você vê o bem, aquilo se torna no supremo bem, um deus.

Mas é difícil manter essas ficções; assim, você tem de mudar sempre e novamente.

Por que você é tão exagerado nas suas percepções? Por que você não vê claramente o que está aí?

Porque você tem medo de ver claramente. Você quer nuvens ao redor; assim, tudo permanece em uma névoa. Você não quer se conhecer. E todos aqueles que se conheceram, insistem: "Conhece a ti mesmo!" Buda, Jesus, Sócrates... eles continuam insistindo: "Conhece a ti mesmo!". Toda a insistência da religião é para se conhecer a si mesmo.

E você insiste em não se conhecer. Às vezes, até entra no jogo de se conhecer. Tenho me encontrado casualmente com muitas pessoas que entraram no jogo de se conhecer, e elas não querem se conhecer. É um jogo: agora, novamente, elas querem criar uma nova ficção, uma ficção religiosa, e elas vêm a mim, de modo que eu possa apoiá-las. Elas dizem "dei-me conta disto", "dei-me conta daquilo", e elas olham para mim e seus olhos estão mendigando.

Se eu digo "sim, você experienciou isso", elas se sentem apoiadas, vão embora felizes. E se eu digo "não", elas ficam infelizes, nunca mais voltam a mim novamente. Elas simplesmente desaparecem, porque precisam encontrar outra pessoa, alguma outra autoridade. Mas por que você está em busca de uma autoridade? Por que você precisa de uma testemunha? Se você se deu conta de alguma coisa, você se deu conta daquilo — nenhuma necessidade de qualquer autoridade, porque a experiência em si é evidente por si mesma.

Se você se dá conta de sua alma, você não necessita do reconhecimento de ninguém, de um certificado. Mesmo que o mundo todo diga que não, não faz nenhuma diferença; um voto não é necessário, você sabe que aquilo aconteceu. Se um cego começou a enxergar, ele não precisa de ninguém como uma testemunha, para dizer que agora ele pode ver — ele vê, isso é suficiente. Mas se o cego estiver sonhando que ele pode ver, então, ele precisará de alguma autoridade para carimbar o fato de que é verdade, de que ele pode ver.

As pessoas fazem seus jogos; existem até mesmo jogos espirituais. E a menos que você pare de jogar e se torne sóbrio sobre o fato de que as ficções têm de ser abandonadas, e que a verdade crua tem de ser encarada como ela é, nada é possível — porque esta é a porta. E se ninguém o apoia, então, você mesmo se apoia. Então, você para de falar com as pessoas, porque elas não podem compreendê-lo.

Um homem veio a mim há alguns meses e me disse: "Você pode me compreender, ninguém mais pode me compreender. Eu venho recebendo mensagens de Deus todas as noites!". E ele tinha um arquivo grande com ele — absoluto absurdo! Mas ele pensa que está recebendo mensagens de Deus. E ele pensa que aquele é o mais novo Alcorão, que desde Maomé ninguém havia recebido tais mensagens, que atualmente o Alcorão está fora de moda. Se os muçulmanos o ouvissem, eles o matariam, porque eles acreditam numa outra ficção e ele está tentando destruir a ficção deles.

E esse homem, que recebe as mensagens de Deus, ficou tão nervoso e trêmulo, olhando para mim, para ver o que eu diria... — porque, qualquer outro que o encontrasse, riria e pensaria: "Você ficou louco!" Mas ele disse: "Sei que você é um homem realizado" — agora, ele tentava me subornar! E mendigava sem parar: "Diga apenas 'Sim, isso é certo'".

Mas eu disse: "Seu Deus está lhe dando mensagens, você não precisa vir a mim. Deus é suficiente".

Então, ele ficou um pouco duvidoso, confuso, e disse: "Sabe-se lá! Pode ser simplesmente minha mente fazendo truques...". Isso ele sabia bem. Sempre que você faz truques, lá no fundo você sabe disso, e não há necessidade de ninguém para lhe mostrar — mas você quer esconder o fato.

Eu lhe disse: "Isso é loucura!". Então, ele nunca mais voltou a mim novamente — ...agora, não sou mais um homem realizado! Ele procurava algo mútuo: se eu tivesse dito "sim, você está recebendo mensagens", ele teria saído, e dizendo: "Este homem se tornou realizado!".

Se eu aceito a sua ficção, então, você pode ajudar a minha — este é o jogo mútuo que está sendo levado adiante. E esse jogo é tão satisfatório, que você não quer interrompê-lo. Mas um profundo descontentamento também o segue, como uma sombra. Está fadado a ser assim, porque a coisa toda é uma ficção.

Um mendigo, pensando que é um imperador, sabe que é um mendigo. Este é o problema: ele pensa que é um imperador, finge que é um imperador, e sabe, lá no fundo, que é um mendigo. Ele se sente muito satisfeito com o seu "imperialato", mas um profundo descontentamento vem atrás, como uma sombra: "Sou apenas um mendigo". Este é o seu problema: você pensa algo sobre si mesmo e você sabe que não é verdade.

Você nunca amou, você fingiu; você nunca foi honesto, você fingiu; você nunca foi verdadeiro, você fingiu — a sua vida toda é uma longa série de fingimentos. E, agora, como você desperdiçou tanta vida nisso, simplesmente reconhecer que a coisa toda foi somente uma ficção, é demais. Agora você pensa: "De algum modo levarei isso até o fim". Mas se você não acabar com isso, mesmo que você o leve até o fim, isso não vai lhe dar nada. É simplesmente um desperdício; é um simples desperdício; e, no final, toda a frustração irromperá.

Eis por que a morte é tão difícil. A morte não tem em si nada de perigoso: ela é um dos mais lindos fenômenos do mundo — você simplesmente vai dormir! E todas as coisas vão dormir: uma semente brota e, então, surge uma árvore; então, novamente, vêm as sementes, caem no chão e vão dormir; então, novamente elas surgirão. Depois de cada atividade, um repouso é necessário. A vida é uma atividade; a morte é um repouso. Ela tem de existir; assim, nova vida pode surgir dela. Não há nada de errado na morte, nada é perigoso na morte.

Mas por que todo mundo tem tanto medo de morrer?

Porque, na hora da morte, todas as suas ficções desaparecerão; na hora da morte, você verá que a sua vida inteira foi um desperdício.

Por que as pessoas dizem que, na hora da morte, uma pessoa chega a ver toda a sua vida?

Isso acontece, é verdade: na hora da morte, uma pessoa tem de se defrontar com toda a sua vida, porque, agora então, não há nenhum futuro e ela não pode mais criar ficções.

Para ficções, o futuro é necessário, porque as ficções existem na esperança, as ficções são para o amanhã. A morte traz para casa o fato de que agora não há mais nenhum amanhã; os amanhãs terminaram; agora, não há nenhum futuro. Onde você pode sonhar? Onde pode projetar suas ficções agora? Nenhum lugar aonde ir! De repente, você está paralisado. E durante toda a sua vida você esteve criando ficções no futuro. Agora, você está paralisado, não há nenhum futuro — para onde olhará? Você tem de olhar para o passado; e, na hora da morte, a sociedade vai desaparecer; você tem de olhar para si mesmo, não sobra mais nada. Então, você se dá conta da dor, da angústia de toda uma vida desperdiçada.

Se isso puder lhe acontecer antes da morte, você se tornará um homem religioso. A pessoa religiosa é aquela que se deu conta antes da morte daquilo que todos se dão conta na morte. A pessoa religiosa é aquela que olhou enquanto ainda estava viva — olhou dentro do passado, viu através de todo o jogo, se deu conta do ficcional de toda a sua vida — olhou dentro de si mesmo.

Se você olha para dentro de si, a mudança é certa, absolutamente certa, porque, uma vez que a ficção é tida como ficção, ela começa a cair. Para ficar retida, uma ficção tem de ser retida como um fato; se for para ser levada adiante, uma inverdade tem de ser pensada como verdade. No momento em que você se dá conta de que é uma inverdade e a coisa penetra, ela começa a cair — ela já está fora de suas mãos, você não pode segurá-la. Para continuar o sonho, a pessoa tem de acreditar que aquilo não é um sonho, que aquilo é realidade. No momento em que você se torna ciente de que aquilo é um sonho, o sonho já está desaparecendo.

Mas não saber é todo o seu esforço, você o evita — eis por que você nunca fica à vontade quando você fica só. Mesmo se você for para os Himalaias, você levará seu rádio com você, e o rádio levará o mundo todo; mesmo se você for para os Himalaias, sua mulher, seus amigos, seus filhos estarão com você. Você sai para um feriado, mas você nunca sai... — você leva toda aquela atmosfera para a praia, para as montanhas e, novamente, você está cercado por todo aquele absurdo.

> Certa vez, um marinheiro náufrago chegou a uma ilha deserta. Durante cinco anos, ele teve de viver por lá, porque não passava nenhum navio. Ele construiu uma pequena cabana e morava ali, mas ele continuamente pensava no mundo. Tudo estava tão em paz, como jamais havia estado. Ele nunca conhecera, nem mesmo imaginara, que tal paz fosse possível. A ilha estava completamente deserta, não havia ninguém — esse era o único problema; fora isso, estava tudo perfeito. Os rios eram belos, as árvores cheias de frutos: ele podia comer, podia repousar; não havia nenhuma preocupação, ninguém com quem se preocupar, ninguém para criar problemas. E ele sempre tinha pensado que, algum dia, ele gostaria de ir a um lugar tranquilo — e, de repente, lá estava ele! Mas era insuportável... O silêncio é insuportável, a pessoa tem de ser capaz de suportá-lo — ele pode matá-lo.

Era difícil para aquele homem, mas ele era um arquiteto; assim, ele começou a construir pequenas coisas, pequenos modelos, simplesmente para permanecer ocupado. Fez uma pequena rua e deu um nome à rua; fez não somente uma igreja, fez duas igrejas — uma perto de sua casa, uma outra no outro extremo da cidade; fez pequenas lojas onde se podia fazer compras. Criou uma cidade completa.

Depois de cinco anos, quando chegou um navio e ancorou na baía, ele ficou muito feliz. Veio um homem num pequeno barco até a margem. Ele correu da sua casa e chegou à margem muito excitado, porque agora ele voltaria para o mundo novamente. Mas ele ficou um pouco espantado: o homem saiu do bote com um grande pacote de jornais. Assim, ele perguntou:

— *Para que são esses jornais? Por que você os trouxe aqui?*

O homem, que era o capitão do navio, respondeu:

— *Primeiro, dê uma olhada neles e veja o que está acontecendo no mundo... E depois, nos diga se você ainda quer ser salvo.*

O homem atirou os jornais no mar e disse:

— *Que absurdo! Mas antes de entrar no bote, gostaria de lhe mostrar a minha cidade!*

Ele lhe mostrou a sua cidade, mas o capitão ficou espantado quando ele lhe mostrou a segunda igreja. Ele disse:

— *Eu posso compreender que você tenha feito uma igreja para orar lá dentro, mas por que esta outra?*

Ele respondeu:

— *Esta é a igreja que eu frequento, aquela é a igreja que eu não frequento.*

Você precisa de duas igrejas, de pelo menos duas religiões, porque a mente é uma dualidade: "Esta é a igreja para qual eu digo 'sim', e aquela é a igreja para a qual eu digo 'não'. Aquela é a igreja errada: pessoas erradas, que não têm nenhuma relação comigo vão lá". Ele estava sozinho, mas tinha criado o mundo todo. E estava ansioso para voltar para o mundo, não estava pronto para olhar os jornais. E ele fez bem, porque, se olhasse os jornais, não gostaria de ser salvo.

Olhe para os seus jornais! O que está acontecendo no mundo? Vale a pena viver nele? Mas você lê, você não vê; sua leitura não é uma visão, é simplesmente um entorpecimento. Você não se dá conta do que está acontecendo no mundo, do que o homem tem feito ao homem, do que o homem está continuamente fazendo ao homem: tanta violência, tanta tolice, tanto envenenamento de todo tipo de valor, de tudo que é belo e verdadeiro e bom — tudo envenenado. Você gostaria de viver nele? Se você enxergar, então, será muito difícil decidir viver nele. Eis por que é melhor não ver e simplesmente mover-se como se você estivesse em uma hipnose.

A fim de não se olhar para si mesmo, uma outra técnica tem sido usada, da qual Jesus fala neste sutra. E esta técnica é: examine no outro tudo o que está errado; assim, você pode inferir que você é bom. Existem duas maneiras de ser bom: sendo bom — essa é difícil; então, há uma outra maneira de ser bom, e essa é relativa: prove que o outro está errado. Você não precisa ser bom, simplesmente prove que o outro é errado. Isso lhe dá a sensação de que você é bom.

É por isso que vivemos provando que o outro é o ladrão, o outro é o assassino, o outro é o demônio. E, então, quando você tiver provado que todo mundo está errado, de repente, você tem a sensação de que você é bom. Esse é um fenômeno relativo: não há nenhuma necessidade de mudar a si mesmo, basta provar que o outro está errado. E isso é muito fácil —nada é mais fácil do que isso. Você pode ampliar a maldade no outro; você pode ampliar e ninguém pode impedi-lo de fazer isso. E diante dessa maldade projetada ampliada, maléfica, você parece simplesmente inocente. Eis por que, se alguém diz a respeito do outro que "ele é um homem mau", você nunca argumenta contra isso, nunca. Você simplesmente aceita. Bem ao contrário, você diz: "Eu sempre soube disso". Mas se alguém diz algo de bom sobre alguém, você contra-argumenta, pede provas.

Você já observou o fato de que milhões de pessoas já disseram: "Nós acreditaremos em Deus, mas primeiramente deem-nos provas"? Mas ninguém ainda escreveu um livro requerendo provas para a existência do diabo — ninguém! Ninguém requer nenhuma prova para o diabo, ninguém diz: "Eu acreditarei no diabo somente quando provarem sua existência". Não, você já sabe que o diabo está por todo lado. Somente Deus está faltando, ele não está presente.

Por que o bem precisa de provas e o mal não precisa de nenhuma prova? Observe a tendência e chegará a um belo fenômeno, a um dos mistérios da mente humana. Lá no fundo, todo mundo busca ser bom. Mas é difícil; então, o que fazer? Prove que o outro é mau: "Você é pior do que eu... — dessa forma, então eu sou pelo menos um pouco bom!"

Jesus disse:

O cisco que está no olho de teu irmão, tu vês,

Mas a trave que está no teu olho, não vês.

Quando lançares fora a trave do teu olho,

então, verás claramente

para tirar o cisco do olho de teu irmão.

Você vive avaliando o outro como escuridão. Isso pode lhe dar um sentimento ilusório de que você é luz, mas não lhe pode dar luz. E se você tentar tornar o outro iluminado, por pensar que ele está na escuridão, isso vai tornar as coisas piores — isso é adicionar insulto à injúria. Em primeiro lugar, a escuridão é projetada por você e, em segundo lugar, você mesmo não é luz; assim, você não pode iluminar o outro.

Assim, as pessoas que tentam transformar a sociedade são causadoras de danos; as pessoas que tentam mudar o outro são sempre perigosas. Elas são assassinas de um modo muito sutil, mas o assassinato que cometem é tão sutil, que você nem pode captá-lo. Elas não o matam diretamente, mas elas o aleijam, elas o podam — e... "para o seu próprio bem"; assim, você não pode dizer nada contra elas. Seus supostos santos estão simplesmente tentando destruir a escuridão que não está em você, mas que eles veem estar. Eles veem um inferno em você, porque essa é a única maneira que eles podem ver, e se sentirem celestiais.

Mulla Nasruddin morreu. Bateu à porta do céu. São Pedro abriu a porta, olhou para Nasruddin e disse:

— Mas eu não estou esperando ninguém hoje. Na minha lista de reservas não há nenhum nome; ninguém está previsto para

chegar hoje. Então como...? Você me deixa surpreso. Como chegou aqui? Diga seu nome bem alto, soletre para que eu possa confirmar.

Então Nasruddin soletrou bem alto:

— "M-U-L-L-A N-A-S-R-U-D-D-I-N".

São Pedro entrou e olhou na lista, mas não havia ninguém previsto para aquele dia. Ele voltou e disse:

— Você não estava sendo esperado aqui hoje, e nem nos próximos dez anos. Assim, diga-me quem é o seu médico?

Os médicos podem matá-lo antes da hora; os benfeitores podem matá-lo antes da hora; e benfeitores são sempre perigosos. Mas todos vocês são benfeitores do seu próprio modo, pequeno ou grande. Todo mundo quer mudar o outro, porque todo mundo pensa que o outro está errado; todo mundo quer mudar o mundo. E essa é a diferença entre uma mente política e uma mente religiosa.

Uma mente política sempre quer mudar o mundo, porque a pessoa não consegue pensar que ela está errada — o mundo todo é que está errado. Se ela está errada, é porque o mundo todo está errado e a situação toda está muito errada. Tem de estar errada — caso contrário, ela seria uma santa...

Uma pessoa religiosa olha precisamente a partir do outro extremo. Ela pensa: "Eu estou errada, é por isso que o mundo está errado, porque eu contribuo para com o mal que existe nele. Através de mim, o mundo está errado. A menos que eu mude a mim mesmo, não pode haver nenhuma mudança".

O político começa a partir do mundo, mas nunca atinge nenhuma meta, porque o mundo é grande demais — e o mundo não é o problema... O político é que cria mais problemas: através de seus remédios, muito mais doenças que não existiam, surgem; através de seus esforços, ele cria mais miséria. Um homem religioso muda a si mesmo. Ele apenas muda a si mesmo, porque essa é a única coisa que é possível.

Você só pode mudar a si mesmo e, no momento em que você está mudado, o mundo começa a mudar, porque você é uma parte vital nele. E quando você fica iluminado — mudado, totalmente mudado —, você se torna mais vital: agora você tem a suprema energia em você. Um Buda simplesmente senta-se sob sua árvore *bodhi*[(3)] e o mundo é transformado. E o mundo nunca mais novamente será o mesmo que era antes de Buda.

Um Jesus é crucificado, mas isso se torna um marco: a história é dividida a partir desse dia, a história nunca mais novamente será a mesma que era. Assim, é bom que reconheçamos e dividamos os anos com o nome de Jesus: dizemos "antes de Cristo", "depois de Cristo". É bom, porque, antes de Cristo, existia uma humanidade totalmente diferente; depois de Cristo, uma humanidade diferente entrou no ser. O fenômeno é tão vital que quando quer que haja um Cristo, quando quer que uma consciência se erga tão alto quanto a consciência de Jesus, todas as outras consciências são simultaneamente afetadas. Elas também se erguem, também têm um vislumbre — e elas não podem ser as mesmas novamente; o mesmo velho nível não pode ser alcançado.

Uma pessoa religiosa simplesmente transforma a si mesma, mas a transformação é possível somente se você olhar; a transformação é possível somente se você abandonar a ficção. Se você vem a perceber o seu "ser ninguém", se você vem a perceber o seu estado de ser "nada", se você vem a perceber sua vida inautêntica, imediatamente a ficção começa a ser abandonada.

Saber é revolução — não o saber que você adquiriu através da mente, mas o saber que você vem a possuir quando encara a si mesmo. O conhecimento-de-si é uma força transformadora, não há nada mais a ser feito. Isto tem de ser compreendido: as pessoas pensam: "Primeiro conheceremos e, depois, mudaremos". Não! No momento em que você conhece, ocorre a mudança. O conhecimento em si é transformador — não se trata de primeiro você conhecer e, depois, fazer alguma coisa para mudar. O conhecimento não é um método, não é um meio: o conhecimento é o fim em si mesmo.

Mas quando eu uso a palavra 'conhecimento', quero dizer conhecimento-de-si. Todos os outros conhecimentos são um meio: primeiramente, você tem de conhecer a técnica e, depois, você tem de fazer alguma coisa. Mas com o conhecimento-de-si a qualida-

---

(3) *Bodhi tree* — árvore sob a qual Buda se iluminou; Árvore do Conhecimento. (N. da R.)

de é absolutamente diferente: você conhece e o próprio conhecer o transforma.

Abandone as ficções! Crie coragem para conhecer a si mesmo. Abandone o medo e não tente escapar de si mesmo!

E Jesus diz: *"Quando lançares fora a trave do teu olho, então, verás claramente"*... somente quando as ficções forem abandonadas. Elas são a trave em seu olho, elas se tornaram uma névoa, uma fumaça, uma nuvem em seus olhos. Você não pode ver claramente, não pode ver nada claramente, todas as coisas estão embaçadas. Quando a trave for retirada de "teu olho", você verá claramente.

A clareza deve ser a meta — simplesmente clareza dos olhos, de modo que você possa olhar diretamente e penetrar o fato sem criar nenhuma projeção em torno dele. Mas isso é muito difícil, porque você se tornou muito automatizado nisso, muito mecanizado.

Você olha para uma flor e, imediatamente, sua mente começa a falar: "Que flor linda! Nunca vi antes...". Surge alguma poesia — tomada emprestada, é claro. A flor é evitada, a clareza não está presente. As palavras embaçam — você não pode ver uma flor sem lhe dar um nome? Nomear é um imperativo? O nome que você dará a flor facilitará alguma coisa? A flor será mais bela se você tiver um saber botânico sobre ela? Esta é a diferença entre um botânico e um poeta: um botânico conhece sobre a flor, o poeta conhece a flor. O botânico é simplesmente ignorante — sabe muito, mas sobre e sobre... — o poeta vê.

Em sânscrito há somente uma única palavra para o *rishi* e o *kavi*, para o vidente e o poeta. Não há duas palavras, porque — dizem eles — sempre que existe um poeta verdadeiro, ele é um vidente; sempre que existe um vidente, ele é um poeta. Clareza... então, a vida se torna poesia. Mas, então, você tem de olhar para a flor sem nomeá-la — ...ela é uma rosa ou alguma outra coisa?

Por que as palavras são necessárias? Por que você diz "é linda!"? Você não pode ver a beleza sem falar? É necessário repetir que ela é bela? O que significa a repetição? Quer dizer que a flor não é suficiente — você precisa de uma sugestão, de que ela é bela, então, você pode criar beleza em torno dela. Você não vê a flor; a flor é apenas uma tela, você tem de projetar beleza sobre ela.

Olhe para a flor e não diga nada. Será difícil, a mente ficará desconfortável, porque isso se tornou habitual. Ela vive constantemente tagarelando. Olhe para a flor e faça disso uma meditação. Olhe para a árvore e não a nomeie, não diga nada! Não há nenhuma necessidade, a árvore está ali... — por que dizer alguma coisa?

Ouvi contar que Lao-Tzu, um dos maiores místicos chineses, costumava fazer uma caminhada todos os dias, de manhã. Seu vizinho costumava acompanhá-lo, mas o vizinho sabia que Lao-Tzu era um homem de silêncio; assim, durante anos, ele o seguiu nessa caminhada matinal, mas nunca disse nada. Um dia, havia uma visita na casa do vizinho, um hóspede, e ele quis ir também. O vizinho disse: "Não diga nada, porque Lao-Tzu gosta de viver diretamente. Não diga nada!".

Eles saíram e a manhã estava muito linda, muito silenciosa, os pássaros cantavam e, apenas por hábito, o hóspede exclamou: "Que beleza!" Só isso, esse tanto, nada mais; para uma única hora de caminhada, não é muito: "Que beleza!" Mas Lao-Tzu olhou para ele como se ele tivesse cometido um pecado.

De volta para casa, ao chegar à porta, Lao-Tzu disse ao vizinho: "Não venha nunca mais! E nunca mais traga qualquer outra pessoa — esse homem parece muito falador". E ele só tinha dito "Que beleza!" — falador demais. E Lao-Tzu disse: "A manhã estava bela, estava silenciosa. Esse homem perturbou a coisa toda".

"Que beleza!" Caiu como uma pedra em um lago silencioso. "Que beleza!" Caiu como uma pedra em um lago silencioso e tudo ficou cheio de ondulações.

Medite perto de uma árvore, medite com as estrelas, com o rio, com o oceano; medite no comércio com as pessoas passando. Não diga nada, não julgue, não use palavras — simplesmente olhe. Se você puder clarear sua percepção, se você puder alcançar a clareza do olhar, tudo é alcançado. E uma vez que essa clareza é alcançada você será capaz de ver a si mesmo.

O conhecimento-de-si acontece para uma mente clara, não para uma mente repleta de conhecimento, não para uma mente repleta de julgamentos de bem e mal; não para uma mente repleta de beleza, feiura, mas para uma mente sem palavras. O conhecimento-de-si acontece para uma mente ausente de palavras. Ele está sempre presente, você somente precisa de uma clareza de mente para percebê-lo, de modo que ele possa ser refletido; você precisa de uma mente como um espelho, de modo que o reflexo se torne possível. Uma vez que isso aconteça, então, você pode ajudar o próximo, nunca antes.

Assim, não aconselhe ninguém! Todos os seus conselhos são perigosos, porque você não sabe o que está fazendo. Não tente mudar ninguém, nem mesmo seu filho, nem mesmo seu irmão. Ninguém tem necessidade dessa sua mudança, porque você é perigoso. Você pode aleijar, pode matar, pode mutilar, mas você não pode auxiliar a transformação. A menos que você seja transformado, não se meta na vida alheia. Quando você estiver repleto de luz, você poderá ajudar. Na verdade, então, não haverá nenhuma necessidade de qualquer esforço para ajudar. A ajuda flui de você exatamente como a luz flui de uma lâmpada, ou a fragrância vem de uma flor, ou a lua brilha na noite — nenhum esforço da parte da lua, ela simplesmente flui naturalmente.

Alguém pediu a Basho, um mestre zen: "Diga alguma coisa sobre as suas palestras. Você vive falando e, contudo, você fala contra as palavras. Você vive falando e, nessas falas, você continua falando contra as palavras e contra o falar. Assim, diga algo a respeito disso!".

O que Basho disse? Ele disse: "Os outros falam — eu desabrocho!".

Quando não há nenhum esforço, então, trata-se de um desabrochar. Então, é exatamente como uma flor desabrochando, não há nenhum esforço. Um Basho fala, um Buda fala — nenhum esforço, simplesmente acontece! Quando Buda está falando, trata-se de um fenômeno natural. Quando você está falando, não se trata de um fenômeno natural, outras coisas estão envolvidas: você quer impressionar o outro, quer modificar o outro; você quer controlar, manipular o outro: você quer dominar o outro, você quer dar a impressão de que você é uma pessoa de conhecimento — quer alimentar seu ego. Muitas outras coisas estão envolvidas. Você não está florescendo. Quando você fala, trata-se de um grande jogo político, há uma estratégia nisso, uma tática.

Mas quando um Basho fala, ele floresce. Se houver alguém presente, então, essa pessoa será beneficiada — mas beneficiar o outro não é a meta, o benefício pode acontecer de maneira não esforçada. A flor não desabrocha para você. Se você passar pelo caminho, a fragrância o alcançará: você pode desfrutá-la, pode sentir-se extasiado, pode ser grato — mas a flor nunca desabrocha para você, a flor simplesmente desabrocha.

Um Buda floresce, um Jesus floresce e o mundo todo é beneficiado. Mas você continua tentando beneficiar os outros e ninguém é beneficiado, em vez disso, você causa danos. O mundo seria melhor se houvesse menos pessoas nocivas querendo mudá-lo e transformá-lo. Todas as revoluções simplesmente causaram danos, e todas as reformas conduziram a uma confusão mais profunda.

D. H. Lawrence certa vez sugeriu que, por cem anos, deveríamos parar com todas as revoluções, deveríamos parar com todas as universidades, deveríamos parar com todas as reformas, e com todas as conversas sobre elas; e, por cem anos, deveríamos viver como os primitivos. A sugestão é bela. Então, a humanidade poderia tornar-se viva novamente, a energia poderia surgir e as pessoas poderiam alcançar a clareza.

As palavras tornaram-se obscuras, tornaram-se muito carregadas; e você carrega tanto conhecimento, que não pode voar no céu. Você está tão carregado, que não tem leveza, suas asas não estão livres. Você agarrou-se a coisas que se transformaram em suas prisões e escravidões, porque você pensa que elas são muito valiosas. Elas são coisas sem valor e não apenas sem valor, mas também perigosas para você: palavras, escrituras, conhecimentos, teorias, — 'ismos' — tudo isso o aleija. A clareza não pode ser alcançada através de nada disso. Ponha de lado todas as escrituras, ponha de lado todos os julgamentos.

Olhe para a vida como uma criança que não sabe para o que está olhando, simplesmente olhando — e esse olhar lhe dará uma nova percepção. É sobre essa nova percepção que Jesus está falando. Repetirei as palavras:

O cisco que está no olho de teu irmão, tu vês,

Mas a trave que está no teu olho, não vês.

Quando lançares fora a trave do teu olho,

então, verás claramente

para tirar o cisco do olho de teu irmão.

Só isso pode ajudar. Se você se tornar uma luz para si mesmo, você se tornará uma luz para os outros. Mas isso é um florescimento e todo mundo será beneficiado — sabendo ou sem saber, todo mundo é beneficiado. Você se torna uma bênção.

Basta por hoje.

Décimo Discurso

Jesus disse:
É impossível para um homem
montar em dois cavalos
e esticar dois arcos;
e é impossível para um servo
servir a dois mestres,
caso contrário, ele honrará um
e ofenderá o outro.

Todo mundo já está montado em dois cavalos, todo mundo está esticando dois arcos — não somente dois, mas muitos. Eis como a angústia é criada; eis por que você está continuamente em ansiedade. A ansiedade mostra que, de algum modo, você está montado em dois cavalos. Como você pode estar à vontade? Impossível, porque os dois cavalos estão indo a duas direções diferentes e você não pode ir a lugar nenhum.

Com um cavalo, o movimento é possível, você pode chegar a algum lugar. Com dois cavalos, o movimento é impossível, eles negarão um ao outro e você não chegará a lugar nenhum. E essa é a ansiedade... — que você não está chegando a lugar nenhum.

Lá no fundo, esta é a angústia: a vida está escorregando das suas mãos, o tempo ficando cada vez menor e menor, a morte está chegando perto e você não está chegando a lugar algum. É como se você tivesse se tornado um poço estagnado, simplesmente ficando cada vez mais seco e morrendo. Não há nenhuma meta, nenhum preenchimento. Mas por que isso está acontecendo? Porque você tem tentado fazer o impossível.

Tente compreender a mente, como ela funciona em você, então você será capaz de compreender o que Jesus quer dizer. Você quer ser tão livre quanto um pobre, porque somente um pobre pode ser livre... — ele não tem carga, não tem nada para proteger, você não pode roubá-lo. Ele é destemido. Você não pode arrancar nada dele, porque ele não tem nada: não tendo nada, ele está à vontade; sem nada como posse, nada pode ser roubado dele. Ninguém é seu inimigo, porque ele, absolutamente, não é um competidor, ele não está competindo com ninguém.

Você quer ser tão livre quanto um pobre, como um mendigo, mas também quer estar tão seguro quanto um rico, tão incólume quanto um imperador. O rico está incólume, o rico está seguro, ele se sente mais enraizado. Aparentemente, ele tomou todas as providências, não está vulnerável: tem proteções contra a morte, você não pode assassiná-lo muito facilmente, ele tem uma armadura. E você gostaria de ser tão livre como um mendigo e tão seguro como um imperador... — então, você está montado em dois cavalos e é impossível chegar a algum lugar.

Você ama uma pessoa, mas quer que a pessoa se comporte como uma coisa, completamente em suas mãos. Mas você não pode amar uma coisa, porque uma coisa é morta e não pode responder a você. Assim, se o outro é realmente uma pessoa, ele não pode ser possuído; é como o mercúrio: quanto mais você tenta mantê-lo em sua mão fechada, mais ele escapa — porque... ser uma pessoa significa ser livre. Se ele é uma pessoa, você não pode possuí-lo; se você puder possuí-lo, ele não mais será uma pessoa e você não será capaz de amá-lo. Então, ele é apenas uma coisa morta. Quem pode amar uma coisa morta?

Você está montado em dois cavalos. Você quer uma pessoa como uma coisa, o que é impossível! Uma pessoa tem de ser livre e viva e, somente então, você pode amá-la. Mas, então, você acha difícil, você começa a possuir, e começa a matá-la; você a está envenenando. Se ela lhe permitir esse envenenamento, mais cedo ou mais tarde, ela será apenas uma coisa. Assim, as esposas tornam-se peças decorativas na casa, os maridos tornam-se guardas — mas o amor desaparece. E isso está acontecendo em todas as direções.

A dúvida existe em você, porque a dúvida tem seus benefícios: ela lhe dá um poder maior para calcular, ela lhe dá mais proteção, ninguém pode enganá-lo facilmente. Assim, você duvida — mas, então, a dúvida cria ansiedade, porque lá no fundo você permanece desconfortável. A dúvida é exatamente como a doença. A menos que você confie, você não pode estar à vontade, porque dúvida significa hesitação e hesitação é desconforto. Duvidar significa: "O que fazer — isto ou aquilo?". Duvidar significa "Ser ou não ser?" — e é impossível decidir.

Nem mesmo em um único ponto a decisão é possível através da dúvida. No máximo, você pode decidir com a parte da mente que se torna majoritária. Mas a minoria está presente e ela não é uma minoria pequena. E como você escolheu contra a minoria, a minoria estará sempre procurando pela situação na qual ela possa dizer que você escolheu errado. A minoria está ali para se rebelar — ela é um tumulto constante dentro de você.

Com a dúvida há desconforto. Ela é uma doença, é exatamente como qualquer doença — é uma doença mental. Assim, um homem que duvida, torna-se cada vez mais doente. Mas você não pode enganá-lo facilmente, porque ele é mais esperto, é mais hábil nos caminhos do mundo. Você não pode enganá-lo, mas ele está doente. Assim, há um benefício — ele não pode ser enganado... — mas há uma perda, uma grande perda. O benefício tem um enorme custo: ele permanece vacilante, desconfortável, ele não pode decidir. Mesmo que ele decida, essa decisão é apenas a maior porção decidindo contra a menor. Ele está dividido, há sempre conflito.

Você também quer confiar. Você também quer ter fé, porque a fé lhe dá saúde: não há nenhuma indecisão, você fica completamente certo. A certeza lhe dá uma felicidade: não há nenhuma vacilação, você não hesita: você fica inteiro, não dividido — e inteireza é saúde. A confiança lhe dá saúde, mas, então, você se torna vulnerável, qualquer um pode enganá-lo. Se você confia, você está em perigo, porque há pessoas à sua volta que gostariam de explorá

-lo, e elas podem explorá-lo somente quando você confia. Se você duvida, elas não podem explorar.

Assim, você está montado em dois cavalos, a dúvida e a fé — mas você está fazendo o impossível: você permanecerá constantemente em ansiedade e angústia, você irá se deteriorar. Nesse conflito dos dois cavalos, você morrerá. Um dia ou outro, vai haver um acidente — esse acidente será a sua morte: você estará acabado antes de ter chegado a qualquer lugar; estará acabado antes das flores chegarem; estará acabado antes de vir a saber o que é a vida, o que significa ser. O ser terá desaparecido.

Jesus disse:

É impossível para um homem

montar em dois cavalos...

Mas todo homem está tentando fazer o impossível; eis por que todo homem está em dificuldade. E eu lhes digo: isso acontece em todas as direções. Assim, não há somente dois cavalos, há milhões de cavalos todos juntos e, a cada momento, você está vivendo uma contradição.

Por que isso acontece? O mecanismo tem de ser compreendido, somente então, você pode abandoná-lo. Por que isso acontece? A causa é a maneira como toda criança é educada. A causa é a maneira como toda criança entra neste mundo de loucos por todos os lados. Eles criam as contradições, eles lhe ensinam coisas contraditórias.

Por exemplo, foi-lhe ensinado: "Ame toda a humanidade, seja fraterno com todos e cada um, ame seu próximo como a si mesmo". E, simultaneamente, você foi instruído, educado, condicionado para competir, para competir com todo mundo. Quando você compete, o outro é o inimigo, não o amigo. Ele tem de ser derrotado, o outro tem de ser conquistado; ele tem de ser destruído, realmente. E você tem de ser impiedoso, caso contrário, o inimigo o destruirá. Se você é um competidor, então, toda a sociedade é o inimigo: ninguém é um próximo, ninguém é um irmão. E você não pode amar — você tem de odiar, tem de ter inveja, tem de ter raiva. Você tem de estar continuamente pronto para lutar e vencer, e é um combate duro — se você for de bom coração, você está perdido.

Assim, seja forte e violento e agressivo... Antes que o outro ataque, você o ataca. Antes que seja tarde demais, ataque e vença; caso contrário você estará perdido, porque milhões estão competindo pela mesma coisa, você não está sozinho. E como pode uma mente em competição ser amorosa com seu próximo? É impossível! Mas os dois ensinamentos lhe são dados: tem-lhe sido ensinado que a honestidade é a melhor política e, também, que negócio é negócio! Ambas as coisas juntas, os dois cavalos lhe são dados juntos. E uma criança, inconsciente dos caminhos do mundo, não pode ver nem sentir a contradição.

Para sentir a contradição, é necessária uma inteligência muito amadurecida — é necessário um Jesus, um Buda para sentir a contradição. Uma criança é inconsciente dos caminhos do mundo; e os professores... — o pai, e mãe, a família — são pessoas que ela ama. Ela os ama! — como ela pode pensar que eles estão criando contradições dentro dela? Ela não pode nem mesmo imaginar isso, porque eles são seus benfeitores: são carinhosos com ela, eles a estão criando... Eles são sua fonte de energia, de vida, de tudo. Assim, por que eles criariam contradições? Um pai ama, uma mãe ama, mas o problema é que eles também foram criados do mesmo modo errado e não sabem o que fazer, exceto repetir. O que quer que seja que os pais deles lhes tenham ensinado, eles estão ensinando a seus filhos. Eles estão simplesmente transferindo uma moléstia; de uma geração para outra, a moléstia está sendo transferida. Você pode chamá-la de "tesouro", de "tradição", mas trata-se de uma moléstia. É uma moléstia, porque ninguém se torna saudável através disso.

A sociedade inteira continua cada vez mais e mais neurótica. E uma criança é tão simples, tão inocente, que ela pode ser condicionada em caminhos contraditórios. No momento em que ela percebe a contradição, é tarde demais. E acontece que quase toda a sua vida é perdida, e você nunca percebe que você está montado em dois cavalos. Pense sobre essas contradições e descubra-as, tente descobri-las em sua vida. Você descobrirá milhões de contradições aí — você é uma confusão, uma bagunça, um caos!

Quando as pessoas vêm a mim e pedem por silêncio, eu olho para elas e sinto muito, porque é quase impossível — o silêncio pode existir somente quando todas as contradições tiverem sido abandonadas. É preciso um árduo esforço, uma inteligência muito penetrante, compreensão, maturidade... Não há nada disso e você pensa que apenas por repetir um mantra você se tornará silencioso? Se fosse tão fácil, então, todo mundo teria se tornado silencioso. Você acha que apenas pela repetição de "Ram, Ram", você se tornará silencioso...?! Cavalgando em milhões de cavalos, repetindo o mantra, você se tornará silencioso? Esse mantra será um cavalo a mais ainda, eis tudo... — mais confusão surgirá daí. Se mais um cavalo for acrescido, você ficará mais confuso através dele.

Olhe para o assim chamado homem religioso: ele está mais confuso do que o mundano, porque novos cavalos foram acrescentados. O homem que vive no mercado, no mundo do comércio, está menos confuso, porque ele pode ter muitos cavalos, mas, pelo menos, eles todos pertencem a este mundo; pelo menos, uma coisa é a mesma, similar — eles todos pertencem a este mundo. E esse homem religioso, ele tem cavalos demais: os que pertencem a este mundo e alguns novos cavalos que ele acrescentou, que não pertencem a este mundo. Ele criou uma fenda maior: o outro mundo, Deus, o reino de Deus... e continua circulando neste mundo. Ele ficou mais confuso, mais conflitos surgiram no seu ser. Ele está despedaçado, não está unido; seus fragmentos vão caindo, toda a sua unidade se vai — é isso que é neurose.

O modo que vocês são criados está errado, mas nada pode ser feito agora, porque você já está criado, não pode retroceder. Assim, você tem de compreender tudo isso e abandoná-lo através da compreensão. Se você abandonar porque eu estou dizendo isso, então, você acrescentará mais cavalos. Se abandonar através da compreensão — porque compreendeu a coisa toda e por isso abandonou —, então nenhum cavalo será acrescentado. Ao contrário, velhos cavalos serão soltos, devolvidos à liberdade. Assim, eles poderão se mover e alcançar suas metas... e você poderá mover-se e alcançar a sua própria meta.

Pois não é só você que está em dificuldade, seus cavalos também estão em grande dificuldade, por sua causa — eles também não podem chegar a lugar nenhum. Tenha pena de si mesmo e de seus cavalos... — de ambos. Mas isso deve ser feito através da compreensão — sua compreensão, não meus sentimentos ou os de Jesus ou de Buda. Eles podem mostrar o caminho, mas se você seguir sem compreensão, você nunca alcançará a meta.

Agora, tente compreender. *"Jesus disse: É impossível para um homem montar em dois cavalos..."*

...e esticar dois arcos;

e é impossível para um servo

servir a dois mestres,

caso contrário, ele honrará um

e ofenderá o outro.

Por que é impossível e o que é impossibilidade? Uma impossibilidade não significa algo que seja muito difícil, não. Por mais difícil que uma coisa possa ser, ela não é impossível, você pode alcançá-la. Por impossibilidade, quer-se dizer alguma coisa que não pode ser alcançada, faça você o que fizer: não há jeito, nenhuma possibilidade de se fazê-lo. Quando Jesus diz "impossível", ele quer dizer "impossível", ele não quer dizer "muito difícil" — e você fica tentando fazer o impossível. O que acontecerá? Aquilo não pode ser feito, mas você será desfeito através daquilo. Aquilo não pode ser feito, mas o que acontecerá a você que tem se esforçado para fazer o impossível? Você ficará despedaçado! Não é possível fazê-lo, mas, fazendo-o, você está desfazendo sua própria vida. É o que acontecerá, é o que já aconteceu.

Observe as pessoas que duvidam. Você já viu um homem que tenha dúvida e que não tenha fé? Se você vir um homem que só tenha dúvida, você verá que ele não pode viver, é impossível viver. Vá aos hospícios: lá você encontrará pessoas que têm dúvidas sobre todas as coisas. Então, eles não podem nem se movimentar, porque eles duvidam até de uma simples ação.

Conheci um homem que era tão cheio de dúvidas que não podia nem ir ao mercado — e o mercado ficava a poucos passos de sua casa. Ele tinha de voltar repetidamente para verificar a fechadura. E, quando éramos crianças, costumávamos pregar peças naquele pobre homem. Quando ele acabava de sair e nós lhe perguntávamos "você trancou a porta", ele ficava com raiva, mas voltava para verificar. E ele vivia sozinho — não tinha mais ninguém — e tão medroso! Ele estava tomando seu banho de rio e alguém perguntava: "Você trancou a porta?". Ele ficava com muita raiva, mas deixava o banho pela metade e corria até a casa para verificar. Esse é o perfeito cético. Se a dúvida for longe demais, você irá parar num hospício, porque, então, você duvida de tudo. Esse é um tipo de homem que está completamente quebrado em fragmentos.

Se, em vez disso, você escolher a fé, você se tornará absolutamente cego. Então, qualquer pessoa poderá levá-lo a qualquer lugar, então, você não terá nenhuma inteligência própria, nenhum estado de alerta próprio. Em volta de pessoas como Hitler você encontrará esse tipo de gente — eles confiaram e, através dessa confiança, perderam.

Devido a isso, você está tentando o impossível: fazer um acordo, não ir até esse extremo, porque nele a neurose virá; não ir ao outro extremo, porque lá acontecerá a cegueira. Então, o que fazer? Então, o raciocínio simples diz: "Faça um acordo, meio a meio — um pouco de dúvida, um pouco de fé". Mas, então, você monta em dois cavalos. Não é possível viver sem a dúvida e sem a fé?

É possível! Na verdade, esse é o único modo possível para crescer: viver sem a dúvida e sem a fé; viver simplesmente, espontaneamente, com consciência. E isso é realmente o que é confiança — não é confiar em alguma outra pessoa. É confiar na vida: aonde quer que ela conduza, sem dúvidas, sem fé, você simplesmente se move, inocentemente.

Um homem que duvida não pode viver inocentemente. Antes de se mover, ele pensará e, algumas vezes, ele pensará tanto, que a oportunidade será perdida. Eis por que os pensadores nunca fazem muito. Eles não conseguem agir, tornam-se simplesmente cerebrais, porque, antes da ação, eles precisam decidir, têm de chegar a uma conclusão... e eles não podem chegar a uma conclusão; assim... como podem agir? Então, é melhor não agir, e esperar. Mas a vida não espera por você.

Ou então você se torna cheio de fé, crente, um cego. Então, qualquer pessoa, qualquer político, qualquer louco, qualquer papa, qualquer sacerdote pode conduzi-lo a qualquer lugar. Eles próprios estão cegos e, quando o cego guia o cego, está fadado a haver catástrofe.

O que fazer? O raciocínio diz, o raciocínio comum diz: "Faça um acordo".

Um cientista, B. F. Skinner, fez um experimento digno de ser lembrado. Um rato branco era o objeto do experimento. O rato branco foi deixado faminto por dois ou três dias; assim, ele se tornou, realmente, pura fome, pronto para saltar e comer qualquer coisa disponível. Então, ele foi colocado numa plataforma. Bem debaixo da plataforma, havia duas caixas semelhantes, a mesma cor, o mesmo tamanho, ambas contendo comida. O rato branco podia saltar tanto na caixa da direita quanto na da esquerda.

O rato saltou imediatamente, sem pensar nem mesmo por um único momento. Mas, sempre que pulava dentro da caixa da direita, ele levava um choque elétrico. E havia um alçapão; assim, ele caía dentro de uma outra caixa, através desse alçapão e, então, não podia conseguir a comida. Sempre que ele pulava para dentro da caixa da esquerda, não havia nenhum choque e não havia nenhum alçapão e, assim, ele chegava até a comida. Em dois ou três dias, ele aprendeu o truque: ele pulava na caixa da esquerda e evitava a direita.

Então, Skinner fez uma mudança: trocou o lugar das caixas: O rato saltou na caixa da esquerda e levou um choque. Então ele ficou perturbado, confuso quanto ao que fazer e ao que não fazer. Antes de pular, agora, ele tremia e vacilava, duvidava.

É assim que é um filósofo — um rato branco, tremendo, em dúvida quanto ao que fazer: esquerda ou direita? E como escolher...!? E como saber...!?

Mas então, ele se acostumou novamente. Então Skinner, novamente, fez uma mudança. O rato ficou tão confuso, que, apesar da fome, ele esperava, tremendo, olhando de uma caixa para outra — e como decidir? Então, ele decidiu fazer o mesmo que você decidiu: ele pulou entre as duas caixas — mas ali não havia nenhuma comida... — isso não estava resolvendo nada. E depois de algumas semanas de experimento, o rato branco ficou louco, neurótico.

É isso o que está acontecendo a você: você ficou confuso — o que fazer, o que não fazer? E a única coisa que vem à mente é que, se é difícil escolher "isto", difícil escolher "aquilo", então, é melhor fazer um acordo: simplesmente pular no meio. Mas, ali, não há nenhuma comida. É claro: não há nenhum choque elétrico, mas não há comida tampouco.

Você perde a vida, se pula no meio. Se fosse possível ao rato montar nas duas caixas, ele teria feito isso. Essas são as duas possibilidades que se abrem para o raciocínio: montar nos dois cavalos ou simplesmente pular no meio. Inteligência, uma inteligência penetrante e aguda, é necessária para se compreender o problema — não há nenhuma outra solução. Eu não lhes darei nenhuma solução, nem Jesus deu qualquer solução a qualquer pessoa; a simples compreensão do problema é a solução. Você compreende o problema e o problema desaparece.

Não é possível viver sem fé e sem dúvida, sem fazer um acordo? — ...porque o acordo será um veneno: as duas coisas são tão contrárias, que toda a sua vida se tornará uma contradição e, se a contradição está presente, você fica dividido, rachado; a esquizofrenia é o resultado final. Ou, se você escolhe uma e nega a outra, então, os benefícios que poderiam advir da outra, são negados a você. A dúvida lhe dá proteção contra a exploração, a fé lhe dá certeza — abandone uma delas e os benefícios dela também serão abandonados. Se escolher as duas, você estará montando em dois cavalos; se você fizer um acordo, criar uma divisão dentro do seu ser, você será dois, tornar-se-á uma multidão. Então, o que fazer?

Simplesmente compreenda o problema e desça dos dois cavalos — não faça nenhum acordo. Então, uma espécie de ser totalmente diferente, uma qualidade completamente diferente de consciência acontecerá. Mas por que você não faz isso? Porque essa qualidade necessita de um estado de alerta, essa qualidade necessita de consciência. Então, você não precisa duvidar de ninguém — você simplesmente tem de estar totalmente aberto, aberta. Esse estado de alerta será a proteção contra a exploração.

Se um homem completamente alerta olhar para você, você não poderá enganá-lo: você será desarmado com o próprio olhar dele. E se ele permitir a exploração, não é porque você é esperto e o está enganando, mas sim porque ele é gentil e lhe dá permissão. Você não pode enganar um homem completamente alerta. É impossível, porque ele olha através de você, você fica transparente: ele tem tanta consciência, que você se torna transparente. Se ele permite que você o engane, é devido à compaixão dele. Você não pode enganá-lo.

Essa consciência parece ser difícil. Eis por que você escolheu o impossível. Mas o impossível é impossível — você somente faz de conta que ele pode acontecer; ele nunca aconteceu, ele nunca acontecerá. Você escolheu o impossível, porque ele parece mais fácil. O acordo sempre parece mais fácil — quando quer que esteja em dificuldade, você faz acordos. Mas o acordo nunca ajuda ninguém, porque acordo significa que dois contrários existirão dentro de você: eles estarão sempre em tensão e o dividirão. E um homem dividido não pode nunca ser feliz.

É isso o que Jesus quer dizer, mas os cristãos o compreenderam mal. Os cristãos perderam Jesus completamente, porque a mente continua interpretando. O que eles têm interpretado? Eles pensam que Jesus está dizendo: "Escolha um cavalo! Ou este mundo ou o aquele — escolha um! Não monte em dois cavalos, porque você ficará em apuros e isso é impossível. Assim, escolha um cavalo!". Eis o que vieram a concluir e interpretar.

Ouvi dizer que aconteceu o seguinte:

Certa noite, a mulher de Mulla Nasruddin estava sentindo fome. Então ela saiu em busca de um lanche noturno. Mas ela não conseguiu encontrar nada — apenas um tipo de biscoito para cães. Assim, ela resolveu experimentá-lo. Ela achou bom, o sabor era bom; e ela comeu. E ela gostou tanto, que de manhã disse a Nasruddin para pegar uma provisão grande.

Nasruddin saiu e comprou um monte de biscoitos de cachorro. O vendedor local lhe perguntou:

— O que você está fazendo...? Porque eu sei que seu cachorro é bem pequeno. Você não precisa de uma provisão tão grande.

— Não é para o cachorro, é para minha mulher! — Nasruddin respondeu.

— Devo lembrá-lo de que esses biscoitos são exclusivamente para cães, e se sua mulher os comer, morrerá. São venenosos! — o homem disse.

E, depois de seis meses, a mulher morreu. Um dia, Nasruddin admitiu para o vendedor:

— Minha mulher morreu.

— *Eu lhe avisei antes, que aqueles biscoitos a matariam.*

— *Não foram os biscoitos! Foi ficar correndo a latir atrás dos carros que a matou, não os biscoitos!*

Sua mente prende-se às suas conclusões próprias, porque, se uma conclusão é perdida, sua confiança também é perdida. Assim, seja qual for a situação, você se prende às suas conclusões. Isso dá uma base para o seu ego e a sua mente se afirmarem.

Certo dia, Mulla Nasruddin estava andando com uma bengala muito grande que era comprida demais para ele. Um amigo sugeriu:

— *Nasruddin, por que você não corta um pedaço da ponta dessa bengala?*

— *Não vai adiantar nada* — *ele respondeu* —, *porque é o cabo que é comprido".*

Seu raciocínio pode ser suicida. Ele é! Você pensa que é raciocínio, mas não é raciocínio; você está apenas enganando — enganando a si mesmo. Mas você não quer perder pé, você quer estar confiante; e toda a confiança que vem através da mente, é falsa, porque a mente não pode lhe dar confiança. Ela somente pode lhe dar coisas falsas, ela somente pode supri-lo com coisas falsas. Ela não tem a coisa real com ela; trata-se apenas de uma sombra. A mente são apenas pensamentos, sombras, não há nada de substancial nela. Mas ela pode continuar lançando racionalizações e você se sentirá bem.

Os cristãos perderam todo o ponto. Eles pensam que Jesus está dizendo: "Escolha!". Jesus não pode nunca dizer "Escolha!" — Jesus significa ausência de escolha... Porque, se você escolhe, a mente escolhedora é fortalecida, não destruída; a mente que está escolhendo, se torna mais forte através da escolha. Não, não é uma questão de escolha. E através da escolha, você não pode nunca ser total, porque você tem de negar alguma coisa.

Se você escolher a fé, você terá de negar a dúvida. Para onde irá essa dúvida? Não se trata de algo externo que você possa jogar fora — é algo profundo em você. Para onde ela irá? Você pode simplesmente fechar seus olhos, eis tudo; você pode simplesmente reprimi-la no inconsciente, eis tudo. Mas ela continuará presente, como um verme, comendo sua consciência. Ela estará aí e, um dia ou outro, ela virá à tona. O que você pode fazer? Como você pode abandoná-la? Se você escolher a dúvida, para onde irá a sua fé? Ela faz parte de você...! Assim, acontece um acordo: você se torna um amálgama de muitas coisas reunidas; não uma síntese, mas um acordo.

Jesus quer dizer exatamente o contrário. Ele quer dizer: "Não escolha!".

"É impossível para um homem montar em dois cavalos e esticar dois arcos; e é impossível para um servo servir a dois mestres, caso contrário, ele honrará um e ofenderá o outro."

Observe a última frase: *"... caso contrário, ele honrará um e ofenderá o outro"*. Se você escolhe um, você honra um e ofende o outro — e a sua parte ofendida se vingará, ela se tornará rebelde.

Acontece... — a ciência depende da dúvida, depende totalmente da dúvida, nenhuma confiança é permitida. Você já viu, já observou os cientistas? Fora de seus laboratórios, eles confiam muito: não se pode encontrar pessoas mais confiantes do que os cientistas, tão facilmente enganadas, mais do que qualquer outra pessoa — porque a parte deles que duvida, funciona dentro do laboratório e, a parte que confia funciona fora. Eles são pessoas simples no que se refere ao mundo exterior, mas, nos seus laboratórios, eles são muito espertos, sagazes.

Você pode enganar um cientista com muita facilidade. Não é tão fácil enganar os chamados homens religiosos. No templo, eles estão em profunda confiança; fora do templo, são muito espertos. Olhe para as chamadas pessoas religiosas: fora do templo, você não pode enganá-las, não há nenhuma possibilidade de enganá-las ou explorá-las; mas dentro do templo, elas são muito simples. Elas usam a parte que confia, ali; a parte que duvida, no mundo. Elas são bons negociantes, acumulam bens... — exploram o mundo todo.

Um cientista não pode ser nunca um bom negociante, não pode ser um bom político. Não é possível, porque o lado da dúvida está confinado ao laboratório: fora, funciona a parte que confia. Um cientista em casa é totalmente diferente de um cientista no seu trabalho de pesquisa científica. Vocês já devem ter ouvido muitas histórias sobre a distração dos cientistas. Elas acontecem, realmente acontecem, não são histórias. Porque ele usa sua atenção no laboratório, então, fora do laboratório, ele fica desatento — ele usa uma parte, e está acabado. Assim, ele tem uma vida dupla: no laboratório ele é muito cuidadoso, fora do laboratório, ele se torna distraído.

Há uma história sobre Albert Einstein: ele estava visitando um amigo. Eles jantaram, conversaram sobre isto e aquilo... Não havia muito a dizer, porque Einstein não era homem de conversa fiada, e não era muito falante tampouco. Então o amigo começou a se sentir entediado. E foi ficando cada vez mais e mais escuro, até que deu onze horas da noite. Ele queria que Einstein fosse embora, mas seria indelicado dizer isso a tão grande homem; assim, ele esperou e esperou... Às vezes, ele fazia algumas insinuações; ele dizia: "A noite está ficando muito escura", "Parece que já são umas onze e meia". Mas Einstein simplesmente olhava e bocejava — ele estava com sono, queria dormir. Já era quase meia-noite quando o amigo disse: "Acho que você está com sono, porque você está bocejando". Esta era a indireta final.

Einstein disse: "Sim, estou sentindo muito sono, mas eu estou esperando que você vá embora; então, posso ir dormir".

O homem disse: "O que você está dizendo? Você está em minha casa!".

Einstein levantou-se e disse: "Desculpe-me, eu estava pensando 'quando será que esse homem vai embora para eu ir dormir?'".

No laboratório, esse homem é perfeito no que diz respeito à atenção, no que diz respeito à presença. Mas essa parte é consumida lá; fora do laboratório, ele é um homem totalmente diferente, simplesmente o oposto.

Eis por que acontece de você encontrar uma contradição na vida das pessoas ditas religiosas. É natural. Veja-as orando nos templos, e olhe para seus rostos! Parecem tão inocentes, seus olhos cheios de profunda emoção, lágrimas fluindo... Você não pode imaginar como o mesmo homem parecerá na rua, como ele estará na sua loja, como ele se comportará quando você for à loja. A parte emocional, a parte da confiança, acaba no templo, na mesquita, na igreja; ao sair, ele está livre dessa parte. Então, ele tem tanta dúvida quanto qualquer cientista pode ter, tão cético quanto possível.

É assim que vivemos uma vida dupla. Isso é um acordo. Jesus não está dizendo "escolha uma coisa contra a outra". Se você escolher uma contra a outra, a outra parte ficará ofendida, e a parte ofendida do seu ser se vingará. E isso torna tudo muito difícil, faz a vida quase impossível de ser vivida. Quanto mais você tenta viver com uma parte, mais a outra perturba todos os seus planos, todos os seus esquemas; ela vem à tona repetidamente. Então, o que fazer?

O caminho, a coisa a ser feita, é não escolher. A coisa é compreender toda a contradição do seu ser. Não escolhendo, mas tornando-se sem escolha; não abandonando uma contra a outra — ... porque você não pode abandonar um dos aspectos de uma coisa.

Você tem uma moeda de rupia: ela tem dois aspectos. Você não pode abandonar um aspecto, você não pode abandonar um lado dela. Você pode não gostar de um dos lados, mas tem de carregar os dois, e a moeda inteira estará com você. A única coisa que você pode fazer é esconder o aspecto de que você não gosta, e colocar o aspecto de que você gosta virado para cima. É assim que o consciente e o inconsciente são criados.

O consciente é essa parte, esse cavalo de que você gosta; e o inconsciente é esse outro cavalo, essa parte de que você não gosta. O consciente é aquele que você escolheu, o inconsciente é aquele contra o qual você escolheu. Essas são as duas igrejas — aquela em que você vai e aquela em que você não vai. Mas, em um homem como Buda, o consciente e o inconsciente, ambos, desaparecem, porque ele não escolheu a favor, ele não escolheu contra. A moeda inteira some... E somente a moeda inteira pode sumir; a metade jamais pode sumir.

Dúvida e confiança são dois aspectos de uma mesma moeda, exatamente como o frio e o calor: eles parecem contrários, mas ambos se pertencem. Eles são as polaridades de um todo, exatamente como a eletricidade positiva e negativa, exatamente como homem e mulher. Eles parecem opostos, mas são polaridades de um único fenômeno. Você não pode abandonar o polo de eletricidade negativo sem abandonar o positivo — você não pode reter um e abandonar o outro. Se você fizer isso, seu ser será dividido: a parte abandonada, reprimida, negada se tornará o inconsciente. E, então, haverá uma constante luta entre o consciente e o inconsciente.

Mas você ainda está montado em dois cavalos. O único caminho é abandonar a coisa toda. E o segredo não está no ato de abandonar — porque o ato de abandonar pode também se tornar uma escolha. Essa é a coisa mais complexa e sutil: você pode abandonar, escolhendo o ato de abandonar contra o ato de não abandonar — então novamente, dois cavalos estão presentes. Não, isso deve ser feito através da compreensão. Abandonar não é a coisa, a compreensão é a coisa.

Compreenda a loucura inteira: o que você fez a si mesmo, o que você deixou acontecer a você, que espécie de contradições você tem estado acumulando... — simplesmente veja através da coisa toda. Não seja a favor nem contra, não condene, não julgue — simplesmente veja através da coisa toda. Não esconda, não se ofenda, não julgue "isso é bom e aquilo é mau". Não avalie. Não seja um juiz, mas simplesmente um espectador, destacado, uma testemunha. Simplesmente veja a coisa toda que você é, seja o que for; seja qual for a confusão na qual esteja metido, simplesmente veja-a como ela é.

Subitamente, surge uma compreensão que se transforma no ato de abandonar. É simplesmente como se, até então, você estivesse tentando entrar numa parede e, de repente, tomasse consciência de que aquilo é uma parede e que não há nenhuma porta. Você precisa abandonar o esforço então? Você simplesmente se move! Esse movimento é simples, não é a favor nem contra — você simplesmente compreende que aquilo é absolutamente inútil, impossível. É isso o que Jesus quer dizer: você simplesmente olha; é impossível e, então, você se move. Não há escolha da parte da mente, você não faz nenhum esforço.

Quando há compreensão, não há esforço. E sempre que alguma coisa é sem esforço, ela é bela, porque é inteira. Sempre que há esforço, há feiura, porque é sempre a parte, nunca o todo. Esforço quer dizer que, lá no fundo, você está lutando contra alguma coisa. Mas, por que você está lutando? Porque... aquilo contra o qual você está lutando ainda tem algum significado para você. O inimigo também tem significado, exatamente como o amigo — o significado oposto, mas tem significado. E alguma vez você pensou que, sempre que um inimigo morre, algo em você morre imediatamente? Você não sofre somente pela morte de seus amigos, você também sofre pela morte de seus inimigos... — você não pode permanecer o mesmo.

Isto aconteceu na Índia: Mohamed Ali Jinnah e Mahatma Gandhi lutaram continuamente um contra o outro. Então, Ghandi foi assassinado e conta-se que Jinnah disse: "Sinto-me muito triste. Algo em mim morreu". Contra quem Jinnah poderá lutar agora? Contra quem ele pode ser o lutador? Contra quem ele pode aceitar o desafio? O ego cai se o inimigo não existe. Você é constituído de seus amigos e de seus inimigos — você é uma contradição.

Só é inteiro aquele que não tem inimigos nem amigos, aquele que não escolheu, que não tem inclinação nem por uma coisa nem por outra; aquele que simplesmente se move momento a momento com uma consciência sem escolha e, o que quer que a vida traga, ele permite. Ele flui, não fica a nadar; ele não é um lutador, ele é um deixar-acontecer[4]... Se você puder compreender isso, então, você será capaz de compreender o que Jesus quer dizer: *"É impossível para um homem montar em dois cavalos e esticar dois arcos; e é impossível para um servo servir a dois mestres, caso contrário, ele honrará um e ofenderá o outro".*

O significado comum será: "Escolha um único mestre, não escolha dois". Mas através da escolha, você nunca será inteiro; assim, não se trata de uma questão de escolher um mestre contra um outro, porque você ainda permanecerá um escravo, não poderá ser livre. Somente a não escolha pode lhe dar liberdade. Então, você não escolhe, você simplesmente abandona todo o esforço — ele cai por si mesmo, quando você compreende. Então, você é o mestre.

Na Índia, nós damos o nome de *saniássins, 'swami'. Swami* significa "mestre de si mesmo", significa "aquele que abandonou a escolha", significa que, agora, ele não aceita nenhum mestre. E esta não é uma compreensão egoística, esta é uma profunda compreensão de que, se você escolhe entre os contrários, você é uma vítima;

---

(4)   *Let-go.*

se você escolher entre os contrários, você permanecerá dividido nos contrários. Um *saniássin* não é contra este mundo e a favor daquele outro: um *saniássin* simplesmente não é a favor nem contra — ele simplesmente se move sem amigos e sem inimigos.

Há uma bela história zen...

Um *saniássin* estava parado no topo de um morro, sozinho, de manhã — tão só e imóvel quanto o morro. Mas três pessoas passaram por ali, num passeio matinal. Olharam para aquele homem e tiveram opiniões diferentes sobre o que ele estava fazendo. Um homem disse: "Conheço aquele monge. Às vezes, sua vaca se perde; ele deve estar parado lá, olhando em volta, procurando pela vaca".

O segundo disse: "Mas, do modo que está parado, ele não está procurando nada absolutamente. Ele não está se mexendo, seus olhos parecem estar quase fixos. Não é esse o modo de um homem procurar alguma coisa. Acho que ele deve ter vindo para um passeio matinal com um amigo e o amigo ficou para trás — ele está esperando o amigo vir".

O terceiro disse: "Não parece ser essa a razão, porque, sempre que alguém espera, às vezes olha para trás para ver se o amigo já chegou ou não. Mas ele nunca se mexe, nunca olha para trás. Ele não está esperando, não tem a postura de um homem que está esperando. Creio que ele esteja orando ou meditando".

Estavam tão divididos e tão excitados com as explicações quanto ao que ele fazia, que acharam por bem ir perguntar ao próprio homem. Era difícil chegar até o topo, mas eles foram. Chegaram perto do homem e o primeiro perguntou: "Você está procurando por sua vaca? Porque eu sei que às vezes ela se perde e você tem de procurá-la".

O monge abriu os olhos e disse: "Não possuo nada: assim, nada pode se perder. Não estou procurando por nenhuma vaca, nem por coisa alguma." Então, ele fechou os olhos.

O segundo homem disse: "Então, devo estar certo: você está esperando por um amigo que ficou para trás".

O monge abriu os olhos e disse: "Não tenho amigos nem inimigos; então, como posso esperar alguém? Estou sozinho — não deixei ninguém para trás, porque lá não existe ninguém. Estou sozinho, totalmente sozinho".

O terceiro disse: "Então, eu devo estar absolutamente certo, porque não há nenhuma outra possibilidade. Espero que você esteja orando, meditando".

O homem riu e disse: "Você é o mais tolo, porque eu não conheço ninguém para quem eu possa orar e não tenho nenhum objeto para alcançar; assim, como posso meditar?".

E os três perguntaram ao mesmo tempo: "Então, o que você está fazendo?".

O homem disse: "Estou só parado, não estou fazendo nada absolutamente".

Mas isso é o que é meditação, e isso é o que é o *sânias*: simplesmente ser! Então, você está livre — livre dos amigos, dos inimigos; livre da posse e da não posse; livre deste mundo e daquele; livre da matéria e da mente — livre de todas as escolhas e divisões. Então, o impossível é abandonado e você se torna natural, se torna Tao, você flui.

Quando o esforço impossível se vai, a ansiedade desaparece, então, você não mais está em angústia. E quando você não mais está em angústia, surge o estado de graça. O estado de graça não é algo a ser alcançado. Você somente tem de criar a capacidade. Quando você não está em angústia, o estado de graça acontece. Você criou a capacidade, você abriu a porta e os raios de sol entram e o preenchem. Como você está — conduzido pela ansiedade, dividido, montado em dois cavalos, tentando esticar dois arcos ao mesmo tempo — você está esquizofrênico, está doente, está perdido! Ou, no máximo, você fez um acordo e tornou-se normalmente neurótico.

Um ser normal de algum modo leva avante seu trabalho, a neurose não se interpõe no caminho, eis tudo — um cidadão ajustado, eis tudo. Mas isso não vale a pena. Mesmo que você seja um cidadão ajustado, um bom cidadão, um ser humano normal, nenhum êxtase lhe acontecerá. Você permanecerá triste e, seja o que for que você alcance neste mundo, lhe trará mais tristeza. Olhe para as pessoas bem-sucedidas, que estão adiante de você, que alcançaram o topo, e você verá que elas são mais tristes do que as outras que não são tão bem-sucedidas — porque a esperança delas está perdida.

Certa manhã, Mulla Nasruddin caminhava em direção ao mercado, muito triste. E um amigo perguntou:

— *O que aconteceu?*

— *Nem me pergunte! Estou tão triste e deprimido que tenho até vontade de chorar!*

Mas o amigo insistiu:

— *Mas o que houve? Nunca o vi tão triste! Você já esteve em dificuldades de vários tipos, financeiras e outras, mas nunca o vi tão triste e deprimido. O que há? O que aconteceu?*

Mulla Nasruddin respondeu:

— *Duas semanas atrás, um dos meus tios morreu e deixou cem mil rupias para mim.*

— *Nasruddin, você ficou louco? Se seu tio lhe deixou cem mil rupias! Você devia estar feliz, não triste...! — disse o amigo.*

— *Sim, é assim mesmo, mas na semana passada, meu outro tio morreu e deixou duzentas mil rupias para mim.*

— *Então você está completamente fora de si: você devia dançar, regozijar-se e celebrar... — porque não há nenhuma razão para ficar infeliz! Você é o homem mais feliz desta cidade!*

Nasruddin disse:

— *Isso eu sei, mas eu não tenho mais nenhum tio. Isso me deixa triste!*

Eis o que acontece quando um homem é bem-sucedido: quando não tem mais tios, então de repente, nenhuma esperança. Um homem que é um fracasso, ainda espera, pode esperar: ainda há tios, a possibilidade existe. Quanto mais sucesso, mais ansiedade, porque o sucesso trará a sua neurose à tona, o sucesso lhe revelará a sua esquizofrenia. Eis por que, nos Estados Unidos, há mais esquizofrenia, mais loucura do que em qualquer outro país, porque os Estados Unidos da América tiveram sucesso de muitos modos.

Num país pobre, não há muita loucura. O povo ainda pode esperar. E, quando você pode ter esperança, nada vem à tona — você continua correndo e correndo... Quando a meta é alcançada, então, você para e tem de olhar para si mesmo e para a bagunça que você criou no seu ser — que caos! De repente, você fica fora da mente.

Você sempre esteve fora da mente, mas isso é revelado quando você alcança o sucesso, porque quando não há mais sobre o que sonhar, você tem de se defrontar consigo mesmo. Como você está, a bem-aventurança não é possível, a felicidade é impossível. Você pode apenas esperar por ela e tolerar a dor, o sofrimento que você criou para si mesmo.

Mas a bem-aventurança é possível: ela aconteceu a um Jesus, a um Buda; ela pode acontecer a você — mas, então, você tem de deixar o impossível de lado. Pense no natural, no possível, no fácil. Não pense no impossível, no difícil, no desafiador. O ego sempre gosta de fazer o impossível, mas isso é um fracasso, tem de ser um fracasso. Mas o ego gosta de pegar o desafio do impossível, porque, então, você sente que é alguma coisa. Contra uma meta impossível, você se torna um grande lutador.

Religião é simples, fácil, natural — ela não está correndo num cavalo absolutamente. É apenas um passeio matinal, sem se dirigir a lugar nenhum. Simplesmente o caminhar é a meta; sem fazer nada em particular, apenas desfrutando a brisa da manhã, o sol, os pássaros... — apenas desfrutando o seu próprio ser.

Basta por hoje.

Décimo Primeiro Discurso

Jesus disse:

Uma cidade construída no alto de uma montanha e fortificada,

não pode ruir nem jamais ser escondida.

Jesus disse:

O que ouvires em teu ouvido e no outro ouvido,

proclama-o do alto dos teus telhados aos quatro ventos:

pois ninguém acende uma lamparina e a põe sob um arbusto,

nem a põe num lugar escondido;

mas sim põe-na sobre uma peanha

de modo que todos os que entrarem e saírem

possam ver a sua luz.

Jesus disse:

Se um cego guia outro cego,

ambos caem no buraco.

Todo o problema humano consiste em escolher entre o momentâneo e o eterno. Se você escolhe o momentâneo, você está construindo sua casa na areia — ela irá cair. Se você escolhe o eterno, então, algo que vai durar para todo o sempre, é alcançado.

E nada menos do que isso pode satisfazê-lo; somente o eterno pode satisfazê-lo. O momentâneo não pode satisfazê-lo — bem ao contrário, ele o deixará mais faminto e mais sedento. É como alguém jogando manteiga no fogo para apagá-lo... — ela se tornará alimento para o fogo e o fogo aumentará. O momentâneo é simplesmente como a manteiga no fogo dos desejos da sua mente; ele os aumenta, é um alimento. Somente o eterno pode saciar a sede, não há outro meio.

Mas quando eu digo: "Se você escolher o eterno, somente então, você construirá sua casa no alto de uma montanha, em algo firme como rocha, que perdurará e não tornará seu esforço em vão", o que eu quero dizer com "se você escolher o eterno"...? — porque o eterno não pode ser escolhido. Se você escolher, você sempre escolherá o momentâneo, porque a escolha é do momentâneo. Então, o que eu quero dizer quando digo "escolha o eterno"? Eu quero dizer: se você puder compreender que o momentâneo é inútil — logo, logo, você estará com sede outra vez, e essa água não irá aplacar a sua sede —, se você compreender isso, então, o momentâneo desaparecerá. Ele se torna inútil, você simplesmente chega à compreensão de sua insignificância. Ele simplesmente some e o eterno é escolhido — você nunca o escolhe.

Quando o momentâneo some, o eterno entra na sua vida. Mas o momentâneo tem de se tornar absolutamente infrutífero, insignificante; seu fracasso com o momentâneo tem de ser total. "Abençoados são os que fracassam neste mundo" — esta beatitude tem de ser acrescentada às outras de Jesus.

Seja um fracasso neste mundo! Você está tentando fazer exatamente o oposto: ser bem-sucedido nele. Se você obtiver sucesso, esse será o verdadeiro fracasso, porque, então, você permanecerá com o momentâneo. Mas ninguém nunca é bem-sucedido. Somos afortunados, porque ninguém nunca é bem-sucedido. No máximo, você pode continuar adiando o fracasso, eis tudo. Pode adiá-lo para uma vida mais adiante, pode adiá-lo por milhões de vidas. Mas ninguém nunca é bem-sucedido neste mundo, porque... como você pode ser bem-sucedido com o momentâneo, com o que é efêmero? Como você pode fazer uma casa sobre ele? Aquilo que está passando a cada momento, desaparecendo da existência, como você pode fazer uma casa, um abrigo sobre isso? Na hora em que a casa estiver pronta, o momento terá passado. Eis por que a cada momento você se sente frustrado — mas, novamente, você começa a fazer a mesma coisa.

Parece que você não percebe, parece que você não está alerta para o que está fazendo — parece que você não aprendeu nada com a vida. Você tem permanecido ignorante sobre a vida, não conseguiu nenhuma experiência. Você pode ter muito conhecimento, você pode saber como construir a casa — pode ser um engenheiro, um arquiteto —, mas você não aprendeu, através da experiência, que a casa não pode ser construída no momentâneo. Esta é a primeira coisa que Jesus diz:

> *Jesus disse:*
>
> *Uma cidade construída no alto de uma montanha e fortificada,*
>
> *não pode ruir nem jamais ser escondida.*

Muitas coisas. Primeira: *Uma cidade construída no alto de uma montanha...*

Você sempre faz alguma coisa no vale! Estes são símbolos: "vale" quer dizer noite escura; "alto da montanha" quer dizer mais percepção, mais consciência; quanto mais consciência você tem, mais alto você vai. Quando você se torna perfeitamente consciente, está no Everest. Eis por que os hindus disseram que Shiva vive no Gourishankar, a montanha mais alta. Shiva é a mais alta consciência; Shiva não é uma pessoa. "Shiva" quer dizer "consciência perfeita". A consciência perfeita mora no Gourishankar.

Quando você está inconsciente, você cai dentro do vale escuro — sua noite é um vale, seu sono é um vale. Quando você está consciente, você começa a se mover em direção às alturas; quando você está completamente inconsciente, esse é o ponto mais baixo da existência. As pedras existem aí, no degrau mais baixo da escada, porque as pedras são perfeitamente inconscientes. Elas não estão mortas... — elas estão vivas, elas crescem, são jovens, tornam-se velhas — elas morrem. Elas passam através de todas as fases pelas quais você passa, mas elas não são conscientes... — o degrau mais baixo da escada. Às vezes, você está como uma pedra: quando você está dormindo, qual é a diferença entre você e uma pedra? Quando não há nem um único raio de consciência, então, qual é a diferença entre você e a terra? Você retrocedeu.

No sono, você vai em direção ao vale. "Pecador" significa aquele que vive constantemente dormindo; "santo" significa aquele que não está dormindo nem mesmo durante o sono. Krishna disse a Arjuna: "Quando todo mundo está adormecido, o iogue ainda está acordado. Quando todo mundo está num cochilo, o iogue ainda está alerta". A totalidade do iogue nunca vai dormir. Um ponto de observação permanece sempre ali; ele observa seu próprio sono. No sono, você cai; na consciência você sobe alto. Quando nada está dormindo em você, quando toda a sua consciência tornou-se uma luz, quando nem um único fragmento está inconsciente, quando o seu ser todo está cheio de luz — isso é o que queremos dizer por um buda, um cristo: nenhuma inconsciência existe — esse é o pico mais alto. Daí o sentido simbólico de "uma cidade construída numa alta montanha".

Vocês estão construindo suas cidades, suas casas, em um vale; e apenas o sono comum não lhe é suficiente, você também procura drogas para adormecer mais; você procura métodos de hipnose para se tornar mais adormecido, mais inconsciente — porque consciência é dor, é angústia. Por que ela é angústia? Buda e Jesus dizem que ela é a maior bem-aventurança que é possível! Mas para vocês, por que a consciência é tão dolorosa? E por que você quer se esquecer de tudo? Por que a consciência é dolorosa?

Ela é dolorosa se apenas um por cento de você se torna consciente e noventa e nove por cento, permanece inconsciente; então, esse um por cento sofre ao ver a confusão à sua volta. Vendo esses noventa e nove por cento de loucura, esse um por cento sofre, esse um por cento de consciência procura o álcool, as drogas, o LSD, a maconha, ou qualquer outra coisa — sexo ou música ou um mantra —, para criar uma auto-hipnose. Assim, esse um por cento também regride e se torna parte do todo. Então, você não fica preocupado, porque não há ninguém para saber — não há ninguém para estar alerta e consciente; então, não há nenhum problema.

É a isso que se dá o nome de lógica do avestruz. Quando quer que um avestruz descubra que um inimigo está vindo, ele esconde a cabeça na areia. Por um momento, ele não pode vê-lo, e a sua lógica é esta: "Quando eu não posso ver o inimigo, como ele pode existir?". O avestruz parece ser um perfeito ateu, pois é isso o que os ateus vivem dizendo. Eles dizem: "Se não podemos ver Deus, como Ele pode existir? As coisas existem somente quando nós as vemos". Como se a existência dependesse da sua visão e, então, se você não vê, a coisa desaparece.

O avestruz esconde a cabeça, fecha os olhos e, imediatamente, fica sem medo, porque o inimigo não existe mais. Mas o inimigo não acredita na sua lógica. Ao contrário, você é um brinquedo em suas mãos quando seus olhos estão fechados; você é um brinquedo nas mãos do inimigo: por sua conta, você se tornou uma vítima. Você podia ter fugido, mas agora não há mais nenhuma fuga, porque você pensa que não há nenhum inimigo. Você pode sentir uma felicidade momentânea, porque o inimigo não está ali — não que o inimigo não esteja ali, mas porque você sente como se ele não estivesse. É assim que você sente uma felicidade momentânea quando se torna inconsciente através de drogas: não existe nenhum problema, todos os inimigos desaparecem, não há nenhuma ansiedade — porque, para haver ansiedade, você tem de estar alerta, consciente.

Quando cem por cento do seu ser se torna consciente, então, há bem-aventurança, porque o conflito desaparece — Buda está certo. Você também está certo, porque a sua experiência diz que quanto mais você se torna alerta, mais você sente problemas à sua volta. Assim, é melhor permanecer num longo cochilo, numa vida inteira de sono. Eis por que construímos nossas cidades nos vales, não no alto das montanhas.

Então existe uma outra razão: *"Uma cidade construída no alto de uma montanha e fortificada, não pode ruir nem jamais ser escondida"*.

Nós construímos nossas cidades de uma tal maneira, numa existência tão efêmera, no momentâneo, no temporal, que, no momento em que ficam prontas, elas caem; no momento em que ficam prontas, já se tornaram ruínas. Por quê? Porque podemos ver somente o momentâneo, não temos uma visão total. Podemos ver somente o que está mais perto, só o bem perto. Só o momento está perto — você vê um momento, então, ele passa; depois, um outro momento; então, ele passa. Você vê esses momentos passando, você não tem uma visão total.

Para a visão total, uma consciência perfeita é necessária. Numa visão total, você pode ver o todo da vida — não somente o todo da vida, você pode ver o mundo todo. Eis o que os *jainas* indicam quando dizem que, quando Mahavira tornou-se iluminado, ele pôde ver o passado, o presente e o futuro — o todo do tempo. O que eles querem dizer? Eles querem dizer que o todo da existência torna-se claro para você e, quando o todo fica claro, somente então, você pode fazer uma cidade fortificada. Caso contrário, como você pode fazer uma cidade assim?

Você não sabe o que vai acontecer no próximo momento. O que quer que você faça, o próximo momento pode desfazê-lo. E o que quer que você faça depende do momentâneo, não do todo. O todo pode rejeitá-lo, aquilo pode tornar-se absolutamente insignificante no todo.

> *Aconteceu, certa vez, de um mestre chinês ter um discípulo norte-americano. Quando o discípulo ia voltar, o mestre lhe deu um presente, uma pequena caixa de madeira, e lhe disse: "Há uma condição que sempre deve ser seguida: se você der esta caixa a uma outra pessoa, então, essa condição tem de ser cumprida. Prometa... porque eu estou cumprindo essa promessa, e isso não é uma coisa nova: é uma coisa muito antiga e, durante muitas, muitas gerações a condição tem sido cumprida".*

> *O discípulo disse: "Eu a cumprirei!". — Era uma coisa tão bela, tão valiosa, tão antiga, que ele disse: "Seja qual for a condição...".*

> *O Mestre disse: "A condição é simples: você tem de mantê-la em sua casa, voltada para o leste. E isso sempre foi feito assim; portanto, respeite a tradição".*

> *O discípulo disse: "Isso é muito simples, e eu o farei!".*

> *Mas quando ele colocou a caixa voltada para o leste, então, veio a compreender que aquilo era muito difícil, porque toda a decoração da sala se tornou absurda. Aquela caixa voltada para o leste não se ajustava. Assim, ele teve de mudar toda a decoração da sala para que ficasse harmoniosa com a caixa. Mas, então, a casa toda se tornou absurda. Então, ele teve de mudar a casa toda. Então, o jardim se tornou absurdo! Então, ele ficou exausto. Ele escreveu ao mestre: "Essa caixa é perigosa! Terei de mudar o mundo todo... porque, se eu também mudar meu jardim, então, a próxima coisa terá de ser a vizinhança...". — E ele era um homem sensível; foi por isso que se sentiu assim...*

264

Se você constrói sua vida sobre o momentâneo, você vai estar em dificuldade com o todo, porque ela nunca se ajustará. Nunca ficará harmoniosa, uma coisa ou outra estará sempre errada. O todo tem de ser visto antes de você fazer a sua cidade, antes de você fazer seu teto: o todo tem de ser consultado e considerado. Com a visão do todo, você deve criar a sua vida e o padrão de sua vida: você deve viver com a visão do todo. Somente então, sua vida será uma harmonia, uma melodia; caso contrário, você será sempre, de algum modo, um esquisito, um excêntrico.

Todo homem é excêntrico. Essa palavra é bela. 'Excêntrico' quer dizer fora do centro; de algum modo, ausente do centro, não exatamente como é para ser. Por que todo homem é excêntrico, fora do centro, fora de foco, descompassado com a vida? Porque todo mundo está tentando fazer a vida de acordo com o momento, e o momento não é o todo. O momento é um fragmento, um fragmento muito pequeno da eternidade, trivial mesmo. Como você pode estar ajustado à eternidade se você faz a sua vida de acordo com o momento? Eis por que Jesus diz: "Faça a sua vida, crie sua vida de acordo com o todo, o eterno, não com o momentâneo. *Uma cidade construída no alto de uma montanha e fortificada, não pode ruir nem jamais ser escondida*".

Sua cidade estará sempre caindo, sua cidade estará sempre em ruínas. É assim! Você não precisa perguntar a Jesus, você pode simplesmente olhar para a sua vida — ela é uma ruína! Antes de você ter terminado a construção, ela já é uma ruína. Você é uma cidade arruinada. Por que isso está acontecendo? Por causa do momentâneo...

Tenha uma visão do eterno, do atemporal.

Como virá essa visão?

Quanto mais alta a sua consciência, maior a sua visão; quanto mais baixa a consciência, menor a sua visão. Vá e pare numa rua, debaixo de uma árvore e olhe: você terá uma visão — você poderá ver a esquina mais próxima; então, há uma curva e a visão acaba. Suba na árvore e olhe lá de cima da árvore — então, você tem uma visão maior. Vá num avião — então, você tem uma visão de pássaro, da cidade toda. Vá mais alto e maior será a visão; vá mais baixo e menor será a visão. Há degraus na escada da consciência. Se você está no pico da sua consciência, olhe de lá: a eternidade é revelada.

Você já observou uma coisa? Você está parado sob uma árvore, você olha para o leste — você não vê nada. Alguém está sentado no topo da árvore e diz: "Posso ver um carro de bois se aproximando".

Você diz: "Não há nenhum carro de bois! Não posso vê-lo... — como pode ser?" O carro de bois está no futuro para você, mas, para o homem que está no topo da árvore, ele está no presente. Assim, não pense que o presente quer dizer o mesmo para todo mundo. O seu presente está confinado a você, ele pode não estar presente para mim: meu presente está confinado a mim, ele pode não estar presente para você. Depende da escada da consciência...

Para Buda, tudo é presente, porque não há nenhum futuro — sua visão é completa. Para Jesus, tudo é presente: não há nenhum passado, porque ele pode ver; não há nenhum futuro, porque ele pode ver. Do mais alto pico de consciência, o todo é visível; assim, nada é passado, nada é futuro: tudo está aqui e agora. O futuro existe por causa da sua visão confinada, não porque o futuro seja uma necessidade do mundo, da existência. Ele simplesmente mostra que você tem uma visão estreita: algo que saia do seu campo de visão torna-se o passado; aquilo que ainda não entrou torna-se o futuro. Mas as coisas em si mesmas estão na eternidade.

O tempo é invenção de vocês, porque vocês vivem no vale. Por isso, todas as tradições do mundo têm enfatizado que, quando se entra em *samadhi* — êxtase, meditação profunda —, o tempo desaparece. O que elas querem dizer? Elas querem dizer que a divisão de passado, presente, futuro desaparece: a existência é, mas sem divisões — é atemporal. Construa sua cidade no atemporal, não a construa no momentâneo — caso contrário, ela será sempre uma ruína, porque o presente é fugaz e está a todo instante se tornando passado. O que eu quero dizer quando digo que ela será uma ruína antes mesmo de você tê-la construído? Porque no momento que você constrói, esse momento já é passado, ele já se foi, não mais está em suas mãos. A terra sob seus pés está se movendo continuamente.

"Uma cidade construída no alto de uma montanha e fortificada"... E por que ele usa a palavra 'fortificada'?

Como você está agora, no vale, você está sempre com medo, na insegurança, sempre em perigo. O vale é repleto de fantasmas, sombras, inimigos, ódios por todo lado.

Ouvi contar sobre uma mosca que estava passando por um supermercado. Os inseticidas estavam expostos numa das prateleiras. Ela leu um anúncio, em grandes letras vermelhas, onde estava escrito:

"Novo spray — morte garantida para as moscas

INSTANTANEAMENTE!"

Ela leu o cartaz e continuou seu voo, resmungando consigo mesma:

— Há ódio demais no mundo!

Você vive no mundo do vale. Aí, tudo garante matar imediatamente. Você vive no vale da morte — nada mais é garantido aí, somente a morte é garantida.

Você alguma vez observou o fato de que, na vida, tudo é incerto, exceto a morte? Deveria ser de outro modo, mas a única certeza que você tem é a garantia de morrer, eis tudo. Esse tanto pode ser dito no vale: você morrerá — esse tanto é certo. Tudo o mais é incerto e acidental — pode acontecer, pode não acontecer. Que espécie de vida é essa, onde somente a morte é garantida? Mas é assim mesmo, porque, na escuridão, somente a morte pode existir; na inconsciência somente a morte pode existir. A inconsciência é o caminho em direção à morte.

Sempre que você quiser ficar inconsciente, você quer morrer. Um profundo ímpeto para morrer está em você; caso contrário, você começaria a se mover em direção às alturas. Freud, na última fase de sua vida, deparou com um fato muito profundo: ele chamou-o de *"thanatos"* — vontade dirigida para a morte. Durante toda a sua vida, ele esteve pensando em torno da "libido" — uma teoria que diz que o homem existe como uma vontade de viver; mas, quanto mais ele penetrou a vontade de viver, mais incerto ele se tornou. Quanto mais ele começou a compreender a vontade de viver, mais verificou que, lá no fundo, existe uma vontade de morrer.

Isso foi muito difícil para Freud, porque ele era um pensador linear, unidimensional; e ele era um aristotélico, um lógico. Isso era muito contraditório, que, por trás da libido — a sede de viver, a vontade de viver — houvesse uma vontade de morrer, *thanatos*.

Ele ficou muitíssimo perturbado. Mas é isso o que Buda tem dito sempre e é isso o que Jesus tem estado a dizer: que como você está, você é tão inútil, toda a sua vida é tão fútil, apenas cheia de frustrações, que você gostaria de morrer.

Quando você usa algo para ficar inconsciente, a vontade de morrer está presente — porque a inconsciência é uma morte temporária. Você não pode viver sem dormir nem mesmo por alguns dias, porque o sono é uma espécie de morte temporária. Você precisa dela, você precisa dela muito profundamente. Se você não puder morrer todos os dias por oito horas, você não será capaz de viver no dia seguinte — porque toda a sua vida é uma enorme confusão e "ser" não é bem-aventurança; ao invés, "não ser" parece ser a bem-aventurança. Se você puder se perder num movimento político, se você se torna um *nazi* e puder se perder numa multidão, você se sente bem, porque isso é uma morte — você não existe mais, só a multidão existe.

Eis por que os ditadores têm sucesso — por causa da sua vontade de morrer. Os ditadores têm sucesso até mesmo no século XX, porque eles lhe dão uma chance de morrer tão facilmente. Eis por que as guerras sempre existiram e continuarão a existir, porque você não está mudando de modo algum. O homem não está se transformando. As guerras continuarão existindo, porque elas são uma profunda vontade de morrer. Você quer matar e você quer ser morto. A vida é um peso tão grande, que o suicídio parece ser a única solução. Se você não cometeu suicídio até agora, não pense que você é um verdadeiro amante da vida. Não! Você simplesmente tem medo. Você não é um amante da vida, porque um amante da vida sempre se moverá em direção às alturas — quanto mais alto o pico, mais vida. Desse modo, Jesus pode prometer: "Venha a mim e eu lhe darei vida em abundância".

Por isso, Jesus diz: "Eu sou vida, grande vida. Venha a mim!". Mas ir a Jesus é muito difícil, porque você tem muitos investimentos no vale, nos caminhos escuros da vida. E você tem tanto medo de estar vivo! Você faz muitos arranjos a fim de não ficar muito vivo — você existe com o mínimo de vida. Você existe como um autômato, você torna tudo uma coisa mecânica, de modo que não tenha com o que se preocupar — você não precisa viver nela.

As guerras continuarão, a violência continuará e os homens continuarão matando uns aos outros. Todo o esforço tem sido para criar um esquema que possa tornar-se um suicídio global; e, agora, nós já o descobrimos — a bomba H. Por que os cientistas estão trabalhando continuamente, devotando toda a sua vida para criar coisas destrutivas? Porque esse é o mais profundo desejo do homem: morrer, de algum jeito, morrer. Isso não é muito consciente, porque, se isso se tornar consciente, você começará a se transformar. Muitas vezes, você afirma: "Teria sido melhor se eu não tivesse nascido!".

Conta-se que um filósofo grego, Philo, disse: "A primeira bênção é não ter nascido; a segunda bênção é morrer o mais cedo possível". E ele diz que essas duas são as únicas bênçãos. Primeiramente, não ter nascido — mas ninguém é tão afortunado assim, porque todo mundo já nasceu. Assim, somente a segunda está disponível — morrer o mais cedo possível. O próprio Philo viveu até os noventa e sete anos de idade. Alguém lhe perguntou: "Mas você não cometeu suicídio?". Ele disse assim: "Eu simplesmente tolerei a vida para dar a mensagem aos outros — a mensagem de que morrer é a única solução".

O suicídio é um instinto profundamente enraizado. Assim que você sente algo indo errado, você sente que quer cometer suicídio, se destruir. Um homem religioso é aquele que se torna alerta de que uma profunda vontade-de-morte está oculta internamente. Por que ela está ali? Você tem de trazer mais luz para dentro de si, de modo que possa ficar sabendo em que canto a morte está escondida, e comendo-o continuamente. Não se trata de que, de repente, um dia, você morre... — você morre lentamente durante setenta anos. A morte não é um fenômeno que acontece no final — ela começa com o nascimento. Então, cada respiração e cada momento são simplesmente nada mais que uma continuidade do ato de morrer e morrer e morrer... Isso se completa em setenta anos, porque se trata de um processo muito lento.

Mas você tem estado, o tempo todo, morrendo e, lá no fundo, você está esperando que tudo acabe — quanto mais cedo, melhor. Você não cometeu suicídio, porque você é muito medroso, apavorado: o que acontecerá? Assim, você tolera a vida, não a desfruta como um presente de Deus. Você está simplesmente tolerando-a, você está simplesmente carregando-a de algum modo, esperando pelo momento em que possa saltar do trem.

Aconteceu certa vez...

Thomas Edson tinha sido convidado para um jantar no qual se reuniam alguns amigos. Ele era um homem de poucas palavras e ficava sempre perturbado quando quer que houvesse muita gente. Ele era um trabalhador solitário em seu laboratório, um pesquisador, um homem contemplativo; a presença do outro era sempre uma perturbação para ele. E, no jantar, havia muita gente e elas estavam tão ocupadas em comer, fofocar e tagarelar, que Edson pensou: "Agora! Esse é o momento em que posso escapar!". Assim, ele começou a procurar a porta pela qual pudesse escapar — e nesse momento ele foi apanhado. O anfitrião agarrou-o e perguntou: "Sr. Edson, no que o senhor está trabalhando agora?". Ele respondeu: "A saída!".

Mas todos estão trabalhando pela saída. Fique alerta quanto a isso!

Por que você não consegue desfrutar a vida — que é um presente? Você não teve de ganhá-la, eis por que eu digo que ela é uma graça. A existência deu-a a você — você pode chamar a existência de Deus. A vida é simplesmente um presente, um puro presente: você não fez nada para consegui-la, para ganhá-la. Por que você não pode ser venturoso e grato, e desfrutá-la? Ela deveria ser desfrutada com dança! Mas qual é o problema? É porque, para desfrutar a bem-aventurança, é necessário uma consciência maior — para sofrer angústia não há nenhuma necessidade de se estar consciente. Para sofrer angústia, é necessário mais escuridão, menos consciência — a noite é necessária, não o dia. Mas para desfrutar a bem-aventurança, mais estado de alerta é necessário.

Assim, se você encontrar um santo triste, saiba bem que ele não é um santo, porque consciência traz bem-aventurança, consciência traz uma profunda risada a todo o seu ser, consciência lhe traz algo que o torna como uma criança. Ele pode correr atrás de uma borboleta, pode saborear uma comida simples e ele pode desfrutar as coisas comuns da vida, de tal forma que tudo se torna um presente. Tudo se torna uma graça de Deus e ele pode ser grato a cada momento e a todos os momentos — até pela respiração. Ele desfruta até mesmo a sua respiração... a simples respiração — é um prazer tão grande! Se você encontrar um santo triste, saiba bem que algo saiu errado. Ele ainda vive no vale, ele não se moveu para o pico. Caso contrário, ele teria uma radiância, uma leveza, o prazer de uma criança: despreocupado, sem medo — ele estaria fortificado em sua consciência.

Por que a consciência o fortalece? Porque, quanto mais consciente você se torna, mais você sabe que não pode morrer, que não há morte. A morte existe somente no vale escuro. E, se você está fortificado contra a morte, você está fortalecido. Quanto mais consciente você é, mais você sabe que você é o eterno, o divino. Exatamente agora, você não sabe quem você é. Esse é o vale da ignorância e aí somente a morte acontece, nada mais. E você vive tremendo, tremendo de medo. Se você olhar lá dentro, você descobrirá somente medo e nada mais, porque à sua volta há somente morte, nada mais. Assim, isso é natural; com a morte à sua volta, o medo interno é uma contrapartida natural.

Se você se mover para as alturas, o amor estará dentro de você e a eternidade por toda volta. Não haverá medo — não pode haver, porque você não pode ser destruído, você é indestrutível. Não há nenhuma possibilidade de sua morte, você é imortal. Essa é a fortificação de que fala Jesus: *"Uma cidade construída no alto de uma montanha e fortificada..."* — mas, lembre-se: a grande altitude é a fortificação — *"...não pode ruir nem jamais ser escondida"*.

Isto é bastante paradoxal: no vale, você cai constantemente; no topo, jamais. É paradoxal, porque nós vemos as pessoas caindo do alto. No vale, por que alguém cairia? A pessoa está andando sobre uma superfície plana e as pessoas caem das alturas! Isso é um mito. No mundo interior, ninguém cai das alturas: uma vez que as alturas interiores são alcançadas, a pessoa jamais cai de lá. Nada pode ser tirado de você se você o tiver alcançado interiormente. Mas, com relação ao lado de fora, seu mito é verdadeiro.

As pessoas caem sempre que estão nas alturas, mas essas alturas pertencem ao vale — elas não são alturas reais. Se você tiver fama, pode estar certo de que, mais cedo ou mais tarde, você será difamado; se você estiver num trono, mais cedo ou mais tarde, você será destronado. O que quer que você alcance neste mundo, será tomado. Mas, no mundo interior, o que quer que você alcance, você alcança para sempre, isso não pode ser tomado. O conhecimento não pode regredir — uma vez alcançado, torna-se parte de você. Não é algo que você possua — aquilo se torna seu ser e você não pode desconhecê-lo.

Uma vez que você tenha conhecido sua imortalidade, como desconhecer isso? Não há meio de desaprender — você aprendeu. E somente aquilo que não pode ser desaprendido é conhecimento real. O que pode ser desaprendido é pura memória, não conhecimento; o que você pode esquecer é simplesmente memória, não conhecimento.

Conhecimento é o que você não pode esquecer, não há nenhum meio de esquecê-lo. Aquilo se tornou seu ser, é parte de você, sua própria existência. Você não precisa se lembrar — você precisa somente de se lembrar daquelas coisas que não são parte de você.

"Fortificada... Uma cidade construída no alto de uma montanha não pode ruir nem jamais ser escondida." Você não pode escondê-la. Uma cidade construída no alto será conhecida... — por eternidades, ela será conhecida. Não há como escondê-la. Como você pode esconder um Buda? É impossível! Como você pode esconder um Jesus? É impossível! O fenômeno é tão tremendo, a existência deles é tão penetrante, que o impacto irá perdurar!

Você pode crucificar um Jesus, mas você não pode negligenciá-lo. E aqueles que o crucificaram ainda sofrem por aquela crucificação. Apenas um único homem foi morto, um filho de carpinteiro comum — nada importante. Os judeus devem ter pensado dessa maneira, porque ninguém estava se importando: se você mata um filho de um carpinteiro, e mata de acordo com a lei, não há problema. Mas os judeus têm sofrido por dois mil anos, por causa dessa crucificação, geração após geração. Eles têm sido continuamente crucificados, simplesmente por causa desse único homem. Parece muito ilógico; e os judeus continuam dizendo: "Nós não fizemos nada!" De certo modo eles estão certos, porque aqueles que fizeram aquilo, já morreram há muito tempo.

Mas uma pessoa como Jesus move-se no atemporal. No que diz respeito a Jesus, a crucificação vai permanecer para sempre e sempre. Ela não é passado, porque uma pessoa como Jesus nunca é passado — é um fato presente, neste exato momento: ele está crucificado. Os judeus podem pensar: "Fizemos isso no passado, mas aqueles que o fizeram já não existem mais. Mas nós mesmos nunca fizemos isso!" — mas a crucificação de Jesus agora vai ser um fato eterno. Agora, ela não pode ser posta dentro do passado, ela vai continuar sendo uma ferida viva: a ferida vai permanecer presente, no coração. E os judeus têm sofrido, eles sofreram demais parece, porque, por causa de apenas um único homem, milhões de judeus foram mortos nesses vinte séculos. Apenas por um único homem, milhões de judeus? Isso parece injusto.

Mas você não conhece este homem, eis por que parece injusto. Este homem é mais valioso do que milhões de homens. No dia em que crucificaram este filho de carpinteiro, brincaram com um fogo muito alto. Eles tentaram esconder o fato, mas ele não pode ser escondido. Eles tentaram escondê-lo: não existe nenhum registro judeu de que Jesus tenha sido crucificado. Existem registros cristãos, mas os judeus nem ao menos registraram o fato de que ele foi crucificado. Mas você não pode esconder isso, e os judeus começaram a desaparecer. Eles sofreram, porque eles tentaram fechar os olhos contra o sol. E essa é a miséria da coisa: pois eles deram nascimento a Jesus.

Jesus era um judeu e permaneceu um judeu até o último momento — ele nunca foi um cristão. E os judeus tinham estado esperando por esse homem durante muitos anos. Seus profetas do passado lhes tinham dito: "Virá um homem que os irá libertar. Logo, logo, estará aqui um homem que se tornará a salvação de vocês". Por milhares de anos, os profetas proclamaram isso aos quatro ventos, e os profetas estiveram dizendo isso aos judeus, e os judeus estiveram esperando e esperando. Eles oraram e esperaram e esperaram... — e esta é a ironia: quando o homem chegou, eles o recusaram! Quando o homem chegou e bateu à porta deles, eles disseram: "Não! Você não é o prometido". ...Por quê?

É fácil para a mente esperar, porque a mente pode continuar na esperança, desejando, sonhando... Mas, quando Deus bater à porta — lembre-se — você também recusará — mesmo que você tenha estado orando. Mas, quando Deus bate à porta, qual é o problema? Por que você recusa? Porque somente um pode existir em uma casa. Quando Deus bate à porta, você tem de desaparecer — eis o problema.

Esperando, você existe, seu ego existe. Os judeus eram muito egoísticos no que se refere ao homem prometido nascer na raça deles. Eles eram os escolhidos; Deus os tinha escolhido e o filho de Deus ia nascer em uma família judia — o ego sentia-se muito bem com isso. Mas, quando esse homem escolhido veio e bateu na porta e disse "Eu vim cumprir a promessa", eles disseram: "Não, você não é o escolhido e, se você tentar dizer que é, nós o mataremos!". Qual era o problema?

O problema é humano. O problema é que, se Jesus existe, então, você tem de desaparecer, tem de se dissolver nele — você tem de se entregar. Era bom para o ego pensar que o homem prometido viria a nós, a raça escolhida do mundo, mas foi muito difícil aceitar o homem quando ele veio.

Eles mataram Jesus, mas nem mesmo registraram isso. Quiseram esquecer essa coisa toda, de modo que pudessem ter esperança novamente — e eles ainda estão esperando. Os judeus ainda estão esperando pelo homem prometido. E eu lhes digo: se ele vier novamente — ele não virá, porque ele deve ter aprendido com a experiência —, se ele vier novamente, eles o crucificarão novamente. E eles sofreram muito, simplesmente porque tentaram ignorar a cidade construída no alto da montanha.

Eles tentaram esconder uma cidade construída no alto da montanha, tentaram esconder o sol — tentaram esconder a verdade... Eles crucificaram a verdade. Mas a verdade não pode ser crucificada, você não pode matá-la: ela é eterna, imortal. E eles ainda não tomaram consciência do porquê têm sofrido tanto. A culpa... — eles ainda se sentem culpados lá no fundo. Um judeu jamais está sem culpa — a culpa o segue como uma sombra. A culpa é porque eles recusaram o homem prometido, quando ele chegou. E os judeus sabem, bem lá no fundo, que eles cometeram o maior pecado possível: recusar Deus quando ele bate à sua porta.

E ele não vai preencher as suas expectativas — quando quer que ele venha, ele será um estranho. Porque, se ele preencher as suas expectativas, então, ele não mais é Deus. Deus é sempre um estranho, é sempre o desconhecido, batendo à porta do conhecido. Ele não pode vir na forma do conhecido, não é possível — ele permanece sempre o desconhecido, o misterioso. Você gostaria que ele viesse de acordo com a fórmula. Não! Ele não segue nenhuma fórmula, ele não está morto — somente matéria morta segue uma fórmula. A vida vive como um mistério.

Uma cidade construída no alto de uma montanha e fortificada, não pode ruir nem jamais ser escondida.

> *Jesus disse:*
>
> *O que ouvires em teu ouvido e no outro ouvido,*
>
> *proclama-o do alto dos teus telhados aos quatro ventos:*
>
> *pois ninguém acende uma lamparina e a põe sob um arbusto,*
>
> *nem a põe num lugar escondido;*
>
> *mas sim põe-na sobre uma peanha*
>
> *de modo que todos os que entrarem e saírem*
>
> *possam ver a sua luz.*

Jesus disse a seus discípulos: "O que quer que tenham ouvido, vão e gritem de cima dos telhados aos quatro ventos, de modo que outros possam ouvir ... *pois ninguém acende uma lamparina e a põe sob um arbusto, nem a põe num lugar escondido.*". Jesus disse: "Vão e contem as boas novas! Vão e contem que o desconhecido entrou no conhecido; vão e contem que o mistério entrou no seu mundo rotineiro! Vão e contem do topo dos telhados, aos quatro ventos, de modo que o povo possa ouvir; e o povo pode vir e conhecer e ser beneficiado — não sejam tímidos quanto a isso!".

Há um profundo problema com relação a isso. É muito difícil — deve ter sido muito difícil para os discípulos de Jesus, é sempre assim... — contar aos outros que o filho de Deus chegou. Muito difícil... porque as pessoas rirão, dirão que você ficou louco. Elas não acreditarão que Jesus é o *cristo* — elas acreditarão que você ficou louco. Se você disser "Jesus é Deus", pensarão que você ficou completamente louco: "Você precisa de uma psicanálise — vá e consulte um médico, tome algum remédio, repouse e relaxe! Se você pensa isso, algo está errado em você!".

É muito difícil contar às pessoas que alguém se tornou realizado. Por quê? Porque, quando quer que alguém se torne realizado, isso se torna uma profunda ferida dentro de você, torna-se um profundo ferimento: você poderia ter feito o mesmo mas perdeu. Entra uma comparação, seu ego se sente ferido: "Jesus é o filho de Deus? Por que não eu? Deve ter sido outro, o caso. Como Jesus se tornou o filho de Deus!?" E é mais fácil negar o fato do que se transformar e se tornar o filho de Deus. É mais fácil, porque o "não" é sempre a coisa mais fácil do mundo: não há nada para ser feito, você diz "não" e acabou-se! Se você diz "sim", tudo começa, nada está acabado. O "não" é sempre o fim; o "sim" é sempre o começo.

Se você diz "Sim, Jesus é o filho de Deus", então, você tem de se transformar. Então, você não pode permanecer com esse "sim", você tem de se mexer, você tem de fazer alguma coisa. Se você diz "não", o problema está resolvido. Então, o que quer que você seja, onde quer que você esteja — no vale, na escuridão, na morte —, você está à vontade. Jesus cria um desconforto em você, Buda anda entre vocês e cria um desconforto, e nós nos vingamos — porque, se um homem pode alcançar tamanha altura, como é que você perdeu? É melhor dizer que não há nenhuma altura, ninguém nunca a alcançou. Então, você fica à vontade na sua escuridão, então, você pode permanecer confortável.

Jesuses e Budas são tensões muito grandes, porque eles o arrancam do vale, o sacodem do seu sono e dizem: "Siga em frente! — isto aqui não é um lugar para se ficar!".

Há um dizer de Jesus: "Este mundo é apenas uma ponte. Siga em frente! Isto aqui não é um lugar para se fazer um lar. Atravesse-a, não pare em cima dela. Ninguém faz uma casa em cima da ponte". Este mundo é apenas uma ponte e você fez uma casa nele. Você não gostaria de saber do fato de que isto aqui é uma ponte, porque, então, o que acontecerá a todos os seus esforços e labor e a todo o seu investimento e à sua vida devotada a fazer esta casa? E agora vem alguém, um errante, e diz: "O que você está fazendo? Isto aqui é uma ponte!". Então, é melhor não olhar para baixo, para o rio.

Por que é uma ponte? Porque Jesus, ou pessoas como Jesus, nunca usam uma única palavra sem um significado profundo. É uma ponte, porque está sobre rio — e o rio é momentâneo. O tempo é apenas um rio momentâneo — está sempre fluindo e fluindo...

Heráclito disse: "Você não pode pisar no mesmo rio duas vezes". Porque, ao pisar pela segunda vez, o rio já passou — trata-se de uma outra água que está fluindo agora, não é a mesma água

276

que está ali. O rio lhe dá a aparência de que ele é o mesmo rio, mas não há nada fixo que se pareça com rio. Um rio significa mudança — ele permanece fluindo, fluindo, fluindo continuamente. Por que Jesus chama este mundo de uma ponte? Porque você o fez sobre o temporário: o tempo, o rio do tempo, tudo está se movendo. Saia dessa ponte! Esse não é o lugar para se fazer uma casa.

Mas se chega alguém e conta isso a você, quando você, durante cinquenta anos, esteve construindo a casa e agora ela está quase pronta... — e lembre-se: ela está sempre quase pronta, nunca pronta! Não pode estar, não é da natureza dela. Quando a casa está quase pronta e você ia descansar de todo o esforço e tensão da construção, se esse homem vem e diz "sua casa está sobre o rio", ao invés de acreditar nesse homem e olhar para baixo, você gostaria de dizer: "Vá embora, você é um tolo!". Ou se o homem insistir, como Jesus permanece insistindo e martelando, você ficará com raiva. Por isso, ele foi crucificado — era problema demais.

Sócrates foi envenenado, porque toda a Atenas estava em desconforto por causa dele. Ele o pegava em qualquer lugar na rua e lhe fazia perguntas desconfortáveis — destruindo suas confortáveis mentiras. Ele se tornou um enorme aborrecimento! No vale, um Buda é sempre um incômodo. Sócrates criou muita angústia e ansiedade. As pessoas não podiam dormir, não podiam trabalhar direito, porque ele criava dúvida. Ele dizia: "O que você está fazendo aqui? Isto é um rio e esta é uma ponte — e você está construindo sua casa aqui, neste lugar? Busque o eterno, a verdade!". Sócrates tornou-se um incômodo tão grande, que tiveram que envená-lo.

No vale, isso tem acontecido sempre. Se um homem com olhos chegar a uma cidade de cegos, eles o matarão — ou, se forem gentis, irão operar seus olhos. Mas eles farão alguma coisa, porque, por simplesmente chegar lá, esse homem os torna cegos! Eles pensam que jamais foram cegos — eles nunca souberam disso! — e esse homem chega e diz: "Vocês são cegos. Vocês são loucos!" Ele os fazem cientes de coisas que eles não queriam ficar cientes. Essas coisas criam ansiedade.

Jesus disse a seus discípulos: "Vão e apregoem dos telhados, aos quatro ventos!". Por que dos telhados, aos quatro ventos? Porque as pessoas estão quase surdas, elas não ouvem, elas não querem ouvir. Mesmo quando escutam, não estão ouvindo, estão em algum outro lugar. Mesmo quando fazem sinal de "sim", elas estão simplesmente entediadas. Elas podem tolerar aquilo, mas nunca desfrutam a verdade — porque a verdade sempre o deixa desconfortável. Está fadado a ser assim, porque você vive no vale das mentiras.

Toda a sua vida é uma grande mentira. Você tem mentido para os outros, para si mesmo; e você tem transformado em mentiras tudo o que o cerca. Agora, chega alguém e fala a verdade. Se chega alguém para um homem que acredita ser saudável, quando tem toda sorte de doenças, e diz: "Que absurdo você está falando? Você está doente!", esse homem pensa: "Esse cara é um mau agouro — ele está me fazendo ficar doente. Eu estava absolutamente bem!". Alertá-lo, torná-lo ciente da verdade, destrói seus castelos, castelos de sonhos, que você fez com cartas, com cartas de baralho.

Jesus diz: "Vá e seja o que for que tenham me ouvido dizer *proclama-o dos telhados aos quatro ventos: pois ninguém acende uma lamparina e a põe sob um arbusto*. Não sejam tímidos e nem tenham medo! A luz existe; agora, não a escondam, nem a ponham em lugar escondido, mas sim ponham-na *sobre uma peanha de modo que todos os que entrarem e saírem possam ver a sua luz*".

Isto tem sido sempre um problema: Buda, Mahavira, Lao-Tzu, Jesus, Maomé, Zarathustra... eles sempre tiveram de insistir para que os discípulos continuamente fossem e contassem aos outros. A oportunidade não seria para sempre — Jesus não estaria fisicamente no corpo físico para sempre e, se vocês não puderem reconhecê-lo quando ele está no corpo físico, como serão capazes de reconhecê-lo quando ele não estiver? Se sua presença física não pode ser uma revelação para você, como ela pode se tornar uma revelação quando ele desaparecer para dentro do universal?

Só raramente alguém se torna iluminado, só raramente a escuridão de uma pessoa desaparece. Trata-se de um fenômeno muito raro e ele não dura para sempre — daí Jesus estar sempre com pressa. Ele bem o sabia. E Jesus teve o mais limitado espaço de tempo na terra; ele morreu quando estava com trinta e três anos. E começou a pregar quando estava com trinta, ele morreu quando estava com trinta e três — somente três anos! Ele estava com muita pressa. Ele sabia que essa crucificação ia acontecer; assim, ele disse: "Vão e tornem tantas pessoas cientes e alertas quanto possível. A porta está aberta, agora, elas podem entrar no divino".

Mas os discípulos sempre ficam vacilando. Só quando Jesus morreu, eles começaram a pregar — isso também acontece sempre. Porque somente quando Jesus desapareceu, eles se deram conta do que tinha acontecido em suas vidas. Quando Jesus está presente, você fica acostumado com a luz que é Jesus; quando ele desaparece, há escuridão. E, então, você sente que a luz você perdeu. Então, você começa a pregar *do alto dos telhados, aos quatro ventos*. Quando Jesus estava presente, alguma coisa era possível, mas, agora então, nada é possível.

Vocês continuam assim durante séculos — a igreja está fazendo isso: eles vão pregando, pelo mundo todo, pregando que Jesus é a luz. Mas, agora, isso não pode servir muito, porque a porta desapareceu, agora, Jesus tornou-se invisível. Ele pode ajudar, mas... se você não pode ver a luz quando ela é visível, como pode vê-la quando Jesus se tornou invisível? Se você não pode entrar pela porta, quando ela se abre bem à sua frente, como será possível para você entrar por uma porta que não é visível absolutamente? É difícil!

Mas os próprios discípulos se tornam alertas quando a luz desaparece. Então começam a chorar e a se lamentar e, então, eles sabem... — porque só através do contraste você vem a saber: você só se torna ciente de que estava vivo, quando você está morrendo. Quando você chega ao momento da morte, então, você se torna ciente do que a vida era e de como você a perdeu. Dizem que só quando as pessoas morrem, elas vêm a saber que estavam vivas — quanto ao mais, elas perdem.

Jesus disse:

Se um cego guia outro cego,

ambos caem no buraco.

Assim, não se intimidem! Vão e contem aos outros que existe um homem que tem olhos... — de outra maneira, as pessoas serão levadas ao extravio, porque as pessoas têm uma necessidade de serem conduzidas. Se você não puder encontrar um Buda ou um Jesus, você ainda assim seguirá alguém, porque há uma grande necessidade de seguir. Há uma grande necessidade, porque você não sabe para onde ir. Alguém diz "Eu sei!"... — assim, o que fazer?

Jesuses não estão aqui à disposição todos os dias, Budas não nascem todos os dias. Mas a necessidade está presente! Se você não puder conseguir o alimento certo, você comerá o alimento errado, porque a fome está presente todos os dias. E é muito fácil encontrar um homem cego, porque você é cego — compreende a linguagem. É muito fácil seguir um homem cego, porque ambos pertencem ao mesmo mundo das trevas, ao mesmo vale. É muito mais fácil ser convencido por um homem cego de que ele é o mestre, do que ser convencido por um homem que não é cego — porque este usa uma linguagem diferente, fala sobre um mundo diferente; ele é muito estranho. Você não pode compreendê-lo.

É sempre fácil seguir um mestre errado, porque você também é errado: há algo de parecido entre você e o mestre. Mas... *se um cego guia outro cego, ambos caem no buraco".*

Aconteceu...

Mulla Nasruddin morreu e seus dois discípulos cometeram suicídio — porque sem o mestre, o que eles iriam fazer? Mulla conduzindo e os discípulos seguindo, todos os três bateram à porta do outro mundo, um belo portal. Nasruddin disse:

— Olhem! Isso é o que eu prometi. Eu sempre cumpro seja o que for que eu prometa. Chegamos ao céu! — E eles entraram. O guia os levou a um lindo palácio e disse:

— Agora, vocês vão viver aqui por toda a eternidade, e tudo o que precisarem é só me dizer e eu os atenderei imediatamente. E Mulla disse:

— Vejam! Eis o que eu prometi e já cumpri!

Durante sete dias, viveram em extrema felicidade, porque fosse o que fosse que precisassem, imediatamente o pedido era satisfeito — fosse o que fosse. Todos os desejos deles, de milhões de vidas, foram satisfeitos em sete dias, porque não havia nenhum esforço a ser feito, nem tempo a ser desperdiçado. Mas lá pelo sétimo dia, eles ficaram muito frustrados, porque, quando se consegue algo tão facilmente, não se pode desfrutá-lo. E quando você consegue aquilo tão imediatamente, que não há sequer um intervalo entre o desejo e sua realização, você fica saturado — eis por que os homens ricos ficam tão enfastiados. Um homem pobre pode ter uma pequena dança em sua vida, mas não um homem rico. Olhe para os reis: eles estão mortos, fartos com tudo, porque está tudo à disposição. A disponibilidade é um problema tão grande! Maior do que a pobreza, maior do que a escassez.

No sétimo dia eles estavam fartos, porque eles desfrutaram as mais belas mulheres, o vinho mais caro, a melhor comida, as mais valiosas roupas — viveram como imperadores. Mas, então, o que fazer? No sétimo dia, Mulla falou assim ao guia:

— Gostaríamos de dar uma olhada lá para baixo, no mundo. Gostaríamos de abrir uma janela; assim, poderíamos olhar para a terra.

— "Por quê?" — O guia lhe perguntou.

— Apenas para recuperarmos nosso interesse; será útil reaver nossos desejos.

Então, o guia abriu uma porta e eles puderam olhar para baixo, para as pessoas na terra — eles olharam para nós — lutando a vida inteira e não alcançando muito. E, dessa forma, eles recuperaram a fome, pelo contraste.

Eles desfrutaram sete dias novamente, mas novamente ficaram fartos. Agora o mesmo remédio não adiantaria; apenas olhar para o mundo, não seria de muita ajuda; eles tinham se tornado imunes. Assim, Mulla disse:

— Agora, eu tenho uma outra solicitação ridícula: nós gostaríamos de que você abrisse a porta para dentro do inferno; assim, poderemos olhar para o inferno e recuperar nosso gosto. Mas nós estamos ficando com medo, por que... o que faremos depois disso? — O guia começou a rir e disse:

— Onde vocês pensam que estão...?

Eles estavam no inferno!

Se todos os seus desejos forem preenchidos, você estará no inferno, porque você não conhece a bem-aventurança do estado de ausência de desejo — você conhece apenas a luta. Eis por que os poetas dizem que o prazer está na espera, não no encontro; o prazer está em desejar, não no preenchimento. E eles estão certos sobre você. Quando tudo estiver preenchido, o que você fará? Então, você ficará sabendo que tem estado no inferno.

Mas isso acontece se você segue um homem cego: mesmo que alcance o céu, ele irá virar um inferno, porque a cegueira nunca alcança o céu. O céu realmente não é um lugar a ser alcançado, ele é um estado de consciência — ele não está em algum lugar na geografia, ele não é geográfico, é algo dentro de você. O inferno e o céu, ambos, existem em você. Mas se você segue um homem cego, como pode um homem cego conduzi-lo em direção às alturas? Ele o conduzirá para dentro do vale. Mas existe uma necessidade de ser conduzido. Fique alerta para essa necessidade.

Você quer ser conduzido, porque, então, a responsabilidade vai para o outro. É melhor ter um líder cego do que nenhum — esse é o seu estado de mente... Daí, Jesus dizer: "Vão e contem às pessoas, *do alto dos telhados aos quatro ventos*, que o mestre está aqui!".

Jesus apareceu; e a chance é rara e há toda a possibilidade de você perder essa oportunidade. Corra e agarre esse homem, porque poucos são os momentos em que a porta do céu se abre! Esses são os momentos em que um homem se torna iluminado. Então, ele se torna uma porta; então, você pode olhar através dele e pode alcançar toda a verdade.

Um Mestre não é um homem que lhe ensina, um mestre é um homem que o acorda. Um mestre não é um homem que tem algumas informações para lhe dar, um mestre é um homem que vai lhe dar um vislumbre dentro do seu próprio ser. Mas isso se tornou um problema: se Jesus tivesse permanecido calado, ninguém o teria crucificado. Mas ele estava com pressa e começou a viajar pelo país e a falar com as pessoas. Isso criou um problema, porque ninguém o compreendeu — todo mundo o compreendeu mal. É sempre assim, porque, entre duas dimensões diferentes, a comunicação é impossível. Ele falava sobre o reino de Deus e as pessoas pensavam que ele estava falando sobre algum reino daqui.

Ele disse "eu sou o rei" e as pessoas pensaram que ele fosse destronar o rei daqui. Ele ensinou: "Aqueles que são humildes herdarão a terra". Ele estava falando sobre uma outra coisa, mas as pessoas pensavam que ele estava prometendo a seus discípulos: "Vocês herdarão a terra". Então, os políticos ficaram com medo, porque 'reino', 'rei', 'herança da terra'... — todos esses termos são políticos. Os sacerdotes também ficaram com medo, porque tudo o que ele dizia estava além da lei.

O amor está sempre além da lei. O amor não pode seguir nenhuma lei, porque ele é uma lei superior, a mais alta. Quando você ama, tudo fica bem, porque o amor não pode fazer nada de errado. Não há quaisquer regulamentos e regras para ele — regra e regulamentos existem, porque você não pode amar, porque você é incapaz de amar. Eis por que há tantas regras; de modo que você não possa fazer mal ao outro, de modo que você fique impedido de fazer mal ao outro. Mas, quando você ama, por que você faria mal ao outro? As regras desaparecem...

E Jesus falava sobre a suprema lei, o amor. Então, os sacerdotes tinham medo, então, os juízes, os magistrados, o sistema legal ficou com medo de que ele criasse um caos, criasse uma anarquia. Ele foi crucificado, porque ele se tornou um criador de casos.

Isso não precisa acontecer. Isso aconteceu no passado, mas essa necessidade não acontece agora, porque, agora, depois de milhares de anos, experienciando Budas, Mahaviras, Zarathustras, Jesuses, Maomés, é imperativo que nos tornássemos mais alertas!

Mas não, esse ainda é o caso — como se o homem nunca aprendesse... Sua estupidez parece ser suprema, final, e ele continua racionalizando sua estupidez. Ele fortifica sua estupidez, sua ignorância, e quem quer que venha a jogá-las fora, parece-lhe como que o inimigo. Os amigos parecem inimigos; inimigos parecem amigos. Aqueles que podem guiá-lo parecem-lhe querer desviá-lo; aqueles que são cegos são seus líderes.

Primeiramente, compreenda sua necessidade de ser conduzido. Ela é bela, porque isso revela uma busca. Mas não se apresse em seguir qualquer um. Como você decidirá? Qual é o critério? Para o buscador, esta é uma das coisas mais enigmáticas: como decidir quem é Jesus e quem é um homem cego? A certeza parece ser impossível, mas vislumbres de certeza são possíveis. Você não pode estar absolutamente certo desde o começo, porque a própria natureza das coisas é de tal ordem, que... como pode um homem cego decidir que o outro tem olhos? A única decisão, a única certeza possível é quando ele começa a ver. Então, ele será capaz de decidir — mas, então, não haverá nenhuma necessidade. Quando você se torna um buda, não há nenhuma necessidade de reconhecer um buda; quando você é como Jesus, não há nenhuma necessidade de conhecer Jesus ou de seguir Jesus. Esse é o paradoxo.

Você é cego e tem de escolher — como você decidirá? Pelas palavras? Então, você será enganado, porque os eruditos, os pânditas, os sacerdotes, eles são muito espertos com palavras. Ninguém pode derrotá-los, porque eles têm estado nesse negócio por um longo tempo. Jesus parecerá pobre em suas palavras — o sumo sacerdote dos judeus poderia derrotá-lo facilmente. Isso não teria sido um problema grande. Kabir ou Buda podem ser derrotados facilmente através do argumento, através da lógica. Você não pode julgar pelas palavras, você será enganado — não use esse critério.

Um Jesus pode ser julgado somente pelo seu ser: fique perto dele... — não tente ouvir o que ele está dizendo; tente ouvir o que ele é. Esta é a chave: simplesmente fique perto dele. Os hindus chamam isso de *satsang*, simplesmente estar perto da verdade. Simplesmente fique perto — não ouça o que ele está dizendo, não se engaje intelectualmente — simplesmente ouça o que ele é.

O ser vibra, o ser floresce, o ser tem uma fragrância em torno de si. Se você puder ficar silencioso perto de um Jesus, você começará a ouvir o seu silêncio. E esse silêncio o fará tão bem-aventurado, tão transbordante de amor e compaixão... — esse é o critério. Se fizer isso com um pândita, com um homem de conhecimento, então, você simplesmente se encherá de miséria — porque ele é tão miserável quanto você é. Se você ouvir às palavras, ele parecerá muito grandioso. Se você ouvir seu ser, as suas vibrações, a sua pulsação de vida... ele é tão miserável quanto você é — talvez mais. Eis por que ele se tornou um homem de palavras: para esconder sua miséria. Eis por que ele fala teorias, filosofias e sistemas; eis por que ele argumenta... — porque ele não sabe.

Um homem que sabe, realmente não argumenta; ele simplesmente declara, ele simplesmente diz... Olhe para esses dizeres de

Jesus — ele não está argumentando, ele não está dando quaisquer razões, ele está simplesmente fazendo afirmações, simplesmente fazendo afirmações.

"Uma cidade sendo construída no alto de uma montanha e fortificada, não pode ruir nem jamais ser escondida." — nenhum argumento; apenas uma simples afirmação do fato. *O que ouvires em teu ouvido e no outro ouvido, proclama-o dos seus telhados aos quatro ventos: pois ninguém acende uma lamparina e a põe sob um arbusto, nem a põe num lugar escondido; mas sim põe-na sobre uma peanha de modo que todos os que entrarem e saírem possam ver a sua luz* — nenhum argumento, nem tentando provar qualquer coisa, simplesmente fazendo uma afirmação. *"Jesus disse: Se um cego guia outro cego, ambos caem no buraco"*. Simples afirmações do fato! Estas palavras podem ser usadas com mais beleza por um homem de conhecimento, mas aí você será enganado.

Quando quer que esteja à procura de um Mestre, ouça o ser dele. Aprenda a arte de ouvir o ser dele: simplesmente fique perto dele, sinta-o — através do coração. Subitamente, você sentirá que está mudando, porque ele é uma força magnética. Subitamente, você sentirá que alguma coisa está se passando, uma profunda mudança dentro de você. Você não mais é o mesmo, seu espaço está repleto com uma luz desconhecida — como se a sua carga tivesse sido arriada por um momento, como se, através dele, você ganhasse asas, pudesse voar. E isso é uma experiência. Somente essa experiência lhe dará uma pessoa certa, um homem com olhos, alguém que pode guiá-lo.

Para onde ele vai conduzi-lo? Ele vai conduzir você para você mesmo. Um homem de conhecimento sempre o conduzirá para algum outro lugar, para um céu em algum lugar no espaço, para uma meta no futuro. Mas um homem de ser, como um Jesus, um Buda, não o conduzirá a lugar nenhum, simplesmente para você mesmo — porque aí está a meta. Você é o alvo, você é a meta.

E ouça através do coração — *satsang* —, esse é o critério. Caso contrário, os homens cegos os têm estado a conduzir por muitas vidas e, sempre novamente, o líder cego e vocês dois caíram no buraco.

Uma última coisa sobre o buraco: quando quer que Jesus diga "eles caem no buraco", esse buraco é o útero. Sempre que um homem cego conduz, ambos caem dentro do útero novamente — esse é o buraco. Eles nascem novamente dentro da mesma vida miserável, a mesma angústia começa em novas formas. Nada substancial muda, a história permanece a mesma: a coisa toda permanece a mesma, apenas as formas externas mudam. Você está novamente no inferno, novamente na miséria — o útero é o buraco.

Quando um homem de ser o conduz, você nunca cai num buraco. Então, você nasce em uma outra dimensão, e não mais vale a pena nascer novamente neste mundo. Você desaparece daqui, você aparece em algum outro lugar. Esse algum outro lugar é Deus, esse algum outro lugar é o Nirvana.

Basta por hoje.

Décimo Segundo Discurso

Jesus disse a seus discípulos:

"Comparem-me e digam-me a quem me assemelho".

Simão Pedro lhe disse:

"Vós vos assemelhais a um anjo virtuoso".

Mateus lhe disse:

"Vós vos assemelhais a um sábio de compreensão".

Tomás lhe disse: "Mestre, minha boca não será capaz de dizer com quem vos assemelhais".

Jesus disse:

"Eu não sou seu mestre,

porque vocês estão embriagados,

estão embriagados com a primavera borbulhante

que já ultrapassei".

E ele pegou-o, afastou-se com ele e lhe disse três palavras.

Quando Tomás retornou aos companheiros, estes lhe pergunta-ram: "O que Jesus lhe disse?".

Tomás respondeu:

"Se eu lhes disser uma das palavras que ele me disse, vocês pe-garão pedras e as jogarão contra mim; e o fogo sairá das pedras e os consumirá".

Sempre que há um homem como Jesus ou Buda, você tenta fugir dele de todos os modos possíveis, porque ele é simplesmente como uma morte para você. É claro, você racionalizará sua fuga, você descobrirá razões inteligentes de por que você está fugindo. Você criará argumentos em sua mente: "Esse homem não é um cristo, esse homem ainda não é iluminado". Você descobrirá algo errado no homem, de modo que possa se sentir à vontade. Você evitará esse homem. É perigoso defrontar-se com ele, porque ele pode viver, ele pode ver através de você: você se torna transparente para ele. Você não pode se esconder dele, você não pode esconder a falsidade que é você — diante dele, você é simplesmente como um livro aberto.

E durante toda a sua vida você viveu se escondendo. O tempo todo você esteve tentando viver uma vida falsa, inautêntica: você andou vivendo mentiras, e ele verá através de você. Diante dele, você se tornará uma folha tremulante; diante dele, você será reduzido à sua verdade; diante dele, você não pode conseguir uma imagem falsa — ele será uma catástrofe. Assim, somente aqueles que são muito valentes podem se aproximar de Jesus. É necessária a maior coragem para se aproximar de um homem como Jesus. Isso significa que você está pronto para dar o salto no abismo, você está pronto para se perder.

Para andar com Jesus na insegurança do desconhecido, sem mapas, no oceano onde a outra margem não está visível, é necessário tremenda coragem. E este é o problema: muito poucos seguirão Jesus. Aqueles que fogem, o perderão, e perderão o próprio significado de suas vidas, porque, lá no fundo, quando você tenta fugir de Jesus, você está tentando fugir de sua própria verdade. Ele não é nada mais do que seu futuro — você é uma semente, ele é a árvore; ele floresceu, ele é seu futuro, é sua possibilidade. Fugindo dele, você está fugindo de sua própria possibilidade suprema.

Mas os que se aproximam, não é certo que irão defrontar-se com Jesus só por se aproximarem. Aqueles que fugiram, fugiram — acabou-se! Mas aqueles que se aproximam, vivem perto, mas mesmo vivendo perto podem evitar Jesus, porque podem estar perto por razões erradas. Assim, de milhares, poucos o escolherão. E dos poucos que o escolhem, nem todos estarão com ele pelas razões certas. E os que estão com ele pelas razões erradas também o perderão.

Você pode estar com um iluminado por razões erradas. Olhe para as razões pelas quais você busca: por que você vai a um mestre? Quais são suas verdadeiras razões? Você está buscando a verdade? Raramente um homem está buscando a verdade. Você pode estar buscando a felicidade, mas não a verdade. A felicidade acontece quando a verdade é alcançada. Mas se você está buscando felicidade, você não pode alcançar a verdade, porque a felicidade é um subproduto: você não pode alcançá-la diretamente, não há meios — ela vem via verdade. Se você alcançar a verdade, a felicidade virá: ela é uma sombra, ela vem com a verdade. Mas se você busca a felicidade, então, a felicidade não é possível e a verdade é perdida.

De mil buscadores, noventa e nove por cento estão atrás da felicidade. Eles sofreram — a vida foi uma miséria, muito sofrimento: estão buscando o antídoto, estão buscando o oposto. Estar com um Jesus, ou com um Buda, em busca da felicidade é perdê-lo novamente, porque seus olhos estão fechados. A felicidade jamais pode ser o objetivo: ela é alcançada, ela vem automaticamente, você não precisa se preocupar com ela. Ela é sempre um subproduto: você simplesmente cuida da árvore e as flores surgem. Você não precisa ir diretamente às flores — se você fizer isso, você perderá. Se você ficar atrás das flores, você perderá; mas se você cuidar da árvore, as flores virão no seu tempo. Você não precisa se preocupar, não precisa nem mesmo pensar sobre elas.

Na sua vida comum também, isso é conhecido, mas você nunca faz disso uma experiência profunda. Sempre que você está feliz... você tem estado feliz em alguns momentos; é difícil encontrar um homem que não tenha sido feliz ao menos por alguns momentos — porque se você nunca foi feliz, nem por alguns momentos, se você jamais provou da felicidade, então, você não pode buscar por ela. Por que você buscaria por felicidade? Sem a ter provado, como você poderia fazer dela um objetivo? Você *já* a saboreou. Ela foi momentânea, um vislumbre — e, então, novamente, a escuridão; um vislumbre — e, então, novamente, a angústia. A manhã vem apenas por um momento e, então, a meia-noite novamente. Você já a saboreou, mas você não entrou nela. Como isso acontece? Tente penetrar nisso.

Sempre que você se sente feliz, você não estava procurando por isso. Esta é a primeira coisa básica sobre felicidade: ela acontece quando você está procurando por alguma outra coisa. Por exemplo: você já ouviu a história de Arquimedes. Ele estava em busca de uma verdade científica. Ele trabalhou, experimentou, pensou, ponderou sobre aquilo tudo muitos dias e noites. Ele se esqueceu de si mesmo. Certo dia então, de repente, quando estava tomando banho deitado em sua banheira, aconteceu, veio à tona — ele descobriu. Ele estava nu, mas se esqueceu de que estava nu. Quando você fica feliz, você se esquece de si — se você não pode se esquecer de si mesmo, você não fica feliz. A felicidade acontece somente quando você não existe.

O problema estava resolvido, toda a tensão relaxou. Arquimedes correu para a rua gritando: "Eureka! Eureka! Eu descobri, eu descobri!". As pessoas pensaram que ele tinha ficado louco. Elas sempre tinham suspeitado daquele homem, daquele Arquimedes. E agora as suspeitas estavam confirmadas. "Pensar demais é ruim!" — elas sempre tiveram essa opinião, e aquele homem vivia pensando demais. Agora ele tinha ficado louco e estava gritando "Eureka!" pela rua afora — "Descobri!"

O que aconteceu? Como ele ficou extasiado naquele momento! E não se tratava da suprema verdade, era apenas um problema comum. Agora ele é comum — uma vez descoberta, as verdades científicas tornam-se comuns, ordinárias. Mas ele descobriu! Nesse momento de descoberta toda a tensão relaxou e ele ficou tão feliz, tão extático, que se esqueceu de si mesmo. Sempre que você fica feliz, a primeira coisa básica é se lembrar de que você estava procurando uma outra coisa, não a felicidade. Se você buscar a felicidade diretamente, você a perderá para todo o sempre. Ela é um subproduto: você fica envolvido na busca de alguma coisa e, então, essa alguma outra coisa é descoberta. A descoberta o torna tão preenchido, todo o esforço relaxa, toda a tensão acaba: você fica à vontade, em paz, tranquilo, e você se sente cheio de felicidade. A felicidade é um subproduto.

A segunda coisa a ser lembrada: se você a persegue, como você pode se perder? Aquele que a persegue jamais pode se perder: o ego permanece, você permanece um ponto de referência. Sempre que a felicidade acontece, você não está presente. Lembre-se dos momentos de felicidade: você não estava presente. Ela pode ter acontecido em profundo amor, pode ter acontecido numa descoberta, ou pode ter acontecido simplesmente quando você estava jogando cartas, mas você estava tão perdido... de repente a onda! Qualquer coisa pode dispará-la, mas uma busca direta é perigosa, porque você a perderá.

Se você vai a um mestre em busca de felicidade, você está perto dele por razões erradas. E, então, você permanece escondido na sua razão errada. Você permanece fisicamente perto, mas espiritualmente há muita distância. Seus olhos estão cegos, você não será capaz de conhecer aquele homem — Jesus ou Buda. É impossível, porque seus olhos estão obliterados com objetivos errados.

Ou você pode nem mesmo estar em busca da felicidade, há objetivos ainda menores. Você pode estar próximo de um mestre para alcançar poder, pode estar perto dele para alcançar algum *siddhi*[1], pode estar perto dele para alcançar um estado mais egoístico. Então, você o perderá completamente. Há objetivos ainda menores. E, quanto mais baixo o objetivo, maior a possibilidade de haver perda, porque, então, você estará mais cego ainda. Você pode estar perto dele por razões muito comuns, como buscar saúde. Você está doente e Jesus irá curá-lo; ou você é pobre e Jesus lhe dará dinheiro — suas bênçãos se tornarão dinheiro para você. Ou você não tem filhos e ele pode lhe dar filhos.

Quanto mais baixo o objetivo, mais você perderá, porque quanto mais baixo o objetivo, mais você está no vale profundo — e Jesus existe no topo da montanha. A distância vai se tornando cada vez maior e maior. Muitos escaparam, mas entre aqueles que ficaram perto, nem todos chegaram perto tampouco — somente os que vieram pela razão correta. E essa razão correta é a verdade. Mas por que você jamais busca por ela?

A verdade parece ser muito crua, a verdade parece ser muito seca, parece não haver nenhuma urgência em se buscar por ela. A felicidade parece ser de grande valia e, se eu insisto nisso, "Busque a verdade e a felicidade será o subproduto", você pode até concordar em buscar a verdade, porque o subproduto, a felicidade, estará adiante. Mas você ainda está buscando a felicidade. Se você passa a saber que, para buscar felicidade, tem de se buscar a verdade, você

---

(1)   *Siddhi* — poder pessoal.

pode até começar a buscar a verdade — mas você não estará buscando a verdade: sua mente permanece focada na felicidade. Essa focalização está errada.

Só quando você é um buscador da verdade, você se aproxima de Jesus, de Buda, de Zarathustra; caso contrário você nunca chega perto. Por qualquer outra razão, você pode estar perto fisicamente; espiritualmente, você estará muito, muito, muito distante — haverá vastos espaços.

Agora olhe para essas palavras de Jesus:

Jesus disse a seus discípulos:

"Comparem-me e digam-me a quem me assemelho".

Por que Jesus fez essa pergunta? Ele não tem ciência de quem ele é? É para saber, através dos discípulos, quem ele é? Por que ele quer saber quem ele é através dos discípulos? Porque, seja o que for que digam, mostrará por que eles estão perto de Jesus. Você cria a imagem do seu mestre de acordo com o seu desejo. Se você está perto de Jesus porque você está doente, Jesus será o curandeiro. Você vê através do seu desejo, você projeta seu desejo. Se você está ali em busca de poder, então, Jesus é o onipotente, o mais poderoso, porque somente quando ele é o mais poderoso, ele pode lhe dar isso. Se você está buscando imortalidade, se você está buscando um estado de não morte, se você tem medo da morte, então, a imagem de Jesus refletirá sua busca.

Por que será que Jesus pediu a seus discípulos: "Digam-me quem sou eu"? Ele perguntou apenas para saber o que eles estavam projetando. Se você projeta alguma coisa, você perderá, porque, para se conhecer Jesus ou Buda, são necessários olhos que não projetam. Você não deve projetar nada, você deve simplesmente olhar para o fato. Jesus é um fato, o fato mais vital possível no mundo. Olhe para ele diretamente, imediatamente. Não coloque seus desejos no meio. Não faça de Jesus uma tela — caso contrário, você verá, mas verá seus próprios desejos refletidos.

Jesus disse a seus discípulos: "Comparem-me e digam-me a quem me assemelho".

Simão Pedro disse a ele:

"Vós vos assemelhais a um anjo virtuoso".

Esse homem deve ter sido um moralista, um puritano. Esse homem deve ter se sentido culpado por sua imoralidade, porque o que quer que você diga sobre os outros nunca mostra nada sobre os outros, simplesmente mostra algo sobre você. O que quer que você julgue não é um julgamento sobre os outros, é um julgamento sobre você.

Jesus diz sempre repetidamente: "Não julgueis!" — porque todos os seus julgamentos vão ser errados, *você* estará presente. Um ladrão é um pecador para você. Por quê? Porque você está muito apegado à sua propriedade privada. Isso não mostra nada sobre o ladrão, simplesmente mostra sua possessividade.

> *Ouvi contar que certo inglês morreu e chegou ao inferno. O Diabo perguntou-lhe:*
>
> *— Que tipo de inferno você prefere?... Porque temos todas as espécies de inferno aqui: o inglês, o alemão, o chinês, o russo, o indiano... — O inglês disse:*
>
> *— Claro que o indiano! — O Diabo ficou espantado. Ele perguntou:*
>
> *— Você parece ser inglês; então, por que escolhe o indiano? — Ele respondeu:*
>
> *— Eu sou inglês, mas estive na Índia e sei bem que no inferno indiano o aquecimento não funciona!*

Sua mente acumula experiência. Seja o que for que você diga sobre o inferno ou o céu ou sobre outras pessoas, é a fala da sua experiência: é você refletido em cada palavra que afirma. Esse Simão Pedro disse: *"Vós vos assemelhais a um anjo virtuoso"*.

Ele está dizendo duas coisas: primeiramente, 'virtuoso' — ele deve ter tido muito medo do erro, deve ter tido medo do pecado, deve ter tido medo de ser imoral. O oposto, ele projeta sobre Jesus — é por isso que ele está com Jesus.

Lembre-se de uma coisa: os opostos se atraem. Se você é um homem, você é atraído por uma mulher — e esse é o problema! Porque ela é o oposto — eis por que ela é atraente. Mas viver com uma mulher será difícil, porque ela é o oposto. É assim que surge a miséria do casamento: ele começa com a atração pelo oposto, mas, quando você tem de viver com o oposto, então, há problemas — porque, de todos os modos, ela é o oposto. A lógica que ela tem, é totalmente diferente da sua. Um homem jamais chega a compreender uma mulher. É impossível compreendê-la, porque um homem pensa como homem e uma mulher pensa como mulher — os dois têm dimensões diferentes. Uma mulher é mais intuitiva, não é lógica: ela pula para as conclusões. E quase sempre ela está certa! Isso traz problemas. Ela não pode convencê-lo; ela não pode convencê-lo seja o que for que diga, porque ela não tem nenhuma lógica sobre aquilo. Mas ela tem *insight*, olha imediatamente.

> *Certa vez, o Mulla Nasruddin foi apanhado pela lei. Ele olhou para o júri: os doze jurados eram mulheres. Então, ele disse ao juiz:*

> *— Eu confesso! Porque eu não posso enganar uma única mulher em casa. Imagine as doze neste júri! Impossível! Eu cometi esse pecado. Pode me dar a punição.*

Todo marido sabe que é difícil enganar uma mulher. Seja qual for o plano, tudo sai errado na hora em que você chega a casa. A esposa simplesmente o pega, bate exatamente na ferida. Ela própria não tem ciência de como funciona: seu funcionamento é diferente.

Uma mulher jamais pode compreender um homem. Esta também é a razão da atração de um pelo outro, porque somente os mistérios atraem. Mas viver com alguém que você não pode compreender fatalmente criará problemas, então, haverá brigas. Assim, onde quer que haja amor, acontecem brigas continuamente — a cada momento, uma briga.

Os opostos se atraem: se você é uma pessoa avarenta, você será atraído por um homem que renunciou. Você irá a um santo que tenha renunciado a tudo, se você for uma pessoa avarenta. E será muito difícil, porque isso cria muitos problemas.

Vejam os *jainas*[2] na Índia: eles são os mais ricos — e riqueza não vem sem avareza, você tem de ser avarento —, mas eles ado-

---

(2)   *Jaina* — vem da escrita inglesa da palavra, que se pronuncia [jena].

ram santos que renunciaram a tudo. Eles não permitirão que seus santos usem sequer roupas. Não, isso também não é permitido. O autêntico santo *digâmbar jaina* deve permanecer nu, sem nenhuma posse, nem mesmo roupas. Ele possui somente seu corpo, isso é tudo. Ele tem de comer com as mãos; não pode se alimentar duas vezes, uma vez é suficiente. Ele dorme no chão — e é por isso que ele é chamado de *digâmbar*: o céu é sua única casa, seu único teto. Mas por que esse fenômeno? Por que isso acontece?

Maomé falava sobre paz: a palavra 'islã' significa "paz". Mas olhe para os muçulmanos: eles têm sido as pessoas mais violentas sobre a terra. Por que elas foram atraídas para Maomé e para a religião da paz? Os opostos se atraem. O oposto é sempre atraente, porque esse é o padrão básico do sexo, e esse padrão básico do sexo o segue em todo lugar, seja o que for que você faça.

Esse Simão Pedro disse a Jesus: *"Vós vos assemelhais a um anjo virtuoso"*. Esse homem deve ter se sentido culpado por sua imoralidade — correta ou erradamente, mas ele se sentiu culpado. Ele foi atraído para Jesus, porque Jesus se assemelhava a um anjo: puro, inocente, jamais tinha cometido um pecado. Eis por que os cristãos continuam insistindo em que ele nasceu de uma mãe virgem, o que é um absurdo! Por que eles insistem em que ele nasceu de uma mãe virgem? Porque o sexo parece imoral. E se você nasce da imoralidade, como você pode se tornar moral? Impossível! Se a própria fonte está envenenada, então, como você será moral? Você pode tentar, mas jamais pode ser perfeito. A imoralidade deve ser cortada na própria fonte. Desse modo, a insistência deles em que Jesus nasceu de uma mãe virgem.

Ninguém nasce de uma mãe virgem — isso está absolutamente errado, não pode acontecer! Mas eles insistem, eles dependem disso. Se finalmente ficar provado que Jesus teve um pai, então, os cristãos o abandonarão, fugirão imediatamente: "Esse homem é exatamente como nós! Nós somos imorais, nascemos do pecado. E, se ele também nasceu do pecado, então, qual é a diferença?".

Vós vos assemelhais a um anjo virtuoso.

Os anjos são símbolos da absoluta perfeição, de pureza, de inocência. Isso mostra algo sobre Simão Pedro. E Simão Pedro tornou-se a pedra fundamental de toda a igreja cristã, ele tornou-se a base. Desse modo, a igreja cristã está continuamente envolvida com o que é moral e com o que é imoral. A igreja como um todo se tornou uma moralidade, não uma religião. Esse Simão Pedro é a raiz causal: ele criou a culpa, porque quando quer que haja demasiado interesse no que é errado e no que é certo, você se torna culpado — porque a vida não sabe nada disso.

A vida é absolutamente amoral. Ela não é nem moral nem imoral, ela é amoral. Ela não sabe nada do que é errado e do que é certo. Ela anda em ambas as direções, ela é os dois lados juntos. Um rio na enchente — de que você o chamará? De moral ou de imoral? Milhares de aldeãos são afogados, milhares de pessoas morrem, milhares ficam sem casa. De que você chamará esse rio na enchente? De mau? Não, você não usa essa palavra, porque você sabe que o rio não sabe o que é bom, o que é mau. E Deus existe no rio tanto quanto em você. Uma árvore cai onde um santo está meditando e ele morre. De que você chamará essa árvore — de pecadora, de assassina? Essa árvore terá de ser apresentada à justiça? Não, você simplesmente diz: "Isto é uma árvore. Nossa moralidade — pecado ou não pecado — não se aplica a esta árvore".

A moralidade é criação do homem, Deus parece ser amoral. Toda a existência é amoral. Amoral quer dizer nenhum dos dois — ou os dois. Mas se você for até Jesus com uma atitude moralista, você o perderá. São Pedro, esse Simão Pedro, perdeu Jesus completamente. Ele estava em busca de um homem moral: ele estava em busca de um santo, não em busca de um sábio.

E esta é a diferença entre um santo e um sábio: um sábio é tão amoral quando a vida, ele tornou-se um com a vida, ele não pensa em termos de opostos; um santo escolheu o certo, negou o errado — ele é meio vivo, ele não assumiu a vida por inteiro. Um santo não é realmente religioso, porque um homem religioso aceitará a vida como ela é. Ele não negará, porque, seja o que for que você negue, é uma negação de Deus. Se você nega, você estará tentando provar que é melhor do que Deus. Olhe: Deus criou o sexo — caso contrário, quem o teria criado? — e você o nega. Então, você pode tornar-se um santo, mas sua santidade será apenas moral, não poderá ser religiosa.

Os hindus compreendem isso muito bem. Se você voltar aos dias dos *Vedas*, os *rishis*[3] viviam umas vidas muito comuns: eles tinham esposa, filhos; eles eram domésticos, não tinham renunciado a nada. A renúncia vem com os *jainas* e os budistas. Os *rishis* sempre viveram de um modo comum, porque eles sabiam, eles sabiam que a vida tem de ser aceita em sua totalidade: nada tem de ser negado, tudo tem de ser aceito. Isso é o que 'teísmo' realmente quer dizer, o que *astik* quer dizer. Aquele que diz "sim" ao todo da vida — ele não é uma pessoa negativa. Esse São Pedro pode se tornar um bom padre, pode se tornar um santo, mas não pode se tornar um sábio. Ele tem suas próprias concepções, eis por que ele foi até Jesus.

Quando você está cheio de conceitos morais, o que você faz? Você se condena, porque há coisas que não são dissolvidas apenas por se dizer que são erradas; elas permanecem. Esse homem ficará atraído pelas mulheres; elas são belas, e o desejo existe — trata-se de um presente de Deus. Ele está no fundo de cada um de seus poros, cada uma de suas células do corpo. Os cientistas dizem que há sete milhões de células no corpo, e cada célula é um ser sexual. Todo o seu corpo é um fenômeno sexual! Seja o for que você faça — você pode fechar seus olhos, você pode fugir para os Himalaias, mas a beleza sempre o atrairá.

Uma flor parece tão bela — você já observou? Isso também é sexual. Um pássaro cantando na manhã, próximo da casinha de um santo ou de um eremitério parece tão belo! Mas você já observou que esse canto do pássaro é um convite sexual? Ele está chamando a parceira, procurando a parceira, a amante. O que é uma flor? Uma flor é um fenômeno sexual, uma flor é simplesmente um truque — porque a árvore não pode se mover, suas células sexuais têm de ser carregadas por abelhas, borboletas e similares até outra árvore. Lembre-se: há árvores fêmeas e árvores machos, e elas não podem andar, porque estão enraizadas na terra. A flor é um truque para atrair as abelhas, as borboletas e outros insetos: eles pousarão sobre a flor e, com as abelhas, a semente sexual irá adiante; então, elas irão até a planta feminina e aquela semente cairá lá.

Onde quer que haja beleza, há sexo. O todo da vida é um fenômeno sexual. O que se pode fazer? Você pode rejeitar o sexo

---

(3)   *Rishi* — poetas da consciência, por ele passam as mensagens divinas.

— isso está em suas mãos —, mas, se você o rejeita, você sente culpa, porque lá no fundo o que foi reprimido permanece. Você continuamente sente culpa: algo está errado. Você não pode ser feliz com a culpa, lembre-se disso, você não pode dançar com a culpa. A culpa o paralisará: aonde quer que você vá, você não pode rir, não pode mover-se em êxtase, porque você sempre terá medo do que está reprimido.

Se você dançar, cantar, se você se sentir cheio de felicidade, o que acontecerá com o que está reprimido? Pode vir à tona; assim, você tem de, constantemente, ficar de olho. Você se torna um vigia, não um mestre da sua vida, não alguém que desfruta a vida: você se torna apenas um vigia. E a coisa toda fica feia, porque há conflito, conflito contínuo. Sua energia é dissipada numa luta interna. E esse tipo de homem, que reprimiu seu próprio ser de algum modo, sempre olhará para os outros com olhos condenatórios — está fadado a ser assim.

É muito difícil viver com um moralista, porque seus olhos o estão condenando continuamente: você está errado porque tomou chá. Você está tomando chá? Então, você será jogado no inferno — você não pode beber chá. Realmente, qualquer coisa que possa lhe dar prazer... No *ashram*[4] de Gandhi, você não tinha permissão de saborear o alimento — *aswad*, sensaboria, era o princípio a ser seguido; você podia comer, mas não devia saborear.

Por quê? Por que ser contra o sabor? Porque o sabor traz prazer, e os santos são contra o prazer. Você não pode encontrar um santo rindo, ou mesmo sorrindo — impossível. Ele tem um ar triste, sempre condenando a si mesmo e aos outros. Toda sua vida é doente, ele não pode ser feliz.

Esse Simão Pedro é simbólico. Ele disse: *"Vós vos assemelhais a um anjo virtuoso"*. Ele está dizendo: "Eu vim até você, porque você é puro: nascido de uma mãe virgem, que jamais se casou, que jamais desfrutou a vida, que nunca viveu. Você é puro; assim, eu o vejo como um anjo".

Mateus lhe disse: "Vós vos assemelhais a um sábio de compreensão".

---

(4)   *Ashram* — morada de um mestre e seus discípulos.

Esse Mateus não está em busca de moralidade, esse Mateus está em busca de conhecimento — mais científico. E Jesus parece ser um homem de compreensão. Ele pensa que pode conseguir, deste homem, algumas chaves sobre os mistérios da vida: "Esse homem tem algumas chaves. Ele sabe, posso conseguir informações dele". Mateus está em busca de conhecimento.

Mas quando você for a Jesus ou a um homem como Jesus, não vá em busca de conhecimento. Jesus parece um sábio, porque, seja o que for que ele diga, atinge diretamente; seja o que for que diga soa verdadeiro. O que quer que diga é muito significativo, mas você está prestando muita atenção às suas palavras, e não a seu ser. Esse Mateus é um pândita, um erudito: ele está em busca de princípios, teorias, sistemas, filosofias. Se você vier a Jesus com tal mente, você o perderá, porque Jesus não é um homem de conhecimento — ele é um homem do *ser*. E qual é a diferença?

O conhecimento é superficial, tomado emprestado, morto. Este homem está vivo, absolutamente vivo! Este homem não tem nada tomado emprestado de ninguém — ele realizou a si mesmo. Ele pode compartilhar seu ser com você, e você é um tolo se leva apenas as palavras dele. Essas palavras podem ser levadas de livros, não há nenhuma necessidade de se ir até Jesus. Uma biblioteca seria melhor: há mais conhecimento — acumulado durante séculos — em uma biblioteca.

Você vem a este homem onde seu ser pode saciar sua sede e você simplesmente leva palavras! Você vem a um imperador e ele está dizendo "peça, e eu lhe darei", e você pede somente pedaços de pão e vai embora feliz! Todo o império estava a seus pés, bastava pedir — e você leva palavras, aprende teorias, torna-se um teólogo! Esse Mateus é a raiz dos teólogos cristãos.

E, assim, toda a igreja ficou emaranhada em duas coisas — eis por que esses dois são mencionados. Pedro tornou-se a base da moralidade da igreja — antissexualidade — e ainda continua sendo a base; e Mateus tornou-se a base da teologia, e continua sendo a base. O cristianismo está envolvido com essas duas coisas, não com o cristo, absolutamente: com moralidade — o que é errado e o que é certo — e com a teologia, as teorias sobre Deus. Teologia significa teorias sobre Deus — e não pode haver nenhuma teoria sobre Deus!

Deus não é uma teoria, não é uma hipótese que tem de ser provada ou refutada: não é algo sobre o qual se possa argumentar. E quando Jesus estava presente, você poderia ter encontrado Deus. Deus estava presente, ele tinha penetrado aquele homem — mas a busca por conhecimento é uma barreira. Você não deve buscar conhecimento em Jesus, você deve buscar pelo ser. Mas juntar conhecimento é fácil, porque você não precisa se transformar. Você simplesmente ouve as palavras e as reúne: nenhuma transformação é requerida da sua parte. Mas se você busca pelo *ser*, então, você tem de ficar silencioso; então, você tem de estar em profunda meditação; então, você tem de se tornar puro silêncio, uma presença. Somente então, Jesus pode jorrar seu ser em você.

Esse Mateus lhe disse: *"Vós vos assemelhais a um sábio de compreensão"*.

Jesus não é um sábio. Ele é a própria sabedoria, mas não um sábio — porque você pode ser sábio sem tornar-se iluminado. Há sábios assim: Confúcio era um sábio, mas não iluminado. Manu era um sábio, mas não iluminado. Buda era iluminado, Lao Tzu era iluminado: a sabedoria deles vem de uma fonte totalmente diferente. Eles alcançaram o próprio centro da vida — eles *conheceram*. O conhecimento deles não é via intelecto, o conhecimento deles é via ser. Eis por que eu chamo Jesus de um homem do ser, não de um homem de conhecimento.

Sabedoria, você pode reunir via experiência — qualquer idoso se torna sábio. Até um tolo se torna sábio, porque dizem que, se você persistir na sua tolice, você se tornará sábio. O tempo pode lhe dar sabedoria; vivendo a vida, cometendo erros, desviando-se, retornando... Muitas experiências reunidas, e você se torna sábio.

Jesus não é sábio nesse sentido: não era idoso, tinha apenas trinta anos, era um homem muito jovem. Na verdade ele não tinha muita experiência de vida — não era um sábio nesse sentido. Mas ele conheceu algo, algo que é a própria base da vida. Ele não se moveu pelos ramos da árvore da vida, ele chegou à raiz. Isso é uma coisa totalmente diferente — e Mateus perderá isso. Ele reunirá anotações: o que quer que Jesus diga, ele irá coletar. Ele criará um evangelho disso, desenvolverá teorias.

Esses dois homens o perderam completamente.

Tomé, o terceiro, que é quem está reportando essas palavras de Jesus, é o discípulo mais próximo. Mas essas palavras não estão incluídas na *Bíblia*, porque Jesus e seus discípulos mais próximos têm de ser excluídos — são perigosos.

Tomé lhe disse:

"Mestre, minha boca não será capaz de dizer com quem vos assemelhais".

"É impossível dizer. Você são tantas coisas, você é tanto — é tão transbordante, tão multidimensional. Minha boca não será capaz de dizer. Sou incapaz de dizer qualquer coisa, as palavras não são suficientes. Você não pode ser comparado a ninguém, você é incomparável. E seja o que for que eu diga estará errado, porque não será suficiente. As palavras são muito limitadas, e você é vasto!".

Assim, Tomé diz: *"Mestre, minha boca não será capaz de dizer com quem vos assemelhais.* — Não, impossível! Não direi nada, porque isso não pode ser dito. Não podeis ser aprisionado nas palavras, sois inexpressável!".

Tomé chega perto, mas mesmo o mais perto está muito distante, há uma lacuna.

Existe uma história similar com Bodhidharma. Ele viveu na China durante nove anos. Ele ensinou as pessoas, muitos meditaram, muitos chegaram cada vez mais e mais perto e, quando ele estava indo embora, ele pediu a seus quatro discípulos que dissessem algo sobre o *dharma*, que dissessem algo sobre a verdade. Os três primeiros são exatamente como esses três: Simão Pedro, um homem da moralidade — o mais superficial; depois Mateus, um homem em busca de conhecimento — um pouco mais profundo do que Simão, mas ainda assim muito distante; depois Tomé, que disse "eu não posso dizer nada".

Mas Bodhidharma foi mais afortunado do que Jesus, porque havia um quarto, que realmente permaneceu em silêncio. Ele nem mesmo disse isto: "Eu não posso dizer". Porque, quando você diz "eu não posso dizer", você já disse algo; isso deve ser compreendido. O quarto permaneceu absolutamente silencioso. Ele simplesmente olhou nos olhos de Bodhidharma, curvou-se a seus pés, e Bodhidharma disse: "Um tem meus ossos, um outro tem minha carne, um outro tem meu sangue — e você é minha medula". Esse quarto não chegaria a dizer nem o tanto que Tomé disse. Ele chegou mais perto, ele tornou-se a medula.

Jesus não foi tão afortunado assim. Há razões: o clima não era bom, a situação era absolutamente diferente. A China tinha conhecido Lao Tzu, mas os judeus jamais conheceram um homem como Lao Tzu. Lao Tzu criou o próprio solo no qual a semente de Buda brotou tão belamente. Quando Bodhidharma foi para a Índia, o solo já estava pronto. Ele tinha sido arado por Lao Tzu, Chuang Tzu — fenômeno raro! E, então, a semente de Buda foi trazida por Bodhidharma. Ela desabrochou belamente, floresceu belamente. Jesus não foi tão afortunado, o solo não estava pronto. Tinha havido profetas na cultura judaica, mas não sábios como Lao Tzu e Chuang Tzu. Tinha havido santos; assim, Simão Pedro estava disponível. Tinha havido moralistas, porque Moisés havia colocado a moralidade na própria base da cultura judaica: os Dez Mandamentos — eles são a base.

Houve homens como Simão Pedro, porque nada existe sem causa, nada existe sem uma longa tradição. Um Simão Pedro não é apenas um acidente, uma longa história é necessária atrás dele. Moisés é a causa mais profunda, a raiz de onde Simão Pedro veio: os Dez Mandamentos, a atitude moral em relação ao mundo, em relação à vida. Mas não houve nenhum homem como Lao Tzu que dissesse: "Todas as distinções são falsas: no momento em que se diz 'isto é bom e isto é mau', você dividiu a vida e a matou" — ele era um homem que era a favor do todo, não a favor da divisão. Bodhidharma foi afortunado, e essa é a razão de ele ter quatro discípulos, não três.

Na cultura judaica, no máximo Tomé era possível. Olhe para o fenômeno de Tomé, o que ele está dizendo — e este é um dos problemas básicos. Há pessoas que dizem "nada pode ser dito sobre Deus", mas eles já estão dizendo algo. Mesmo que você diga "nada pode ser dito sobre Deus", você já disse algo. Se você estiver correto, então, você cometeu um erro. Se você estiver correto — nada pode ser dito —, então, isso não deveria ter sido dito tampouco; você deveria ter permanecido completamente silencioso. Você criou um dilema: de um lado, você diz que nada pode ser dito, mas, se esse tanto pode ser dito, então, por que não um pouco mais? Qual é o problema? Se esse tanto pode ser afirmado, então, por que não mais? Se uma afirmação é possível, então, mais afirmação torna-se possível.

Eis por que Buda permaneceu absolutamente silencioso. Ele não disse nem mesmo "nada pode ser dito sobre Deus". Ele não disse nem esse tanto. Você perguntava sobre Deus e ele falava de outra coisa. Você perguntava sobre Deus e ele não ouvia — como se você não tivesse perguntado sobre Deus. Ele simplesmente abandonava o assunto, falava de outra coisa. Ele não diria nem esse tanto, que nada pode ser dito, porque isso é absurdo. Então, por que você está dizendo isso? Até através da negação nós indicamos algo. Não somente uma afirmação positiva é uma afirmação; a afirmação negativa também é uma afirmação.

Você diz: "Deus não tem nenhuma forma". O que você quer dizer? Você o conheceu? E você o conheceu tão totalmente, que possa dizer "ele não tem nenhuma forma"? Se você o conheceu totalmente, então, ele *tem* forma. Por exemplo, você diz que este oceano não pode ser medido: ele é muito profundo, não pode ser medido. Então, há somente duas possibilidades: ou você o mede, porque somente então você pode dizer que ele é tão profundo que não pode ser medido; ou, se você não o mediu, como pode dizer que ele é tão profundo que não pode ser medido? Até mesmo a profundidade é mensurável — tem de ser, ela não pode ser imensurável: por mais profunda que seja, ela pode ser medida.

Quando você diz "Deus não tem nenhuma forma", você foi até suas fronteiras e viu que não há nenhuma forma? Porque, se você chegou às suas fronteiras, ele *tem* forma. E se você não chegou até suas fronteiras, então, não diga que ele é sem-forma, porque ele pode ter forma. Quando você chega até as fronteiras, somente então você pode saber. Assim, os que realmente toparam com Deus — é um encontro por acaso — aqueles que caíram dentro dele, não dirão nada, nem mesmo isto, porque isto é contraditório.

Um dos lógicos mais penetrantes deste século[5], Wittgenstein, escreveu uma bela frase. No seu livro *Tractatus Logico Philosophicus*, ele tem muitas afirmações belas. Esta é a melhor; ele diz: "Nada

---

(5)   Século XX. (N. da T.)

deve ser dito sobre algo que não pode ser dito. Se nada pode ser dito sobre uma coisa, deve-se permanecer silencioso".

Tomé chega mais perto, mas permanece distante. Ele ainda tentou dizer, tentou expressar o inexpressável.

Tomé disse a ele: "Mestre, minha boca não será capaz de dizer com quem vos assemelhais".

Jesus disse: "Eu não sou seu mestre"...

"...porque ninguém me compreende; assim, como eu posso ser seu mestre?"

Se você compreende, só então você pode ser um discípulo. Se você compreende, só então você pode entrar no templo. Se você compreende, só então você pode entrar no ser do mestre.

Jesus disse: *"Eu não sou seu mestre"...*

Para todos os três ele está dizendo: EU NÃO SOU SEU MES-TRE. Tomé chegou mais perto, mas ainda assim perdeu. Ele é o melhor, mas ainda não perfeito — apenas aproximadamente o melhor. Ele chegou mais perto, mas ainda há uma barreira: ele ainda acredita nas palavras, pois tenta expressar o que não pode ser expresso. *Eu não sou seu mestre...*

...porque vocês estão embriagados, estão embriagados com a primavera borbulhante que já ultrapassei.

Aqui ele está afirmando uma profunda verdade. Ele está dizendo: "Vocês três estão falando a partir da mente — *a primavera borbulhante que já ultrapassei* — de onde eu fui além: *ultrapassei*. Vocês ainda estão falando a partir da mente: um está falando através da mente moralista, um outro está falando através da mente teológica, o terceiro está falando através da mente mística — mas ainda assim, tudo faz parte da mente. E se vocês falam a partir da mente, *eu não sou seu mestre...* porque toda a ênfase é esta: abandone a mente!".

É nisto que um mestre sempre insiste: Abandone a mente! E você usa um truque: você começa a falar sobre o mestre a partir da mesma mente que ele está insistindo para você abandonar. Eis por que eu digo que Bodhidharma foi mais afortunado: ele teve um discípulo que permaneceu silencioso, não respondeu.

Tem havido mestres mais afortunados. Um deles foi Rinzai. Ele perguntou a mesma coisa — porque, na verdade, é a mesma história que se repete sempre: Buda e seus discípulos, Jesus e seus discípulos, Bodhidharma e seus discípulos, Rinzai e seus discípulos — a história é a mesma. Ela não pode ser diferente, porque o relacionamento é o mesmo, o fenômeno é o mesmo. Rinzai foi até mais afortunado. O que aconteceu? Quando ele perguntou a seu discípulo principal, "diga algo sobre a verdade", o que o discípulo fez, você sabe? Você nem pode conceber. Ele deu uma bofetada no mestre! E o mestre riu e disse: "Certo, você agiu bem, porque, como alguém pode responder a uma pergunta quando a própria pergunta é errada?".

E este é o mestre mais afortunado! Como você pode responder um pergunta quando a própria pergunta está errada? O discípulo está dizendo: "Não seja tolo, não faça joguinhos comigo, não tente me colocar num quebra-cabeça. Não me jogue num absurdo ilógico, porque, se eu responder, estará errado e, se não responder, também será errado — porque um mestre está perguntando. Se eu responder, será errado, porque a natureza da verdade é de tal ordem, que não pode ser expressa; se eu não respondo, será indelicado — um mestre está perguntando; eu tenho de responder". Foi isso o que ele disse quando esbofeteou o mestre. Rinzai riu e disse: "Certo! Quando um discípulo pode esbofetear o mestre, ele mesmo se tornou um mestre por direito próprio. Agora vá e ensine aos outros".

Jesus disse: *Eu não sou seu mestre, porque vocês estão embriagados, estão embriagados com a primavera borbulhante que já ultrapassei.*

Vocês ainda são todos bêbados, bêbados com a mesma loucura da mente! A mente é a fonte de toda loucura — pode haver graus, mas todos que têm mente são mais ou menos loucos. A mente é equivalente à loucura. Você pode não ser muito louco, pode ser apenas mornamente louco; então, você não fica fervendo, evaporando — ninguém fica pensando em mandá-lo para o hospício. Você está apenas mornamente louco, um louco viável: você pode trabalhar, pode andar por aí e manter sua loucura internamente. Um homem vai além da loucura somente quando vai além da mente. Eis por que Jesus diz que vocês estão bêbados: *...estão embriagados com a* *primavera borbulhante que já ultrapassei.* Vocês três estão falando da mente. Vocês não olharam para mim, porque, quando se olha, a mente não está presente.

Não venha com a mente até um mestre. É estupidez, porque, se você vem com uma mente a um mestre, você não vai se aproximar dele. Você não alcançará o *satsang*, você não estará na sua presença; você ficará preenchido com a sua mente, ficará bêbado com a sua mente. Enquanto ele estiver presente, você ficará pensando, tagarelando. Por dentro, a mente continuará dando voltas e voltas e criará um muro, e será impossível para Jesus penetrá-lo.

> *E ele pegou Tomé... — porque ele era o mais próximo, o melhor — ...afastou—se com ele... — na solitude — ...e lhe disse três palavras.*

Então, quando Tomé voltou para os companheiros, eles lhe perguntaram: "O que Jesus lhe disse?".

Ele teve de trabalhar com o segundo melhor; o melhor não estava disponível. Tomé foi escolhido. Ele o pegou e lhe disse três palavras.

> *Quando Tomás retornou aos companheiros, estes lhe perguntaram:*
>
> *"O que Jesus lhe disse?".*

Eles ainda estão interessados no que Jesus disse, não no que Jesus é. Eles ainda estão interessados em conhecimento, nas palavras, não interessados no ser.

> *Tomé lhes respondeu:*
>
> *Se eu lhes disser uma das palavras que ele me disse,*
>
> *vocês pegarão pedras e as jogarão contra mim;*
>
> *e o fogo sairá das pedras e os consumirá.*

Isso é muito misterioso. Aquelas três palavras não foram registradas, e Tomé nunca disse aos outros discípulos quais eram aquelas três palavras. Mas ele deu indicações — porque, quando você não está preparado, somente indicações podem ser dadas; quando você não está preparado, somente índices podem ser dados. Se você é realmente um pesquisador, através dos índices você chegará ao segredo. O segredo final não pode ser dado, você tem de estar preparado para ele. Quanto mais preparado você está, mais ele se revela. Ele dá índices; assim, tente compreender os índices.

Se eu lhes disser uma das palavras que ele me disse, vocês pegarão pedras e as jogarão contra mim; e o fogo sairá das pedras e os consumirá.

Uma coisa ele diz: "Se eu disser mesmo uma única palavra" — Jesus disse três, mas... "se eu lhes disser mesmo uma única palavra, vocês imediatamente começarão a me jogar pedras". O que ele quer dizer?

O homem vive em mentiras — todo homem, porque as mentiras são muito convenientes, confortáveis. A verdade é dura, inconveniente, nada confortável. Mentir é como ir para baixo — vai-se facilmente, com pés dançantes. A verdade é ir para o alto, para cima — é difícil, árduo, você transpira, não é confortável. Mentiras são convenientes, confortáveis, porque você pode criá-las, pode inventá-las. Você pode inventar sua própria mentira para ajustá-la a você, mas você não pode inventar a verdade. Este é o problema, a fricção.

Você pode inventar mentiras: você vai ao alfaiate e ele faz a roupa para você; você pode criar mentiras para você, assim como roupas, mentiras que se ajustam a você. Mas a verdade não vai se ajustar a você, você não pode inventá-la: você terá de se ajustar à verdade — você é que terá de sofrer o corte. A verdade não pode ser cortada, como uma roupa. Para se ajustar à verdade, você terá de mudar. As mentiras são belas, porque você não precisa mudar — você simplesmente muda a mentira e ela se ajusta a você. Ela é muito confortável, ela se agarra a você, nunca o obriga a mudar, você pode permanecer estático, estagnado.

A mentira está sempre com você, nunca contra você. E a verdade — a verdade não se importa: se você quer ser verdadeiro, você tem de mudar a si mesmo. A verdade não pode ser inventada, ela tem de ser descoberta — ela já é existente. Eis por que o homem vive em mentiras, porque você pode inventar suas próprias mentiras.

Cada país tem suas próprias mentiras, cada raça tem suas próprias mentiras, cada religião, igreja, templo, *gurudwara*[6], tem suas

---

(6)   *Gurudwara* — templo dos siques. (N da T.)

próprias mentiras. E elas são muito confortáveis, elas se agarram a você — elas o protegem da verdade. Eis por que, sempre que a verdade é afirmada, você começa a jogar pedras no homem que a afirma: porque se ele é verdadeiro, toda a sua vida é falsa. Isso é muito difícil de aceitar — você investiu muito na mentira, você viveu por ela. Seus sonhos são tudo que você conseguiu, suas mentiras são tudo o que você conseguiu e aí vem alguém e joga uma verdade...!?

Assim, há somente duas possibilidades: ou você está pronto para desmoronar completamente, ou você jogará pedras neste homem, porque atirando pedras neste homem, você não permitirá que a verdade dele despedace suas mentiras — você poderá se mover novamente em meio a suas mentiras.

Os psicólogos já chegaram à compreensão de que o homem não pode viver sem mentiras. E no que tange a noventa e nove por cento das pessoas, eles estão certos; sobra um por cento: eles são excepcionais. Freud, Jung, Adler, todos os três grandes descobridores da mente do homem, estão absolutamente em concordância em uma coisa: que, como o homem está, ele não pode viver sem mentiras. Ele precisa das mentiras: elas são uma necessidade básica, como o alimento. Até mesmo mais básica. Você pode viver sem alimento durante três meses, você não pode viver sem mentiras nem mesmo por três segundos — é como a respiração.

Olhe para o tipo de mentira em que você vive! E sempre que alguém apoia sua mentira e a faz parecer uma verdade, você se curva a essa pessoa. Você tem medo da morte; assim, você acredita na imortalidade da alma. Isso é uma mentira para você — você não sabe nada, nem mesmo o ABC sobre a alma; você não sabe se a alma existe ou não, mas você acredita na sua imortalidade. E quando alguém argumenta e prova que a alma é imortal, você se curva para essa pessoa, você presta seus respeitos e diz: "Aqui está um homem que sabe!". O que ele fez? Ele simplesmente apoiou sua mentira; agora ele deu ainda mais vida à sua mentira. Você permanece o mesmo: você não sabe o que é a alma, você nunca se incomodou em saber disso. Mas a mentira o ajuda a viver. Então, você não tem medo da morte, porque não há morte — a alma é imortal!

Desse modo, um fenômeno muito estranho aconteceu: este país, a Índia, é o mais covarde sobre a terra. Caso contrário, como foi possível se fazer de tão vasto país um escravo durante centenas de anos?... E para raças pequenas como a inglesa — nem mesmo equivalente a uma província! Quinhentos milhões de pessoas sendo escravizadas por trinta milhões de pessoas parece ilógico. Mas quem quer que tivesse vindo... — hunos, mongóis, turcos, os ingleses — quem quer que viesse, a Índia sempre esteve pronta a ser uma escrava. Por que tanta covardia? E essas pessoas são os "conhecedores de si-mesmo", e elas dizem que têm a raiz do conhecimento e sabem que a alma é imortal!

Se a alma é imortal, como você pode ser um covarde? Se a alma é imortal, então, ninguém pode ser mais valente do que você, porque nada vai morrer! Mesmo quando alguém o está assassinando, você não terá medo, porque nada vai morrer. Mas a coisa não é essa — a coisa é exatamente o contrário: a alma é imortal e, contudo, os indianos são os maiores covardes. Na verdade, como eles são covardes, eles escondem sua covardia na filosofia da imortalidade da alma. Essa imortalidade não é conhecimento deles. Buda pode ter conhecido, Yagnavalkya pode ter conhecido, mas isso não é um conhecimento que possa ser transferido.

O autoconhecimento permanece individual. Nenhum país o possui, ele não pode ser uma herança, ele não é uma tradição. Um homem conhece e, quando ele morre, esse conhecimento desaparece do mundo. Ele tem de ser descoberto sempre novamente, e novamente — você não pode torná-lo uma posse.

Esse país é acovardado, mas eles têm uma bela teoria. Eles têm tanto medo da morte, que você nem pode imaginar. Até para conquistar o Everest, os estrangeiros tiveram de vir. Os indianos não se incomodariam, porque todos diriam: "Que tolice você está fazendo? E o que você vai conseguir lá? Por que se colocar em perigo?". Os indianos estão sempre com medo do perigo. Onde quer que haja perigo, lá eles não irão. E essas pessoas pensam que sabem que a alma é imortal. Não, isso é uma mentira! Não que isso não seja verdade... — para *você* é uma mentira, e você protege sua covardia com isso.

Olhe! A Índia é um fenômeno... — olhe ao redor. Você não poderá encontrar gente tão avarenta, gente tão miserável, em nenhum outro lugar do mundo. E eles chamam o mundo todo de materialista — um belo truque da mente. Eles são espiritualistas e o mundo todo é materialista. Sempre que olham para um ocidental, lá no fundo eles dizem: "Materialista!". E você não pode encontrar um homem mais materialista do que o indiano. Ele vive por dinheiro, é avarento pelas posses; para ele, é impossível dar qualquer coisa, ele se esqueceu de como dar, ele se apega a tudo. Mas ele chama o mundo todo de materialista, "e nós somos espiritualistas" — uma mentira, uma patente mentira, mas repetida tantas vezes que parece verdade. É falso.

Todo mundo inventa sua mentira particular também. Essas são mentiras públicas; então, você inventa suas mentiras particulares, e vive nelas. Elas o ajudam de certo modo: você pode ser um covarde, mas você pensa em si mesmo como corajoso, e você tenta agir como corajoso. Isso ajuda um pouco, porque realmente, se você é um covarde e se sente um covarde, você irá parar de se mover na vida. Você dirá "sou um covarde"; ficará paralisado.

Assim, os psicólogos dizem que sem mentiras o homem não pode viver — mesmo um covarde se move na vida. E isto acontece quase sempre: seja o que for que você seja, você criará a mentira oposta, e você irá desempenhar o papel de forma exagerada, para fazer os outros acreditarem e para fazer você mesmo acreditar. Você irá desempenhar o papel de forma exagerada — um covarde irá exagerar: ele se tornará um valentão, mas ele é um covarde, caso contrário, não haveria o desempenho exagerado. Ele pode se mover no perigo, mesmo quando não há nenhuma necessidade, só para mostrar aos outros e para se convencer de que "não sou um covarde". Mas lá no fundo ele tem medo de sua covardia: medroso, ele projeta o oposto.

Um avarento consegue renunciar ao mundo, ficar nu, só para se convencer de que "eu não sou avarento". Mas isso não irá ajudar. É uma mentira. Só por jogar fora as roupas e deixar a casa você não deixa a avareza, porque a avareza não está do lado de fora. Ela não faz parte da casa, ela não faz parte dos seus bens, ela faz parte de *você*. Aonde quer que você vá — nu ou vestido — não faz nenhuma diferença. Agora a avareza está tentando esconder-se através da representação exagerada do papel, movendo-se para o extremo oposto, a renúncia.

Um homem sem avareza não renuncia, porque ele não tem necessidade de superatuar. Um homem que não tem medo, não terá uma suposta bravura, porque ele não precisa superatuar. Um homem que chegou a compreender o seu ser, não ficará nem num extremo nem no outro. Ele será equilibrado, sua vida será um equilíbrio.

O que você acha? Um buda está andando e surge uma cobra. O que ele fará? Ele simplesmente salta fora do caminho! De que você o chamará, de covarde ou de valente? Ele é apenas um homem sensível, um homem de compreensão. Você preferiria um homem que permanecesse ali, sem se incomodar com o que a cobra fosse fazer — a cobra pode até picá-lo, mas ele permanece ali. Você chamará esse homem de valente. Mas ele é tolo, não valente. E lá no fundo ele deve ser um covarde: para esconder sua covardia, ele permanece ali.

Mas, se você vir Buda saltando para fora do caminho da cobra, você sentirá: "Que tipo de homem eu estive seguindo? Ele é um covarde!". Ele não é um covarde. Quando uma cobra aparece, a pessoa tem de sair do caminho. Isso é simples inteligência. É como se alguém estivesse buzinando e você ficasse parado no meio da rua e pensasse que você é um valente. Você é simplesmente estúpido! E ficando parado ali, a quem você está convencendo? A si mesmo... — lá no fundo: "Eu sou valente".

Um homem de compreensão jamais se move para o oposto; ele se move com compreensão. Seja qual for a situação que surja, seja qual for a situação, ele responde com sua consciência: ele não é nem valente nem covarde. Você é covarde ou valente, mas o oposto está escondido por trás: mesmo um homem covarde pode tornar-se valente em certas situações; mesmo um valente mostra-se covarde em certas outras situações.

Olhe para este problema: o mais valente, quando chega em casa, torna-se um covarde — mesmo um Napoleão diante de Josefina é um covarde. Por que acontece de um marido que é um grande lutador no mundo, na competição, no mercado, simplesmente se tornar um covarde diante de sua pobre esposa? O que acontece? E não pense que isso é sobre os outros, que você não é esse homem — *todo* marido é um submisso! Isso parece uma afirmação exagerada. Não é, porque por pura necessidade todo marido tem de ser submisso: o dia todo ele é valente; assim, em casa, ele quer relaxar da valentia. E, se ele não relaxar pelo menos em casa, então, onde ele encontrará o relaxamento? Assim, no momento em que ele entra em casa, ele põe de lado sua armadura.

Ele é valente no mundo do mercado, lutando continuamente — competição, inimigos. Há uma guerra, uma guerra contínua no mundo: o dia todo ele luta. Quando ele chega em casa, ele está cansado de lutar, cansado da valentia — não se pode ser valente durante vinte e quatro horas por dia. Lembre-se: ninguém pode ser valente durante as vinte e quatro horas do dia. Você pode somente ficar alerta durante as vinte e quatro horas do dia. Fora disso, tudo se move para o oposto.

Você chega em casa, você está cansado, você quer descansar. Agora você não pode lutar — esteve lutando o dia todo! E o que a sua esposa esteve fazendo o dia todo? Ela não tem nenhuma competição, não tem nenhuma guerra acontecendo em torno dela; está apenas em casa, protegida, o dia todo descansando. De certo modo, não aconteceu nada durante o dia onde ela pudesse mostrar sua valentia. Assim, ela está cansada de ser uma covarde, simplesmente uma esposa. Você chega em casa — ela está pronta. Ela vai saltar em você!

Certa vez aconteceu...

Havia um domador de leão, um homem muito valente. Mas ele estava sempre com medo de sua frágil esposa. E sempre que ele chegava tarde, havia problemas. Certa noite com amigos, ele se esqueceu completamente, bebeu muito e, então, por volta de meia-noite, lembrou-se de que tinha uma esposa e um lar. E voltar para casa, àquela hora, iria ser muito difícil. Mas onde se esconder? Não encontrou nenhum lugar — porque era uma cidade pequena e se ele fosse para qualquer hotel sua esposa iria lá e o pegaria. Não tendo encontrado nenhum lugar aberto, foi para a jaula dos leões, no zoológico onde ele era o domador. Ele tinha a chave. Ele abriu a porta: seis enormes leões ferozes na jaula! Ele dormiu, usando as costas de um leão como travesseiro.

A esposa procurou-o por toda a cidade. De manhã cedo, não o encontrando em lugar nenhum, ela foi ao local onde ele trabalhava como domador de leões. Ele estava dormindo, dormindo profundamente, roncando. Ela cutucou o homem com sua sombrinha e disse:

— Seu covarde! Saia daí, e vou lhe mostrar!

Isto está fadado a acontecer: se você escolhe um extremo, o outro o segue. Você pode ser valente em algum lugar, mas você será covarde em algum outro lugar. Tem de ser assim, porque a covardia será um relaxamento. Assim, eis por que eu digo: por pura necessidade um marido tem de ser submisso. Há somente um jeito de um marido não ser submisso: se ele funciona como uma esposa em casa, e a esposa sai para o trabalho. Então, ele não é submisso, porque, então, ele não mais é um marido — ele é realmente uma esposa, e a esposa é o marido.

Todo extremo esconde o outro em si e você terá de mostrá-lo em algum lugar: caso contrário, ele se tornará demasiadamente pesado, será impossível viver sob ele. Somente a inteligência, a consciência, aquilo que os budistas chamam de *prajnyan* — um estado meditativo que é de equilíbrio — é sempre relaxado. Um estado de consciência é como um gato: mesmo dormindo, ele está alerta. Basta um pequeno som ao redor, e ele salta sobre os pés, rejuvenescido, alerta, desperto. A mente de alguém que permanece no meio, equilibrada, mesmo que ele esteja adormecido, ela permanece alerta. Não há relaxamento, porque o relaxamento não é necessário — ele nunca esteve tenso, ele nunca foi um valente nem um covarde. Ele compreendeu os dois lados e foi além.

O homem vive em mentiras. Ele tem de viver, porque ele está tentando não aceitar a totalidade do seu ser; somente uma parte é aceita. Então, o que fazer com a outra parte? Ele tem de criar alguma mentira para escondê-la.

Tomás respondeu: Se eu lhes disser uma das palavras que ele me disse, vocês pegarão pedras e as jogarão contra mim; e o fogo sairá das pedras e os consumirá.

A verdade é saudada assim. Não é fácil afirmar a verdade: aqueles que a ouvem, se tornam seus inimigos, começarão a jogar pedras. Eles realmente não estão contra você, eles estão apenas se protegendo, protegendo suas mentiras: ... *vocês pegarão pedras e as jogarão contra mim...*

E então ele diz uma coisa muito bela: *...e o fogo sairá das pedras e os consumirá.* Vocês jogarão pedras em mim, vocês jogarão pedras na verdade — mas das pedras sairá um fogo e os queimará.

Vocês não podem queimar a verdade, vocês não podem crucificar a verdade. Vocês crucificaram Jesus. Eis por que eu disse, ontem, que quando Jesus foi crucificado pelos judeus, ele não foi crucificado — eles se crucificaram. E o fogo está queimando desde então, e eles evitam e eles fogem do fogo — mas ele os segue. Você pode jogar pedras, mas a verdade jamais é ferida.

No momento em que você atira as pedras na verdade, isso quer dizer que *você* será ferido, finalmente será queimado; um fogo sairá de suas pedras. E essa é toda a história dos judeus: durante vinte séculos, continuamente, eles vêm sendo queimados. E eu não estou dizendo que os que os têm torturado estejam certos. Não! Eu não sou um apoiador de Hitler, ou de outros que andaram queimando e destruindo judeus. Não! Eu não estou apoiando Hitler, ou os outros que têm queimado e destruído os judeus. Não, eles não estão agindo certo. Os judeus carregam as próprias feridas dentro de si — eles criam seus "hítleres". Isso pode parecer muito, muito difícil de se compreender.

Um homem culpado fica rodando, procurando alguém que o puna. Quando não há ninguém para puni-lo, ele sente que fica mais difícil viver. Quando alguém o pune, ele fica à vontade. Já reparou nas crianças? Se você não as pune, elas mesmas se punem: elas batem em si mesmas — isso as relaxa. Uma criança faz algo errado e fica olhando para ver se o pai, ou a mãe, ou alguém tomou conhecimento; ela fica em busca disso. Caso tenham tomado conhecimento, eles podem bater na criança; e a criança fica bem, porque agora ela foi punida. Acabou! A conta está fechada: ela errou e foi punida. Mas se ninguém fica sabendo, então, ela fica em dificuldade: alguma coisa fica incompleta. Ela vai para um canto e bate em si mesma. Então ela fica bem.

É isso o que está acontecendo com as pessoas austeras: elas fizeram algo errado — quer seja errado ou não, não é a questão, elas *acham* que fizeram algo errado —, então, ficam se punindo. Você pensa que elas estão entrando em profunda *tapascharya*, austeridade, que são grandes santos. Elas são simplesmente gente culpada punindo a si mesma. Elas podem jejuar, podem bater no próprio peito, podem até se queimar vivas, mas são simplesmente crianças culpadas, imaturas, punindo a si mesmas: fizeram algo errado e querem criar o equilíbrio. Querem dizer a Deus: "Já me puni o bastante, agora não preciso que você me puna". É isso o que os judeus têm feito. Esta é uma das mais profundas complexidades da mente humana.

Os judeus estão sempre em busca de seus Adolfs Hítleres, alguém que os possa matar — então, eles ficam bem. Quando ninguém se importa com eles, então, eles ficam mal; a culpa os segue. Quando você joga pedras na verdade, isso está fadado a acontecer, e mesmo após vinte séculos de sofrimento os judeus não confessam que agiram errado. Não! Jesus ainda não é aceito, eles ainda se comportam como se Jesus jamais tivesse existido: Jesus ainda não faz parte deles. E eu lhes digo: a menos que eles recuperem Jesus, continuarão em dificuldades. E as dificuldades não são criadas por outros, eles mesmos as buscam. São um povo culpado, e a culpa é muito grande.

Crucificar um Buda, crucificar um Jesus, crucificar um Krishna... — você pode conceber algo mais culposo? Jesus que deveria ser seguido e adorado, Jesus que deveria ser seguido e vivido — e vocês fizeram exatamente o oposto. Jesus que deveria ter se tornado sua vida, sua própria vida, a batida de seu coração — vocês fizeram exatamente o oposto: vocês o mataram. Ao invés de torná-lo sua vida, vocês destruíram sua vida. Essa ferida seguirá os judeus. É difícil livrar-se dela — a menos que eles recuperem Jesus.

Os hindus são melhores. Eis por que são menos perseguidos pela culpa: eles nunca mataram Buda. Buda foi mais perigoso do que Jesus: ele erradicou todo o hinduísmo — desde suas próprias raízes. Jesus disse: "Eu não vim para destruir a tradição, mas para cumpri-la". Buda não! Ele disse diretamente: "Eu vim para erradicar toda a tradição. Os *Vedas* são uma bobagem!". Mas os hindus jamais o mataram. Eis por que os hindus podem viver sem culpa. Não apenas não o mataram — eles são muito espertos e prudentes —, como chegaram até a torná-lo um *avatar*. Eles o aceitaram — apenas um pouco extraviado, mas nada demais para se incomodar. Eles o aceitaram dentro da tradição. Eles dizem: "Ele é nosso décimo *avatar*". E eles criaram uma história em torno dele — eis por que eu digo que eles são muito espertos e prudentes.

Nenhuma outra raça é tão esperta: tem de ser, porque os hindus são mais velhos, mais sábios. A experiência os ensinou muito:

que se você crucifica Buda, você jamais fica livre dele, porque ele o seguirá, o perseguirá; assim, não crucifique — apenas negligencie. Mas mesmo que você apenas o negligencie, algo em você sempre, repetidamente, olhará para trás. O homem estará presente; assim, é melhor aceitá-lo — e eles o aceitaram de um modo muito desdenhoso. Isso é prudência.

Eles criaram uma história: Deus criou o inferno e o céu, mas durante milhões de anos ninguém chegou ao inferno, porque ninguém pecava. Todos eram religiosos, corretos; todos iam para o céu. Então, o Diabo foi até Deus e disse: "Por quê? Para que você criou o inferno? Isso é inútil! Ninguém vem, e eu estou cansado de esperar e esperar. Assim, faça algo — ou feche-o!".

Deus disse: "Espere, vou enviar um homem — Gautama, O Buda — ao mundo. Ele vai confundir as pessoas. E, quando as pessoas ficam confusas, elas se extraviam. Então, começarão a entrar no inferno!". E, desde então, o inferno está lotado. Mas os hindus aceitaram Buda como um *avatar* enviado por Deus — e eles o rejeitaram de um modo muito sutil. Eles nunca sentiram culpa.

Os judeus permanecem culpados: a ferida os segue e eles ainda não recuperaram Jesus. Eles deveriam recuperá-lo. Ele era um judeu — nasceu um judeu, viveu como um judeu, morreu um judeu — ele jamais foi um cristão; eles podem recuperá-lo. E nenhum outro judeu chegou ao mesmo calibre. Muitos grandes judeus nasceram, mesmo neste século. Os maiores deste século foram judeus — os judeus são pessoas de enorme potencial: Freud é um judeu, Marx é um judeu, Einstein é um judeu — todos os três grandes que criaram todo este século — mas nada para comparar com Jesus! Eles rejeitaram o maior dos judeus. Uma vez que o recuperem, ficarão bem, suas feridas serão curadas. Ficarão saudáveis e inteiros e, então, não haverá mais nenhuma necessidade de Adolfs Hítleres.

Eles criam seus Hítleres, quando eu digo isso a vocês, lembrem-se também: sempre que você se sente culpado, você cria o punidor. Você busca pela punição, porque a punição o livrará da culpa, então, você pode descansar. Não se sinta culpado, caso contrário, você buscará punição.

Desfrute a vida em sua totalidade, caso contrário, você se sentirá culpado. Aceite a vida como ela é, e seja agradecido por ela, como ela é; tenha uma profunda gratidão — é isso o que torna um homem religioso. E, uma vez que você aceite o todo, você se torna inteiro. Todas as divisões desaparecem, um profundo silêncio ascende em você... você é preenchido pelo desconhecido, porque, quando você está inteiro, o desconhecido bate à sua porta.

Basta por hoje.

Décimo Terceiro Discurso

Jesus disse:

Se aqueles que os conduzem lhes disserem: "Vejam,
o reino está no céu",
então, os pássaros do céu os precederão.
Se eles lhes disserem: "Ele está no mar",
então, os peixes os precederão.
Mas o reino está dentro de você
e está fora de você.
Se conhecerem a si mesmos, então,
serão conhecidos e saberão que são os filhos do pai eterno.
Mas, se não conhecem a si mesmos, então,
estão na pobreza e são a própria pobreza.

O reino de Deus tem sido sempre pregado como se estivesse em algum outro lugar: no tempo, no espaço, mas sempre em algum outro lugar — não aqui e agora. Por que isso acontece? Por que o reino de Deus não está aqui e agora? Por que no futuro, ou em algum outro lugar?

É devido à mente humana. A mente humana desaparece no presente. Ela vive no futuro, na esperança, na promessa do futuro;

ela se move através do desejo. O desejo precisa do tempo, o desejo não pode existir se não houver o tempo. Se de repente você chega a um momento em que percebe que o tempo desapareceu, que agora não há nenhum tempo, nenhum amanhã, o que acontece ao seu desejo? Ele não pode se mover, ele desaparece junto com o tempo.

Basicamente, o tempo não é um fenômeno físico, é um fenômeno psicológico. O tempo não existe fora de você — é o próprio funcionamento da sua mente que cria o tempo. Um Jesus vive sem o tempo; você vive no tempo. Desse modo, todos os budas — Jesus é um buda, uma pessoa iluminada — sempre enfatizam: "Seja sem desejos! Então, de repente, as portas do céu se abrem para você". Mas, para ser sem desejo, você tem de ser aqui e agora, pois então não há nenhuma ponte para se mover para o futuro, para se mover para qualquer lugar. Não há nenhuma ponte. O desejo é a ponte.

A mente precisa do tempo, a mente não pode existir sem o tempo. Quanto mais tempo você tem, mais terreno a mente tem para jogar, para brincar. Então, ela pode criar muitos, muitos desejos e sonhos, e pode viver nesses desejos e sonhos. Os sacerdotes sempre falam como se o céu estivesse no futuro, porque somente o futuro pode ser compreendido pela mente. E só por causa desse futuro você pode ser explorado — e também se sentir à vontade.

> *Ouvi contar que em uma igreja o ministro estava louvando o reino de Deus e disse: "Há ruas de ouro e campos de esmeraldas!". E ele louvou o mais que podia e, então, perguntou, fez o convite:*

> *— Quem gostaria de ir para lá? — Todas as mãos se ergueram, exceto a de um velho. O ministro não podia acreditar naquilo. Por que aquele velho não havia erguido a mão? Ele deveria ser o primeiro, porque estava beirando a morte. Então, ele condenou e pintou uma imagem do inferno, com todas as suas feiuras: tortura, dor, sofrimento, fogo... Novamente ele desafiou:*

> *— Agora, quem gostaria de ir para o reino de Deus, para o céu? — Todas as mãos se ergueram, mas aquele velho ainda estava sentado sem erguer a mão. O ministro ficou espantado. Ele perguntou ao velho:*

— *O senhor não me ouviu? Está surdo? O senhor não gostaria de ir para o reino de Deus, para o céu?* — O homem disse:

— *Eventualmente, sim. Mas do jeito que o senhor está falando, parece que quer levar uma porção de gente agora. Eventualmente, sim, mas agora, não!*

Se lhe disserem "o reino de Deus está aqui e agora", você não estará pronto. Há muitos desejos a serem satisfeitos, antes de você ir embora; muitas, muitas coisas têm de ser feitas antes de você pensar em entrar no reino de Deus.

Você ainda está sonhando e não está pronto para ser acordado, você precisa de tempo. O sacerdote o puxa para si, mas não Buda, não Jesus, porque Jesus fala em termos de não tempo: ele se torna um amigo incômodo. Viver com Jesus é viver em constante desconforto. Ele não lhe permite a conveniência do sonho, não lhe dá tempo, futuro: ele diz que não há amanhã.

O amanhã ajuda de outra forma: assim como você é agora, você não se aceita, você sabe que você não é digno. Você sabe que, como você é, nem você mesmo pode se aceitar. Como Deus vai aceitá-lo? Não, é impossível! Você não pode conceber isso. Você já se condenou tanto, você é tão culpado, que... — como Deus o aceitará? É impossível. Neste momento exato, se o reino se abrir, se a porta o convidar, você não será capaz de ter tamanha coragem para entrar. Você precisará de um pouco de tempo para se transformar, precisará de um pouco de tempo para ser bom, precisará de um pouco de tempo para se santificar. Você precisará de um pouco de tempo para fazer muitas coisas, de forma que seu ser se torne aceitável, de modo que até mesmo Deus possa amá-lo. Há muitos desejos... — eles precisam de tempo. E muitos "deveres" estão esperando — eles precisam de tempo.

Toda a moralidade do mundo — as formas diferem, mas a base essencial é a mesma — o condena. Você é errado, algo tem de ser feito; você tem de ser corrigido, tem de ser polido, você tem de ser tornado digno. Então, se alguém lhe diz "a porta está aberta agora", você se sente desconfortável. Então, você não pode entrar. Mas se lhe disserem "está no futuro", então há tempo suficiente. Você fica à vontade, você pode manejar a coisa, pode dar um polimento em si mesmo. Você pode criar uma imagem, um ideal, e

321

você seguirá esse ideal; então, um dia ou outro, você se tornará um santo. E este é o truque da mente: se você puder adiar, a mente permanecerá a mesma; para permanecer a mesma, a mente precisa adiar. Para não mudar, os ideais são necessários; para não dar o salto, o tempo é necessário, de modo que você possa adiar.

O adiamento é a base da sua continuidade como você é. Se esta casa se incendiar, você não adiará, você simplesmente sairá dela. Você nem ao menos perguntará: "Onde é a porta? Onde está a escada? Para onde eu vou?". Você não irá procurar um professor, um guia — você simplesmente pulará fora. A porta vai estar em algum lugar! De onde você estiver, daí começa a jornada para a saída. E você não dirá: "Será que sou digno de ser salvo? Será que valho a pena?". Não, todas essas questões nem surgirão.

Filosofia é para momentos de luxo, quando você pode fazer perguntas e receber respostas e ir adiando. Mas quando há perigo, você põe de lado toda e qualquer filosofia. Você já observou que sempre que você está em perigo, você põe a mente de lado? Você não pensa absolutamente, não há tempo suficiente para pensar — a casa pega fogo, você salta! E quando você estiver lá fora, então, você poderá sentar-se sob uma árvore e pensar novamente sobre o que aconteceu. Mas no momento em que o perigo está presente, quando a morte está presente, o tempo não existe mais. Você simplesmente age, não há intervalo para pensar: você tem de agir, somente a ação pode salvá-lo.

Tempo é adiamento, e você gostaria de adiar por milhões de razões. Uma delas é esta: muitas coisas ainda estão incompletas — você não degustou este mundo. Você tem estado neste mundo milhões de vezes, você o saboreou milhões de vezes, mas a fome ainda permanece, existe sede. Não por não ter havido tempo suficiente... pois durante todo o passado você esteve aqui — e todo o passado quer dizer eternidade, o sem início. Desde a eternidade você tem estado aqui, agindo em milhões de formas, satisfazendo milhões de desejos e, contudo, você ainda permanece faminto e sedento. Você acha que mais tempo é necessário? Você já teve mais do que suficiente! Não é necessário mais tempo, mas compreensão, consciência de que a própria natureza do desejo é permanecer não preenchido.

Por mais tempo que seja dado, mesmo muitas eternidades, o desejo permanecerá não preenchido. Ele surgirá sempre nova e novamente, e quanto mais você tenta preenchê-lo, mais ele surgirá: você está simplesmente alimentando o desejo quando pensa que o está preenchendo. Você entra no sexo, pensa que o está preenchendo — você está simplesmente alimentando o desejo. Amanhã ele voltará até mais ambicioso, até mais cheio de luxúria, com até mais expectativas. Você o alimenta novamente, amanhã ele baterá à sua porta novamente, mais loucamente, com mais esperança — e todo dia ele crescerá. E à medida que você o experimenta, você sente cada vez mais e mais fome. Você o está alimentando, o preenchimento não existe.

E isso é a mesma coisa com todos os desejos. Olhe para os desejos comuns, os muito comuns: você come, a fome desaparece, mas ela desaparece somente para retornar novamente. A fome pode desaparecer para sempre através do alimento? Há alguma possibilidade disso... — só por se comer, a fome desaparecerá para sempre? Você tem sede, você bebe água — você acha que a sede vá desaparecer para sempre? Não, essa não é a natureza do desejo. E esses são desejos comuns que você pode compreender. Eles são repetitivos, e quanto mais você repete, mais você fica hipnotizado, porque repetição é hipnose: você fez aquilo ontem, você está fazendo hoje, você está esperando fazer isso amanhã; você está repetindo o desejo. E quanto mais você o repete, mais você entra nele.

Você tem desejado de muitas formas durante milhões de vidas. E você nasce naquele determinado jeito que você deseja. E você cumpre o desejo: um homem que quer ter sexo como um cão, nascerá como um cão; um homem que é ambicioso como um porco, nascerá como um porco, de modo que possa preencher seu desejo. Você já nasceu de vários modos possíveis, porque você tem existido pela eternidade — como uma árvore, como um pássaro, como um animal... É isso o que os hindus chamam de *yonis*. Eles dizem que você já nasceu através de milhões de úteros, seu desejo já tomou muitas formas, e você já tentou através de cada dimensão possível. Nada aconteceu até agora, nada jamais vai acontecer, porque a própria natureza do desejo é permanecer não realizado. Se você compreender isso, então, o futuro não é necessário — então, você pode permanecer aqui e agora. E quando o futuro cai, o desejo cai.

Tente compreender de um outro ângulo: você já tentou de todos os modos se transformar — você não se lembra de suas vidas passadas, mas você sabe desta vida — você já fez de tudo para se transformar. Você pelo menos se transformou um pouquinho? Só um pouquinho, eu digo... Você está pelo menos um pouquinho transformado? Ou você simplesmente permanece o velho — um pouco retocado aqui, um pouco retocado ali, um pouco modificado aqui ou ali — mas há realmente alguma mudança? Aconteceu alguma mutação com você? E se não aconteceu até agora, que razão existe para pensar que irá acontecer no futuro? E se você continuar vivendo do mesmo modo que você viveu, adiando, então nunca irá acontecer, porque o adiamento é um truque da mente, para *não* deixar a transformação acontecer.

Esse é o truque mais profundo, e a pessoa tem de compreender isso. Por que você adia para amanhã? Porque você não quer fazê-lo agora, neste momento. Você aplica um jogo lógico: você diz: "Agora é difícil, mas amanhã será simples". Mas todo amanhã vem na forma de hoje e, quando o amanhã chegar novamente, ele será hoje e você dirá: "Agora é difícil, mas amanhã eu o farei!". Este é o jeito da mente ficar à vontade; e o amanhã nunca vem.

O adiamento não é o caminho da transformação. Até agora você esteve adiando — adiando sempre, repetidamente. A cada momento você adia — e é por isso que você permanece o mesmo. Se você compreende isso, a transformação acontece neste momento... porque ela não precisa de esforço: trata-se de um acordar. Não é uma questão de modificação, não é uma questão de se fazer algo com você mesmo. Assim como você é, você é perfeito; assim como você é, você é divino; assim como você é, não está faltando nada absolutamente — simplesmente acordar é necessário. Simplesmente saia de seu sonho e de seu sono, simplesmente abra seus olhos e veja o fato, e o fato transforma: de repente, você não mais é o passado.

Quando você abandona o futuro, o passado é abandonado imediatamente. Esta é uma das leis fundamentais da vida: se você abandona o futuro, o passado cai imediatamente, porque ele não pode permanecer dessa forma. É exatamente como fazer uma ponte sobre um rio. A ponte necessita de duas margens para existir. Se uma das margens desaparece, a outra margem sozinha não pode apoiar a ponte — a ponte cai, tudo desaparece. O passado e o futuro são as duas margens e, entre essas duas, você constrói a ponte do desejo. Você está sempre indo a algum lugar, *sempre* indo a algum lugar. E se você não está conseguindo chegar, então, a mente diz: "Vá mais depressa!".

É por isso que toda a tendência moderna é a favor da velocidade. A mente diz: "Você não está conseguindo chegar, porque sua velocidade não é boa o bastante. A meta está bem ali, você pode ver que ela é acessível amanhã, ou depois de amanhã no máximo; a meta está ali mesmo, você pode vê-la no horizonte. A sua velocidade é que não é boa o bastante — ande mais rápido, corra! Crie novos mecanismos para aumentar a velocidade e você chegará".

Chegamos à lua, devido a essa lógica — e não alcançamos nenhum termo. A velocidade continua tornando-se cada vez mais e mais e mais rápida: mais cedo ou mais tarde estaremos nos movendo à velocidade da luz; exatamente agora, estamos nos movendo à velocidade do som. Quanto mais velocidade, mais você ficará perdido, porque, então, será muito difícil voltar para casa. Exatamente agora, você não pode ir muito longe; mas quanto mais velocidade, mais difícil voltar para casa.

É por isso que o autoconhecimento tornou-se quase impossível nesta era, a era da velocidade. Buda realizou-se facilmente, Jesus realizou-se facilmente, porque eles viviam na era de nenhuma velocidade — eles simplesmente caminhavam. O carro de boi era a coisa mais rápida possível, e você pode andar mais rápido que um carro de boi. Eles caminhavam na terra, nós estamos voando nos céus, estamos penetrando o espaço e, quanto mais rápido nos movemos, mais difícil se torna voltar para casa.

Ouvi dizer que certa vez dois mendigos encontraram uma motocicleta na rua. Alguém tinha se esquecido de levar a chave consigo. A motocicleta tinha um assento lateral. Assim, um mendigo pulou na moto e o outro no assento lateral, e saíram correndo para a outra cidade.

Após quinze minutos, o homem que estava pilotando, olhou para o amigo. O rosto do amigo estava vermelho, como se ele tivesse ficado louco, ou como se estivesse morrendo. Ele perguntou:

— O que é que há? — O outro disse:

— *Diminua um pouco a velocidade, porque esta coisa aqui não tem fundo, e eu estou correndo o caminho todo!*

Essa coisa de desejo não tem fundo. Você está morrendo, porque você tem corrido o caminho todo, e cada vez mais e mais e mais depressa, e essa coisa não tem nenhum fundo. O desejo não tem fundo, eis por que ele não pode ser preenchido. Se você tentar encher um pote com água e ele não tiver fundo, quando você será capaz de enchê-lo? É impossível. Por que você não é capaz de encher esse pote sem fundo do desejo? Você jamais olhou para ver se ele tem fundo ou não — você simplesmente pulou dentro. E você está correndo tão depressa, que não sobra nenhum intervalo para parar e dar uma olhada para ver o que está acontecendo.

Todos os sacerdotes exploraram isso. Mas Jesus não é um sacerdote — você não pode encontrar um homem mais anti-sacerdote do que Jesus. Um homem realmente religioso jamais é um sacerdote. Ele não pode ser, porque o sacerdote vive explorando as suas fraquezas. Um verdadeiro homem religioso, um mestre, quer torná-lo mais forte. E um padre é simplesmente um homem esperto que sabe qual é a sua fraqueza. A fraqueza é olhar para o futuro, adiar: em algum lugar, eventualmente, você entrará no reino de Deus — mas não exatamente agora. Muitas outras coisas mais importantes têm de ser feitas, muitos desejos mais importantes têm de ser preenchidos. Deus é sempre o último item da sua lista, e a lista é infinita. Ele não vai ter nenhuma chance. Ele é o último item.

Agora, olhe para estas palavras de Jesus:

Se aqueles que os conduzem lhes disserem:

"Vejam, o reino está no céu", ...

— não aqui, mas em algum lugar lá nos céus, em algum lugar lá bem longe; o reino de Deus está em algum lugar distante, muito distante —

— ...então, os pássaros do céu os precederão.

Eles chegarão lá antes de você, então, você ficará para trás. Jesus está brincando, ele está dizendo: "Então não tenha esperança, porque os pássaros do céu chegarão antes de você!".

Se eles lhes disserem:

"Ele está no mar", então, os peixes os precederão.

... e eles chegarão antes de você, você perderá.

Sobre quem Jesus está falando? Ele está falando sobre os sacerdotes. Os sacerdotes são os inimigos da religião, mas eles se tornaram os administradores. Eles administram em todo lugar e, então, eles não permitem que uma pessoa como Jesus entre em seus templos.

Há uma bela história no livro *Os Irmãos Karamazov* de Dostoievsky: Depois de mil e oitocentos anos, Jesus pensou: "Agora eu devo ir e visitar a terra novamente, porque depois de mil e oitocentos anos de cristianismo, agora a terra deve estar pronta para me receber. Agora eles não me rejeitarão como fizeram antes, porque, quando eu estive lá antes, não havia nem um único cristão, eu era um estranho. Agora, metade da terra é cristã; milhões de igrejas e de sacerdotes pregando continuamente a palavra de Jesus. Agora vou ser recebido, bem recebido: todas as portas estarão abertas para mim. Agora é a hora. Não devia ter ido antes — aquela não era a hora certa".

Ele veio novamente, claro que num domingo de manhã, porque é difícil descobrir quem é ou não é um cristão se você chega em outro dia da semana. Fica impossível; todos são iguais! Somente aos domingos, você pode distinguir quem é um cristão, porque religião é um assunto de domingo. Não está relacionada à vida, é apenas um ritual a ser realizado, é uma formalidade a ser cumprida — sem nenhum coração presente. E ele chegou na sua cidade, onde havia chegado mil e oitocentos anos antes: em Belém. Ele parou no meio da rua, um pouco apreensivo, porque as pessoas olhavam para ele e ninguém o reconhecia; e as pessoas saíam e entravam da igreja. Então algumas pessoas se juntaram ao seu redor e começaram a lhe dizer: "Você se parece com Jesus — você representa bem, você é um bom ator!".

Jesus disse: "Eu não sou um ator. Eu sou o verdadeiro Jesus".

Eles começaram a rir e disseram: "Se você é o verdadeiro Jesus, então, fuja antes do sacerdote sair; caso contrário, fatalmente você vai acabar se dando mal!". Então, os garotos endiabrados começaram a jogar pedras e as pessoas começaram a rir: "O verdadeiro Jesus chegou! O rei dos judeus! Este é o homem que eles crucificaram — ele ressuscitou!". E eles riam e debochavam.

E Jesus ficou muito sentido... — porque aquelas pessoas eram o *seu* povo. Já não eram judeus, eram cristãos; eles o seguiam, e nem eles puderam reconhecê-lo. Mas ele aguardou com esperança: "Pelo menos o sacerdote me reconhecerá. Essas aqui podem ser pessoas tolas, ignorantes, mas meu sacerdote sabe".

E então veio o sacerdote. As pessoas pararam de rir, só por respeito ao sacerdote. Abrindo caminho para ele, a multidão permitiu-lhe entrar na roda. Curvaram-se em profundo respeito. Jesus riu no seu coração: "Eles não se curvaram para mim, não me prestaram nenhum respeito, mas eles respeitam o sacerdote. Pelo menos é um bom sinal, porque ele é *meu* sacerdote. Eles me reconhecem nele, não diretamente, porque eles são cegos e não podem ver".

E então o sacerdote olhou para ele e disse: "Caia fora, rufião! O que você pensa que está fazendo?! Insultando nosso Deus?!".

Jesus perguntou: "Você não consegue me reconhecer?".

O sacerdote agarrou-o pelo colarinho e disse: "Eu o reconheço muito bem. Venha e me siga!". Levou-o para dentro da igreja e prendeu-o numa cela. Jesus ficou muito espantado: "O que vai acontecer agora?! Será que meu próprio povo vai me crucificar novamente?".

E então, à noite, o padre veio com uma pequena vela nas mãos e abriu a porta. Trancou a porta por dentro, curvou-se, tocou os pés de Jesus e disse: "Eu o reconheci muito bem!" Mas não no meio da rua, não diante dos adoradores, porque você é um velho criador de casos. De algum modo, temos administrado tudo bem, mas você vai perturbar tudo de novo. Agora está tudo correndo bem, o cristianismo está estabelecido: convertemos metade da terra, mais cedo ou mais tarde, a outra metade será convertida. Espere lá, você não precisa vir aqui! Você não conseguiu converter um único homem quando esteve por aqui e nós estamos fazendo as coisas muito bem, organizamos tudo muito bem; você deve nos agradecer.

"E podemos reconhecê-lo desde que não haja ninguém, mas não podemos reconhecê-lo diante dos outros, porque você é antissacerdote, anti-igreja, você é antissistema. E se você insistir, então, teremos de crucificá-lo novamente. Podemos adorá-lo quando você não está presente, porque isso não perturba ninguém. Está tudo correndo bem, andando bem — olhe como organizamos tudo! Metade da terra convertida, milhões de igrejas e sacerdotes pregando sua palavra! Você deveria estar satisfeito. Assim, fuja imediatamente daqui, e não venha novamente! Nós somos os agentes aqui e, seja o que for que você queira fazer, você pode fazê-lo através de nós. Não podemos permitir que você ande entre as massas diretamente. Você é perigoso!"

Esse sacerdote está afirmando uma das verdades mais básicas: que o sacerdote não pode ser religioso. Ele pode ser um sacerdote de Buda, mas ele será contra Buda. Ele trabalha para ele, ou assim parece; ele cita suas palavras, ou assim parece. Mas, se Buda vier, ele ficará entre você e Buda e não permitirá que você chegue perto, porque um Buda, um Jesus, é sempre um rebelde, jamais é conformista. Ele pode criar uma revolução, não pode criar um sistema organizado.

Quando Jesus diz: *"Se aqueles que os conduzem lhes disserem..."* — ele está indicando na direção dos sacerdotes. *"Veja, o reino está no céu"*, então, os pássaros do céu os precederão. Se eles lhes disserem: *"Ele está no mar"*, então, os peixes os precederão.

E os sacerdotes sempre dizem que ele está em algum outro lugar.

Já aconteceu na Índia... — porque a Índia é a mais antiga terra dos sacerdotes. Em nenhum outro lugar tamanho sacerdócio entrou na existência como na Índia — eles tornaram-se uma casta, os *brahmins*[1]; eles são os sacerdotes. Eles se segregam totalmente da sociedade, tornam tudo secreto. A língua deles não pode ser conhecida por todo mundo. Não era todo mundo que podia ser instruído como eles, porque, quando as pessoas são instruídas e podem ler as escrituras, torna-se difícil esconder a verdade delas. Somente o sacerdote tinha permissão de penetrar o santuário do conhecimento — ninguém mais.

Esses *brahmins* governam este país há milhares de anos. Antes eles diziam que Deus estava nos Himalaias, porque os Himalaias eram inacessíveis. Mas, pouco a pouco as pessoas acessaram os Himalaias e descobriram que Deus não estava lá. Então, os *brahmins*

---

(1)   *Brahmin* — brâmane, sacerdotes, guardiães de todos os assuntos e negócios religiosos. (N. da T.)

disseram: "Esses não são os Himalaias do qual estamos falando, esses são apenas uma cópia dos verdadeiros Himalaias que existem no céu. Esses daqui são apenas reflexos — você não encontrará Deus no reflexo. O verdadeiro Kailash — os verdadeiros Himalaias — está no outro mundo". Então, seus deuses foram para os planetas, para a lua, para o sol.

Quando o homem chegou à lua pela primeira vez, os hindus ficaram muito perturbados, os *jainistas*[2] ficaram muito perturbados. O Ocidente não tem ideia de quão perturbados ficaram, porque o Ocidente não sabe o quanto foi investido na lua. Na Índia, houve muita perturbação.

Há um sacerdote muito instruído, que andou tentando provar que a coisa toda, a viagem do homem à lua, era falsa. Por quê? Um fato tão simples — já acontecido! —, por que ficar negando-o? Ele criou um grande instituto. Muitas pessoas doaram centenas de milhares de rupias para o instituto provar que ninguém tinha chegado à lua, que toda essa história — que o homem havia chegado à lua — era puro mito. Por quê? Porque eles tinham muito investimento naquilo. Se o homem chegou à lua e Deus não está lá, então, eles teriam novamente que mudar sua residência para algum outro lugar. E esses cientistas vão chegar a todo lugar. Agora você não pode permitir que Deus permaneça em algum lugar por muito tempo — onde quer que você diga que Deus está, o homem vai chegar lá. O céu era inacessível, o mar era inacessível. Há religiões primitivas que dizem que Deus vive no mar, debaixo do mar, e há religiões que dizem que Deus vive no céu. Mas uma coisa é certa para o sacerdote: que Deus não viva aqui, porque, se ele viver aqui, então, fica muito difícil... — então, qual é a necessidade de sacerdotes?

Um sacerdote é necessário como um corretor intermediário. Ele é um agente, um mediador. Se Deus existir aqui, então, você pode encontrá-lo diretamente — qual a necessidade do sacerdote? O sacerdote é necessário porque Deus está muito distante, sua voz não pode penetrá-lo diretamente. Ele dá sua mensagem aos sacer-

---

(2) Jainista — palavra transcrita diretamente da língua inglesa, pronuncia-se [jenista]. (N. da T.)

dotes e, então, o sacerdote interpreta-a para vocês. E através desta interpretação ele se torna poderoso: ele conhece as chaves, você é ignorante; ele o conduzirá, ele é o mestre, o guru — você tem de ser um seguidor.

A profissão mais astuciosa sobre a terra é essa de sacerdote. Por que a mais astuciosa? Porque ela explora um coração muito inocente. Um homem que está buscando Deus, um homem que está buscando pureza, um homem que está buscando a verdade — esse homem está sendo explorado. Se você explora um homem que está buscando por dinheiro, não há muita diferença entre você e ele, porque ele também está à procura de dinheiro — não há muita diferença. Mas se você está explorando um homem que está buscando a verdade, isso é astúcia — a coisa mais astuciosa possível, a coisa mais maléfica possível. Os sacerdotes deveriam pensar e dizer e provar se eles realmente são representantes de Deus. Se eles são representantes de alguma coisa, são representantes do demônio. Mas eles assumiram o controle, são os administradores.

Jesus disse: "Se aqueles que os conduzem lhes disserem: 'Vejam, o reino está no céu'... — não os escutem, caso contrário, você perderá o reino para todo o sempre".

Mas o reino está dentro de você ...

— não está em nenhum outro lugar, está exatamente onde você está neste momento —

e está fora de você.

— ele está dentro de você e está fora de você. Ele está dentro de você como um centro, ele está fora de você como uma circunferência.

O que Jesus está dizendo? O dentro mais o fora é o mundo todo, o dentro mais o fora é todo o universo — não sobra nada. Jesus está dizendo: "Deus é este universo, toda esta existência. Assim como ela é, ela é divina. Deus dissolveu-se na sua criação". Ele não é como um pintor que pinta e permanece separado. Ele é como um dançarino, que dança e torna-se um com a dança — você não pode separar o dançarino e a dança. Você pode separar um pintor da pintura, você pode separar a poesia do poeta, mas você não pode separar o dançarino da dança. Eis por que os hindus chamam Shiva de Nataraj, o maior dançarino: porque não há nenhuma separação, ele está na dança.

Se você puder compreender a dança, você poderá compreender o dançarino; se você não puder captar a dança, você não poderá captar o dançarino. Se você puder amar este mundo, você está amando Deus. Se você penetrar até mesmo uma flor, você o encontrará. Ele está escondido aqui — e ele não está escondido porque esteja tentando se esconder: ele está escondido porque você não está aberto. Caso contrário, ele é um segredo aberto. Ele está em todo lugar, em toda a sua volta, dentro e fora. O reino está dentro de você e está fora de você.

Se conhecerem a si mesmos, então,

serão conhecidos e saberão que são os filhos do pai eterno.

Mas, se não conhecem a si mesmos, então,

estão na pobreza e são a própria pobreza.

Ouçam: o reino está dentro de vocês! Então, todos os tempos tornam-se inúteis, porque você é o templo. Você é a igreja. Então, o Vaticano torna-se inútil; então, Roma é apenas uma carga. Então, não há nenhuma necessidade de uma Meca e de uma Medina, nenhuma necessidade de um *Girnar*[3] e de um *Kashi*[4]. Você é o templo de Deus. Ele está dentro de você. Então, qual é a necessidade de um sacerdote, de um mediador? Então, toda a religião perde o significado. Ele existe em você, como você é. Ele sempre existiu em você, como você é. Alguém perguntou a Rinzai: "Eu gostaria de me tornar um buda. O que fazer?". Rinzai disse: "Se você buscar, você perderá — porque você já é o buda".

É absurdo: buda buscando, buda fazendo esforços para se tornar um buda! Você não pode encontrar Deus, porque ele não está em algum outro lugar, ele está dentro de você. E para aí você nunca olha, porque todos os sacerdotes dizem: "Olhe: lá no céu, ele existe lá longe. A jornada é longa; é preciso um sacerdote para ajudá-lo".

---

(3) *Girnar* — lugar sagrado dos *jainas*, em Gujarat. (N. da T.)
(4) *Kashi* — lugar sagrado dos hindus às margens do rio Ganges, em Uttar Pradesh. No tempo dos ingleses, chamava-se Benares. Atualmente, chama-se Varânasi.

Jesus elimina a base de todas as igrejas, de todos os templos, sacerdotes, mediadores. Ele diz: "Ele está dentro de você". Mas ele também diz uma coisa muito rara e bela . Ele diz: "e está fora de você".

Há três tipos de religião: uma que diz que "Deus está fora" — hindus, muçulmanos: a insistência é de que Deus está fora. Então, há um outro tipo de religião que diz que "Deus está dentro" — *jainas*, budistas: eles dizem que você é Deus, mas nunca dizem que Deus está fora. Jesus diz: "Deus está dentro e fora". Esta é a grande síntese, a mais alta síntese possível. Ele não está escolhendo um extremo.

Um extremo é: Deus está fora. Eis por que os muçulmanos se oporão muito se você disser "eu sou Deus". Eles o matarão, porque esta é uma das afirmações mais terríveis — é *kufr*, blasfêmia. Assim, eles mataram Mansur, porque em seu êxtase ele dançava e dizia: "*Ana'l haq, aham brahmasmi* — eu sou Deus!". Isso é blasfêmia; um muçulmano não pode tolerar isso, porque "Deus está fora". No máximo, você pode se aproximar cada vez mais e mais dele, mas você nunca se tornará ele. Como uma criatura pode tornar-se o criador? A criatura permanece uma criatura, e o criador permanece o criador! Assim, eles pensam que é desrespeitoso afirmar "eu sou Deus". Isso quer dizer que uma criatura, um escravo, uma coisa criada está afirmando: "Eu sou o criador" — é blasfêmia, é irreligioso.

Então, contra esse polo há o *jainismo*. Eles dizem que Deus está dentro: sua alma é o supremo Deus e não há nenhum outro Deus. Eles foram para o outro extremo; assim, eles não adoram nenhum Deus; a adoração perdeu o significado para eles, eles não podem orar. A quem orar? E a prece é uma coisa tão bela, mas ficou sem significado.

Olhe para um muçulmano orando. Ele é belo. Ele pode orar, porque Deus está lá longe. Não há nada igual a um muçulmano orando. Se você quiser ver oração, veja um muçulmano orando: ele parece tão inocente, tão completamente entregue... — mas ele é perigoso. Se você afirmar que você é Deus, ele o matará, aquele mesmo homem que está orando. Os *jainistas* não podem orar, eles não podem adorar: a dimensão da oração e da adoração simplesmente desapareceu. Eles podem somente meditar. A meditação é permitida, porque Deus está dentro; você tem de simplesmente fechar seus olhos e meditar.

Jesus chega ao pico da síntese. Aqui ele afirma uma das maiores verdades: que Deus está dentro e fora. A oração é possível, a meditação também é possível: você pode cantar em êxtase em função daquilo que está fora, você pode ficar silencioso, em êxtase, em função daquilo que está dentro — ele está em todo lugar. Não há nenhuma necessidade de abandonar a oração, nenhuma necessidade de abandonar a meditação. Não existe nada semelhante à meditação, na tradição muçulmana: não pode existir; somente a oração é possível. Não existe nada semelhante à oração no *jainismo*: somente a meditação existe. Ambos foram para os extremos.

Jesus permanece equilibrado. Ele diz: "Deus, o reino de Deus, está dentro de você e está fora de você".

Se vocês se conhecerem, então, serão conhecidos...

Esta é a síntese. Se vocês se conhecem, os *jainistas* dirão: vocês conheceram tudo. Acabou! Não há mais para onde ir. Os muçulmanos não podem dizer que vocês podem se conhecer: eles podem dizer que vocês podem conhecer Deus e serem preenchidos com sua graça. Não há nenhuma possibilidade de autoconhecimento, porque o autoconhecimento o tornará um deus. Somente Deus conhece a si mesmo, não uma criatura. Um homem pode conhecer Deus, eis tudo. Ele pode existir na glória de Deus, ele pode ser preenchido com sua graça, sua luz; ele pode se permitir ir e fluir com a divina força, mas nenhum autoconhecimento é possível. Os *jainistas* dizem que somente o autoconhecimento é possível: se você se conhece, você conheceu tudo que existe para ser conhecido, não sobra nada. Mas Jesus diz: *"Se conhecerem a si mesmos, então, serão conhecidos"*.

Isso é muito sutil. O que ele quer dizer quando diz *"então vocês serão conhecidos"*? Se você se conhecer, toda a existência o conhecerá; no seu conhecimento, toda a existência olhará para você. Não somente você estará olhando para a existência, toda a existência também responderá, porque Deus está dentro e fora.

Quando alguém vem a se conhecer, não se trata somente de autoconhecimento — toda a existência também o conhece. No seu autoconhecimento, você é conhecido. Deus olha para você a partir de cada flor, de cada folha, de cada pedra — você não sente estar sozinho no seu autoconhecimento. Na verdade, até você se conhecer, você está sozinho. Quando você se conhece, toda a existência o conhece. Seu autoconhecimento não é um ato solitário, não é um solo, é uma sinfonia. Quando você conhece, tudo o conhece; quando você se reconhece, tudo o reconhece — até esta árvore será diferente, até esta pedra será diferente, até um pássaro reagirá diferentemente. Por quê? Porque a mesma consciência una existe dentro e fora.

Quando você se conhece, toda a existência o reconhece, celebra. E deve ser assim mesmo, porque você é parte da existência. Toda a existência deve celebrar seu supremo conhecimento, porque uma parte tornou-se conhecedora, uma parte tornou-se um buda, uma parte tornou-se um cristo: através dessa parte, toda a existência chegou a um pico, a um crescendo. Toda a existência ficará feliz, toda a existência florescerá e brotará de um modo diferente. Você será reconhecido, você será conhecido.

Você não estará sozinho no seu autoconhecimento — ele será uma celebração do todo. Essa é a coisa mais bela afirmada por Jesus: uma celebração da existência com seu autoconhecimento; o todo fica cheio de graça, porque uma parte floresceu, chegou à sua realização.

Se conhecerem a si mesmos, então, serão conhecidos.

Há uma tendência profunda para o fato de se "ser conhecido", mais profunda do que aquela para o autoconhecimento. Você quer ser conhecido, há um profundo desejo de que todos o conheçam. Isso pode estar indo de modo errado, você pode estar tentando conseguir a atenção das pessoas através de meios errados, mas lá no fundo o desejo tem uma semente, uma semente muito significativa. Isso mostra que você não ficará realizado a menos que toda a existência o reconheça, fique feliz com você.

Você tem uma necessidade de amar, e você tem uma necessidade de ser amado. Você tem uma necessidade de se conhecer, e você tem uma necessidade de ser conhecido. Uma resposta é necessária, caso contrário toda a existência permanece silenciosa como se nada tivesse acontecido. Um homem se torna um cristo e toda a existência permanece sem tomar ciência, desatenta, sem absolutamente se tocar, sem ficar de algum modo feliz, como se nada tivesse acontecido!? Como pode ser assim? Toda a existência *deve* reconhecer, porque nós não somos estranhos para esta existência. Esta existência é uma família, esta existência existe como um fenômeno inter-relacionado. Uma pessoa é iluminada e sua luz enche todos os corações, quer o saibamos ou não; em todo lugar haverá regozijo, celebração. É por isso que Jesus diz: *"Se conhecerem a si mesmos, então, serão conhecidos e saberão que são os filhos do pai eterno".*

O que os cristãos têm dito? Exatamente o oposto. Ele dizem: "Jesus é o filho unigênito de Deus". Todo seu dogma gira em torno dessa coisa "o único", porque, se todos são filhos, então, qual é a especialidade de Jesus? Então, como ele pode ser especial? Então, por que ele deve ser venerado? Só para tornar Jesus especial, eles... — e eles se esqueceram que estavam indo contra Jesus.

Jesus diz: *...e vocês saberão que são os filhos do pai eterno.*

Duas coisas — uma: tudo o que existe no universo é filho do todo, tem de ser assim. Você nasceu nele, através dele. Toda a existência tem sido seu pai — ou seria melhor se pudéssemos dizer "tem sido sua mãe". Teria sido melhor usar a palavra 'mãe' ao invés da palavra 'pai', mas isso era difícil, porque os judeus ainda permanecem macho-chauvinistas. Era difícil dizer 'mãe'.

Há países, raças macho-chauvinistas: os alemães chamam seu país de "pátria pai" — o único país que é conhecido como "pátria pai"; todos os outros países a chamam de "pátria mãe". Esses alemães são perigosos... — por que "pátria pai"? O homem e seu ego! Por que Deus deve ser o pai? Por que Deus não deve ser a mãe!? Por que deve ser "ele" e não "ela"? A mãe parece mais relevante, porque o pai não toma muita parte na criação do filho. No máximo, ele dispara a coisa, nada mais. E um pai é descartável.

Até mesmo uma injeção comum pode servir: o trabalho do pai pode ser feito por uma seringa. Ele é descartável. Toda a criação vem através da mãe: ela carrega o filho durante nove meses; o sangue dela, todo o seu ser, circula no filho.

Você existe no universo como se existisse num útero.

Há pessoas que usaram 'mãe' para Deus. Elas estão mais corretas, mas apenas *mais* corretas: ser absolutamente correto é impossível, porque, então, Deus deveria ser ambos, pai e mãe. Ele não pode ser macho, não pode ser fêmea, porque não há ninguém para disparar a coisa. Ele é ambos: *ardhanarishwar*, meio macho, meio fêmea; é ambos, ele e ela.

Mas depende. Quando Jesus estava aqui, seria muito difícil para ele, dizer "Deus, a mãe", porque ninguém teria compreendido. Sua audiência era de judeus, e eles acreditavam em um Deus pai muito feroz, muito vingativo — se você fosse contra ele, ele se vingava. Uma mãe jamais é vingativa, ela sempre perdoa, ela é sempre compreensiva. Uma mãe nunca insiste em ser obedecida; um pai insiste em ser obedecido. Os Dez Mandamentos não podem vir de uma mulher, podem somente vir de um pai. Mandamentos — a própria palavra é feia, como se ele fosse um general e a existência fosse como um campo militar — mandamentos! Então, se você desobedece, a responsabilidade, o risco é seu.

Jesus usava a linguagem corrente, mas eu sei que ele teria preferido 'mãe'. Uma mãe é mais do que um pai: uma mãe existe no centro, um pai na periferia — mas Deus é ambos. Lembre-se disto: eu também uso a palavra 'ele' para designá-lo, mas lembre-se sempre de que, quando quer que eu use "ele", é só por conveniência. Ele é ambos, ele e ela.

E... *vocês são os filhos do pai eterno.*

Todo mundo é um filho. Não é assim que os lógicos, os sociólogos e os psicólogos pensarão — não se trata de antropomorfismo. Parece, aparenta ser, que ao pensar Deus como um pai ou uma mãe, e você como um filho, que você está projetando um relacionamento humano no cosmos, que você está fazendo de todo o cosmos um fenômeno familiar; você está pensando em termos humanos. Trata-se de uma condenação.

Os sociólogos, os psicólogos que dizem que isso é antropocentrismo — que o homem pensa em si como se fosse o centro, e projeta suas próprias impressões, sentimentos, em tudo — sempre que dizem que isso é antropocentrismo, eles estão dizendo que é errado. Mas eles não compreendem: parece antropocentrismo, tem de parecer, porque seja o que for que o homem diga fatalmente será humano. Mesmo uma verdade objetiva será colorida pela pessoa que a afirma. Mesmo a objetividade não pode ser sem a subjetividade: a subjetividade vai e a colore.

Até mesmo as verdades científicas não são objetivas: o homem que as descobriu entrou nelas. Não há nenhuma possibilidade de se chegar à verdade objetiva, porque o conhecedor sempre a colorirá. Todo conhecimento é pessoal. E sempre que o homem diz algo, devido a ser dito pelo homem, será humano. E não há nenhuma necessidade de se desculpar por isso... — é belo.

Quando Jesus diz que somos todos filhos de Deus, trata-se de um símbolo apenas, uma comparação. O que ele quer dizer? Ele quer dizer que, entre o criador e a criatura, o relacionamento não é mecânico, é orgânico. O relacionamento não é apenas como o de um mecânico criando uma máquina — ele não é um pai, porque permanece distante, fora, separado. Este é o significado: Deus não pode ser separado de você. Ele é como seu pai, ligado em você, andando através de você, trabalhando através de você, carregando você, amando-o, procurando por você, criando de todos os modos um mundo venturoso à sua volta, de modo que você possa alcançar a realização.

Quando Jesus diz "Deus é o pai", ele quer dizer todas essas coisas: que o universo cuida de você, ajuda-o. Não somente você está em busca de Deus, Deus também está em busca de você. O universo não é morto e separado, ele responde com um coração amoroso. Se você chora, ele chora com você. Se você ri, ele ri com você. Se você sofre, a existência sente o sofrimento. Se você está feliz, toda a existência está feliz com você. Entre você e a existência, há um profundo relacionamento. Esta é a ênfase: o relacionamento de um pai para com um filho.

Mesmo que o pai morra, ele espera viver através do filho: ele estará em algum lugar no filho, o filho se tornou simplesmente uma nova versão do pai. Este é o significado: o filho é apenas um renascimento do pai. Eis por que Jesus diz repetidamente: "Eu e meu pai somos um só". Ele quer dizer que o filho representa o pai — ele é o pai. Eles estão unidos: eles não são dois, eles são um só e o relacionamento é orgânico, e você não precisa se sentir sozinho.

Ora, o mundo todo sente uma solidão. Todos se sentem estrangeiros, e todos estão em dificuldades. E as pessoas vêm a mim e perguntam: "Como me relacionar?". O que aconteceu? Esta é uma pergunta muito nova. Ninguém jamais perguntaria isso — "Como me relacionar?" — duzentos anos atrás. O relacionamento tornou-se algo muito difícil. É uma consequência lógica: se você não pode se relacionar com o todo, você não pode se relacionar com ninguém; se você pode se relacionar com o todo, então, você pode se relacionar com qualquer pessoa. Você não pode se relacionar com seu pai se você não pode se relacionar com o universo — impossível, porque essa é a fonte de tudo. Quando a religião desapareceu, o relacionamento desapareceu.

Num país que se tornou irreligioso, as pessoas sempre se sentirão em dificuldades de relacionamento. Você não pode se relacionar com sua esposa, com seu irmão, com sua irmã, com seu filho, com seu pai, com sua mãe — impossível! O relacionamento fica impossível, porque a base de todo relacionamento desapareceu. Você negou, você disse: "Deus não existe mais, Deus está morto". Então, todo o universo é alheio, e você sente a alienação, você se sente separado, não relacionado; então, você não tem raízes nele, e você sente que o universo não está cuidando de você.

O universo do cientista e o universo do homem religioso como Jesus são totalmente diferentes. O universo para o cientista é apenas acidental: não há nenhum relacionamento entre você e o universo: ele não se incomoda, pouco se importa com você. Você é apenas acidental: se você não estivesse aqui, a existência não teria sentido sua ausência nem um pouco; se você está aqui, sua presença não é conhecida do universo. Se você desaparecer, o universo não vai derramar lágrimas por você.

O universo do cientista é morto. Sempre que você diz "Deus está morto", o universo está morto. E se você vive num universo morto, como você pode se relacionar? Então, você vive entre coisas. Tudo será acidental, simplesmente arbitrário. Você tem de fazer alguns arranjos, mas não há nenhuma unidade orgânica. Você existe sozinho e, então, você carrega toda a carga. É exatamente como uma criança pequena perdida: ela estava segurando a mão do pai, agora ela perdeu a mão e grita e chora — e não há ninguém para ouvir.

A situação de um homem é exatamente esta: a de uma pequena criança que estava segurando a mão de seu pai e que agora está perdida na floresta. Com a mão do pai na sua, ela andava como um imperador, sem medo. Não havia nenhum medo, porque o pai estava ali; a responsabilidade era dele, a criança não era responsável por nada. O que quer que fosse necessário seria feito, ela não tinha que se preocupar consigo mesma. Ela andava, olhava para as borboletas, para as flores, para o céu... Ela desfrutava tudo. A vida era abençoada. De repente, ela toma ciência de que a mão não está mais ali — ela perdeu-se do pai. Agora não há mais borboletas, flores. Tudo ficou petrificado, morto; tudo se tornou alheio, estrangeiro, inimigo. Agora, em cada sombra, debaixo de cada árvore há perigo à volta: ela tem medo de morrer. De cada canto, a qualquer momento, a morte saltará e a matará.

Apenas um momento atrás e tudo estava vivo, amistoso, havia uma comunicação entre a criança e o universo todo. Por quê? Porque a mão do pai estava ali. Através do pai, o universo era amigável: era um relacionamento. O pai desapareceu, agora, o relacionamento desapareceu. Agora ela está gritando, agora ela está chorando, agora ela está em profunda ansiedade, angústia. Esta é a situação do homem moderno, porque vocês se tornaram incapazes de olhar para o universo como um pai ou uma mãe. Não espanta todos serem neuróticos! Essa criança ficará neurótica, essa criança ficará anormal. Essa criança carregará sempre uma ferida no peito, e essa ferida perturbará todo o seu relacionamento. Ela não pode se sentir em casa, em lugar nenhum que esteja.

Olhe para a sua mão. Se você não pode sentir a mão cósmica nela, então, você está em dificuldade. É isso o que Jesus diz: "Deus é o pai. Todo este universo cuida de você". Caso contrário, por que você estaria aqui? Por que lhe seria permitido estar aqui? Todo este universo cuida de você. Ele o criou até este ponto de consciência, ele quer cuidar de você até o supremo pico, o pico final de iluminação — ele o ajuda de todos os modos. Mesmo que você se extravie, ele o acompanhará. Sinta a mão na sua mão e, de repente, toda a perspectiva muda.

E Jesus diz: "Todo mundo é o filho" — não apenas Jesus sozinho. Mas o cristianismo não pode existir se todo mundo é o filho, porque, então, não há nada de único em Jesus.

Essa atitude é falsa. Todo mundo é o filho e, ainda assim, Jesus é único, porque ele reconheceu isso e você ainda está na busca.

A singularidade não está na natureza do ser, a singularidade existe na natureza do reconhecimento. Jesus conhece isto e você não. Os hindus sempre disseram que a diferença entre a pessoa iluminada e a pessoa que é ignorante não está no ser, mas somente no conhecer. É exatamente como se alguém estivesse dormindo e você estivesse acordado: o ser é o mesmo, mas o que está dormindo, sonha; e você não está sonhando. Sacuda-o, faça-o acordar e ele estará tão acordado quanto você — os sonhos desapareceram. Apenas uma sacudida é necessária. Jesus está acordado e você está dormindo, essa é a distinção. Quanto a isso ele é único, mas não no ser. Ele mesmo diz: *"vocês são filhos do pai eterno"*.

E a segunda insistência é quanto "ao pai eterno", porque, comumente, um pai irá morrer. A parte física do pai morrerá, a parte biológica do pai morrerá, mas o todo cósmico está sempre vivo, jamais morre — ele é eternidade.

Há algumas décadas, Nietzsche declarou: "Deus está morto!". Isso é impossível, porque o universo não pode morrer, e Deus não é uma pessoa. Se ele fosse uma pessoa, ele poderia morrer — pessoas têm de morrer. Deus não é uma forma — as formas têm de morrer; Deus não tem nenhum corpo — os corpos têm de morrer. Deus é tudo. Em Deus nascemos e morremos. Ganhamos forma e a forma desaparece, mas o todo permanece. O todo não pode morrer, o todo é a própria vida. Assim, você não está vivendo num universo morto, mas num Deus vivo, que é um pai, uma mãe: o relacionamento é profundo e orgânico. Você não está largado, alguém permanece olhando por você.

Este sentimento lhe dá raízes, então, você não se sente um estranho; então, você não é um forasteiro, você está em casa. Este é o seu lar.

Mas, se não conhecem a si mesmos, então, estão na pobreza...

Esta é a única pobreza: a ignorância de si mesmo — não há nenhuma outra pobreza. Você pode não ter riquezas, pode não ter grandes palácios, pode não ter impérios, mas esses não são as verdadeiras riquezas. Somente uma coisa é verdadeiramente riqueza e essa coisa é o autoconhecimento, porque ele não pode ser destruído.

E Jesus diz: *"Mas, se não conhecem a si mesmos, então, estão na pobreza..."* — e não somente isso... — *"são a própria pobreza"*.

341

Você é pobre. Há somente uma única pobreza: quando você não conhece a si mesmo. Por que isso é pobreza? Porque vocês são imperadores, são filhos de um Deus eterno! A maior coisa que pode acontecer, aconteceu a você, e você está inconsciente disso e continua mendigando.

Todos os desejos são mendicância. Dizem que se os desejos fossem cavalos, os mendigos seriam os cavaleiros. Mas todos os desejos *são* cavalos e todos os mendigos são cavaleiros — vocês são todos cavaleiros. Olhe para os seus cavalos: eles são os seus desejos, mendicâncias, reclamações, pedidos... — e vocês têm tudo dentro de si mesmos, mas nunca olham para dentro! Uma vez que você olhe, as riquezas serão reveladas eternas, em abundância; você não pode exauri-las. E uma vez que você olhe para dentro, toda a existência reconhece seu império, toda a existência reconhece quem você é: você é o filho do todo. Então, toda mendicância desaparece, você se torna rico pela primeira vez.

Mas, se não conhecem a si mesmos, então, estão na pobreza e são a própria pobreza.

Ouvi contar uma história: Certa vez aconteceu de um grande imperador estar muito aborrecido com o filho e seu jeito, seu estilo de vida. Era o único filho, mas aborrecia tanto o pai, que foi expulso do reino. Como era o filho de um grande imperador, ele não sabia nada, não tinha nenhuma habilidade — os imperadores não são peritos em nada. Ele não sabia fazer nada. Não tinha aprendido: tudo tinha sempre sido feito para ele. Nunca soube que a pessoa tem de fazer coisas por conta própria. Mas ele era um amante da música. Essa era a única coisa que ele podia fazer: ele tinha aprendido música como um hobby. Ele tocava o sitar. Essa era a única coisa que ele sabia.

Então, ele começou a mendigar. Ele tocava o sitar e mendigava. Se os imperadores perdem seu império, eles não podem fazer nada além de mendigar. Isso é algo belo: mostra que lá no fundo os imperadores são mendigos. É só por causa do império que você não pode ver a condição de mendigo deles. Se o império é tomado, eles são mendigos, eles não podem fazer nada além. Durante dez anos, continuamente, ele viveu mendigando. Ele se esqueceu completamente de que era o filho de um grande imperador. Dez anos é um longo tempo para se lembrar. E, quando você está mendigando todos os dias de manhã à noite, como você pode se lembrar de que você é o filho de um grande imperador?

Ele virou um mendigo e se esqueceu completamente. Até a memória se foi. E essas memórias são ruins, são como pesadelos. Você quer se esquecer delas, porque através delas muito sofrimento vem à mente. Vem a comparação: "Eu sou o filho de um grande imperador — e estou mendigando...?!". Então, a mendicância se torna muito dolorosa. Assim, ele simplesmente largou a ideia. Simplesmente se esqueceu. Ficou identificado com a mendicância.

Depois de dez anos, o pai começou a pensar no filho. O filho não era bem certo, seus meios eram diferentes, mas era seu único filho. E agora o pai estava ficando velho e qualquer dia morreria. E o filho era seu herdeiro. Ele tinha de ser trazido de volta. Assim, seu vizir foi procurá-lo.

O vizir chegou. Mesmo que o filho estivesse completamente esquecido de que era o filho de um imperador, mesmo que estivesse completamente identificado com a condição de mendigo, ainda assim, algo permaneceu — algo que não fazia parte da sua memória, que era parte do seu ser. O jeito como ele andava, até o jeito de mendigar, era exatamente como o de um imperador. Ele pedia, mas como se estivesse lhe fazendo um favor: o jeito de ele pedir era como se ele o estivesse favorecendo por pedir. O jeito de andar era soberano; suas roupas eram rotas, mas, ainda assim, eram as mesmas roupas que ele usava como um príncipe. Ele estava sujo, lambuzado, mas podia-se ver que ele tinha um belo rosto escondido sob a sujeira. E seus olhos: mesmo que fosse um mendigo, seus olhos ainda pertenciam àquele mesmo ego, o mesmo orgulho. Mentalmente, conscientemente, ele tinha se esquecido, mas inconscientemente ele ainda era o rei, o herdeiro de um grande imperador.

O vizir o reconheceu. No momento em que ele o reconheceu, ele estava mendigando. Debaixo de uma árvore, as pessoas estavam jogando cartas, e ele estava mendigando ali. Era uma tarde de verão, muito quente, e ele não tinha sapatos. Estava transpirando, e mendigando alguns *tostões*, dizendo: "Dê-me alguma coisa. Há dois dias estou com fome". O vizir o reconheceu e a carruagem, na qual ele vinha, parou. O vizir desceu, tocou os pés do filho do imperador, que olhou para ele e disse: "O que é que há?".

O vizir disse: "Seu pai, o imperador, chamou-o de volta. Ele o perdoou". Num instante, o mendigo desapareceu. Nada teve que ser feito — num instante, o reconhecimento de que "Meu pai me chamou de volta, eu estou perdoado!", e o mendigo desapareceu. As roupas eram as mesmas, o homem ainda estava sujo, mas tudo mudara: havia glória, uma luz, uma aura em volta dele.

Ele deu ordens ao vizir. A mendicância desapareceu. Ele disse: "Vá ao mercado, compre sapatos e roupas para mim e arranje-me um bom banho". Ele entrou na carruagem e disse: "Leve-me ao melhor hotel da cidade!". E o vizir teve de seguir a carruagem a pé.

Essa é uma história sufi. Essa também é a sua situação: uma vez que você seja reconhecido pelo pai, por Deus, sua mendicância desaparece — de repente, num instante! Nada precisa ser feito, porque você sempre foi o mesmo. Apenas houve erro na identidade, somente na parte superficial da mente vocês se tornaram outra coisa. Lá no fundo, vocês permaneceram filhos de Deus.

Mas isso acontecerá somente se você se conhecer. Então, todo o universo o conhece, o reconhece. E Jesus diz: *Mas, se não conhecem a si mesmos, então, estão na pobreza e são a própria pobreza.*

Chega por hoje.

Décimo Quarto Discurso

Jesus disse:

"Abençoado é o homem que sofreu; ele descobriu a vida".

Jesus disse:

"Olhe para o eterno enquanto viver, para que não morra e fique procurando por ele sem ser capaz de encontrá-lo".

Eles viram um samaritano levando uma ovelha a caminho da Judeia. Ele perguntou a seus discípulos:

"Por que esse homem leva a ovelha com ele?".

Eles responderam: "Para que possa matá-la e comê-la".

Ele lhes disse: "Enquanto ela estiver viva, ele não a comerá, mas somente quando a matar e ela tornar-se um cadáver".

Eles disseram: "De outro modo, ele não será capaz de comê-la".

Ele lhes disse:

"E vocês, busquem um lugar para si mesmos em repouso, para que não se tornem cadáveres e sejam comidos".

Jesus disse:

"Dois descansarão na cama: um morrerá, outro viverá".

Desde os mais remotos dias, o homem vive perguntando repetidamente por que há sofrimento na vida. Se Deus é o pai, então, porque há tanto sofrimento? Se Deus é amor e se Deus é compaixão, então, por que a existência sofre? E não tem havido uma resposta satisfatória para isso. Mas se você compreender Jesus, você compreenderá a resposta. O homem sofre porque não há outro modo de amadurecer, de crescer. O homem sofre, porque somente através do sofrimento ele pode tornar-se mais consciente. E a consciência é a chave.

Observe sua própria vida: sempre que você está confortável, à vontade, feliz, a consciência é perdida. Então, você vive numa espécie de sono; então, você vive como que hipnotizado, como que sonambúlico: você anda e faz coisas, mas sonambulicamente. Eis por que, sempre que não há nenhum sofrimento, a religião desaparece da sua vida. Então, você jamais vai a um templo, ele não tem nenhum significado para você; então, você não ora a Deus, porque... — para quê? Parece não haver nenhuma razão.

Sempre que há sofrimento, você vai ao templo, seus olhos se voltam para Deus, seu coração segue em direção à oração. Há algo escondido no sofrimento, que o torna mais consciente de quem você é, de por que você existe e para onde está indo. Num momento de sofrimento, sua consciência fica intensa.

Nada pode ser sem significado nesta vida.

Ela é um cosmos, não é um caos.

Você pode não ser capaz de compreender — isso é uma outra coisa... — porque você conhece somente os fragmentos, você não conhece o todo. Sua experiência de vida é simplesmente como se você tivesse somente uma página solta de um romance: você a lê, mas não faz nenhum sentido, porque ela é apenas um pequeno fragmento. Você não conhece a história toda. Uma vez que você conheça toda a história, então, essa página se tornará compreensível, então, essa página se tornará coerente, significativa.

O que é o significado? É conhecer o fragmento em relação ao todo; significado é um relacionamento do fragmento com o todo. A fala de um louco na rua não é significativa. Por quê? Porque você não pode relacionar a fala dele a nada, sua fala é um fragmento. Ele não está falando a ninguém, não há nenhuma necessidade, não há ninguém ali a quem falar. Sua fala é fragmentária, não faz parte de um todo maior — eis por que ela é incoerente. As mesmas palavras podem ser usadas por um outro homem — exatamente as mesmas palavras — mas ele está falando a alguém, então, é significativo. Por quê? As palavras, os gestos são os mesmos, e um homem você chama de louco e o outro homem não é louco. Por quê? Porque há alguém para ouvir: o fragmento não é fragmentário, ele tornou-se parte de um todo maior, carrega significado.

Corte um pedaço de uma pintura de Picasso: ela fica sem significado, ela vira apenas um fragmento e um fragmento está morto. Coloque-a de volta na tela e, de repente, o significado aparece; ela se torna coerente, porque, agora, faz parte do todo. Somente quando você faz parte do todo, você é significativo. E, se o homem moderno parece sentir continuamente que se tornou insignificante, é devido a Deus ter sido negado — ou esquecido. Sem Deus, o homem não pode nunca ser significativo, porque Deus quer dizer o todo e o homem é apenas um fragmento. Você é apenas uma linha da poesia — sozinho, você é apenas algaravia. Com o todo, a significância do poema aparece, porque a significância reside no relacionamento com o todo. Lembre-se disso.

Estou me lembrando de um sonho de Bertrand Russell. Ele era um ateu, jamais acreditou em Deus, jamais pôde ver algum significado mais amplo que pudesse compreender o todo. Ele contou um sonho. Certa noite ele ouviu alguém batendo na porta, no seu sonho. Então, no sonho, ele foi abrir a porta e viu o velho Deus parado lá. Ele não podia acreditar em seus olhos, porque ele jamais pudera acreditar... — mesmo em seu sonho ele podia se lembrar de que "eu não acredito em Deus". Mas o velho homem parecia tão esquecido por todos, abandonado por todos! Suas roupas estavam rasgadas, sujeira pelo rosto e pelo corpo... Ele parecia tão ultrapassado, quase como uma pintura desbotada, na qual não se pode ver claramente o que está acontecendo. Russell sentiu muita pena dele. Só para animá-lo, ele disse: "Entre!". Ele bateu em suas costas, como um amigo, e disse: "Anime-se!". E então, de repente, ele acordou e o sonho acabou.

Esse é o estado do homem moderno, da mente moderna: Deus está fora de moda. Ou você está contra ele, ou no máximo tem pena dele. Através da pena, você pode tentar animá-lo, mas ele já não é algo significativo para vocês — apenas uma pintura ultrapassada, desbotada, inútil, um lixo do passado. Ou ele está morto, ou mortalmente doente no seu leito de morte. Mas, se o todo está morto, como o fragmento pode ser significativo? Se o todo está ultrapassado, como a parte pode ser nova, fresca e jovem? Se a árvore toda está morta, então, qualquer folha da árvore que pensar estar viva, é simplesmente estúpida. Pode levar um pouco mais de tempo para a folha morrer, mas se a árvore está morta, a folha tem de morrer — ela já está morrendo.

Se Deus está morto, então, o homem não pode viver. E homem está mortalmente doente, porque sem o todo o fragmento não tem significado. Mas sempre que você fica feliz — lampejos de felicidade, não felicidade de fato —, sempre que você simplesmente se sente confortável, à vontade, quando nada o perturba, então, você acha que você é o todo. E isso é falacioso. Quando você está sofrendo, você, de repente, fica ciente de que você não está como deveria estar, que algo está errado — o sapato aperta. Algo está errado... — e alguma transformação é necessária. Daí, o sentido do sofrimento.

O sofrimento lhe dá consciência: sofrer lhe dá uma sensação de que você tem de mudar, tem de se tornar novo, você tem de renascer. Como você está, você está sofrendo; assim, algo tem de ser feito.

Jesus disse:

"Abençoado é o homem que sofreu; ele descobriu a vida".

Parece absurdo e paradoxal! Ele diz: *"Abençoado é o homem que sofreu"*... Sempre chamamos de abençoado o homem que nunca sofreu. Mas você já viu algum homem que nunca sofreu? Se vir tal homem, você descobrirá que ele é absolutamente juvenil, infantil, sem nenhum crescimento, sem nenhuma profundidade, sem nenhuma consciência — ele será um idiota. E você jamais pode dizer que ele é abençoado.

Somente quem tem estado evitando a vida, pode permanecer sem o sofrimento. Eis por que, nas famílias muito, muito ricas, nascem somente idiotas, porque eles são demasiadamente protegidos. E quando se protege alguém demasiadamente, isso não é proteção contra a morte, é proteção contra a vida. Mas este é o problema: se você quer proteger alguém contra a morte, você tem de protegê-lo contra a vida, porque a vida conduz à morte. Assim, não viva, se você tem medo de morrer — isso é lógica simples! Não fique vivo, se você tem medo de morrer; elimine todas as dimensões onde exista vida. Então você pode simplesmente vegetar.

Jesus não pode chamar de abençoada uma vida vegetativa, ninguém pode dizer que uma vida vegetativa é abençoada. Essa é a maior infelicidade que pode acontecer a um homem, porque ele jamais crescerá em consciência e maturidade; e ele não terá níveis mais altos de consciência, porque esses níveis mais altos passam a existir somente quando os homens são desafiados. O sofrimento é um desafio; quando você sofre, você é desafiado, quando há um problema você é desafiado. Quando você encara o problema, somente então você realmente cresce. Quanto mais insegurança, mais crescimento; quanto mais segurança, menos crescimento. Se tudo está seguro à sua volta, você já está no seu túmulo, você já não está vivo. A vida existe na possibilidade de se extraviar. Mas a pessoa que se extravia pode retornar, a pessoa que fracassa pode vir a ter sucesso.

Napoleão foi derrotado. Ele escreveu em seu diário uma bela sentença — às vezes, os loucos também observam belamente. Ele disse: "Somente uma luta está perdida, somente uma batalha está perdida, não a guerra". Mas se você quer vencer a guerra, você terá de perder muitas batalhas. Se você tem medo de perder uma batalha, então, não há nenhuma possibilidade.

Sempre que você fracassa em algo, não se trata de um fracasso definitivo, você pode transcendê-lo. Da próxima vez, você não precisa fazer aquilo de novo, da próxima vez, você não precisa cometer o mesmo equívoco e o mesmo erro, da próxima vez não há nenhuma necessidade de entrar no sofrimento. Um homem que é sábio, sofre tanto quanto um homem que não é sábio, mas de um modo diferente de cada vez. Um sábio comete muitos enganos — mas ele nunca comete o mesmo erro duas vezes. Essa é a única diferença: a quantidade pode ser maior, mas a qualidade é diferente. Um idiota pode não cometer muitos enganos, pode não cometer nenhum erro, absolutamente, porque ele nunca irá fazer nada. Você só comete enganos quando você faz alguma coisa.

Se você busca, se você procura, se você percorre o caminho, você pode se extraviar. Se você ficar simplesmente sentado em casa, como você poderá se extraviar? Se você não faz nada, você jamais cometerá um erro, você será um homem sem erros, mas você jamais se moverá; pouco a pouco, você simplesmente apodrecerá, vegetará e morrerá.

Nunca tenha medo de cometer erros. Apenas lembre-se de que não há nenhuma necessidade de se cometer o mesmo erro duas vezes. Por que você comete o mesmo erro duas vezes? Porque da primeira vez que você o cometeu, você não aprendeu nada com ele. Eis por que você tem de cometer os mesmos erros sempre de novo e nova e novamente. E as pessoas vão cometendo os mesmos erros, repetindo-os por toda a vida; elas andam em círculo. Eis por que os hindus chamaram isso de *sansara*.

Sansara quer dizer "a roda": você simplesmente repete o mesmo erro de novo e nova e novamente. As situações podem ser diferentes, mas o erro permanece o mesmo, da mesma qualidade. O que isso mostra? Mostra que você não está alerta, caso contrário, por que cometer o mesmo erro novamente? Ninguém aprende sem erros. Sempre que você comete um erro, você tem de sofrer. Ninguém aprende sem sofrer. Os hindus disseram que você tem de nascer de novo e novamente, porque você ainda não cresceu.

Somente uma pessoa crescida vai além deste mundo. Os que não cresceram, têm de recair no abismo, têm de aprender. E todo aprendizado é de modo difícil, não há atalhos. Esse modo difícil é o sofrimento. Não se proteja contra o sofrimento: preferivelmente ao contrário, entre no sofrimento tão consciente quanto possível. Assuma o desafio, encare-o! você crescerá através dele. Tente transcendê-lo, vá além dele. Não sinta medo — uma vez que você fica com medo, você já está morrendo. Eis por que Jesus diz: *"Abençoado é o homem que sofreu; ele descobriu a vida"*. E a pessoa que sofre, fica mais alerta, e o estado de alerta é a chave para o templo da vida. Quanto mais alerta você fica, mais consciente.

Qual é a diferença entre você e as árvores? As árvores são belas, mas não são mais elevadas do que vocês porque permanecem inconscientes. Uma pedra, uma rocha, está ainda abaixo do nível das árvores, mais inconsciente. Uma pedra também sofre, mas ela não está consciente. Uma árvore também sofre, mas não conscientemente — e se você também sofre sem consciência, então, qual é a diferença? Então, você é simplesmente uma árvore andando.

Lá no fundo, a coisa básica que o torna humano ainda não aconteceu. A consciência o torna humano. E esta é a beleza disso: que sempre que você está consciente, o sofrimento desaparece. O sofrimento traz consciência, mas se você se mover cada vez mais e mais em consciência, o sofrimento desaparece. Essa lei deve ser compreendida.

Se sua cabeça está doendo, isso traz consciência, você fica ciente da sua cabeça — caso contrário, ninguém está ciente da própria cabeça. Você toma ciência do corpo somente quando algo está errado.

Em sânscrito, eles têm uma bela palavra para sofrimento. Eles o chamam de 'vedant'. E vedant tem dois significados: um é sofrimento; o outro, conhecimento. Vedant vem da mesma raiz de veda. 'Veda' significa "a fonte do conhecimento". Os que cunharam esta palavra, 'vedant', chegaram a conhecer o fato de que sofrimento é conhecimento. Desse modo, eles usaram a palavra-raiz para ambos.

Se você sofre, imediatamente você fica consciente. O estômago passa a existir somente com uma dor de estômago. Antes, ele podia estar ali, mas não estava em nossa consciência. Eis por que a ciência médica, principalmente a Ayurveda, define saúde como estado de ausência de corpo[1]: se você não está com a consciência do corpo, você está saudável; se você toma consciência do corpo, algo está errado, porque essa consciência existe somente quando algo vai errado. Se você é um motorista, um pequeno ruído no motor e você fica atento. Caso contrário, tudo estava com o barulho normal, tudo estava monótono, tudo estava bem. Um pequeno ruído diferente em algum lugar do motor, ou em outra parte do carro, e você fica consciente de que algo está indo mal. Somente quando algo vai mal, você toma consciência.

E se você fica realmente consciente, você não fica envolvido no erro: ao contrário, você cresce em sua consciência, cada vez mais. Então um segundo fenômeno acontece: em sua consciência, você vem a saber que a doença está presente, que o desconforto está presente, que o sofrimento está presente — mas isso não é você, isso está apenas à sua volta, na circunferência. No centro, há cons-

---

(1)   *Bodhilessness* — estado de ausência de corpo. (N. da T.)

ciência, na circunferência há o sofrimento, como se o sofrimento pertencesse a uma outra pessoa: você não está identificado. Então, há uma dor de cabeça, mas ela não é dolorosa para você: ela é dolorosa para o corpo e você está simplesmente consciente. O corpo torna-se o objeto e você se torna o sujeito — há um afastamento.

Na consciência, todas as pontes são quebradas, o afastamento fica imediatamente presente. Você pode ver: o corpo sofre, mas a identificação está quebrada. O sofrimento traz consciência, a consciência quebra a identificação — e essa é a chave para a vida.

"Abençoado é o homem que sofreu; ele descobriu a vida".

Jesus na cruz é apenas um símbolo do sofrimento final, do absoluto sofrimento, do pico do sofrimento. Quando Jesus estava na cruz, no último momento ele vacilou um pouco. O sofrimento era demasiado. Não era um sofrimento comum, uma dor comum no corpo, era angústia — não somente física, mas profunda angústia psicológica. E a angústia era esta, que, de repente, ele começou a sentir: "Eu fui abandonado por Deus? Por que isso tinha de me acontecer? Eu não fiz nada de errado. Por que devo ser crucificado? Por que esta dor? Por que esta crucificação? Por que esta angústia para *mim*?". E ele perguntou a Deus: "Por quê?". Ele questionou!

Deve ter sido um momento de profunda angústia, quando todo o seu alicerce é mexido e até a sua fé é mexida. A dor era demasiada — a humilhação da coisa toda. As mesmas pessoas pelas quais ele tinha vivido, pelas quais ele tinha trabalhado, às quais ele tinha servido, as quais ele tinha curado — elas o estavam assassinando e por nenhuma razão, absolutamente. Ele perguntou a Deus: "Por quê? Por que isso está me acontecendo?". Então, de repente, ele percebeu porquê, porque ele ficou muito consciente: no momento da crucificação, ele chegou à perfeita consciência.

Eu sempre digo que, antes daquele momento, ele era Jesus, depois daquele momento, ele tornou-se cristo. Naquele momento, aconteceu a total transformação. Até então, ele estava chegando cada vez mais e mais e mais próximo, chegando cada vez mais e mais e mais perto, mas o último salto aconteceu naquele momento: Jesus desapareceu e lá estava O Cristo — de repente, a transmutação.

O que aconteceu? Ele disse: "Por que este sofrimento para mim? Fui esquecido? Estou abandonado?". E imediatamente após essa angústia, ele disse: "Não! Seja feita a vossa vontade". Ele aceitou. O "por quê?" era uma rejeição, porque questionamento significa dúvida. Imediatamente ele compreendeu e disse: "Eu aceito, eu compreendo. Vossa vontade deve ser feita, não a minha, porque a minha vontade vai dar em erro". Então, ele relaxou, então, houve um *let-go*[2], a entrega final. No momento da morte, ele aceitou a morte também. Naquela aceitação, ele tornou-se vida eterna — a chave foi descoberta. Eis por que ele diz: *"Abençoado é o homem que sofreu; ele descobriu a vida".*

Sempre que você sofrer, da próxima vez, não reclame, não crie uma angústia daquilo. Ao contrário, observe, sinta-o, veja-o, olhe para aquilo de todos os ângulos possíveis. Faça daquilo uma meditação e veja o que acontece: a energia que estava indo para a doença, a energia que estava criando sofrimento, é transformada, a qualidade muda. A mesma energia torna-se sua consciência, porque não há duas energias em você, a energia é uma só. Você a tem no sexo, você pode transformá-la e torná-la amor. Você pode transformá-la até mais alto e torná-la oração. Você pode transformá-la ainda mais alto e torná-la consciência-em-si — a energia é a mesma.

Quando você sofre, você está dissipando energia, a energia está vazando. Sempre que há sofrimento, sacuda-se. Feche seus olhos e olhe para o sofrimento. Seja ele qual for — mental, físico, existencial —, seja o que for olhe para ele, faça disso uma meditação. Olhe para ele como se ele fosse um objeto.

Quando você olha para o seu sofrimento como um objeto, você está separado, você não mais está identificado com ele, a ponte foi quebrada. E, então, a energia que estava indo para o sofrimento, não irá, porque a ponte não mais existe. A ponte é a identificação. Você sente que você é corpo, então, a energia se move para dentro do corpo. Quando quer que você sinta qualquer identificação, sua energia se move aí.

Você pode não saber disso, mas você pode tentar um experimento simples: se você ama uma mulher, sente-se ao lado dela e sinta-se identificado, como se você fosse a mulher, a amada; e deixe a mulher sentir que ela é você, o amado. Simplesmente espere e

---

(2)   *Let-go* — relaxamento-entrega. (N. da T.)

sinta-se identificado. De repente, vocês dois terão um choque de energia. Vocês dois sentirão que alguma energia se moveu de um para o outro. Os amantes sentem como se uma energia saltasse, assim como num choque elétrico, e alcançasse o outro. Sempre que você fica identificado com algo, há uma ponte, e a energia pode mover-se através dessa ponte.

Sempre que a mãe está alimentando seu filho, ela não está somente dando leite como sempre foi pensado. Agora os biólogos se depararam com um fato mais profundo, e eles dizem que ela está dando energia — o leite é apenas a parte física. E eles fizeram muitos experimentos: uma criança é criada, recebe alimento — da maneira mais perfeita possível, o que quer que a ciência médica tenha descoberto. Tudo é fornecido, mas a criança não é amada, não é acarinhada; a mãe não a toca. O leite é dado através de meios mecânicos, são dadas injeções, vitaminas — tudo é perfeito. Mas a criança para de crescer, começa a encolher, como se a vida começasse a sair dela. O que está acontecendo? Por quê? Tudo que a mãe estaria dando, está sendo dado!

Aconteceu na Alemanha que, durante a guerra, muitos bebês órfãos pequenininhos foram colocados em um hospital. Em poucas semanas eles estavam todos quase morrendo. Metade deles morreu — e todos os cuidados estavam sendo tomados: cientificamente, eles estavam absolutamente corretos, estavam fazendo tudo que era necessário. Mas por que aquelas crianças estavam morrendo? Então, um psicanalista observou que eles precisavam de algum carinho, alguém para abraçá-los, alguém para fazê-los sentirem-se significativos.

Comida não é alimento bastante. Jesus diz: "O homem não pode viver só de pão". Algum alimento interior, algum alimento invisível é necessário. Assim, o psicanalista fez uma regra para que, quem quer que entrasse no quarto — uma enfermeira, um médico, uma empregada — teria de dispor pelo menos de cinco minutos dentro do quarto para abraçar e brincar com as crianças. E, de repente, elas não estavam mais morrendo, começaram a crescer. E desde então, muitos experimentos têm sido feitos.

Quando uma mãe abraça um filho, a energia está fluindo. Essa energia é invisível — nós a chamamos de amor, calor. Algo está pulando da mãe para o filho, e não somente da mãe para o filho, do filho para a mãe também. Eis por que uma mulher nunca é tão bela como quando se torna mãe. Antes, está faltando algo, ela não está completa, o círculo está partido. Quando uma mulher se torna mãe, o círculo fica completo. Uma graça vem a ela, como que de uma fonte desconhecida. Assim, não somente ela está alimentando o filho, o filho está também alimentando a mãe. Eles estão em felicidade um "dentro" do outro.

E não há nenhum outro relacionamento que seja tão próximo. Nem os amantes são tão próximos, porque o filho vem da mãe, do seu próprio sangue, da sua carne e de seus ossos: o filho é simplesmente uma extensão do seu ser. Nunca mais isso acontecerá, porque ninguém pode ser tão próximo. Um amante pode estar próximo do seu coração, mas o filho viveu dentro do coração. O coração da mãe batia e essa era a batida do coração do filho, ele não tinha nenhum outro coração; o sangue da mãe circulava nele, ele não tinha nenhuma independência, ele era simplesmente parte dela. Durante nove meses ele permaneceu como parte da mãe, organicamente junto, uno. A vida da mãe era sua vida, a morte da mãe teria sido a morte dele. Mesmo depois isso continua: uma transferência de energia, uma comunicação de energia existe.

Sempre que há sofrimento, fique alerta; então a ponte está partida, então, não há nenhuma transferência de energia para o sofrimento. E, pouco a pouco, o sofrimento desaparece, porque o sofrimento é seu filho. Você lhe deu nascimento, você é a causa. E, então, você o alimenta, você o rega. E então, ele cresce e você sofre mais ainda. Então, você reclama, você fica miserável, toda a sua atenção fica identificada com o sofrimento.

> Ouvi contar, que aconteceu certa vez de duas mulheres idosas se encontrarem no mercado. Uma perguntou à outra como estava, pois ela estava se sentindo doente. Há mulheres que sempre se sentem doentes. Alguma coisa está sempre errada. Não é doença, é algo mais profundo, uma neurose, porque elas não podem se sentir à vontade se não estiverem doentes; a doença se torna parte do ego. Ela perguntou: "Como você está se sentindo?".

> A mulher que estava sempre doente, ou falando sobre doença, começou: "Muito mal. Nunca estive tão mal. A artrite está to-

mando conta, tenho uma terrível dor de cabeça e o estômago está horrível, e minhas pernas doem..." — e por aí ela foi.

A outra disse: "Então, vá ao médico!".

A primeira mulher disse: "Sim, eu irei quando me sentir um pouco melhor".

Mas isso está acontecendo: você irá ao médico quando se sentir um pouco melhor. Mas ninguém vai — quando a pessoa se sente um pouco melhor, não há necessidade. Vá ao médico quando você estiver sofrendo, reze quando estiver sofrendo, medite quando estiver sofrendo. Não diga "vou meditar quando me sentir um pouco melhor". Isso não vai ajudar — você não meditará e terá perdido um momento abençoado, um momento de sofrimento. Medite, fique alerta e consciente. Não perca essa oportunidade, ela é uma bênção.

Use todo o seu sofrimento para a meditação e, logo, logo, você verá que o sofrimento desapareceu, porque a energia começa a se mover para dentro. Ela não fica se movendo na periferia, para o sofrimento, você não fica alimentando o sofrimento. Parece ilógico, mas essa é toda a conclusão de todos os místicos do mundo: que você alimenta seu sofrimento e gosta dele de um modo sutil, você não quer ficar bem — deve haver algum investimento nisso.

Os Budas, os Jesuses, os Zaratustras têm falado em vão. Você não os ouve. Eles dizem que há uma possibilidade de suprema bem-aventurança. Você escuta isso e diz: "Está bem, vou ver depois, quando me sentir melhor". Mas quando você está feliz, qual é a necessidade? Eis por que Buda continua insistindo: Toda a sua vida é sofrimento, *dukkha* — não espere! Não irá haver nenhuma felicidade na vida que você está vivendo. Acorde, observe. É a própria angústia, o que você chama de "vida". As pessoas pensam que ele deve ter sido um pessimista. Ele não era, ele estava apenas enfatizando. E você ficou tão apegado ao seu sofrimento, que não o conhece.

Qual é o investimento? Desde o começo, desde a infância, alguma coisa quase sempre caminha de modo errado. E essa coisa é que, sempre que uma criança adoece, ela recebe mais atenção. Isso cria uma associação indevida: a mãe a ama mais, o pai cuida mais dela; toda a família a coloca no centro, ela se torna a pessoa mais importante. Ninguém se importa com uma criança de outra forma — se ela está bem e satisfeita, é como se ela não existisse. Quando ela adoece, ela fica ditatorial, ela dita seus termos. Uma vez que esse truque é aprendido — que sempre que você está doente você se torna de algum modo especial — então, todos têm de prestar atenção, porque, se não prestarem atenção, você pode fazê-los sentir-se culpados. E ninguém pode dizer nada a você, porque ninguém pode dizer que você é responsável pela sua doença.

Se a criança estiver fazendo algo errado, você pode dizer: "Você é responsável!". Mas se ela está doente, você não pode dizer nada, porque a doença não é vontade dela — o que ela pode fazer? Mas você não sabe dos fatos: noventa e nove por cento das doenças são autocriadas, geradas por você mesmo para atrair atenção, afeto, importância. E uma criança aprende o truque muito facilmente, porque o problema básico para a criança é que ela é indefesa. O problema básico que ela sente continuamente é que ela não tem poder e todos são poderosos. Mas, quando está doente, ela fica poderosa e todos ficam sem poder. Ela passa a compreender isso.

Uma criança tem muita sensibilidade para saber das coisas. Ela começa a ver que nem o pai é nada, nem a mãe é nada — ninguém é nada diante dela quando ela está doente. Então, a doença se torna algo muito significativo, um investimento. Quando quer que ela se sinta negligenciada na vida, quando quer que ela sinta "estou indefesa", ela pega uma doença, ela a cria. E este é o problema, um profundo problema. Por que o que se pode fazer? Quando uma criança está doente, todos têm de prestar atenção.

Mas agora os psicólogos sugerem que, sempre que uma criança estiver doente, cuide dela, mas não lhe dê muita atenção. Ela deve ser cuidada com medicamentos, mas não psicologicamente. Não crie nenhuma associação na mente dela de que a doença vale a pena, caso contrário, por toda a sua vida, sempre que ela sentir que algo vai errado, ela ficará doente. Então, a mãe não pode dizer nada, então, ninguém pode reclamar com ela porque ela está doente. E todos têm pena dela e lhe dão afeto.

Noventa por cento do sofrimento existe porque vocês associaram algo, que parece bom, com o sofrimento. Abandone essa associação. Ninguém mais pode fazer isso por você. Abandone essa associação completamente, corte essa associação completamente. O sofrimento está simplesmente desperdiçando sua energia. Não fique envolvido nele, não pense que ele vale a pena. Há somente um único meio em que o sofrimento vale a pena, e esse meio é com consciência. Torne-se consciente.

Lembre-se de como abandonar essa associação: primeiro, nunca fale sobre seu sofrimento. Sofra, mas não fale sobre ele. Por que você fala sobre ele? Por que as pessoas continuam falando e incomodando os outros com o sofrimento delas? Quem está interessado? Para não ofender, só por isso, é que as pessoas têm de tolerar quando você começa a falar sobre doenças e angústia. Elas começam de algum modo a correr de você. Ninguém quer ouvir, porque todo mundo já tem sofrimento suficiente por si mesmo. Quem se importa sobre o seu sofrimento? Não fale sobre ele, porque falar cria associações.

Não reclame, porque, então, você está pedindo afeto, pena, compaixão, amor. Não peça, não venda seu sofrimento — recolha seu investimento. Sofra reservadamente, não torne a coisa pública. Então, o sofrimento se torna *tapascharya*, se torna austeridade, uma das melhores. Mas olhe para seus santos: se eles fazem *tapascharya*, austeridades, eles tornam a coisa muito pública. E eu estou dizendo para tornar seu sofrimento reservado, então, ele se torna *tapas*, austeridade. Eles o tornam público, eles anunciam que estão indo fazer um longo jejum — todos devem saber.

São crianças enlouquecendo, são pessoas infantis. Eles investiram mais do que você: dependem do próprio sofrimento, o prestígio deles depende do próprio sofrimento — por quanto tempo eles podem jejuar, por quanto tempo podem atrair a atenção de todo o país ou de todo o mundo... São pessoas muito ardilosas, ficam usando o sofrimento para explorar os outros. Mas isso é o que todos estão fazendo, apenas que eles estão fazendo isso ao máximo. Não faça isso, não tente ser um mártir, é inútil. Não seja um exibicionista.

Sofra reservadamente, sofra tão reservadamente que ninguém jamais fique sabendo do seu sofrimento. E então medite sobre ele: não o jogue para fora, acumule-o dentro e, depois, feche seus olhos e medite sobre ele. Então, a ponte será partida.

É isso o que Jesus quer dizer com: *"Abençoado é o homem que sofreu"* — esta é a técnica para o sofrimento: use o sofrimento como um método — *"ele descobriu a vida"*.

O sofrimento pertence ao reino da morte, a consciência pertence ao reino da vida. Quebre a ponte e você saberá que algo em você, ao seu redor, vai morrer — aquilo pertence à morte; e algo em você, sua consciência, não vai morrer, ela é imortal, pertence à vida. Eis por que o sofrimento pode lhe dar a chave da vida.

Jesus disse:

"Olhe para o eterno enquanto viver, para que não morra e fique procurando por ele sem ser capaz de encontrá-lo".

Essas são técnicas: *"Olhe para o eterno"*... Em você, há algo que é eterno e algo que já está morto. Em você, dois mundos se encontram, o mundo da matéria e o mundo do espírito — você existe na fronteira. Em você, dois reinos se encontram, o reino da morte e o reino da vida — vocês existem entre os dois. Se você prestar muita atenção ao que pertence à morte, você sempre permanecerá com medo, sofrendo, amedrontado. Se você prestar atenção ao seu centro, que pertence à vida, à vida eterna, à imortalidade, o medo desaparecerá.

Jesus diz: *"Olhe para o eterno enquanto viver"*... Não perca, porque, no momento da morte será muito, muito difícil olhar para o eterno.

Se durante toda a sua vida você ficou atento ao reino da morte — o reino das coisas, o reino da matéria e do mundo —, se você esteve atento somente ao reino da morte, será difícil, quase impossível, olhar para o reino da vida quando você estiver morto ou quando estiver morrendo. Como você pode repentinamente voltar suas costas, como você pode repentinamente virar sua cabeça? Será impossível, você ficará paralisado. Toda a sua vida você esteve olhando para fora, seu pescoço ficará paralisado, você não poderá retornar. É preciso um contínuo movimento em direção ao mundo do imortal enquanto você vive.

"Olhe para o eterno enquanto viver"... sempre que tenha um momento de silêncio, feche seus olhos e olhe para dentro, de modo que seu pescoço permaneça flexível; caso contrário, no momen-

to da morte você ficará paralisado. Você gostaria de ver a vida eterna, mas você não será capaz, porque você não pode voltar--se *"...para que não morra e fique procurando por ele sem ser capaz de encontrá-lo"*.

E ele está aí, dentro de você, mas você ficou fixado, ficou obcecado. A obsessão com o lado de fora tem de ser quebrada. Não há nenhuma necessidade de fugir para a floresta, isso não vai adiantar. Mas nas vinte e quatro horas do dia você tem momentos suficientes para olhar para dentro. Não os perca! Sempre que tiver tempo, simplesmente feche seus olhos, mesmo por um único momento, e olhe para dentro na direção do eterno. Ele está aí, basta um pouco de prática para ver e ficar sintonizado com a escuridão interior. É escuro só agora, porque você está sintonizado com a luz externa.

Quando você ficar sintonizado com a luz interna, você verá que ela é uma luz difusa, não é escuro: uma luz muito silenciosa, muito reconfortante, muito branda, mas não uma luz intensa — é uma penumbra. É exatamente como quando o sol ainda não surgiu e a noite quase já se foi. É a isso o que os hindus chamaram de *brahmamuhurta*.

Por que eles o chamam de *Brahmamuhurta*, o momento de Deus? Eles o chamam assim, devido a essa coisa interna: quando você está se voltando para dentro, a luz externa se foi e a escuridão ainda não foi embora, porque a pessoa tem de ficar sintonizada, somente então, ela irá embora. Há uma penumbra, *sandhyakal*, um momento em que não há nenhuma luz e nenhuma escuridão. A isso eles chamam *Brahmamuhurta*, o momento do divino. Torne-se sintonizado, olhe, espere, observe. Logo, logo, seus olhos ficarão acostumados e você será capaz de ver.

Não há nenhuma luz intensa, apenas uma luz difusa, porque ela não é gerada por um sol. Trata-se apenas de sua luz natural, não gerada por nada mais. É a sua própria luz, sua própria aura interior — ela existe. Quando quer que você encontre tempo, não o desperdice. E, então, você descobrirá momentos bastantes: ao ir dormir, olhe para dentro: o dia passou, o mundo da morte não existe mais, você vai se retirar — olhe para dentro. De manhã, no primeiro momento em que você ficar ciente de que o sono acabou, não há nenhuma necessidade de pular da cama e entrar no mundo. Espere um pouco, feche seus olhos, olhe para dentro: é silencioso.

O descanso de uma noite inteira ajuda, você não está tão tenso, será mais fácil mover-se para dentro.

Eis por que todos os religiosos insistem na prece quando você vai dormir e na prece quando você volta do mundo do sono. Esses momentos são muito bons. À noite, você está cansado do mundo, você está farto do mundo, você está pronto para olhar para outra coisa. De manhã, você já descansou e o descanso ajuda, você pode olhar para o interior. É isso o que Jesus diz: *"Olhe para o eterno enquanto viver, para que não morra e fique procurando por ele sem ser capaz de encontrá-lo"*.

E ele estará presente, mas você será incapaz de vê-lo, simplesmente devido a uma prática errada durante toda a sua vida.

> *Eles viram um samaritano levando uma ovelha a caminho da Judeia. Ele perguntou a seus discípulos: "Por que esse homem leva a ovelha com ele?"*
>
> *Eles responderam: "Para que possa matá-la e comê-la".*
>
> *Ele lhes disse: "Enquanto ela estiver viva, ele não a comerá, mas somente quando a matar e ela tornar-se um cadáver".*
>
> *Eles disseram: "De outro modo, ele não será capaz de comê-la".*
>
> *Ele lhes disse: "E vocês, busquem um lugar para si mesmos em repouso, para que não se tornem cadáveres e sejam comidos".*

Seu corpo vai se tornar alimento de vermes, de pássaros. Seu corpo é alimento, ele não é nada mais do que isso, não pode ser — seu corpo vem do alimento. Eis por que se você não comer, seu corpo começará a desaparecer. Se você continuar um jejum, cerca de novecentos gramas do seu corpo irão desaparecer a cada dia. Para onde esse corpo está indo? Todo dia você tem de enchê-lo com alimento. Então, quando você morrer, o que acontecerá com o seu corpo? O mundo o usará como alimento: os vermes da terra se alimentarão de você, ou os pássaros do céu o comerão. Isso lhe dá medo, você fica apreensivo porque "eu serei comido". Devido a isso, em todo o mundo, as pessoas têm criado meios para não serem comidas. Mas elas são tolas!

Os hindus queimam o corpo morto, simplesmente para evitar uma coisa: que você seja comido. Os muçulmanos colocam o corpo morto dentro de um ataúde e o colocam dentro de um túmulo, só para protegê-lo. Os cristãos fazem o mesmo. Somente os zoroastristas não fazem isso: eles deixam o corpo virar alimento. Eles são os mais naturais quanto a isso, e os mais científicos também, porque não se deve destruir alimento. Você andou comendo pássaros, animais, frutas, durante toda a sua vida, e agora você acumulou noventa quilos de corpo e você o destrói, queima-o. Isso não é bom, você não é agradecido ao mundo. Você deve retornar ao mundo do alimento — o corpo é alimento!

E por que vocês pensam que queimar é melhor, jogar o corpo no fogo é melhor do que deixá-lo ser comido por um verme ou por um pássaro, ou por um animal? Por quê...? Pois, nesse caso também, o fogo estará queimando... no estômago do leão... e esse fogo dissolverá seu corpo. Mas esse é um fogo natural e, pelo menos, irá satisfazer alguma fome em algum lugar.

Somente os pársis têm permanecido naturais quanto a isso, mas até mesmo eles começaram a titubear agora, porque todos dizem: "Isso é errado — deixar seu pai, sua mãe! Que tipo de gente vocês são? Vocês são muito cruéis!". Mas atirar um cadáver no fogo não é cruel? Ou enterrá-lo lá no fundo da terra, não é cruel? Eles são mais ecológicos, estão completando o círculo. Os hindus e muçulmanos e cristãos são menos ecológicos, estão quebrando o círculo e isso não é bom.

Jesus diz: "Se vocês não se derem conta do ser interior, do ser eterno, do ser consciente, então, você será simplesmente comido, eis tudo". Toda a sua vida foi inútil: comendo durante toda a sua vida, trabalhando para comer e, depois, sendo comido... — essa é toda a história. "Uma história contada por um idiota, cheio de fúria e algazarra, significando nada." A vida toda, uma luta para comer e ser comido depois. Qual é o significado disso?

Jesus diz: "Antes que você morra, antes de ser comido, perceba aquilo que não é alimento em você, que não é criado pelo alimento em você". Então, você terá de compreender uma coisa mais.

Todas as religiões têm tentado o jejum. Por quê? Porque, quando você jejua, a consciência cresce em intensidade, porque ela não é parte do alimento. Realmente, o alimento destrói a consciência e, quando você não come, você se torna mais consciente, porque o alimento dá uma espécie de sono, ele é um intoxicante. Assim, se você come demais, você imediatamente se sente sonolento. É alcoólico: sempre que você come, você tem de ir dormir. Se você jejuar, você descobrirá que será difícil dormir naquela noite. Você pensa que é devido à fome? Não, é porque, sem alimento, acontece mais consciência.

E se você fizer um longo jejum, depois do terceiro, quarto, quinto dia, a fome desaparecerá, porque o corpo insiste durante três, quatro, cinco dias — o corpo não tem uma memória muito longa. Ele insiste no velho hábito durante alguns dias e, depois, se você não o escuta, o corpo faz seus arranjos de um outro modo. O corpo tem um arranjo duplo — isso é necessário como medida de segurança. Todo dia você tem de comer para dar ao corpo sua cota diária. Se você não lhe der a cota durante cinco, sete dias, então, o corpo tem uma medida de emergência: a carne acumulada no corpo, a gordura acumulada. Ela se acumula.

Toda pessoa saudável comumente acumula bastante gordura para pelo menos três meses — isso é um reservatório. Quando o corpo acha que você não vai mais lhe dar alimento, o corpo começa a comer do seu próprio reservatório. Quando o corpo começa a comer sua própria reserva, então, a consciência não está envolvida, absolutamente. Você não precisa sair e ganhar dinheiro e trabalhar e ficar cansado e, então, dar comida ao corpo.

E quando você lhe dá comida, para digeri-la, toda a sua energia é necessária. Eis por que, imediatamente após comer a comida, sua cabeça fica sonolenta: porque a energia que estava trabalhando como consciência, é requerida no estômago para trabalhar como uma força digestiva — ela move-se para ele imediatamente.

Assim, as pessoas que comem demais não podem meditar bem — impossível! Elas podem dormir bem, mas elas não podem ser conscientes-de-si, elas não podem ser muito conscientes. Elas são alimento e nada mais. E elas serão comidas: sua vida inteira é um círculo alimentar. Todas as religiões ficaram cientes de que, se você jejua, a consciência aumenta, porque a energia fica livre quando não há nada para digerir. Nada a ser levado para dentro e nada a ser posto fora. Todo o trabalho para. O trabalho na fábrica do corpo não está presente, a fábrica está fechada. Então, toda a energia que você conseguiu se torna consciência-em-si. Eis por que é difícil dormir quando você está num jejum.

E se você jejuou durante pelo menos vinte, trinta dias, quarenta dias, você terá um novo tipo de sono: seu corpo dormirá e você permanecerá alerta. Eis o que Krishna disse a Arjuna: "Quando todos dormem, um iogue permanece acordado". Eis o que Buda disse: "Mesmo enquanto estou dormindo, não estou dormindo — somente o corpo dorme". Eis por que, quando Mahavira dormia, ele nunca se mexia no sono — nem mesmo um único movimento. Ele nunca mudava de lado, porque ele permanecia alerta. E ele disse: "Mudar de lado não seria bom: algum inseto podia ter se alojado embaixo" — porque ele dormia no chão ou sob uma árvore — "e, se eu me mexer no escuro e mudar de lado, pode haver alguma violência — sem saber, mas ainda assim... E se eu posso evitar isso...". Assim, ele permanecia perfeitamente numa só posição a noite toda. Permanecia exatamente como estava quando tinha ido dormir, sem nem mover a mão sequer. Isso só pode ser feito se você estiver perfeitamente consciente no sono; caso contrário, você não saberá quando se mexeu.

Se você se torna consciente, então, você se torna consciente de uma dimensão diferente dentro de você. O visível pertence à morte, o invisível pertence ao imortal.

Jesus diz: *"Busquem um lugar para si mesmos em repouso"* — busquem um estado de silêncio, de repouso, de tranquilidade, equilíbrio, onde vocês possam se tornar conscientes do eterno — *"para que não se tornem cadáveres e sejam comidos".*

Jesus disse: *"Dois descansarão na cama: um morrerá, outro viverá".*

Exatamente as mesmas palavras estão nos Upanishads. Eles dizem que há dois pássaros em uma árvore: um sentado em um ramo mais baixo, um outro sentado num ramo mais alto. O pássaro do ramo mais baixo pensa, fica preocupado, deseja, exige, acumula, luta, compete. Ele permanece em angústia, tensão, pula deste galho para aquele outro, sempre se movendo, nunca em repouso. O outro pássaro, que está sentado no ramo mais alto, está em repouso. Ele está tão silencioso, como se não existisse. Não tem nenhum desejo, nenhum sonho acontece a ele. Não tem nenhuma necessidade a preencher, como se tudo estivesse realizado, como se ele tivesse alcançado, nenhum lugar mais para ir. Ele simplesmente se senta, desfrutando, e observa o pássaro que está no ramo mais abaixo.

Essas são as duas dimensões em você. Você é a árvore. E o mais baixo está sempre perturbado. O mais baixo é seu corpo e as necessidades corporais e os desejos corporais. E, se você se esquecer de si mesmo completamente no meio disso, então, isso e você se tornam uma coisa só. No ramo mais alto, no alto da árvore, senta-se o outro pássaro, que é uma testemunha, que simplesmente olha para baixo para aquele pássaro tolo pulando, movendo-se em angústia, em ansiedade, na raiva, no sexo... Tudo acontece a ele. Este outro pássaro é simplesmente uma testemunha, ele simplesmente olha sem interrupção, é simplesmente um expectador. Você é a árvore.

Jesus diz a mesma coisa com um símbolo diferente:

"Dois descansarão na cama" — você é a cama — "Dois descansarão na cama: um morrerá, outro viverá". Você é a cama, dois estão nela: "um morrerá, outro viverá".

Agora, toda a questão é a quem se deve prestar atenção. Em direção a quem você deve se mover, em direção a quem toda a sua energia deve fluir? Quem deve se tornar a sua meta?

Comumente, aquele que vai morrer é a sua meta. Eis por que você está sempre em ansiedade, porque você está construindo uma casa sobre a areia. Ela vai cair — mesmo antes da construção estar pronta, ela cairá e se tornará uma ruína. Você está sempre tremendo, porque você está fazendo sua assinatura sobre a água — antes de completá-la, ela já sumiu. Sua ansiedade é porque você está interessado no reino da morte e você não olhou em direção à vida. E sobre a cama os dois estão dormindo — o outro é simplesmente uma testemunha.

Preste mais atenção a ele, vire-se cada vez mais e mais em direção a ele — eis o que significa conversão. Conversão não quer dizer um hindu se tornando um cristão, ou um cristão se tornando um hindu. Isso é tolice, você simplesmente muda de rótulo. Nada é mudado, porque o homem interno permanece o mesmo, o velho padrão. Conversão significa o movimento de atenção do reino da morte para o reino da vida. É uma meia-volta: olhando para a testemunha, tornando-se um com a testemunha, perdendo-se na testemunha, na consciência-em-si e, então, você sabe que aquilo que vai morrer, irá morrer. Não há nenhuma inquietação, nenhum problema, e você sabe que você não vai morrer. Assim, não há nenhum medo.

Jesus disse: "Dois descansarão na cama: um morrerá, outro viverá".

E é com você: se você quer permanecer vivendo com os problemas, nunca preste atenção ao ser interior; se você quer permanecer sempre em angústia, então, permaneça na periferia, não olhe para dentro. Mas se você quer repouso, uma eternidade pacífica, a verdade, as portas do céu abertas para você, então, olhe para dentro. É difícil — é difícil, porque é muito sutil. Onde o visível e o invisível se encontram, onde a matéria e o espírito se encontram, é muito sutil. Você pode ver a matéria, você não pode ver o espírito, ele não pode ser visto. Você pode ver onde o visível termina, você não pode ver o invisível, ele não pode ser visto.

Então, o que é para ser feito? Permaneça na fronteira do visível, e não olhe para o visível, olhe na direção oposta. Gradualmente, o invisível pode ser sentido. É uma sensação, não é um entendimento: você não pode vê-lo, você pode somente senti-lo. É como uma brisa: ela vem, você a sente, mas você não pode vê-la. É como o céu: existe, mas você não pode dizer onde, você não pode localizá-lo, você não pode tocá-lo. Ele está sempre presente, você está nele, mas você não pode tocá-lo.

Permaneça na fronteira do visível, olhando na direção oposta. Isso é tudo o que é meditação. Sempre que você puder encontrar um momento de calma, feche seus olhos, deixe para trás o corpo, os assuntos do corpo e do mundo da morte — o mercado, o escritório, a esposa, os filhos. Largue tudo isso. Da primeira vez, você não sentirá nada dentro.

Hume disse: "Muitas pessoas falaram sobre ir para dentro e olhar lá. Sempre que olhei, não vi nada — só pensamentos, desejos, sonhos flutuando daqui para ali, um caos". Você também sentirá o mesmo. E se você concluir que não vale a pena entrar uma outra e mais outra vez para ver esse caos, então, você perderá.

No começo, você verá só isso, porque seus olhos só podem ver isso — eles precisam ser sintonizados. Permaneça ali, olhando para os sonhos flutuantes. Eles flutuam como nuvens no céu, mas entre duas nuvens, às vezes, você verá o azul: entre dois sonhos, dois pensamentos, às vezes, haverá um vislumbre do céu por trás. Simplesmente não tenha pressa. Eis por que dizem que se você tem pressa você perderá.

Há um ditado zen que diz: "Apresse-se lentamente". Está certo! Apresse-se, está certo, porque você vai morrer — nesse sentido, apresse-se. Mas por dentro, se você estiver muito apressado, você perderá, porque você concluirá muito cedo, antes que seus olhos se tornem sintonizados. Não conclua muito depressa.

Apresse-se lentamente. Espere! Vá até lá e sente-se e espere. Pouco a pouco, um novo mundo do invisível se torna claro, vem até você. Você se torna sintonizado com ele e, então, você pode ouvir a harmonia, a melodia: o silêncio dá início à sua própria música. Ela está sempre presente, mas é tão silenciosa, que são necessários ouvidos muito treinados. Não é como um ruído, é como o silêncio. O som interior é como o silêncio, a forma interior é como o sem forma. Não existe nenhum tempo e nenhum espaço lá dentro. Mas tudo que você conhece está no espaço ou no tempo. As coisas estão no espaço, os eventos estão no tempo e, agora, os físicos dizem que essas duas coisas não são duas: até o tempo é apenas uma quarta dimensão do espaço.

Você conhece apenas tempo e espaço, o mundo das coisas e dos eventos. Você não conhece o mundo da testemunha interna. Ela está além de ambos, não está confinada a nenhum espaço e não está confinada a nenhum tempo. Há duração, mas sem tempo; há espaço, mas sem qualquer peso, comprimento, largura. Trata-se de um mundo totalmente diferente. Você terá de se tornar sintonizado com ele; assim, não fique impaciente — a impaciência é a maior barreira. Vim a perceber que, quando a pessoa começa a trabalhar em direção ao interior, a impaciência é a grande barreira. Infinita paciência é necessária. Pode acontecer no momento seguinte, mas infinita paciência é necessária.

Se você fica impaciente, pode não acontecer durante vidas, porque a própria impaciência não lhe permitirá o repouso do qual fala Jesus: a tranquilidade. Até mesmo o fato de você estar esperando será uma perturbação. Se você estiver pensando que algo vai acontecer, algo extraordinário, então, nada acontecerá. Se você estiver esperando, na expectativa de que alguma iluminação vá acontecer, você perderá. Não espere nada. Todas as expectativas pertencem ao mundo da morte, à dimensão do tempo e espaço.

Nenhum objetivo pertence ao interior. Não há outro meio para isso, exceto a espera, infinita paciência. Jesus disse: "Observe e seja paciente". E, um dia, de repente, você está iluminado. Um dia, quando a sintonia correta acontecer, quando você estiver pronto, de repente, você está iluminado. Toda a escuridão desaparece, você fica repleto — você fica repleta — de vida, de vida eterna, aquela que nunca morre.

Chega por hoje.

Décimo Quinto Discurso

Jesus disse:

"Eu sou a luz que está acima de todos,

eu sou o todo,

e o todo veio de mim e o todo me abarca.

Corte um pedaço de madeira e eu estou ali;

erga a pedra e você me encontrará ali".

Jesus foi treinado em uma das mais antigas escolas secretas. A escola era chamada Essênia. O ensinamento dos essênios é puro *Vedanta*. Eis por que os cristãos não têm um registro do que aconteceu a Jesus antes de seu trigésimo ano de vida. Eles têm um pequeno registro de sua infância, e têm um registro depois de seu trigésimo ano de vida, até os trinta e três, quando ele foi crucificado. Eles sabem algumas coisas. Mas um fenômeno como Jesus não é um acidente: é uma longa preparação, não acontece assim a qualquer momento.

Jesus esteve sendo preparado durante aqueles trinta anos. Primeiramente, foi enviado ao Egito e depois ele veio até a Índia. No Egito ele aprendeu uma das mais antigas tradições de métodos secretos; depois, na Índia, veio a tomar conhecimento dos ensinamentos de Buda, dos *Vedas*, dos *Upanishads*, e passou através de uma longa preparação. Esses dias não são conhecidos, porque Jesus trabalhou nessas escolas como um discípulo desconhecido. E os cristãos sabidamente abandonaram esses registros, porque não gostariam da ideia do filho de Deus ter sido também um discípulo de outra pessoa. Eles não gostavam nem da ideia de ele ter sido preparado, ensinado, treinado — isso lhes parece humilhante. Eles pensam que o filho de Deus vem absolutamente pronto. Se alguém está absolutamente pronto, esse alguém não pode vir.

Neste mundo, entra-se sempre como imperfeito. A perfeição simplesmente desaparece deste mundo.

A perfeição não é deste mundo, não pode ser — isso é contra a própria Lei. Uma vez que alguém seja perfeito, toda a sua vida entra numa dimensão vertical. Isto é para ser compreendido: você progride num plano horizontal, de A a B, de B a C e de C a D, e assim por diante até Z — horizontalmente, numa linha, do passado para o presente, do presente para o futuro. Esse é o caminho da alma imperfeita, exatamente como a água fluindo em um rio, das montanhas e planícies até o mar — numa linha, horizontalmente, sempre mantendo seu próprio nível.

A perfeição move-se numa linha vertical, não horizontalmente. De A ela não vai a B: de A ela vai mais alto do que A, depois, mais alto, e ainda mais alto. Nesta linha, para aqueles que vivem nesta linha, a perfeição simplesmente desaparece. Ela não existe, porque eles podem olhar dentro do futuro ou do passado. Eles podem olhar para trás, mas o homem perfeito não está ali; eles podem olhar à frente, mas ele não está ali; eles podem olhar aqui, ele não está ali — porque uma nova linha de progressão vertical começou. Ele está indo cada vez mais e mais alto. Ele se move na eternidade, não no tempo.

A eternidade é vertical, eis então por que agora ela é eterna — não há futuro para ela. Se você se move numa linha horizontal, há futuro: se você se move de A para B, o B está no futuro. Quando o B se torna presente, o A morreu no passado e o C está no futuro. Você está sempre entre o passado e o futuro, seu momento presente é apenas uma fase de passagem: o B está virando C, o D está virando E; tudo está se movendo para o passado. E o seu presente é apenas um corte, apenas um pequeno fragmento. Na hora em que você toma ciência dele, ele já se moveu para o passado. Uma alma que se torna perfeita, move-se numa dimensão completamente diferente: de A para A1, para A2, para A3 — e isso é a eternidade. Agora ela mora no eterno. Eis por que ela desaparece deste mundo.

Para entrar neste mundo, você tem de ser imperfeito.

Dizem nas velhas escrituras que sempre que um homem chegar à perfeição — isso aconteceu muitas vezes —, ele deixará algo imperfeito a fim de voltar novamente e ajudar as pessoas. Diz-se de Ramakrishna que ele era viciado em comida, obcecado, como se o dia todo ele estivesse pensando em comida. Ele falava com os discípulos e sempre que tinha uma chance ia até a cozinha para pedir à esposa: "O que há de novo aí? O que você está preparando hoje?". Até a esposa se sentia muito embaraçada às vezes, e dizia: "Paramahansa Deva, isso não lhe fica bem!". E ele ria.

Um dia sua esposa insistiu: "Até seus discípulos riem disso e dizem: 'Que tipo de homem liberado é Paramahansa? Como ele pode ser tão viciado em comida!?'". Sempre que Sharda, sua esposa, trazia comida, ele imediatamente se levantava para olhar na *thali*[1], e ver o que ela havia trazido. Ele se esquecia de tudo sobre o *Vedanta, Brahman...* E às vezes era muito embaraçoso, porque havia pessoas presentes, e elas nunca haviam pensado, nunca poderiam conceber...

Assim, certo dia, sua esposa insistiu: "Por que você faz isso? Deve haver uma razão".

Ramakrishna disse: "No dia em que eu não fizer isso, então, você pode contar mais três dias e eu ainda estarei vivo. No dia em que eu parar, isso será o sinal de que estarei por aqui somente por mais três dias".

Sua esposa riu, os discípulos riram. Eles disseram: "Isso não é nenhuma explicação!". Eles não podiam compreender o que ele queria dizer.

Mas aconteceu desse jeito. Um dia sua esposa entrou no quarto e ele estava deitado na cama descansando. Ele virou-se de lado — normalmente, ele pularia da cama para ver. E sua esposa lembrou-se de que ele tinha dito que ele viveria somente três dias mais

---

(1)   *Thali* — travessa. (N. da T.)

depois do dia em que mostrasse indiferença pela comida. Ela não pôde segurar a *thali*; a *thali* caiu e ela começou a chorar. Ramakrishna disse: "Mas todos vocês queriam que fosse assim. Agora, não se preocupem com isso. Fico aqui por mais três dias". E no terceiro dia ele morreu. Antes de morrer, ele disse que tinha se mantido apegado à comida, apenas como parte de algo imperfeito nele, de modo que pudesse ficar aqui com os discípulos, servindo-os.

Muitos mestres fizeram isso. No momento em que sentiram que algo iria torná-los completamente perfeitos, eles se apegavam a alguma imperfeição, apenas para ficar aqui; caso contrário, esta margem não era mais para eles. Se todos os grilhões forem quebrados, seus barcos navegariam para a outra margem e, então, não poderiam permanecer aqui. Dessa forma eles manteriam um grilhão: manteriam algum relacionamento, escolheriam alguma fraqueza neles mesmos e não deixavam que aquilo desaparecesse. O círculo não seria completado, permaneceria uma lacuna. Através dessa lacuna, eles podem permanecer aqui. Eis por que os hindus, os budistas, os *jainistas*, sabem muito bem, pois conheceram muitos mestres — sabem perfeitamente bem que a perfeição não é deste mundo. No momento em que o círculo está completo, ele desaparece dos seus olhos. Você não pode ver, ele não mais está no seu campo de visão, está acima de você — você não pode penetrar ali.

Mas para dizer que Jesus era perfeito quando nasceu, para enfatizar esse fato, os cristãos abandonaram todos os registros. Mas Jesus foi um buscador como vocês, foi uma semente de mostarda como vocês. Ele tornou-se uma árvore, e uma grande árvore, e milhões de pássaros do céu fizeram abrigo nela — mas ele também foi uma semente de mostarda. Lembre-se de que até um Mahavira, um Buda, um Krishna, todos eles nasceram imperfeitos, porque o nascimento pertence à imperfeição. Não há nascimento para o perfeito: quando você é perfeito, então, não há nenhuma transmigração.

Esse treinamento de Jesus — a ida para o Egito e para a Índia, o aprendizado nas sociedades secretas egípcias, depois nas escolas budistas e depois na escola Vedanta hindu — tornou-o um estranho para os judeus. Por que ele se tornou tão estranho para os judeus? Por que os judeus não puderam absorvê-lo? — eles ainda não o perdoaram! Qual foi a razão? Ele estava trazendo algo alheio, algo estrangeiro; ele introduziu um segredo que não pertencia à raça. Eis por que a crucificação aconteceu.

Os hindus toleraram Buda porque fosse o que fosse que ele estivesse dizendo não lhes era estranho. Ele podia contradizer o hinduísmo, mas ele só podia contradizer o hinduísmo superficial. Mesmo em sua contradição, ele prova que o hinduísmo mais profundo está certo. Ele podia dizer que o sistema tomou um caminho errado, ele podia dizer que a organização tomou um caminho errado, ele podia dizer que todos os seguidores tomaram um caminho errado, mas ele não poderia dizer que os hindus estavam basicamente errados. O que quer que ele dissesse, os hindus podiam compreender, não era estrangeiro, não era alienígena. Tudo que Mahavira disse, os hindus simplesmente toleraram. Ele pode ter sido um revolucionário, mas ele permanece um hindu; ele pode ter sido um filho rebelde, mas ele pertence aos hindus — não havia muito com que se preocupar.

Mas Jesus não é somente revolucionário, ele também não pertence. Como aconteceu de ele deixar de pertencer aos judeus? Os cristãos não têm nenhuma resposta para isso. De onde ele trouxe esse ensinamento alienígena? Do Egito e da Índia.

A Índia foi a fonte de todas as religiões. A Índia foi a fonte básica até mesmo daquelas religiões que são contra o hinduísmo. Por que aconteceu de a Índia ser a fonte básica de todas as religiões?

A Índia é a civilização mais antiga, e toda a mente da Índia esteve sempre trabalhando e trabalhando e trabalhando na dimensão da religião. Aventurou-se sobre todos os segredos da religião — nenhum segredo ficou desconhecido. Na verdade, durante milhares de anos, vocês não foram capazes de ensinar à Índia nenhum segredo sobre religião, porque eles sabem tudo. Eles descobriram tudo. De certo modo, completaram toda a jornada. Assim, tudo que é belo na religião, onde quer que esteja, você pode estar certo de que, de algum modo, aquilo veio da fonte. Exatamente como a mente grega é a fonte da ciência — todo o desenvolvimento científico vem da mente grega, da mente lógica, da mente aristotélica — todo o misticismo vem da Índia. E somente dois tipos de mente existem no mundo: a grega e a indiana.

Se você for basicamente uma mente grega, será absolutamente impossível compreender a Índia, porque ela parecerá absurda. Seja

373

o que for que digam, parecerá improvável; qualquer afirmação que façam, se mostrará sem significado.

Aristóteles será um absoluto estrangeiro na Índia, porque ele acredita em definições, demarcações precisas, distinções. E acredita na lei da contradição, que duas coisas contraditórias não podem estar juntas: "A" não pode ser "A" e "não A" simultaneamente, isso é impossível; um homem não pode estar vivo e morto, simultaneamente — é impossível. Aparentemente, ele está certo.

Os hindus acreditam na contradição. Eles dizem que o homem está vivo e morto, os dois simultaneamente, porque a vida e a morte não são duas coisas, não se pode demarcá-las. A mente grega é matemática, a mente hindu é mística. Todo misticismo vem da Índia — assim como o sol surge no Oriente, todo misticismo surge no Oriente — e a Índia é o coração.

Para este sutra ser compreendido, você tem de ir para os *Upanishads*, as raízes estão lá. Você não pode descobrir nada no Velho Testamento ou em outro registro judaico, que possa ter dado origem a estas palavras de Jesus. Eis por que os judeus não podem acreditar no que Jesus está dizendo.

Jesus diz repetidamente: "Eu não vim para contradizer as velhas escrituras, mas para cumpri-las". Mas quais escrituras, que escrituras? Isso ele nunca diz. Se ele veio para cumprir o Velho Testamento, então, essa afirmação está errada, porque ele quase sempre contradiz o Velho Testamento. O Velho Testamento depende da vingança — o pai, o Deus, é muito vingativo. O medo é a base do Velho Testamento e de sua religião: você deve ser temente a Deus. E Jesus diz que "Deus é amor". Você não pode temer o amor e, se há amor, não pode haver nenhum medo. E, se você tem medo, como você pode amar? O medo é veneno para o amor, o medo é morte para o amor. Como você pode amar uma pessoa se você tem medo? O medo pode criar ódio, mas não pode criar o amor.

Assim, um homem religioso no Velho Testamento é temente a Deus; e, no Novo Testamento, um homem religioso é amante de Deus. E amor e medo são dimensões totalmente diferentes. Jesus disse: "Foi dito que se alguém ferir um de seus olhos, arranque-lhe os dois. Mas eu lhes digo: se alguém lhe bater numa face, dê-lhe a outra face também". Isso é absolutamente antijudaico, não existe na tradição. Assim, quando Jesus diz "eu vim para cumprir as escrituras", a que escrituras ele se refere? Se ele estivesse na Índia e tivesse dito "eu vim cumprir as escrituras", nós teríamos compreendido, porque os Upanishads são as escrituras que ele veio cumprir; o *Dhammapada*, os discursos de Buda, são as escrituras que ele veio cumprir — elas dependem do amor, da compaixão.

Mas as escrituras judaicas absolutamente não estão interessadas na compaixão e no amor, estão interessadas no medo, na culpa. Eis por que seja o que for que Jesus tenha dito, os judeus compreenderam bem que "ele não veio para cumprir nossas escrituras". Não se pode encontrar uma afirmação como esta no Velho Testamento:

> *"Eu sou a luz que está acima de todos, eu sou o todo, e o todo veio de mim e o todo me abarca. Corte um pedaço de madeira e eu estou ali; erga a pedra e você me encontrará ali."*

Pode-se encontrar milhares de ditos semelhantes nos *Upanishads*, no *Gita*, em Buda, mas você não pode encontrar um único paralelo no Velho Testamento. Assim, que escrituras ele veio cumprir? Ele veio cumprir alguma outra escritura, alguma outra tradição. Este sutra é absolutamente *Vedanta*; assim, tente compreender primeiramente o ponto de vista do *Vedanta*, depois, você será capaz de compreender este sutra.

Jesus nasceu como um judeu, viveu como um judeu, morreu como um judeu — mas isso é somente no que diz respeito ao corpo. De outra forma, Jesus é um puro hindu. E você não pode descobrir um hindu mais puro do que Jesus, porque a base da religião *upanixádica* é a sua base. Ele criou toda a estrutura sobre aquela base; assim, tente compreender o que é essa base.

Os judeus dizem: "Deus é o criador e este universo é o criado, e o criado jamais pode se tornar o criador. Como pode uma pintura tornar-se o pintor? Como pode um poema se tornar o poeta? Impossível! E se o poema tenta se tornar o poeta, o poema ficou louco; e se a pintura tenta provar e afirmar e clamar que 'eu sou o pintor', então, a pintura ficou louca. O homem é a criatura e Deus é o criador. E essa distância jamais pode desaparecer completamente, esse espaço permanecerá. Você pode chegar cada vez mais e mais perto, mas você jamais pode se tornar Deus". Essa é a base do pensamento judaico. E os muçulmanos aprenderam isso dos judeus. Os muçulmanos são mais judaicos do que Jesus; no que diz respeito ao pensamento, ao modo de pensar, Maomé está mais próximo de Moisés do que Jesus. Maomé não aprendeu muito dos hindus.

Mas o *Vedanta* diz: "Deus é a criação, não há nenhuma distinção entre Deus e a criação. Ele não criou o universo como um poeta cria um poema, o relacionamento é exatamente como o de um dançarino e a dança: eles permanecem um. Se o dançarino para, a dança desaparece; e se a dança desaparece, a pessoa não mais é um dançarino. O universo não está separado, ele é uno. O universo não foi criado no tempo e concluído. Ele é criado a cada momento; está sendo criado a cada momento, porque ele é o próprio ser de Deus. Exatamente como você se move, canta, ama; assim, Deus cria — a cada momento ele está criando. E a criação jamais é separada, ela é seu movimento, sua dança". Eis por que os *Upanishads* dizem *"aham brahmasmi"*. Os Upanishads podem dizer, os visionários que vieram a saber deste segredo, podem dizer: "Eu sou Deus". E ninguém pensa que isso seja blasfêmia — isso é uma verdade.

Os judeus jamais podem dizer "eu sou Deus" — isso é blasfêmia, nada pode ser pior do que essa afirmação. Você tentando ser Deus!? Uma criatura tentando ser Deus!? Um escravo tentando afirmar que ele é o senhor!? Isso é egoísmo! O que é pura religião no *Vedanta* é egoísmo para os judeus e os muçulmanos. O *Vedanta* diz que isso não é ego, porque esse sentimento de que "eu sou Deus" acontece somente quando o "eu" desapareceu completamente. Quando você não mais existe, quando a casa está vaga e o barco está vazio, então, de repente, você fica ciente de que você é o todo. Se você está ali, como você pode pensar que você é o todo? Se você está ali, então, você tem uma fronteira, uma personalidade — então, sua afirmação é falsa. Quando o "eu" desaparece, quando existe a ausência de ego, somente então, você pode sentir que você é o todo. A afirmação de Jesus vem dos *Upanishads*.

A primeira coisa a ser lembrada: a criação e o criador não são dois, são um.

A segunda coisa a ser lembrada: comumente, a matemática diz que a parte jamais é equivalente ao todo, a parte jamais pode ser o todo. Num mecanismo é assim: tire uma parte do seu carro — a parte não pode ser o carro, é muito óbvio; você corta sua mão — sua mão não é você. Uma parte não pode ser o todo, isso é lógica comum. E se o mundo é uma coisa mecânica, então, isso é verdade.

Mas o *Vedanta* diz que a existência é orgânica, não mecânica. Com a unidade orgânica, um tipo diferente de matemática torna-se aplicável: a parte é o todo. Este é o maior absurdo! E eis por que eles podem dizer "eu sou Deus — porque eu sou uma parte, Deus é o todo". Mas como a parte pode ser o todo? Se há um relacionamento mecânico entre mim e a existência, então, isso não é possível. Mas, se há uma unidade orgânica, então, isso é possível. E há uma unidade orgânica.

Você existe não como uma unidade separada completa em si mesma. Não! Você existe não como uma ilha, você existe como uma onda do oceano, uma unidade orgânica, você e o oceano são um: o oceano continua se movendo e "ondeando" em você — você não pode existir sem o oceano. E se você compreende profundamente, o oceano também não pode existir sem você; vocês estão totalmente unidos. Pode-se dizer que o oceano existe em cada onda, e pode-se dizer que o oceano não é nada mais do que a totalidade de todas as ondas. Assim, uma onda não está separada: não se pode tirar uma onda para fora do oceano, não se pode levá-la para casa e mostrá-la aos filhos, dizendo: "Fui ao oceano e lhe trouxe uma onda". Você não pode levar a onda. Pode-se levar a água, mas ela não será uma onda — não estará viva.

Olhe para o oceano quando há ondas: elas estão vivas, porque o oceano é sua vida. Quando elas estão subindo centenas de metros, chegando aos céus, o oceano está chegando lá através delas. Você pode não ver o oceano, você pode apenas ver a onda, mas você não pode separar a onda do oceano — eles são organicamente um só.

O *Vedanta* diz que o criado é organicamente um com o criador, o mundo não pode existir sem Deus. Isso pode ser compreendido pelos judeus e muçulmanos também. Mas os hindus dizem outra coisa também, a segunda parte. Eles dizem que Deus não pode existir sem o mundo. Isso é blasfêmia para os judeus. "O que você está dizendo — que Deus não pode existir sem o mundo!?" Sim — ele não pode existir, fica impossível para ele existir. Se ele é um criador, se a criatividade é a sua qualidade, como ele pode existir sem o universo? Quando não há nada criado, como ele pode ser um criador? O mundo depende dele, ele depende do mundo; trata-se de uma interdependência. O mundo não é independente dele, e nem ele é independente do mundo. Há um profundo relacionamento de amor: eles dependem um do outro, eles preenchem um ao outro, eles são um. O preenchimento é tão total que não se pode separá-los e dividi-los.

Assim, um visionário, aquele que veio a conhecer, pode declarar: *"Aham brahmasmi, Ana'l haq* — eu sou Deus". E quando ele diz isto, ele está simplesmente dizendo: "Eu e esta existência não somos dois". Ele está simplesmente dizendo: "Você me encontrará aonde quer que você vá, aonde quer que vá, você me encontrará. A forma pode ser diferente, mas eu estarei lá". É isso o que Jesus está dizendo: *"Corte um pedaço de madeira e eu estou ali"*... Como Jesus pode estar ali, se você cortar um pedaço de madeira? Você não pode achar a forma: você não encontrará o filho de Maria e José ali, você não encontrará esse jovem carpinteiro ali, se você cortar um pedaço de madeira. Então, o que você encontrará? O ser, você encontrará. E ele está dizendo: "Eu sou o ser. Minha forma mudará, mas não eu".

Corte um pedaço de madeira e eu estou ali; erga a pedra e você me encontrará ali.

Isso é puro *Vedanta* — uma unidade orgânica. Eis por que os hindus são os únicos no mundo que não se importam muito com templos, eles podem fazer seus templos em qualquer lugar. Basta-lhes pôr uma pedra sob uma árvore — qualquer pedra, nem sequer entalhada — e eles a pintarão de vermelho e Deus está ali e eles podem adorar. Qualquer árvore basta, qualquer rio, qualquer montanha, qualquer coisa servirá, porque: *"Corte um pedaço de madeira e eu estou ali; erga a pedra e você me encontrará ali"* .— assim, por que se incomodar?

Os hindus, eles mesmos, dispõem de seus deuses. Eles fazem um deus durante duas ou três semanas, adoram-no e, quando a adoração acaba, eles vão até o oceano e dão cabo do deus. Não se pode pensar em um muçulmano dando cabo de um deus, não se pode pensar em um judeu dando cabo de um deus. "O que está fazendo? Jogando um deus no oceano? Você é um herege? Ficou louco?" Somente os hindus podem fazer isso, porque eles dizem que o oceano também é Deus. E por que carregar um deus por tanto tempo? Quando a função terminou, disponha dele, porque ele é tudo, está em todo lugar. E podemos fazê-lo novamente, a qualquer momento — qualquer pedra servirá. O ser, não a forma de Jesus, você encontrará em todo lugar. E esse "ser" é o ponto a ser compreendido — esse "ser" é Deus.

Quando uma árvore floresce, ela é Deus florescendo, quando uma semente brota, ela é Deus brotando, quando um rio flui, ele é Deus fluindo. Deus não é uma pessoa. Se Deus é uma pessoa, então, há um problema. E os judeus têm a ideia de que Deus é uma pessoa. Deus é uma "não pessoa": ele é puro ser, ele é a própria existência, ele existe em tudo, mas não se pode descobri-lo em um lugar determinado. Ele não tem nenhuma morada, não se pode trancá-lo; ele não tem nenhum endereço, não se pode escrever-lhe uma carta. De certo modo, ele não está em lugar nenhum, porque ele está em todo lugar. Não se pode apontá-lo: não se pode dizer "Deus está aqui", porque isso estaria errado. Somente algo que tem uma forma, que tem uma distinção de outras coisas, pode ser apontado. Como se pode apontar algo que não tem nenhuma forma, que está em tudo, espalhado por tudo?

Mas os judeus têm uma concepção de um Deus muito personalizado. E sempre que há personalidade, há ego. O Deus judaico é muito egoístico. Você o desobedece e sofrerá pela eternidade no inferno. Isso é muito sério: Deus se torna uma força ditatorial e toda a existência se torna uma escravidão. Então, a liberdade não é para você: a liberdade é da natureza de Deus, não da sua — a escravidão será a sua disciplina.

Jesus está dizendo absolutamente o contrário, que Deus não é uma pessoa: Deus é energia, a própria força da vida, aquilo que Bergson chamou de elã vital — é a existência como tal. E onde quer que exista alguma coisa, Deus existe, porque nada mais pode existir. Essa foi a dificuldade. Por isso ele não pôde ser compreendido e teve de ser crucificado. Mesmo que ele apenas dissesse "eu sou o filho de Deus", já seria impossível para os judeus perdoá-lo, mas basicamente ele estava afirmando mais. À medida que seus discípulos foram ficando sintonizados com ele, ele foi até mais longe.

Neste sutra ele diz: *"Eu sou a luz que está acima de todos"*...

Ele não está dizendo que ele é o filho, aqui ele está dizendo que ele é o pai: *"Eu sou a luz que está acima de todos, eu sou o todo"*... Aqui ele está dizendo: "Eu sou Deus, não o filho".

... "e o todo veio de mim e o todo me abarca. Corte um pedaço de madeira e eu estou ali; erga a pedra e você me encontrará ali".

Neste sutra ele afirma: "Eu sou Deus, não o filho de Deus". 'Filho' até pode ser perdoado, porque uma distinção permanece: o pai permanece a fonte, o filho é apenas um produto. Eles podem estar em profunda intimidade, mas um filho permanece um filho, um pai permanece um pai. A distinção pode ser mantida, e o filho tem de obedecer ao pai: existe um relacionamento. Não se trata do relacionamento de um escravo com o seu senhor, mas de um filho com o seu pai — mais íntimo, mas ainda assim um relacionamento: eles permanecem dois.

Isso não está registrado na *Bíblia* — não poderia estar registrado. Ele deve ter afirmado isso somente para os seus discípulos, porque, então, aqueles que estavam em profunda intimidade com ele, estariam aptos a compreender. Isso não pode ser dito na praça. Lá ele está dizendo: "Eu sou o filho de Deus". Com seus discípulos ele diz: "Eu sou Deus, não o filho. Eu sou a fonte de tudo, eu sou o alfa e o ômega. Tudo vem de mim e tudo chega a mim".

Isso é puro *Vedanta*. Você não pode encontrar afirmações como estas em nenhum outro lugar, você terá de ir ao *Gita* e aos *Upanishads*. Isso é o que Krishna diz a Arjuna: "Eu sou o todo, a fonte de tudo. Tudo vem de mim e tudo se dissolve em mim. Largue seu ego e venha aos meus pés". Isso soa como se fosse Krishna falando.

Há uma tradição, uma bela tradição. Não sei o quanto ela pode ser provada, mas ela é bela, não precisa de nenhuma prova. Há uma tradição de que a palavra 'cristo' é apenas uma forma da palavra 'krishna'. É possível: em Bengáli, Krishna ainda é chamado de Kristo, porque 'krishna' não é o nome da pessoa, 'krishna' é sua completa realização, exatamente como 'buda'. 'Buda' não é o nome, é a absoluta realização, quando a pessoa se torna iluminada. A palavra 'buda' quer dizer "aquele que acordou". O que 'krishna' significa? A palavra significa "aquele que se tornou o centro do mundo", aquele que atrai, que agora é o centro de toda a existência. 'Krishna' significa "o centro magnético", aquele que atrai, que agora é o centro de toda a existência. 'Cristo' tem o mesmo significado. Maria deu a seu filho o nome de Jesus. 'Cristo' foi adicionado a Jesus quando ele se tornou o centro do mundo. Nesta afirmação, ele está dizendo: "Eu sou o centro, o todo. Tudo vem de mim, tudo volta a mim. Você se distancia de mim, então você tem de me alcançar". É possível que 'cristo' seja apenas uma forma de 'krishna'. Isso é significativo, porque a afirmação de Krishna no *Gita* e as afirmações de Jesus como estas, são exatamente as mesmas.

A terceira coisa a ser compreendida sobre o *Vedanta* é que o *Vedanta* aceita a pessoa como ela é, porque a rejeição significará a rejeição do próprio Deus. Rejeição significa que algo tem de ser feito: como você é, você é errado, algo tem de ser cortado, algo tem de ser eliminado. Como você é, você não é aceito, você não é bem-vindo. Você terá de mudar a si mesmo, somente então, você será bem-vindo.

O *Vedanta* diz que, como você é, você é bem-vindo. Não há nada para ser feito — o próprio conceito de se fazer alguma coisa tem sido a causa de sua miséria. O próprio conceito de fazer, que algo tem de ser feito, tem sido a causa de sua miséria, porque, seja o que for que você faça, o conduzirá para dentro do mundo. Eis por que os hindus dizem que é por causa do carma — 'carma' significa "fazer" — que você está no mundo. Carma não quer dizer fazer o mal, carma simplesmente significa fazer. Como você esteve prestando muita atenção ao fazer isto ou aquilo, você está no mundo.

Não preste muita atenção ao fazer; preste atenção ao ser. Não pense no que é para ser feito, simplesmente pense em quem você é. O *Vedanta* é amoral: ele não se importa com moralidade e imoralidade. Ele não tem Dez Mandamentos, não lhe dá quaisquer ordens, não fala em termos de "algo". Ele diz que como você é, você é bem-vindo — como você é, você é bom, belo, verdadeiro. O problema não é que os outros o rejeitem, o problema é que você se rejeita. E se você se rejeita, você está num círculo vicioso. Então, você tentará melhorar e nada pode ser melhorado, porque você é o próprio Deus. Então, você ficará na miséria, porque é impossível melhorar-se.

Como você é, você é divino. Como o divino pode melhorar-se? E se você tenta melhorar o divino, então, você se moverá de uma vida para uma outra vida, melhorando, melhorando, e nunca nenhum melhoramento acontece, você permanece o mesmo. É como correr no mesmo lugar — mas você pensa que está correndo depressa, porque você está transpirando e respirando com esforço, e fazendo um grande esforço; você pensa que você está correndo depressa, chegando a algum lugar, e você está parado no mesmo lugar, correndo.

Toda a sua vida é uma corrida. Você não está indo a lugar nenhum, porque não há nenhum lugar para se ir; você não está melhorando, porque é impossível melhorar. O supremo que está dentro de você, não pode melhorar — não há nenhum "mais tarde" para ele, não há nenhum "melhor" para ele, é isso o que o *Vedanta* diz. O *Vedanta* diz que você é divino. Isso tem de ser percebido, não elaborado; você simplesmente tem de olhar para dentro e perceber quem você é. O problema não é que você seja mau, o problema é que você não olha para si mesmo; é um problema de conhecimento, não de fazer. O problema é de uma perspectiva correta a partir da qual você se veja.

É exatamente como se um diamante estivesse aprendendo a se tornar uma pedra mais valiosa, e o diamante tomasse a ideia e começasse a tentar se tornar uma pedra mais valiosa. Justamente essa ideia se tornaria a barreira. Todos os esforços que o diamante pudesse fazer iriam ser inúteis, porque ele já é a pedra mais preciosa. Quando o diamante vier a compreender a futilidade do seu esforço, ele abandonará todo o esforço e ficará ciente de quem ele é. Então, o problema será resolvido.

Ouvi contar:

Certa vez, um homem entrou apressado no consultório de um psiquiatra e disse:

— Doutor, agora o senhor tem de me ajudar — foi além dos meus limites! Minha memória está falhando. Não posso nem me lembrar do que aconteceu ontem. Não posso mesmo me lembrar do que eu disse hoje de manhã. Ajude-me, estou ficando louco!
— O psiquiatra perguntou:

— Quando esse problema começou? Quando você ficou ciente desse problema? — O homem olhou espantado e disse:

— *Que problema...!?*

...porque ele já tinha se esquecido...

Este é o problema: você já se esqueceu de si. Esse é o problema.

Seja o que for que você faça, você criará carma, e o carma é um ciclo, uma roda: um carma conduz a um outro carma — A a B, B a C — você se move de uma parte da roda para uma outra parte da roda. Trata-se de uma roda que vai girando, girando. O carma nunca conduz a pessoa à liberação, porque você já é livre. Esta é a coisa mais difícil de compreender: que você já é livre.

As pessoas vêm a mim e eu tenho de lhes dizer para fazer isto e aquilo, porque elas não compreenderão que já são liberadas. Eu tenho de lhe dizer para fazer isto e aquilo, apenas com a finalidade de exauri-las, apenas para que um dia elas fiquem tão exaustas com o esforço, que venham a mim e digam: "Eu não quero fazer nada". Somente então, eu posso dizer que não há necessidade de fazer nada. Mas vocês precisavam de muito, quando chegaram, no começo. Vocês precisavam fazer muito. E se eu digo que não há necessidade de fazer nada, vocês irão para outra pessoa que possa dizer que há algo a fazer.

Não há nada a ser feito. Absolutamente, como você é, você já é divino. Isso é *Vedanta*. Isso não é moralidade, é pura religião. E eis por que não há tantos *vedantistas* no mundo — não pode haver. Eis por que o *Vedanta* não pode se tornar uma religião mundial como o cristianismo ou o islamismo — impossível! ...porque você tem uma profunda necessidade de fazer alguma coisa. E se alguém diz "não há nada a ser feito, você já é *Brahma*, você já é divino", você não o ouvirá. Essa pessoa estará falando absurdos... porque você não se aceita, você se rejeita. Você tem de atingir um objetivo.

Por que isso aconteceu na mente do homem? Aconteceu devido à sua infância — e quase todos passam através da mesma experiência. Somente as coisas triviais diferem; em contrapartida, a infância tem um elemento básico e esse elemento cria todo o problema. O elemento é que nenhuma criança é aceita como ela é. Uma criança nasceu... você foi uma criança e, imediatamente, a sociedade, os pais, a mãe, o pai, os irmãos, as pessoas à sua volta — começam a mudá-lo, a fazê-lo mais belo, a fazê-lo mais moral, a fazê-lo melhor. Como você é, você está errado: algo tem de ser feito, somente então, você pode ser aceito.

E o filho, pouco a pouco, começará a sentir que ele não é aceito. Se ele faz uma coisa boa, então, ele é aceito; se ele faz uma coisa errada, então, ele é rejeitado. Se ele segue, obedece, ele é aceito; se ele desobedece, ninguém o ama, ele é odiado, e todos ficam com raiva. Uma coisa ele aprende: que o fazer é a questão, não o ser. Faça a coisa certa e todos gostarão de você, faça a coisa errada e todos o rejeitarão e o odiarão, ficarão com raiva e contra você. *Você não é o ponto*. Faça algo certo e o mundo lhe dará boas-vindas; faça algo errado e todas as portas estarão fechadas. E, se até as portas do pai e da mãe estão fechadas... — o que se dizer sobre o mundo de estranhos? Se nem aqueles que a amam, não podem ver o ser da criança...

A criança aprende uma coisa, que, para existir neste mundo, esta é a coisa básica: você deve se comportar, você deve sempre fazer a coisa certa, nunca fazer a coisa errada. Isso cria uma profunda rejeição sobre si mesma, porque aquelas coisas erradas continuam surgindo — só por se dizer que uma coisa é errada, ela não desaparece, ela continua vindo. Então, a criança começa a se sentir culpada sobre si mesma, ela se rejeita. Ela diz: "Eu não sou boa. Eu sou uma criança má, um menino mau, uma menina má". E o problema é que as coisas que chamamos de erradas, são naturais; assim, a criança não pode livrar-se delas, elas têm de persistir.

Todo menino, toda menina, começa a brincar com seus órgãos sexuais. É gostoso, dá uma sensação calmante, todo o corpo se sente alegre. E no momento em que a criança toca seus órgãos sexuais, todo mundo para com aquilo imediatamente — todo mundo se sente embaraçado. O pai, a mãe irão deter a criança, eles podem até prender as mãos dela; assim, ela não pode tocar nos órgãos. Ora, a criança sente internamente um profundo enigma. O que fazer? Ela gosta de sentir aquilo que vem com o toque, ela gosta da sensação, sente que é bom, mas se ela aderir a essa sensação, então, todos a rejeitarão — ela é uma criança má e eles a punirão. E eles são poderosos; assim, o que fazer?

"E tal coisa errada está acontecendo a mim" — a criança pensa. "Talvez só eu esteja fazendo essa coisa errada, ninguém mais está fazendo isso." E ela não pode saber sobre os outros; assim, ela

se sente culpada: "O mundo todo é bom, somente eu sou culpada".
Este é um problema profundo.

A criança não sente vontade de comer, porque ela sabe mais
sobre sua fome do que você. Mas você segue a rotina médica, porque o médico diz que depois de cada três horas a criança tem de
ser alimentada. Está escrito nos livros, e você leu os livros e você é
uma mãe iluminada; assim, depois de três horas, com o desperta-
dor, você tem de alimentá-la. Olhe para as crianças quando elas são
forçadas a se alimentar: elas rejeitam a comida, elas não abrem a
boca, o leite escorrerá — elas estão rejeitando aquilo tudo. Elas nem
sequer engolirão, porque elas conhecem a própria fome. Elas não
vivem através da rotina, de acordo com o relógio, elas não sabem
o que a sua ciência médica diz. Elas não estão com fome, eis tudo
— e você fica forçando o alimento. E quando elas estão com fome
e chorando, você não lhe dará alimento, porque não está na hora
certa. Quem tem de decidir, a criança ou você?

Se você decidir, então, você criará um sentimento de culpa na
criança, porque ela pensará que algo está errado: "Quando eu devo
sentir fome, eu não sinto fome. Quando eu não devo sentir fome,
eu sinto". Santo Agostinho disse: "Deus, perdoe-me, porque o que
quer que seja bom, eu nunca o faço, e o que quer que seja errado,
eu sempre o faço".

Mas esta é a prece de toda criança. Você decide, então, a culpa
é criada: a criança não tem vontade de ir ao toalete e você a obriga.
O treinamento para o toalete é uma coisa extremamente criadora
de culpa. Você nem pode imaginar o que está fazendo. Se a criança
não está sentindo vontade de ir, como ela vai? Tente você mesmo
— se não estiver sentindo vontade de ir, o que fazer? E quando a
criança está sentindo vontade de ir, você a obriga, persuade, coa-
ge, suborna-a — você tenta todos os métodos que possa. Você está
criando culpa: algo está errado, algo é mau.

A criança sente-se culpada e não pode fazer nada quanto a
isso. Ela não sabe como fazer, porque o corpo não é voluntário,
é um fenômeno involuntário. A criança não está com vontade de
ir dormir, ela se sente totalmente acesa, e quer correr em volta da
casa, ou ir até o quintal; e você diz: "Vá dormir!". O que você faz
se você não está com sono e alguém diz "vá dormir"? Você pode
fechar os olhos... Mas, quando o pai vai embora, a mãe vai embora,

a criança é simplesmente deixada num abismo. O que fazer? Como seguir a ordem? Como ser um bom menino ou uma boa menina?

O pecado é criado e, pouco a pouco, a criança pequena está envenenada. Ela fica ciente de que: "Eu não sou boa. Tudo é errado — seja o que for que eu faça, está errado". Se ela brinca, ela está errada, porque está fazendo barulho, está perturbando. Se ela fica sentada, silenciosa, num canto, algo está errado: "Você está doente!?". Ela está sempre errada. Simplesmente porque é desamparada, nada além disso, e você é poderoso. Ela fica continuamente confusa, não pode descobrir o que fazer e o que não fazer. E, pouco a pouco, ela rejeita tudo que é mau e se força tudo que se pensa bom. Ela se torna uma máscara e, lá no fundo, no inconsciente, todas as feridas são carregadas por toda a sua vida.

Eis por que se eu digo "Como você é, você é Deus", você não pode acreditar nisso. Você não é nem bom... Como você pode ser Deus? Deus significa o supremo bem. Você não é nem ordinariamente bom! Como você pode ser Deus!? Você não me dará ouvidos, você irá a algum professor que o condenará, que lhe dirá que você é culpado, que você é um grande pecador. Então, você ficará à vontade: ele está certo, porque isso é o que você também sente. Eis por que vocês adoram aqueles que os condenam, que olham para vocês como se vocês fossem vermes — feios, sujos. Se você vir um grande séquito ao redor de um santo, um suposto santo, você sempre encontrará esta razão: ele irá condenar todo mundo. Ele dirá: "Vocês são pecadores e, se não me ouvirem, serão jogados no inferno". Ele parece absolutamente certo, porque esse é o seu sentimento, ele concorda com você. Assim, sempre que ele o condena, você se sente bem.

Que absurdo! Que falta de sentido! E você se sente incomodado se alguém diz: "Você é bom e eu o aceito — seja você o que for, do jeito que você é. O divino escolheu esse seu modo de ser. Em você, o divino escolheu esse jeito de ser. É assim que o divino existe em você — e eu aceito isso, não rejeito nenhuma parte. Aceito seu sexo, sua raiva, aceito seu ódio, seu ciúme. Eu o aceito na sua totalidade, porque através desta aceitação, quando você for total, a unidade acontecerá — e essa unidade, imediatamente, transcende todos os ciúmes, toda a raiva, todo o sexo, toda a ambição. Ninguém pode transformar a ambição — a pessoa tem de se tornar um, então, há a transformação".

Eis por que Jesus não pôde ser perdoado, porque os judeus são os maiores criadores de culpa. O mundo todo fez isso, mas não há comparação com os judeus. O mundo todo existe, segundo os judeus, porque Adão e Eva cometeram o pecado original. Vocês nasceram de Adão e Eva e do pecado deles, o homem nasce em pecado — o pecado permanece como o conceito central. Como eles podem aceitar que você é Deus? Você pode se aproximar de Deus se você se arrepender, se você se transformar, se você ficar bom. Então, Deus, O Pai, o aceitará; caso contrário, como você está, você não pode ser aceito, você tem de ser jogado bem longe, longe de Deus.

E qual foi o pecado de Adão e Eva? A desobediência deles. Mas por que Deus seria tão obcecado com a obediência? Porque todo pai é assim, e seu Deus não é nada mais que um pai cósmico. Por que Deus seria tão obcecado com a obediência? Ele não podia levar um pouco na brincadeira? Ele não podia ser um pouco brincalhão com seus filhos, que estavam se divertindo? Ele não podia ser um pouco menos sério? E o que eles tinham feito!? Simplesmente comido uma maçã de uma árvore que Deus tinha proibido. Deus parece ser muito egoísta, porque o ego é sempre obcecado por obediência: "Siga-me, eu sou a lei. Se você desobedecer, você fere meu ego". Mas Deus não pode ter um ego, ele não pode insistir na obediência. Deve ser o sacerdote, não Deus, quem criou toda essa história.

E, então, você se sente culpado: você nasce em pecado, você já é um pecador quando nasce; desde o seu nascimento, você é um pecador. Tudo o que lhe resta é polir-se, podar-se aqui e ali para tornar-se aceitável.

O *Vedanta* diz que você não é um pecador — você pode ser ignorante, mas você não é um pecador. Isso é uma atitude totalmente diferente: Deus não é contra você — você pode ser contra Deus... — e ele não está se vingando de você. Se você é ignorante, você está criando seus próprios problemas. Essa é uma atitude totalmente diferente: se você está na ignorância, você cria seus próprios problemas. Se você perguntar aos hindus, eles dirão que você tem problemas porque você comeu o fruto da árvore da ignorância, não do conhecimento. O homem pode ser ignorante — ele é, porque ele não está ciente de si mesmo, de quem ele é — e, então, todas as coisas dão erradas. Mas isso não é um pecado.

Religião significa ganhar mais luz, mais conhecimento, mais consciência — não mais moralidade, mais virtude. A virtude será um subproduto. Quando você estiver consciente, a virtude acontecerá, ela seguirá como uma sombra. Quando você não estiver consciente, o pecado se seguirá, porque a ignorância não pode fazer nada mais, pode apenas cometer erros.

O pecado é como um engano. É exatamente como alguém somando dois mais dois e achando cinco — mas isso não é um pecado. Se alguém pensa que dois mais dois fazem cinco, você acha que agora ele tem de ser jogado no inferno para a eternidade? Trata-se de um engano, um erro, mas não de um pecado. Ele tem de ser ensinado, tem de ser dado a ele uma perspectiva correta das coisas — ele pode não saber matemática, isso é tudo.

O *Vedanta* diz que você está simplesmente inconsciente, ignorante de si mesmo. Se você se tornar consciente-de-si, você se torna o próprio Deus. Não há nenhum Deus exceto você, além de você. Mas esta não é uma afirmação egoística, porque isso só pode acontecer quando o "eu", o centro, desapareceu e você se tornou o todo.

Jesus disse: *"Eu sou a luz que está acima de todos, eu sou o todo, e o todo veio de mim e o todo me abarca. Corte um pedaço de madeira e eu estou ali; erga a pedra e você me encontrará ali".*

Esta é uma das afirmações mais poéticas. E eu gostaria de dizer a vocês que um homem como Jesus é mais um poeta do que um filósofo ou um teólogo ou um matemático. Ele é mais como um poeta e, se você perde sua poesia, você perde sua mensagem completamente. Se um poeta diz algo, você pode perdoá-lo porque você diz "isso é só poesia". Mas, se um santo afirma algo, você toma a coisa muito seriamente, porque muito está em jogo.

Jesus é um poeta, um poeta do supremo. E todos aqueles que alcançaram o supremo são poetas. A linguagem da matemática é muito estreita, não pode dizer muito. É muito exata, eis por que é muito estreita. A poesia é inexata, vaga, eis por que muito pode ser dito através dela. Mas com um poeta você tem de se lembrar disto: que ele está falando sobre os mistérios.

Os hindus jamais mataram uma pessoa iluminada. Por que isso nunca aconteceu? Porque eles pensam que, seja o que for que ela esteja dizendo, seja o que for que ela esteja afirmando, trata-se de uma forma poética de dizer uma coisa: você não precisa analisar aquilo, caso contrário, será estupidez. Por exemplo, se você vai a Jesus e diz: "Tudo bem que você diga que você é a luz que está acima de todos, se você diz que você é o todo, se você diz 'o todo veio de mim e o todo retorna a mim'. Então, mostre-nos, prove isso. Diga ao sol para se apagar, ou crie uma outra lua hoje à noite, então, nós acreditaremos" — então, você é estúpido, você não acompanhou, porque aquilo é uma afirmação poética, não é uma afirmação científica.

Devido a isso, os cristãos, continuamente, ficaram tentando provar que ele fez milagres: que ele criou pão das pedras, que reviveu um homem morto, que ele fez isto e aquilo, abriu os olhos de quem estava cego, tocou os leprosos e eles foram curados. Por que tanta insistência nos milagres...? Nós nunca prestamos nenhuma atenção a Buda como um realizador de milagres, ninguém nunca se importou se aquele homem podia fazer algum milagre ou não. Mas por que tanta insistência sobre Jesus? Se alguém provar que ele não fez os milagres, então, tudo ficará perdido — então, o cristianismo desaparecerá.

O cristianismo depende não de Jesus, mas dos milagres de Jesus. Se algum dia for provado que ele nunca ergueu um homem da morte, que ele nunca curou um cego, que ele nunca curou um leproso, então, o cristianismo, imediatamente, desaparecerá. Não haverá nenhuma igreja, nenhum papa, tudo sumirá — porque eles não dependem de Jesus diretamente, eles dependem dos milagres. Os milagres provam que ele é o filho de Deus.

Nenhum milagre pode provar nada. Os milagres realmente provam a ignorância daqueles que estão impressionados por milagres, nada mais. Tanto quanto eu saiba, Jesus nunca fez nada desse tipo. Ele não era tão estúpido para fazer milagres para convencer vocês. Milagres aconteceram ao redor dele, de muito maior significância do que vocês possam pensar. Sim, pessoas cegas começaram a ver, mas isso não tem nada a ver com os olhos físicos, tem a ver com uma profunda cegueira espiritual. Sim, gente morta foi revivida, mas isso não tem nada a ver com cadáveres, tem a ver com vocês que simplesmente pensam que estão vivos e não estão. Ele tornou viva, muita gente morta: tirou-as de suas existências cadavéricas e trouxe-as para a vida. E isso é um milagre muito maior, porque o outro milagre será feito pela ciência médica a qualquer dia agora. E o dia não está muito longe — já tem acontecido.

Na Rússia Soviética, na segunda guerra mundial, eles reviveram seis homens depois da morte. Eles tiveram sucesso — dois ou três deles ainda estão vivos. Isso será feito pela ciência médica a qualquer dia. Isso não é nada. E uma vez que a ciência médica seja capaz de fazer isso, o que será feito do seu Cristo realizador de milagres? Então, ele pode ter sido um médico muito bom, um cientista, mas não um iluminado.

Os olhos podem ser curados, eles serão curados. O corpo não é o ponto, o corpo não pode ser o interesse realmente. Jesus fez milagres, mas aqueles milagres eram espirituais, tinham a ver com seu ser interno. Você é cego porque você não pode se ver. Que tipo de olhos você tem? Uma pessoa que não pode ver a si mesma, que tipo de olhos ela tem?

Jesus os fez ver: vocês olharam para o mundo interior. Ele lhes deu olhos, é certo — mas não esses olhos que olham para o mundo. Isso tem de ser compreendido. Ele nunca fez nenhum pão a partir de nenhuma pedra, porque isso é tolice. Mas os seguidores procuram milagres, porque eles não podem ver a iluminação, eles não podem ver o estado de cristo — um Krishna é invisível para eles. Eles podem ver uma pedra virando pão. Eles podem somente acreditar neste mundo e, se algo é feito à matéria, então, isso se torna uma prova para eles. Eis por que eles seguem os mágicos em vez de pessoas iluminadas. Eles seguem pessoas que podem fazer truques. E todos os truques são inúteis, não provam nada. Provam sua ignorância, e provam que o outro homem é um espertalhão explorando vocês.

Jesus não era um espertalhão. Não se pode encontrar homem mais inocente. Ele não era um espertalhão, ele não pode ter sido um milagreiro, ele não era um mágico e ele não estava interessado em explorar a inocência de vocês. E, pensem, se ele tivesse realmente feito essas coisas... — transformado pedras em pão, transformado água em vinho...

Ouvi contar sobre uma mulher que estava carregando uísque numa mala e entrando num outro país. Na fronteira, ela foi parada; e perguntaram-lhe o que ela estava carregando. Ela disse:

— *Água benta.* — *Mas o homem que checava suspeitou e disse:*

— *Gostaria de dar uma olhada, porque essas pessoas que carregam água benta são sempre suspeitas. Água é o bastante! Por que "benta"?* — *Então ele olhou e viu que era uísque. Ele disse:*

— *E então!?* — *E a mulher exclamou:*

— *Senhor! Veja, o milagre novamente!*

Jesus transformou água em uísque? Ele ressuscitou gente morta? Lázaro saiu de seu túmulo? As pessoas receberam olhos? Pessoas que não podiam andar, andaram? Pessoas que não podiam ver, puderam ver novamente? Pessoas que não podiam ouvir, começaram a ouvir? Se esses milagres tivessem realmente acontecido, então, os próprios judeus teriam acreditado que aquele homem era o homem de Deus, porque os judeus são tão materialistas quanto qualquer um. Se essas coisas tivessem realmente acontecido, então, os judeus teriam ficado loucos por aquele homem. Eles são mais materialistas do qualquer outra raça... — mas eles não lhe deram nenhuma atenção. É impossível não seguir um homem que esteja fazendo tais coisas, porque todo mundo está doente, e todo mundo tem medo da morte, e todo mundo tem problemas, e esse homem é a pessoa certa: mesmo que você morra, ele o ressuscitará, se você estiver doente, ele o curará, se você é pobre, pedras podem tornar-se notas... qualquer coisa é possível com esse homem.

Toda a raça judaica teria seguido aquele homem, mas eles não o seguiram, e ele foi crucificado.

Qual é a razão? A razão é que os milagres aconteceram mesmo, mas eles não eram coisas visíveis. Somente aqueles que estavam próximos puderam sentir aqueles milagres. Eles aconteceram sim: Lázaro *estava* morto — exatamente como você está morto. Se eu o torno vivo, isso será algo entre eu e você, ninguém mais ficará ciente disso. Isso não será anunciado no rádio e na TV. Ninguém mais ficará ciente disso, se eu o revivo no seu mundo interior, isso será assunto entre eu e você. E você não pode provar a ninguém, porque é invisível. Eis por que os milagres aconteceram, mas os discípulos de Jesus não os puderam provar. Eram fenômenos invisíveis. As pessoas podiam olhar para dentro, mas como você pode provar que olhou? Nenhuma fotografia pode ser tirada, ninguém mais pode ser uma testemunha disso.

Eles começaram a andar e dizer às pessoas: "Nós vimos milagres: aqueles que não viam, estão vendo; os que estavam mortos tornaram-se vivos!". Isso criou a confusão. E os judeus começaram a pedir: "Mostre-nos! E se esse homem é realmente o filho de Deus, e se ele pode fazer tais milagres, então, deixem-nos crucificá-lo e ver o que acontece. Se ele pode reviver os outros, ele pode ressuscitar a ele mesmo — nós lhe daremos uma crucificação e ele não morrerá. Se ele sabe o segredo da imortalidade, se ele é um tamanho curandeiro, então, nós faremos feridas em seu corpo e veremos se sai sangue delas ou não".

É por causa dessa tolice dos discípulos — de eles terem começado a falar sobre milagres, que eram coisas internas — que Jesus tornou-se um ponto focal para todo o país. Ele parecia falso, ele não era o messias verdadeiro, autêntico. Então, as pessoas ficaram esperando que algum milagre acontecesse. Nada aconteceu. Ele morreu como os outros dois criminosos, exatamente como os outros dois, simplesmente o mesmo — um ser humano comum. Não aconteceu nada de Deus, nenhuma luz desceu do céu; nem a terra tremeu, nem houve um terremoto, nem Deus ficou com raiva e rugindo no céu. Nada! O filho foi crucificado, e Deus permaneceu absolutamente silencioso.

Eis por que os judeus não registraram nada de Jesus: aquele homem era um homem falso, porque ele não se pôde provar na crucificação. A crucificação foi o teste, ali tinha de ser provado se ele era um homem de Deus ou não. Mas aqueles que puderam ver, viram um grande milagre ali também. Os cristãos perderam isso. E os judeus perderam o primeiro milagre, porque eles estavam esperando algo externo acontecer. Isso nunca aconteceu e eles esqueceram aquele homem — era um impostor.

Os cristãos perderam a coisa interna que aconteceu na crucificação. Somente alguns poucos puderam ver aquilo. Aqueles que podiam ver a si mesmos, puderam ver o que aconteceu na crucificação: aquele homem aceitou — este foi o milagre. Aquele homem sofreu e aceitou, aquele homem sofreu e, ainda assim, permaneceu cheio de amor — este foi o milagre. Aqueles que o mataram, o assassinaram... ele pôde orar até por eles — esse foi o milagre, o maior milagre já acontecido na terra.

As últimas palavras de Jesus foram: "Deus, perdoe-os, porque eles não sabem o que estão fazendo. Não os puna, porque eles são ignorantes". Este é o maior milagre, na crucificação: o corpo todo sofrendo e ele morrendo — e ainda assim, cheio de amor. A raiva teria sido absolutamente normal. Se ele tivesse gritado e amaldiçoado e dito "Deus, olhe para o que estão fazendo com o seu filho! Mate-os todos!" — isso teria sido comum, humano.

Aquilo foi divino. Na crucificação, ele provou que ele era o filho de Deus, porque a compaixão permaneceu pura. Vocês não puderam envenenar sua compaixão, não puderam destruir sua oração, não puderam destruir seu coração. O que quer que tenham feito, ele os aceitou. Ele não os rejeitou — nem naquele momento de sofrimento e miséria ele não os rejeitou. Ele disse: "Perdoe-os, porque eles não sabem o que estão fazendo".

Os milagres aconteceram, mas não eram milagres que os olhos pudessem ver, eram da espécie que somente o coração pode sentir. Ele não era um mágico. Se ele fosse um mágico e realmente tivesse tentado transformar pedra em pão e tentado curar os leprosos em corpos sadios, ele não teria valido muito, eu não me preocuparia com ele absolutamente. A coisa toda teria sido inútil então.

Mas tentem compreender: assim como há uma cegueira interna, há uma lepra interna. Vocês são tão feios, e vocês mesmo fizeram essa feiura: tão cobertos de culpa, cheios de medo, ciumentos, ansiosos — essa é a lepra. Ela está comendo seu mundo interno como um verme: você é uma ferida por dentro. Ele curou, mas isso é uma coisa particular. Isso acontece entre um mestre e o discípulo: ninguém mais fica ciente disso. Até o discípulo só se torna ciente somente mais tarde. O mestre está ciente desde o começo de que a ferida está curada. Leva tempo para o discípulo ficar ciente de que a ferida está curada. Comumente, durante muitos, muitos dias, eles continuam com a velha ideia de que a ferida está ali — mas ninguém mais pode vê-la.

Jesus diz: "Eu sou o todo". Vocês também são o todo — Jesus está simplesmente dizendo aquilo que deve ser conhecido de todos, que deve ser sentido por todos e cada um. Você é o todo, você é a fonte de tudo, e o todo está se movendo na sua direção. Jesus é representativo de vocês. Ele não está dizendo nada de si mesmo, ele está dizendo algo sobre você. Você é a semente de mostarda, ele se tornou a árvore florescente — ele está fazendo uma afirmação sobre você. Ele está dizendo: "Eu sou o todo". O que ele quer dizer? Ele diz que você também pode tornar-se o todo. Você já é o todo, mas você não está ciente disso.

Sua miséria é que você não pode se lembrar de quem você é. É preciso lembrar-se de si, nada mais é para ser feito. Você tem de se tornar mais consciente, mais consciente. Você tem de elevar sua consciência ao pico, de onde você possa ver. Nesse momento, você se torna iluminado: nenhum canto permanece escuro, todo o seu ser se torna chamejante. Então, você compreenderá Jesus, então, você compreenderá Buda, então, você me compreenderá, porque todo o esforço é para torná-lo ciente de quem você é.

Lembre-se destas palavras. Deixe que elas vibrem dentro do seu coração nova e novamente, repetidas vezes, porque, através dessas palavras, sua semente passará por uma sacudida:

Jesus diz:

"Eu sou a luz que está acima de todos,

eu sou o todo, e o todo veio de mim e o todo me abarca.

Corte um pedaço de madeira e eu estou ali;

erga a pedra e você me encontrará ali".

Chega por hoje.

Décimo Sexto Discurso

Jesus disse:

Quem quer que esteja próximo a mim está próximo do fogo,

e quem quer que esteja longe de mim está longe do reino.

Jesus disse:

Venham a mim, pois leve é meu jugo e meu domínio, suave.

Jesus disse:

Quem quer que beba da minha boca tornar-se-á como eu sou e eu mesmo me transformarei nele, e as coisas escondidas ser-lhe--ão reveladas.

O homem nasce um escravo, e permanece um escravo por toda a sua vida: um escravo dos desejos, da luxúria, um escravo do corpo, da mente — mas dá no mesmo, a escravidão continua. Desde o momento em que você nasce, até o momento em que você morre, é uma longa luta contra a escravidão. E a religião consiste em se ser livre. Religião é liberdade, liberdade de toda escravidão. Mas o homem continua brincando com ele mesmo, vai se enganando, porque assim é mais fácil.

Ser completamente livre é muito difícil. Será necessária uma cristalização dentro de você, será necessário um centro. E neste exato momento, não há nenhum centro em você, você não é um ser cristalizado — você é apenas um caos. Você pode ser como uma assembleia, mas não é como um indivíduo. Às vezes um desejo toma conta de você e, então, ele se torna o presidente da assembleia. Apenas alguns minutos depois o presidente se vai, ou é descartado; então, um outro desejo toma conta de você. E você fica identificado com cada desejo; você diz: "Eu sou isto".

Quando o sexo assume a presidência, você vira o sexo; quando a raiva assume a presidência, você vira a raiva; quando o amor assume a presidência, você vira o amor. E você nunca se lembra do fato de que você não pode ser isto ou aquilo — sexo, raiva, amor. Não! Você não pode ser, mas você fica identificado com a cadeira da presidência, seja o que for que tenha o poder no momento, você se identifica com aquilo. E esse presidente vai mudando, porque depois que um desejo é preenchido temporariamente, ele é expelido da cadeira. Então, um outro que esteja nas cercanias — sedento, faminto, exigente — vira o presidente. E você fica identificado com cada desejo, com cada escravidão.

Esta identificação é a raiz causal de toda escravidão e, a menos que essa identificação desapareça, você nunca será livre. Liberdade significa o desaparecimento da identificação com o corpo, com a mente, com o coração, seja como for que você queira chamar. Esse é o fato básico a ser compreendido: que o homem é um escravo, nasce um escravo, nasce chorando e gritando pela satisfação de alguns desejos. A primeira coisa que uma criança faz quando nasce é chorar. E isso permanece por toda a vida — chorando por isto ou aquilo. A criança chora por leite; você pode estar chorando por um palácio, ou por um carro, ou por outra coisa, mas o choro continua. Ele para somente quando você está morto.

Toda a sua vida é um longo choro — eis por que há tanto sofrimento. A religião lhe dá as chaves para torná-lo livre, mas se ser um escravo e sendo a vida de escravidão conveniente, confortável, você cria religiões simuladas, que não lhe dão nenhuma liberdade, que simplesmente lhe dão um novo tipo de escravidão. Cristianismo, hinduísmo, budismo ou islamismo, como são — organizados, estabelecidos —, são novas espécies de aprisionamento.

Jesus é liberdade, Maomé é liberdade, Krishna é liberdade, Buda é liberdade, mas não o budismo, não o islamismo, não o cristianismo, não o hinduísmo — eles são simulações. Assim, uma nova escravidão nasce: você não é apenas um escravo dos seus desejos, dos seus pensamentos, dos seus sentimentos, dos seus instintos, mas você se torna escravo de seus padres. Mais escravidão acontece a partir das suas religiões simuladas, e nada muda em você.

Ouvi dizer que aconteceu certa vez, de Mulla Nasruddin estar encurralado pelos seus credores. Ele tinha tomado dinheiro emprestado de muitas pessoas, e não havia meios de fugir delas. Então, ele procurou o seu advogado. Este, como fazem os advogados, sugeriu:

— Faça uma coisa, Nasruddin, porque não há outro jeito: arrume um funeral simulado, com você dentro do caixão. Deixe toda a cidade saber que você morreu e, depois, fuja desta cidade. Todos os seus credores saberão que você morreu, e não amolarão mais.

A ideia pareceu-lhe funcional e o atraiu. Nasruddin arrumou um funeral simulado. Ele ficou dentro do caixão e a cidade toda se reuniu para lhe dizer adeus. O primeiro credor disse adeus com muita tristeza; depois veio o segundo, o terceiro, o quarto, o quinto... Mas o nono credor puxou de um revólver, agarrou-o e disse:

— Nasruddin, eu sei que você está morto, mas ainda assim eu vou atirar em você, só para ter uma pequena satisfação. — Nasruddin pulou do caixão e disse:

— Peraí! Pra você, eu vou pagar, vou pagar!

Você não pode brincar com a morte, não pode gracejar com a morte, não pode trapacear com a morte. Como você pode viver de um modo falso se nem morrer de um modo falso você pode? Se você não pode morrer de um modo falso, é quase impossível viver de um modo falso. Você pode criar mais miséria ao seu redor, nada será resolvido através disso; tudo se tornará cada vez mais enigmático.

Quanto mais você tenta resolver, mais insanidade é criada, porque, dentro do seu coração, você sabe que aquilo é falso. Você vai ao templo... Você já foi realmente ao templo? Aquilo é uma religião simulada, apenas para mostrar aos outros que você é religioso. Mas isso irá ajudar? Então, esse templo também se torna uma escravidão — ritual *é* escravidão. Então, o padre também o explora, porque ele conhece a sua fraqueza.

Com a religião, nós jogamos o jogo maior. E o jogo é que moldamos grilhões a partir da liberdade. Eis por que um homem como Jesus ou Krishna é perigoso: ele não vai lhe dar uma vida simulada, ele lhe dará uma coisa real.

Eis o que Jesus diz:

Quem quer que esteja próximo a mim está próximo do fogo...

A que fogo ele se refere? O fogo no qual você não permanecerá. Você terá de desaparecer completamente. Essa multidão que você é não pode ter permissão de permanecer, porque essa tem sido a sua miséria e angústia. Essa multidão tem de desaparecer, desaparecer dentro de um centro cristalizador.

"Fogo" é um termo alquímico: tudo o que precisa ser cristalizado, terá de passar através do fogo. Se você quiser fazer algo do ouro, o ouro terá de passar através do fogo. Primeiro ele terá de se tornar líquido, então, será purificado — ficará ouro puro — e, então, você pode moldá-lo em qualquer outra coisa. Mas ele terá de passar através do fogo. E o mesmo irá acontecer a um discípulo: o mestre é um fogo, e você terá de se tornar completamente líquido, de modo que tudo que esteja errado seja queimado, e tudo que esteja certo tenha se tornado líquido e uno. Então, você será cristalizado.

Primeiro, um mestre é um fogo e, depois, infinita tranquilidade acontece através dele. Mas o começo é causticante, e isso dá medo. É fácil aproximar-se de um padre — ele é tão falso quanto você. Não há nenhum perigo, você sabe muito bem disso. É fácil passar através de um ritual, você sabe que é simulação. Mas vir a Jesus é difícil: você está chegando perto de um fogo; quanto mais perto você chega, mais você se sentirá queimando. Quando um discípulo chega realmente perto — é isso o que um discípulo faz: junta coragem e chega cada vez mais e mais perto, e permite que o fogo funcione — ele passa através de uma fornalha. Jesus é uma fornalha.

Mas quando sai dela, o discípulo está totalmente diferente: a multidão se foi, agora ele é um metal diferente, totalmente diferente. O metal básico se tornou um metal mais elevado, o ferro virou ouro — aconteceu uma transformação. Quando digo que foi uma transformação, isso quer dizer uma descontinuidade com o passado. Se houver uma continuidade, não há nenhuma mutação, somente modificação. E é isso o que vocês têm feito.

Você vai se modificando um pouco aqui e ali. É uma colcha de retalhos, mas uma colcha de retalhos nunca é uma revolução. E uma colcha de retalhos não vai ajudá-lo no final: uma colcha de retalhos é uma colcha de retalhos — você nunca é transformado. Num ponto você muda um pouco, mas a totalidade permanece a mesma. E a totalidade é tão poderosa, que o novo que você fez, não permanecerá novo por muito tempo. Mais cedo ou mais tarde, a totalidade absorverá aquilo, e aquilo ficará velho. Você vai se melhorando, mas nenhum melhoramento pode conduzir à religião. A quem você está melhorando? Você é a doença. *Você* está melhorando a doença. Você pode poli-la, você pode pintá-la, você pode dar-lhe uma máscara — até a feiura pode não parecer tão feia — mas a doença permanece.

Uma transformação é uma descontinuidade com o passado, não é uma colcha de retalhos: você se dissolve completamente e algo novo acontece. Eis por que Jesus diz: um novo nascimento, uma ressurreição. O velho se vai e o novo vem. E o novo não vem do velho, ele é totalmente novo — eis por que é um nascimento: não é o velho, contínuo, modificado. Não! o velho não existe mais, e algo aconteceu, que nunca esteve ali antes. Há uma fenda: o velho cai e o novo vem, e não há nenhum elo causal. Isso é muito difícil de se compreender, porque o treinamento científico da mente nos deu uma obsessão com a causalidade.

Nós pensamos que tudo é causado — assim, até um Buda é causado, um Jesus é causado, ele vem do passado. Não! Se você pensa que Buda vem do passado, você perdeu a coisa toda. O passado não existe mais, Buda é absolutamente novo — este homem nunca existiu antes: Gautama Sidarta existia, mas este homem Buda nunca existiu. O velho se foi para dentro do nada, e o novo surgiu do nada. O novo não nasce do velho, o novo surge no lugar do velho, porque o velho não existe mais e o lugar está vago, vazio. O novo vem do desconhecido. O velho desaparece do conhecido, e o novo, encontrando um lugar, um espaço vazio no coração, entra.

É exatamente como quando seu quarto está escuro: ele está fechado, todas as janelas e portas estão fechadas, está escuro como se fosse noite. E, então, você abre a janela ou a porta. De repente, a escuridão desaparece; agora está claro, o sol entrou. O que você dirá? Você dirá que o sol, esta luz, teve como causa a escuridão que estava lá? A escuridão transformou-se em luz? Não! A escuridão simplesmente desapareceu do quarto e a luz entrou. Essa luz não está de modo algum relacionada com a escuridão, ela não é causada pela escuridão, ela é totalmente nova. Ela estava esperando do lado de fora do portão; a porta se abriu e ela entrou — precisava só de uma abertura.

Sempre que você medita, você cria uma abertura; quando você ora, você cria uma abertura. O velho, a escuridão, desaparecerá e a luz estará presente. E essa luz não tem relação com o passado, exatamente como a escuridão não tem relação com a luz. Elas são descontínuas, elas são dimensões diferentes, são existências diferentes. Tente compreender isso, porque este é o milagre sobre o qual a religião sempre esteve insistindo. A ciência não pode compreender isso, porque a ciência pensa em termos de modificação, mudança, continuidade. A religião pensa em termos de descontinuidade, transformação, mutação.

Você não vai se tornar um Jesus ou um Buda — *você* é a barreira. Você tem de ser queimado completamente, você tem de ser acabado completamente. Quando Jesus descer dentro de você, você não estará presente. Você sentirá como se seu passado fosse apenas um sonho que você sonhou. Aquilo nunca foi você: sua identidade é quebrada.

Desse modo, Jesus é como um fogo. Se você se aproximar de um Jesus, esteja preparado para morrer, porque Jesus não pode significar nada mais do que morte para você. E o renascimento é possível somente se você morrer. Se você tem medo de morrer, fuja de um homem como Jesus. Não vá para perto dele — ele é perigoso, ele é como um abismo: você se sentirá tonto e cairá dentro dele.

Jesus disse: Quem quer que esteja próximo a mim está próximo do fogo... próximo da morte, próximo de morrer; o velho desaparecendo, o metal básico se dissolvendo. E, imediatamente, ele diz uma outra coisa: Se você puder tolerar o calor, o fogo de um Jesus ou de um Buda ou de um Krishna, então, a segunda coisa se tornará possível a você, imediatamente. *Quem quer que esteja próximo a mim está próximo do fogo,*

e quem quer que esteja longe de mim está longe do reino.

Se você pode passar através do fogo de Jesus, se o discípulo pode passar através do fogo do mestre, imediatamente, um novo mundo se abre para ele: o reino de Deus, o reino da imortalidade, a verdadeira vida sem morte.

Assim, Jesus diz: *"Quem quer que esteja próximo a mim está próximo do fogo, e quem quer que esteja longe de mim está longe do reino"*. Se você foge de Jesus, você também está fugindo do supremo reino, que pode ser seu.

Esse é o problema: a atração e a repulsão com um mestre. Às vezes você sente que deve se aproximar, sempre que o reino o atrai — mas quando você chega perto, você sente o fogo, então, você tenta fugir.

Uma vez que você esteja perto de um homem iluminado, isso permanecerá um problema por toda a sua vida: chegar perto e, depois, como fugir. Sempre que você estiver longe, você pensará em como se aproximar novamente dele e do reino — pois sempre que você se distancia, o fogo desaparece — porque esse reino tem de ser alcançado, essa é a realização. Sem isso, você permanecerá não realizado; sem isso, você permanecerá um útero estéril, sem dar nascimento a nada; sem isso, você permanecerá fútil, insignificante; sem isso, toda a sua vida será apenas um pesadelo, sem levar a nada — correndo depressa e sem chegar a lugar algum. Imediatamente, você começa a pensar em como florescer, em como desabrochar.

Isso somente pode acontecer perto de um mestre, aquele que já floresceu. Somente aí, suas sementes ficarão inquietas, desconfortáveis em suas células mortas. Elas começarão a lutar com essas células, irão romper essas células e sairão da terra para alcançar o sol. Mas isso somente pode acontecer se você estiver pronto para passar pelo fogo. Este é o problema para o discípulo: quando ele vem ao mestre, imediatamente, todo o seu corpo mental pensa em fugir. Ele encontra todas as espécies de racionalizações para fugir; por dentro, ele se indaga continuamente como fugir deste homem — este homem parece ser perigoso. Quando ele foge, ele começa a sentir o desejo novamente.

A pessoa tem de decidir. A decisão é final, porque você não pode voltar. Uma vez que você fique realmente íntimo de Jesus, então, não há retorno. Um ponto de não retorno chegou, porque mesmo quando você está passando pelo fogo, você pode ter vislumbres do reino. Então, o fogo não é fogo, então, você se sente feliz e abençoado. Então, você se sente agradecido a este homem,

401

porque ele se tornou um fogo para você. E agora os vislumbres não estão distantes, o reino está próximo.

Uma vez que você tenha tido um vislumbre do reino, então, todo o fogo deixa de ser fogo. Ele se torna tão brando; você nunca viu nada na vida tão suave como ele. Mas se você foge para a margem, antes de pular dentro da fornalha, você estará em constantes dificuldades — e você tem estado nelas.

Você não é novo nesta terra, ninguém é novo: você é tão velho quanto esta terra, até mais velho do que esta terra, porque já esteve em outras terras antes também. Você é tão velho como este universo. Você sempre existiu, porque tudo o que está na existência permanece na existência — não há meio de sair. Você é uma parte integrante desta existência, você sempre esteve aqui. Você já esteve perto de muitos Budas, você já esteve perto de muitos Jesuses e de muitos Maomés. E esse sempre foi o problema.

Você foi atraído quando ouviu. Quando você estava muito, muito distante, eles se tornavam forças magnéticas. Então, você se aproximava, e quanto mais perto você chegava, mais amedrontado você ficava, porque o fogo estava ali. Então você decidia fugir — eis por que você ainda está vagando. Mas um dia, a pessoa tem de decidir passar pelo fogo, porque não há outro jeito.

Mas, então, você se consola com falsos mestres, que não são fogo: você vai ao sacerdote, você vai ao templo e à mesquita e à igreja; você faz rituais, toda sorte de coisas simuladas, só para fugir de Jesus e de Krishna, porque com eles o real acontece — e o real acontece somente através do fogo.

Você tem de ser purificado, tem de ser realmente, completamente dissolvido; então, surge um espaço vazio. E nesse vazio, o raio da criação, o raio de Deus, entra e, então você está realizado. Então, não há mais nenhuma miséria, nenhuma *dukkha*, então, não há mais nenhuma angústia. Então, você permanece na bem-aventurança eterna, e o êxtase está presente. Não que ele aconteça através de alguma coisa: então, ele é sua natureza, seu próprio ser. Se o êxtase acontece através de alguma coisa, ele não é eterno, porque essa alguma coisa pode ser perdida; se ele é causado por alguma coisa externa, então, não pode permanecer para sempre, pode ser apenas momentâneo.

Êxtase e bem-aventurança podem ficar permanentemente com você, eternamente com você, intemporalmente com você, somente quando você os percebe como seu ser — então, ninguém pode tomá-los. Mas esse ser precisa de uma cristalização, precisa de uma purificação, precisa de uma transformação alquímica. O velho tem de ir para o novo chegar, o passado tem de morrer para o futuro nascer. E essa é a decisão que um discípulo tem de tomar.

Quem quer que esteja próximo a mim está próximo do fogo, e quem quer que esteja longe de mim está longe do reino.

Lembre-se de que onde quer que você sinta o fogo, decida-se — "este é o lugar para ir e saltar". Onde quer que você sinta somente consolos, fuja de lá — os sacerdotes podem estar ali, mas não um mestre. Eles sempre consolam as pessoas, eis por que eles o atraem.

Você vai a um sacerdote para ser consolado, porque sua vida é uma miséria muito grande. O sacerdote é terapêutico, ele é um consolador. Ele o ouve e lhe diz: "Não tenha medo. Basta rezar e Deus fará tudo". Ele lhe diz: "Não tenha medo, Deus é compassivo. Seus pecados serão perdoados". Se você tem medo da morte, ele diz: "Não tenha medo, sua alma é eterna, não há morte para ela". Se você se sente muito culpado, ele lhe dá meios e modos para se sentir livre da culpa. Ele diz: "Doe algum dinheiro ao templo, doe algum dinheiro à igreja. A doação é boa, porque é assim que você apaga seus pecados, através da doação. Faça algo de bom: faça um hospital, uma escola, vá e ajude as massas, o pobre, os oprimidos, o doente".

Esses são os caminhos para consolá-lo, mas não há nenhuma transformação nisso. Você pode deixar sua loja, seu escritório, e torna-se um trabalhador social; você pode ir até os primitivos e servi-los, mas você permanece o mesmo, o velho continua. Você pode não explorar, pode começar a servir, mas o velho está presente — trata-se de uma continuidade.

Você era avarento e você acumulou riqueza. Agora, você doa, mas você permanece o mesmo. Você pode estar farto da avareza, agora ela se tornou doação: antes você estava abocanhando dos outros, agora você está dando — mas você permanece o mesmo, o ser interior não passou por nenhuma transformação. As pessoas o apreciarão, a sociedade dirá "agora você mudou", mas isso não é mudança. Isso é apenas jogar fora a culpa, porque você se tornou culpado de tanta exploração.

A doação se torna um alívio, ela lhe dá uma sensação de que você é bom, mas isso é somente uma sensação. Devido a você ter sido mau, você está simplesmente tentando equilibrar as contas: mas você permanece o mesmo, a mesma mente ladina, pensando em termos matemáticos, equilibrando, calculando. Que mudança aconteceu em você? O dinheiro era importante antes, o dinheiro ainda é importante agora. Ele era importante, eis por que você o acumulou; ele é importante, eis por que você o doa.

Antes, você achava que estava fazendo um trabalho muito bom, de muito sucesso com ele, acumulando, porque ele era a coisa mais significativa — você era obcecado por dinheiro. Contudo, você ainda é obcecado por dinheiro: você está doando, e contudo você pensa que você está servindo as pessoas dando-lhes dinheiro, mas o dinheiro permanece significativo. Isto mudou: de positiva, a avareza tornou-se negativa. Mas você não mudou, você permanece o mesmo. Você estava no sexo, você vivia uma vida de sexo. Então, você se torna um *brahamachari*, um celibatário; você ficou farto de mulheres e homens, terminou com tudo isso. Mas você realmente terminou? Na verdade, isso apenas tornou-se negativo. Lembre-se sempre de que, quando o positivo se torna negativo, isso lhe dá um falso sentimento de que você mudou. É como um homem de cabeça para baixo: o homem permanece o mesmo. Antes ele estava sobre os pés — isso era mais natural, o sexo é mais natural — e agora ele está de cabeça para baixo, está fazendo *shirshasan*. E ele pensa que mudou. Mas como só por ficar de cabeça para baixo você pode ter mudado? Você pode se tornar um celibatário, mas você permanece o mesmo, nada mudou. Aconteceu:

> *Um dos amigos do Mulla Nasruddin, Abdullah, estava indo a um haj, à Meca para uma peregrinação religiosa. Ele era idoso e tinha acabado de se casar com uma jovem muito bela. É claro, ele estava indo a um haj, mas estava muito preocupado com sua esposa. Havia toda a possibilidade de ela não lhe ser fiel. O que fazer? Assim, ele comprou um cinto de castidade e trancou sua esposa. Mas onde guardar a chave? Levá-la com ele para o haj não parecia certo. Seria uma carga em sua consciência, pois ele não acreditava na esposa, não confiava nela. E constantemente a chave o faria lembrar-se da esposa e da possibilidade... Assim, ele pensou, e foi até Mulla Nasruddin, seu amigo.*

> *Nasruddin era um homem idoso então, quase cem anos, e todos sabiam que ele tinha sumido das mulheres. E, quando a pessoa*

some, fica farto de mulheres, ela começa a falar de brahmacharya. Ele estava sempre falando sobre o brahmacharya, e condenando as pessoas que ainda eram jovens. Ele dizia: "Você está perdendo sua vida! Isso é inútil, um desperdício de energia e nada mais, e não leva a lugar nenhum".

Seu amigo, esse Abdullah, foi até ele e disse: "Nasruddin, estou com um problema. Minha esposa é jovem e é difícil confiar nela; assim, comprei um cinto de castidade e tranquei minha esposa no cinto de castidade. Agora, onde guardar a chave? Você está sempre a favor do brahmacharya e você é o meu amigo mais confiável, meu melhor amigo; assim, guarde esta chave. Dentro de três meses eu estarei de volta".

Nasruddin disse: "Sinto-me muito agradecido, de que você tenha pensado em mim neste momento de preocupação, e lhe asseguro que essa chave não poderia estar em melhores mãos. Sua esposa estará a salvo".

Abdullah saiu, com o coração aliviado. Não havia nenhum perigo: o homem tinha noventa e nove anos; depois, ele estava sempre a favor do brahmacharya e vinha pregando o celibato há quase vinte anos. Feliz de que as coisas tivessem dado certo, ele foi embora. Mas uma hora ou pouco mais tarde, ele ouviu um burro galopando depressa atrás dele, vindo em sua direção. Quando o burro chegou perto... Mulla Nasruddin estava montado nele, cansado da forte corrida, transpirando, e lhe disse: "Abdullah! Abdullah, você me deu a chave errada!".

Isso fatalmente acontece à mente negativa, sempre acontece. Se você pode mudar do positivo para o negativo, você pode mudar do negativo para o positivo. São dois polos da mesma mente. Você pode ficar surpreso, mas os *brahmacharis*, os celibatários, os monges, estão constantemente pensando em sexo, constantemente condenando, constantemente pensando em sexo.

Ambos podem ser abandonados, mas você não pode fazer o impossível, escolher um e negar o outro. Todo aquele que nega, afirma; todo aquele que suprime, alimenta.

Você pode jogar a coisa inteira fora, isso é possível, mas, então, você não é nem *brahmacharya*, nem licencioso, você simplesmente se desvia dos dois, não é nem um nem outro. Então, você não é nem macho nem fêmea. Eis o que Jesus quer dizer quando ele diz "eunucos de Deus": quando as duas polaridades foram jogadas fora. Caso contrário, você pode reter uma das polaridades: da avareza, você pode se mover para as doações, para a caridade, mas a miséria permanece a mesma. Tenho visto miseráveis, muitos tipos de miseráveis. Basicamente, são de dois tipos: o negativo e o positivo. O miserável positivo acumula dinheiro, a sociedade é contra ele; o miserável negativo doa, a sociedade é a favor dele — mas a miséria é a mesma.

Mulla Nasruddin morreu, e seis meses depois sua esposa morreu. E eles eram o casal mais miserável da cidade. A esposa chamou uma vizinha, e lhe disse: "Escuta aqui, Rehama, você tem de me enterrar no meu vestido de seda preta. Mas a fazenda é cara e o vestido é quase novo; então, faça uma coisa. Ninguém verá, porque eu estarei deitada de costas no caixão. Assim, corte a parte das costas do vestido e faça um vestido dela para você".

A mulher não podia acreditar naquilo. Primeiro, ela não podia acreditar que a esposa de Mulla Nasruddin tivesse ficado tão caridosa e depois não podia acreditar no absurdo que ela estava dizendo.

A esposa de Nasruddin disse: "Eu ficaria muito feliz de lhe dar um presente antes de partir, e este é o meu presente. E eu odeio destruir esta fazenda, ela é tão cara e tão linda e tão nova. Assim, corte as costas do vestido. Ninguém verá".

Mas a vizinha disse: "Aqui, podemos não ver, mas lá nas escadarias do céu, quando você e Mulla Nasruddin caminharem juntos e entrarem nas escadarias douradas, os anjos rirão".

A esposa de Nasruddin começou a rir. Ela disse: "Não se preocupe. Eles não olharão para mim, porque eu enterrei Nasruddin sem as calças!".

Um homem avarento permanece um homem avarento, um homem de raiva permanece um homem de raiva, um homem de sexo permanece um homem de sexo; simplesmente mover-se para o polo oposto não faz nenhuma mudança, lembrem-se disso. Assim, você pode mover-se para a religião simulada facilmente, pois a religião simulada sempre enfatiza o polo oposto. Se você tem raiva, então, a religião simulada diz: "Tenha compaixão, ame o próximo como a si mesmo. Seja amigável, não tenha raiva — e isso compensará!". Se você tem ambição, a religião simulada diz: "Tenha controle da sua ambição, porque isso será recompensado no outro mundo". O apelo é novamente baseado na ambição, porque isso será recompensado. Assim, doe, seja caridoso! Se você der uma *rupee*[1] aqui neste mundo, você conseguirá um milhão delas no outro. É isso o que a religião simulada está fazendo: ela simplesmente o ajuda a mover-se para o polo oposto, é fácil.

A mente sempre gosta de mover-se para o polo oposto, porque a mente sempre se farta de alguma coisa. E o oposto lhe dá gosto novamente, dá a possibilidade de se mover novamente. Um homem que está comendo demais, fica enfastiado. O sabor é perdido, o corpo não sente mais fome, ele não pode ter prazer com o alimento; assim, ele começa a pensar em jejuar. Não que ele esteja mudando — o jejum lhe dará o sabor de volta, o corpo sentirá fome novamente. O jejum é sempre bom para aqueles que são obcecados por comida. Jejue por dois dias e a fome volta, então, você pode ser um glutão novamente.

Sempre que você faz amor com uma mulher ou com um homem, o corpo fica satisfeito — é claro, somente por vinte e quatro horas, mas o corpo fica satisfeito, você se sente saciado. Depois de fazer amor, todo homem, toda mulher, pensa em abandonar todo esse absurdo — parece tão sem sentido! O pico se foi, agora chegou o vale e você pensa que está decidindo alguma coisa. Você está errado, você não está decidindo nada. Dentro de vinte e quatro horas, o corpo acumulará energia novamente e, dentro de vinte e quatro horas, o sabor voltará novamente e você quebrará o seu jejum. Vinte e quatro horas de jejum são necessárias para o sexo e, à medida que você fica mais velho, mais tempo será necessário para quebrar o jejum. Mas, quando a energia estiver plena novamente, você fica novamente sexual.

Olhe para essa polaridade. Religião simulada e religião verdadeira têm esta distinção significativa: a religião simulada ajuda-o a mover-se para o polo oposto, o que não é uma transformação; a religião verdadeira simplesmente o ajuda a queimar ambas as polaridades completamente. Eis por que a religião verdadeira é fogo real. Diz Jesus: *"Quem quer que esteja próximo a mim está próximo do fogo, e quem quer que esteja longe de mim está longe do reino".*

---

(1)   Rupee — rupia — unidade monetária indiana. (N. da T.)

E quando o desejo — o positivo e o negativo —, desaparece, o reino está presente. O reino não está muito longe, está sempre aí, dentro de você. Apenas devido aos desejos, você não pode olhar para ele; obcecado com desejos, você não pode olhar para ele.

Quando seus olhos, deste jeito ou daquele, não estão cheios de desejos, quando você não está se movendo no sexo nem está contra o sexo, quando você não está obcecado com alimento nem obcecado com o jejum, quando você está simplesmente sem desejos, então, seus olhos não têm nenhuma fumaça, estão límpidos, podem ver, têm uma clareza. Nessa clareza o reino está presente. O reino sempre existiu dentro de você, mas seus olhos estão cheios, cobertos de desejos. E os desejos trazem frustrações, lágrimas: os desejos criam esperança, sonhos. Seus olhos ficam completamente cheios, eis por que não há nenhuma clareza.

Olhos vazios de desejos, sonhos, esperanças, frustração, simplesmente vazios — então, você tem o primeiro vislumbre.

Perto de um Jesus, perto de um homem iluminado, você tem de passar através de um fogo. Esse fogo queimará todos os desejos — negativos ou positivos, ambos; deste mundo e daquele, ambos. Esse fogo queimará todas as suas esperanças, porque, através da esperança, o desejo vive. Na verdade, ele queimará todo o seu futuro e passado, ele o deixará simplesmente aqui e agora; nenhum passado mais, nenhum futuro mais, nada mais por que procurar. De repente, a energia volta-se para dentro, há uma conversão, uma transformação. Nenhum lugar para onde olhar do lado de fora: o passado é inútil, morto; o futuro ainda não chegou. Para onde ir? Você tem de ir para dentro. A energia tem de se mover e, não encontrando nenhuma passagem para o lado de fora, toda a energia volta-se para dentro. O reino de Deus está ali.

Jesus disse:

Venham a mim, pois leve é meu jugo e meu domínio, suave.

Isto tem de ser compreendido muito, muito profundamente e sempre lembrado, porque isso vai ajudar a todos.

Quando quer que você vá a um homem como Jesus, o problema surge na mente: "Por que me render a este homem? Isso parece escravidão". E então, a coisa toda parece muito contraditória, porque Jesus vai dizendo "estou aqui para libertá-los, estou aqui para lhes dar total liberdade" e, depois, ele exige entrega. Parece contraditório: "Por que se render? Por que eu devo me render a outro homem?". E ele diz: "Vou lhe dar total libertação". Isso parece contraditório. "Então ele deveria me dar isso agora mesmo. Por que eu devo me render a alguém? Por que eu devo fazer dele um senhor? Por que o guru, o mestre, deve ser o senhor da minha alma e do meu ser? Por que eu devo me render?".

Jesus diz: *Venham a mim, pois leve é meu jugo e meu domínio, suave.*

Ele diz: "Sim, eu sei que é assim que você sentirá, que isso também é uma espécie de escravidão". A menos que Jesus o liberte, como você pode sentir que aquilo é realmente libertação? Você conheceu somente escravidão! Aonde quer que você tenha ido, você conheceu a escravidão.

Em nome do amor, você conheceu escravidão. E o amor prometeu que seria uma libertação, mas não foi. Olhe para qualquer esposa, qualquer marido — foi uma escravidão, e o jugo foi muito duro. Você andou no mundo em busca de liberdade, e em todo lugar você criou prisões, fizesse você o que fizesse. Em nome da liberdade, há toda sorte de escravidões: a nação é uma escravidão, a raça é uma escravidão, a religião é uma escravidão. O amor — o assim chamado amor — é uma escravidão. E todos estão sobrecarregados com tantas escravidões! Então, vem Jesus e ele também quer entrega?! É claro, sua mente diz: "Isto também vai ser uma escravidão".

Jesus não nega isso, porque, neste momento, neste estado de mente, você não pode compreender o que é libertação. Assim ele diz: *"Venham a mim, pois leve é meu jugo e meu domínio, suave..."*. Isso é tudo o que ele promete a você. Ele não diz "eu lhe darei liberdade agora mesmo". Isso pode acontecer, mas exatamente agora ele só faz uma promessa. Ele diz: *"...leve é meu jugo e meu domínio, suave"*.

Na vida, o jugo é árduo. E, na vida, por toda a volta, há senhores dominando e lhes dando ordens. E eles são perigosos, ferozes: são como leões pulando sobre vocês e matando-os. Jesus diz: "Neste momento, somente este tanto que pode ser compreendido por vocês, pode ser dito: *leve é meu jugo e meu domínio, suave"*. E, quando você pensa "por que me render?", você não está escolhendo a liberdade. Você está simplesmente escolhendo a velha escravidão em nome da liberdade, porque sua própria mente é uma escravidão, seus desejos são escravidões. E você não pode ir além deles, sem alguma ajuda que venha de fora.

Você permaneceu na prisão por tanto tempo, que pensa que ela é seu lar. E a prisão é tão bem guardada, que você não pode sair, a menos que alguém que esteja do lado de fora da prisão o ajude, a menos que haja alguém que conseguiu sair da prisão e saiba o caminho para sair dela.

Um mestre significa somente isto: uma pessoa que estava na prisão, na mesma prisão em que você está, mas que de algum modo ela escapou; o mestre descobriu uma porta, descobriu um cadeado e uma chave, um método, e escapou — agora ele pode auxiliar. Se vocês estão todos dormindo, não podem sair do sono. Algo, do lado de fora, é necessário — até um alarme pode ajudar, mas, ainda assim, é algo do lado de fora. Mas você pode se enganar com um alarme, porque você pode sonhar que há um templo e que o sino do templo está tocando; você pode criar um sonho e continuar dormindo. Alguém — não um artifício mecânico, mas alguém que esteja vivo, um mestre — é necessário: alguém que não permitirá que seu sono crie sonhos, que continuará sacudindo-o.

Jesus diz: "No final, a liberdade acontecerá a vocês, mas, neste exato momento, eu só posso prometer esse tanto, que meu jugo não é pesado, é leve, ...*e meu domínio é suave*". E vocês escolheram domínios tão pesados ao seu redor.

Aconteceu:

Um homem muito manso entrou num escritório — magrinho, doentinho, muito humilde. Ele disse:

— Eu soube que vocês precisam de segurança noturno.

O gerente olhou para ele mostrando dúvida e disse:

— É sim, nós precisamos de um segurança noturno, mas precisamos de uma pessoa que esteja continuamente atenta, principalmente à noite. Precisamos de uma pessoa que nunca acredita em ninguém, que seja cética, um cético nato, alguém que jamais confie no que o outro possa estar fazendo. Deve ser uma pessoa que esteja sempre procurando onde haja algum problema, e que esteja sempre ouvindo o que está acontecendo ao redor; que seja quase um neurótico e que uma vez excitado torne-se um demônio encarnado! — Aquele homem manso e humilde levantou-se e disse:

— Então, vou mandar a minha mulher aqui.

É assim que um marido se sente quanto à própria mulher, e é assim que uma esposa se sente quanto ao marido — o domínio é realmente pesado. Mas é assim. Se você se tornar consciente, verá que cada desejo é pesado e o incita continuamente em direção a metas fúteis. Se você não for em direção a eles, há problemas; se você for, há frustração. Cada desejo é um mestre, e milhões são os desejos. Assim, você está numa enrascada, você é um escravo de milhões de mestres. É difícil, e cada desejo fica incitando a pessoa em direção a uma meta própria dele mesmo, sem se preocupar com você. E se você não seguir, haverá problemas: o desejo não vai deixá-lo tão facilmente, porque é uma questão de domínio. E, se você segui-lo, vai haver frustração, porque aquela meta pode ter sido a meta do desejo, mas ela jamais foi a sua meta. E você não sabe qual é a sua meta, porque você não sabe quem você é.

Entrega significa escolher um mestre como senhor, contra esses milhões de mestres dos desejos e dos instintos. O domínio é suave, é suave por muitas razões: basicamente, porque o mestre é um só. É sempre bom ter um mestre. Mesmo que você tenha dois mestres, você estará em confusão e, se os mestres são milhões, você viverá em constante confusão. Milhões de ordens serão recebidas, e você será empurrado em várias direções: você vira um caos. É assim que a loucura acontece, porque você não pode ver o que fazer. A quem seguir e a quem não seguir? Sua avareza diz: "Continue juntando dinheiro"; seu sexo diz: "Favoreça o sexo". Mas então há um problema, porque há um conflito.

Se você favorecer demais o sexo, você não poderá acumular dinheiro. Os miseráveis são sempre antissexuais. Eles têm de ser, porque a mesma energia tem de ser convertida para acumulação de dinheiro. Os miseráveis não são amorosos, são muito antissexuais. E as pessoas que favorecem o sexo, jamais podem acumular dinheiro... — difícil. Mesmo que seus antepassados tenham feito isso, elas irão jogar tudo fora, elas descobrirão meios de jogar fora.

Um desejo diz: "Acumule dinheiro, porque o dinheiro significa segurança. Quem vai ajudá-lo na velhice? Tenha equilíbrio bancário, isso é proteção!". E, então, o sexo diz: "Mas a vida está passando, porque pensar na velhice? Sua juventude está sendo desperdiçada! Vá e se entregue ao sexo antes que o momento passe e a energia esteja perdida. Use-a, desfrute!". O sexo diz: "Fique aqui e agora, neste momento, se entregue ao sexo!". E a avareza diz:

411

"Não pense neste momento, pense na meta distante!". Há conflito, e não é só entre dois desejos — cada desejo está em conflito com outros. A raiva diz: "Mate agora, assassine este homem!" Mas o seu medo diz: "Não faça isso, porque, se você matar os outros, outros o matarão. Seja educado, sorria. Você é um bom homem, você não é um assassino, você não é um criminoso". Então o que fazer? Tantos mestres, e o escravo é um só.

É bom escolher um só mestre. Pelo menos, um milhão de vozes se dissolvem, somente Jesus tem de ser seguido, e você pode jogar toda a responsabilidade para ele. E ele diz: ...*leve é meu jugo...*

Por que *"leve"*? Porque mesmo que ele lhe peça para você se render, ele está lhe pedindo para se render apenas até que você se torne livre de seus outros mestres. Uma vez que você esteja livre dos seus desejos, ele jogará fora este jugo também. Esse é um arranjo provisório, simplesmente uma passagem. Uma vez que você tenha jogado todos os desejos fora, então, esta entrega não é necessária.

O próprio mestre lhe dirá: "Agora, abandone esta entrega também, porque você se tornou iluminado na sua própria luz, por direito próprio".

Jesus disse: Venham a mim, pois leve é meu jugo e meu domínio, suave.

Jesus disse:

Quem quer que beba da minha boca tornar-se-á como eu sou e eu mesmo me transformarei nele, e as coisas escondidas ser-lhe-ão reveladas.

A entrega é uma passagem para o discípulo se tornar um mestre ele mesmo. E se você se entrega totalmente, nesse próprio momento você se torna um com o mestre, porque, então, não há nenhum conflito. Então, não há nenhum ego, a "viagem de ego" terminou, você a abandonou. E, quando você não *é* mais, eis o que a entrega significa: quando você diz: "Eu não sou, você é, e conduza-me para onde quiser. Eu não vou decidir, você decide. Simplesmente seguirei como uma sombra, serei cego na minha confiança. Mesmo que você diga 'pule e morra!', eu pularei e morrerei. Nunca mais haverá 'não' de minha parte. Meu 'sim' é final e total e absoluto". Este "sim" absoluto é entrega.

O que isso quer dizer? Quer dizer que agora o ego não pode persistir em você, não há mais nenhum significado para ele e não há mais nenhum alimento para ele. Se isso puder ser feito, então, mesmo num único instante, quando você já não *é* mais, as portas estão abertas e Jesus entrou em você, a luz do buda penetrou-o.

Por que você tem medo de se render? Porque as portas irão se abrir, você ficará vulnerável. Você tem medo do mundo externo: você viveu num quarto escuro, fechado, por tanto tempo, que você ficou sintonizado com ele, você se tornou um com a escuridão. Você tem medo da luz. Quando você abrir a porta pode ser que você não seja capaz de ver a luz de modo algum. Ela pode ofuscá-lo tanto que você pode fechar seus olhos.

O medo é de que, se você se render, então, você entrará num caminho desconhecido. E a mente sempre tem medo do desconhecido. E o desconhecido é Deus, o desconhecido é Jesus! Ele é apenas um mensageiro do desconhecido, simplesmente um raio vindo do sol. O sol pode estar muito, muito longe, mas o raio bateu na sua porta. Rendição significa abrir a porta.

Quem quer que beba da minha boca...

Isso é muito simbólico e muito significativo. Os amantes bebem da boca um do outro. Eis o que é um beijo: um beijo profundo é beber o vinho do corpo, da boca um do outro. É uma das coisas mais intoxicantes, nenhuma bebida alcoólica pode competir com ele. Mas o mesmo fenômeno existe no nível espiritual também: um discípulo bebe da boca do mestre. Não é um fenômeno físico, existe no âmago mais profundo, onde o discípulo se encontra com o ser do mestre, onde eles se abraçam, onde eles se beijam. É isso o que Jesus quer dizer: *"Quem quer que beba da minha boca tornar-se-á como eu sou e eu mesmo me transformarei nele, e as coisas escondidas ser-lhe-ão reveladas"*.

Jesus usou muito os termos simbólicos de comer e beber. Ele diz: "Comam-me, bebam-me, absorvam-me completamente em vocês". É este o significado de comer e beber: deixe-me entrar em você, digira-me tão completamente, de modo a eu possa me tornar parte do seu ser — e, então, não há mais nenhum discípulo e nenhum mestre, a distinção não mais existe. Então, não há nenhum senhor e nenhum escravo, então, o discípulo se tornou o mestre. Então, eu sou você, então, Jesus é você. Então, ele se tornou você,

você se tornou ele; então, a distinção não mais existe. A distinção jamais existiu antes, da parte de Jesus, ela existia da sua parte.

Entrega significa que você também dissolveu essa distinção, você está pronto para encontrar. É exatamente como os amantes: até no amor físico comum, você tem de render seu ego — talvez por um momento, mas você tem de fazer isso; talvez por um momento, mas você tem de se tornar um com o amado, com a amada. Por um momento, seus corpos não são dois, eles se tornaram um todo, um círculo. Por um momento, seus corpos se encontram e se misturam um no outro, fundem-se um no outro, não mais são duas existências separadas. Depois de um momento, eles serão existências separadas, porque os corpos não podem se encontrar eternamente, mas as almas podem se encontrar eternamente. Os corpos são sólidos, podem se aproximar cada vez mais e mais, mas não existe uma fusão real.

As almas não são físicas, não são sólidas. Elas são exatamente como a luz quando você acende uma vela no seu quarto: o quarto fica cheio de luz; você acende uma outra vela no quarto, o quarto se enche de mais luz. Você pode fazer alguma distinção entre onde termina a luz da primeira vela e começa a luz da segunda vela? Não, não há nenhuma distinção: as luzes se fundem e se misturam e se tornam uma só. O espiritual é exatamente como luz.

Quando o discípulo dá permissão de o mestre entrar, é exatamente como uma penetração sexual, num nível mais alto: o discípulo se tornou a parte feminina. Por isso a entrega: porque uma mulher está no seu pico quando ela se entrega, ela está em amor quando se entrega. Ela não é agressiva, é um polo passivo. E um homem é agressivo. Ele tem de alcançar e penetrar, somente então o encontro é possível. O discípulo tem de se tornar exatamente como o feminino: passivo, permitindo, sem criar qualquer barreira, entregando-se. O mestre tem de ser como um fenômeno masculino. Eis por que você pode compreender o fenômeno de haver muito pouco mestras mulheres. É quase impossível, raramente acontece e, quando quer que tenha acontecido — um, dois três casos em toda a história da humanidade — aquelas mulheres não pareciam mulheres, absolutamente.

Aconteceu certa vez em Caxemira: havia uma mulher, seu nome era Lala. E, em Caxemira, eles têm um provérbio que diz que o caxemíri conhece somente dois nomes, Alá e Lala. Ela foi uma mulher rara, mas você nem pode conceber... ela não era uma mulher, absolutamente. Ela viveu nua durante toda a sua vida. Uma mulher se esconde, uma mulher tem vergonha, uma mulher é passiva — ela era muito agressiva, ela era simplesmente uma mente masculina num corpo de mulher. Ela teve discípulos. Mas isso aconteceu raramente, muito raramente.

Mestras são raras, porque é impossível, mas as mulheres discípulas são em número quatro vezes maior do que o de homens discípulos, a média é de quatro por um. Mahavira tinha cinquenta mil monges; quarenta mil eram mulheres, freiras, e dez mil monges masculinos. E você não pode compará-los com as mulheres discípulas, impossível: um homem jamais pode se tornar tão entregue, porque toda a sua mente, seu tipo, é agressivo. A mente feminina pode se render facilmente, a entrega vem facilmente — é próprio do ser dela. Assim, você não pode encontrar melhores discípulos do que as mentes femininas e você não pode encontrar melhores mestres que as mentes masculinas. Mas isso tem de ser assim, porque em cada nível a polaridade permanece.

No nível físico, você encontra uma amante. A mulher se entrega, ela nunca toma a iniciativa. E, quando uma mulher toma a iniciativa, ela não é feminina, e nenhum homem a amará. Se uma mulher vem e propõe, você simplesmente cai fora. Ela espera — ela pode ficar pensando e sonhando, mas ela esperará. A proposta deve vir do homem; ele deve tomar a iniciativa, ele deve ser agressivo. E ela se comportará de tal modo, que pareça ser absolutamente inocente, sem saber do que você está falando — mas ela esteve planejando e planejando, e esperando e esperando pelo momento em que você viria e faria a proposta.

> *Mulla Nasruddin e sua esposa estavam sentados no banco de um parque, escondidos atrás de uma fileira de palmeiras. De repente, um jovem casal chegou do outro lado das palmeiras. O jovem imediatamente começou a falar de um modo muito romântico, de um modo muito poético. A esposa de Mulla Nasruddin ficou inquieta, pouco à vontade. Ela disse, sussurrando nos ouvidos de Nasruddin: "Parece que aquele jovem não está ciente de que estamos aqui. Então, assobie para fazê-los cientes. E o jovem parece tão apaixonado que parece estar a ponto de fazer uma proposta".*

Nasruddin disse: "Por que devo assobiar? Ninguém nunca me alertou, ninguém nunca assobiou quando eu estava fazendo uma proposta".

Uma mulher é uma espera, é um útero. O corpo dela, seu ser é uma paciência, uma passividade. E o mesmo acontece num nível mais alto de espiritualidade: lá também ela é uma espera. E um discípulo tem de se tornar como uma mulher. Ele tem de cair em profundo amor pelo mestre e, então, haverá um encontro, uma fusão de seres espirituais mais altos. E essa fusão é, novamente, como uma penetração sexual — mais existencial, absolutamente não corpórea. E, desse encontro, o discípulo nasce novamente; ele se torna grávido a partir desse encontro, grávido de si mesmo. Agora, ele carrega seu próprio novo ser no seu ventre. Todo o aprendizado, o tempo em que ele ficou perto do mestre, é o tempo de levar a gravidez. Isso pode ser feito somente em profunda confiança; se você duvida, é impossível, porque, então, você se defenderá, você criará uma armadura ao seu redor, você tentará se proteger.

Jesus disse: Quem quer que beba da minha boca tornar-se-á como eu sou e eu mesmo me transformarei nele, e as coisas escondidas ser-lhe-ão reveladas.

Uma vez que a entrega aconteça completamente, o mestre se torna a porta para você. Então, um mundo diferente de luz, vida, bem-aventurança se abre — *sat chit anand*, chamam os hindus. A verdadeira existência, a verdadeira consciência, e a verdadeira bem-aventurança — *Sat chit anand* se torna possível a você. O mestre se torna a porta e, uma vez que você tenha alcançado isso, você está iluminado. Agora, você pode ajudar os outros a passar através do fogo. Agora você pode ajudar os outros a ter um vislumbre do absoluto, ou a alcançar o supremo e se dissolver nele.

Mas, antes de você poder se tornar um mestre, você tem de ser totalmente um discípulo. Antes de você poder ensinar, você tem de aprender e, antes de você ajudar, você tem de ser ajudado. Você tem de permitir a alguém ajudá-lo profundamente. E essa profunda ajuda é possível somente quando você não está presente, porque você é a perturbação, você é a barreira. Você continuamente cria barreiras para seu próprio crescimento, no medo do desconhecido. Você se agarra ao conhecido e, então, não pode haver nenhum encontro, porque o mestre é o desconhecido. Você permanece no mundo do conhecido, o passado, e o mestre é o desconhecido.

E um encontro de dois pontos é possível: o desconhecido encontrando o conhecido. O conhecido se dissolverá, o conhecido se queimará, o conhecido não mais será encontrado, exatamente como a escuridão se dissolve, desaparece quando o sol entra.

Seja uma escuridão diante de um mestre — humilde, conhecendo bem a sua ignorância, pronto para se render e esperar — então, Jesus pode transformá-lo, Buda pode transformá-lo. Na verdade, Jesus e Buda são apenas dois agentes catalisadores. Sua entrega o transforma, eles são puras desculpas. Se você se entregar, mesmo sem um Buda, sem um Jesus por perto, se você puder se render ao cosmos, acontecerá o mesmo. Então, será difícil para você se render, porque não haverá nenhum objeto ao qual se render. Será mais difícil — eis por que eu digo que Buda, Jesus, são puras desculpas.

E, então, eu gostaria de lhes falar de um fenômeno muito estranho, que às vezes acontece: mesmo se entregando a um mestre errado, às vezes você se torna iluminado — o mestre ele mesmo não é iluminado. Já aconteceu, pode acontecer outra vez, porque a coisa básica é se render. A transformação vem através da entrega, o mestre é apenas um objeto. Certo ou errado, não faz muita diferença.

Quando você se entrega, a porta se abre. Assim, não se importe muito onde se render, simplesmente pense sobre mais e mais entrega. Eis por que mesmo diante de uma estátua de pedra isso pode acontecer, ou diante de uma árvore pode acontecer. Já aconteceu diante da árvore *bodhi* — eis por que os budistas preservaram aquela árvore por tanto tempo, porque já aconteceu antes diante da própria árvore. Só a sensação de que Buda alcançou sob essa árvore, e você se entrega à árvore.

A entrega é a coisa, tudo o mais é apenas uma ajuda em direção a isso. Se você puder encontrar um mestre certo, tanto melhor; se você não puder encontrar um, não se preocupe muito. Entregue-se onde quiser, mas deixe a entrega ser total. Se a entrega for parcial, nem um Jesus, nem um Buda podem ajudá-lo. Se a entrega for total, então, mesmo que eles não estejam presentes, qualquer homem comum pode também ser auxiliar a você.

Esta ênfase tem de ser lembrada, caso contrário, a mente vai continuar planejando truques. Ela pensa: "Como eu posso estar certo de que este mestre é certo? A menos que tenha certeza, como posso me render?". E você não pode estar certo antes de se entregar, não há nenhum meio de ter certeza. Se você quer ter certeza sobre o sabor da comida, então, o sabor do pudim vem com o ato de comer. Como você pode ter certeza sem comer? Não há como.

Você terá de comer Jesus, você terá de beber Jesus — eis a única maneira. Você será transformado, porque você acreditou, porque você confiou e se entregou e, então, muitas dimensões escondidas serão abertas a você. A vida que você vê não é tudo: ela é um minuto, uma parte atômica do todo. Os prazeres que você conheceu são apenas bobagens. Nem mesmo um único raio da bem-aventurança, que é seu direito de nascimento, existe neles.

Tudo o que você acumulou é lixo — se você vier a conhecer o verdadeiro tesouro que está escondido dentro de você. Toda a sua vida é uma mendicância, e o imperador espera bem dentro do seu coração — é isso o que Jesus chama de reino. Não seja um mendigo, vocês podem ser reis! Mas então a pessoa tem de ousar. Um mendigo não precisa ousar, mas para se tornar um rei a pessoa tem de ousar e passar através de transformações. A entrega é a porta.

Repetirei as palavras:

Quem quer que esteja próximo a mim está próximo do fogo, e quem quer que esteja longe de mim está longe do reino.
Jesus disse:
Venham a mim, pois leve é meu jugo e meu domínio, suave.
Jesus disse:
Quem quer que beba da minha boca tornar-se-á como eu sou e eu mesmo me transformarei nele, e as coisas escondidas ser-lhe--ão reveladas.

Chega por hoje.

Décimo Sétimo Discurso

Jesus disse:

Abençoados são o solitário e o eleito, pois você encontrará o reino; e como você vem dele, para ele você deve voltar novamente.

Jesus disse:

Se eles lhe perguntarem de onde vocês se originam, digam-lhes: "Viemos da luz, onde a luz se originou de si mesma".

Se lhe perguntarem qual é o sinal do Pai em vocês, digam-lhes: "É um movimento e um repouso".

A ânsia mais profunda no homem é ser totalmente livre. Liberdade, *moksha*, é a meta. Jesus a chama de reino de Deus: ser como reis, apenas simbolicamente, de forma que não haja nenhum grilhão para a sua existência, nenhuma escravidão, nenhum limite — você existindo como infinitude, sem colidir com ninguém, como se estivesse sozinho.

Liberdade e solitude são dois aspectos da mesma coisa. Eis por que Mahavira chamou seu conceito de *moksha, kaivalya. Kaivalya* significa estar absolutamente só, como se ninguém mais existisse. Quando você está absolutamente só, quem funcionará como um cativeiro para você? Quando nada mais existe, quem será o outro? Eis por que aqueles que estão em busca da liberdade, terão de descobrir seu próprio ser solitário: terão de descobrir caminhos, meios, métodos de alcançar sua solitude.

O homem nasce como parte do mundo, como um membro da sociedade, de uma família, como parte de outros. Ele é educado não como um ser solitário, é educado como um ser social. Todo o treinamento, toda a educação, toda cultura consistem em como fazer de uma criança uma parte integrante da sociedade, como fazê-la se ajustar aos outros. É isso o que os psicólogos chamam de ajustamento. E sempre que alguém é um solitário, parece mal-ajustado.

A sociedade existe como uma rede, um padrão de muitas pessoas, uma multidão.

No seio dela você pode ter um pouco de liberdade — a um preço muito alto. Se você segue a sociedade, se você se torna uma pessoa obediente, eles lhe arrendam um mundinho de liberdade. Se você se torna um escravo, a liberdade lhe é dada. Mas se trata de uma liberdade dada, ela pode ser tomada a qualquer momento. E isso é a um custo muito alto: é um ajustamento com os outros; assim, os limites estão fadados a estarem presentes.

Na sociedade, numa existência social, ninguém pode ser absolutamente livre. A própria existência do outro criará problemas. Sartre diz "o outro é o inferno", e ele está certo em larga medida, porque o outro cria tensões em você: você fica preocupado devido ao outro. Haverá sempre uma colisão, porque o outro está em busca de absoluta liberdade e você também está em busca de absoluta liberdade — todos estão em busca de absoluta liberdade — e a absoluta liberdade só pode existir para um.

Mesmo seus supostos reis não são absolutamente livres, não podem ser. Eles podem ter uma aparência de liberdade, mas isso é falso: eles têm de ser protegidos, eles dependem de outros — a liberdade deles é apenas uma fachada. Mas, ainda assim, devido a essa ânsia de ser absolutamente livre, a pessoa quer se tornar um rei, um imperador. O imperador dá a falsa sensação de que é livre. A pessoa quer se tornar muito rica, porque a riqueza também dá uma falsa sensação de que você é livre. Como pode um homem pobre ser livre? Suas necessidades serão o limite. E ele não pode satisfazer suas necessidades. Aonde quer que vá, encontra uma parede que não pode atravessar.

Daí, o desejo por riquezas. Lá no fundo, é o desejo de ser absolutamente livre — e todos os desejos são criados por ele. Mas, se você seguir falsas direções, você poderá continuar indo em frente, mas você jamais alcançará a meta, porque desde o começo a direção estava errada — você perdeu o primeiro passo.

No hebreu antigo, a palavra 'pecado' é muito bela. Ela quer dizer aquele que perdeu a rota — não há senso de culpa nisso realmente. Pecado significa aquele que perdeu a rota, se extraviou; e religião significa voltar ao caminho correto de modo que você não perca a meta. A meta é a absoluta liberdade — religião é simplesmente um meio nessa direção. É por isso que você tem que compreender que a religião existe como uma força antissocial, porque, em sociedade, a liberdade absoluta não é possível.

A psicologia está a serviço da sociedade. O psiquiatra tenta de todo modo deixá-lo ajustado novamente à sociedade; ele está a serviço da sociedade. A política, é claro, está a serviço da sociedade. Ela lhe dá um pouco de liberdade, de modo que você possa ser um escravo. Essa liberdade é simplesmente um suborno — pode ser tomada de volta a qualquer momento. Se você pensa que você é realmente livre, logo, logo, você pode ser jogado numa prisão. A política, a psicologia, a cultura, a educação, todas estão a serviço da sociedade. Apenas a religião é basicamente rebelde. Mas a sociedade tem lhes enganado. Ela criou suas próprias religiões: Cristianismo, hinduísmo, budismo, islamismo — esses são truques sociais. Jesus é antissocial.

Olhe para Jesus: ele não era um homem muito respeitável, não podia ser. Ele andava com gente errada, elementos antissociais; era um vagabundo, um desviado — tinha de ser, porque ele não podia ouvir à sociedade, não podia se ajustar à sociedade.

Ele criou uma sociedade alternativa, um pequeno grupo de seguidores. Os *ashrams*[2] existem como forças antissociais — mas não todos os *ashrams*, porque a sociedade sempre tenta lhes dar falsas moedas. Se houver uma centena de *ashrams*, então, talvez haja um — e esse também somente talvez —, que seja um verdadeiro *ashram*. Esse um existirá como uma sociedade alternativa, contra

---

(2)   *Ashrams* — comunidade de discípulos em torno de um mestre. (N. da T.)

essa sociedade, contra essa multidão, contra o que Jesus chamou de "eles" — uma multidão sem nome.

Têm existido escolas — por exemplo: os mosteiros *Bihar* de Buda — que tentam criar uma sociedade que não é, absolutamente, uma sociedade. Eles criam caminhos e meios para torná-lo verdadeiramente e totalmente livre — nenhum cativeiro sobre você, nenhuma disciplina de qualquer espécie, nenhum limite. Você tem permissão de ser o infinito e o todo.

Jesus é antissocial, mas o cristianismo não é antissocial, o budismo não é antissocial. A sociedade é muito esperta: ela imediatamente absorve — até mesmo fenômenos antissociais ela absorve no social. Ela cria uma fachada, ela lhe dá uma moeda falsa e, então, você fica feliz, exatamente como uma criança pequena que ganha um seio falso, de plástico. Elas ficam sugando aquele objeto e sentem que estão sendo nutridas. Aquilo as acalmará, é claro, e elas adormecerão.

Sempre que uma criança está inquieta, faz-se isso: um seio falso tem de ser dado. Ela suga, acreditando estar recebendo nutrição. Continua sugando e o sugar se torna um processo monótono; nada está entrando, há apenas a sucção. E aquilo vira um mantra. Então, ela dorme; entediada, sentindo-se sonolenta, ela cai no sono.

O budismo, o cristianismo e o hinduísmo e todos os outros *'ismos'*, que se tornaram religiões estabelecidas, são apenas seios falsos. Elas lhes dão consolo, elas lhes dão bom sono, elas lhes permitem uma existência calma nessa escravidão torturante que existe à volta: elas lhe dão uma sensação de que está tudo bem, que nada está errado. Elas são tranquilizantes, são drogas.

Não é somente o LSD que é uma droga, o cristianismo também é, e uma droga muito mais complexa e sutil, que lhe dá uma espécie de cegueira. Você não pode ver o que está acontecendo, você não pode sentir como você está perdendo sua vida, você não pode ver a doença que você acumulou através de muitas existências. Você está sentado num vulcão e elas continuam dizendo que está tudo bem: Deus está no céu e governa toda a Terra — está tudo bem. E os sacerdotes continuam lhe dizendo: "Você não precisa se perturbar, nós estamos aqui. Simplesmente deixe tudo em nossas mãos e nós tomaremos conta de você neste mundo e no outro também". E você deixou tudo para eles, eis por que você está na miséria.

A sociedade não pode lhe dar a liberdade. É impossível, porque a sociedade não pode prover um meio de tornar todos absolutamente livres. Então, o que fazer? Como ir além da sociedade? Eis a questão para um homem religioso. Mas parece impossível: aonde quer que você vá, a sociedade está ali; você pode ir de uma sociedade à outra, mas a sociedade estará ali. Vocês podem até ir para os Himalaias — então, vocês criarão uma sociedade lá. Você começará a falar com as árvores, porque é muito difícil ficar sozinho. Você começará a fazer, dos pássaros e animais, amigos e, mais cedo ou mais tarde, haverá uma família. Você esperará todos os dias pelo pássaro que vem de manhã e canta.

Nesse momento, você não compreende que se tornou dependente, que o outro já entrou. Se o pássaro não vem, você sentirá uma certa ansiedade. O que aconteceu ao pássaro? Por que ele não veio? A tensão entra, e isso não é de modo algum diferente de quando você ficava preocupado com a esposa ou preocupado com os filhos. Isso não é de modo algum diferente, é o mesmo padrão: o outro. Mesmo que você vá para os Himalaias, você cria a sociedade.

Então, algo tem de ser compreendido: a sociedade não existe sem você, ela é algo dentro de você. E a menos que as raízes causais dentro de você desapareçam, aonde quer que você vá a sociedade entrará na existência de novo e de novo e novamente. Mesmo que você vá para uma comunidade *hippie*, a sociedade entrará, ela se tornará uma força social. Se você for para um *ashram*, a sociedade entrará. Não é que a sociedade esteja lhe seguindo, ela está em você. Você sempre cria sua sociedade ao seu redor — você é um criador. Existe algo em você como uma semente, que cria a sociedade. Isso mostra realmente que a menos que você seja transformado completamente, você jamais irá além da sociedade, você sempre criará a sua sociedade. E todas as sociedades são o mesmo; as formas podem diferir, mas o padrão básico é o mesmo.

Por que você não pode viver sem sociedade? Aí é que está o problema! Mesmo nos Himalaias você esperará por alguém: você pode estar sentado lá, debaixo de uma árvore e você esperará por alguém, um viajante, um caçador, alguém que passe por ali na estrada. E se chegar alguém, você sentirá um pouco de felicidade entrando em você. Sozinho, você fica triste e, se um caçador chegar, você conversará, perguntará: "O que está acontecendo no mundo? Você tem o último jornal?". Ou: "Me dê notícias! Estou faminto, sedento por elas". Por quê? As raízes têm de ser trazidas à luz, de modo que você possa compreender.

Uma coisa: você precisa ser necessário, você tem uma profunda necessidade de ser necessário. Se ninguém precisa de você, você se sente inútil, insignificante; se alguém precisa de você, você ganha significância, você se sente importante. Você vive dizendo: "Tenho de cuidar da esposa e dos filhos!" — como se você estivesse carregando um fardo. Você está errado! Você fala como se fosse uma grande responsabilidade e como se você estivesse cumprindo um dever. Você está errado! Pense bem: se a esposa não existir e as crianças desaparecerem, o que você fará? De repente, você sentirá que sua vida ficou sem significado — porque eles precisavam de você. Os filhos pequenos, eles esperavam por você, eles lhe davam significância. Você era importante. Agora que ninguém precisa de você, você encolherá, porque, quando ninguém precisa de você, ninguém lhe presta atenção: quer você exista ou não, não faz nenhuma diferença.

Ouvi contar:

Um doente mental estava sendo psicanalisado, mas o psicanalista era muito excêntrico — como são quase todos. Depois de dois ou três anos de análise, o paciente disse a um amigo:

— Esse homem está com mais problemas do que eu, porque eu falo, falo, e ele nunca diz nada — nem um 'sim', nem um 'não', ele disse nesses três anos... — ele simplesmente fica sentado lá. E agora estou preocupado: o que fazer? Continuo falando, falando, falando e ele ouvindo. E isso já dura três anos! O que fazer? — O amigo disse:

— Então, por que você não para?

Mas o homem tampouco conseguia parar.

E então, aconteceu um segundo problema: o psicanalista morreu. Novamente ele procurou o amigo:

— Agora, surgiu um outro problema. Primeiro era este: o homem nunca dizia nada, nem 'sim', nem 'não'. Eu nunca soube se ele me rejeitava ou me aceitava, ou se eu estava errado ou certo. Eu simplesmente falava, falava, falava e ele escutava. Agora,

ele está morto; assim, um segundo problema surgiu. O que fazer agora? — O amigo disse:

— Se ele nunca falou com você, qual é a diferença? Continue falando!

Mas o homem replicou:

— Não! Mas ele ouvia!

A psicanálise toda e seu negócio dependem de ouvir. Não há muito, não há realmente nada demais na psicanálise, e a coisa toda em torno dela é quase que completa embromação. Mas por quê...? Um homem presta muita atenção a você — e não um homem comum. É um famoso psiquiatra, bem conhecido, que escreveu muitos livros. Muita gente conhecida se tratou com ele... — assim, você se sente bem. Nenhuma outra pessoa o escuta, nem mesmo sua esposa. Ninguém lhe ouve, ninguém lhe dá atenção; você anda num mundo como uma não entidade, um Zé ninguém — e você paga muito a um psiquiatra. É um luxo, somente gente muito rica pode pagar por isso.

Mas por que se faz isso? Simplesmente se deita num divã e se fala, e o psicanalista ouve. Mas ele ouve, ele presta atenção a você. É claro, você tem de pagar por isso, mas você se sente bem. Simplesmente porque o outro está prestando atenção, você se sente bem. Você anda de modo diferente fora do seu consultório, sua qualidade mudou: você tem uma dança nos pés, você assovia, você canta... Pode não ser para sempre — na próxima semana você terá de ir novamente ao consultório — mas, quando alguém o escuta, presta atenção a você, ele "diz": "Você é alguém, você é digno de se ouvir" — e ele não parece entediado. Ele pode não dizer nada, mas, então, também é muito bom.

Você tem uma profunda necessidade de ser necessário, alguém deve precisar de você, caso contrário, você não tem nenhum chão sob os pés — a sociedade é sua necessidade. Mesmo que alguém lute com você, tudo bem — melhor do que ficar sozinho, porque, pelo menos, ele lhe dá atenção, o inimigo; você pode pensar sobre ele.

Sempre que você se apaixonar, olhe para essa necessidade. Olhe para os amantes, observe, porque será difícil se você mesmo estiver apaixonado. Então observar é difícil, porque você fica quase louco, não está em seus sentidos. Mas observe os amantes: eles dizem um ao outro "eu te amo", mas lá no fundo, em seus corações, eles querem ser amados. Amar não é a coisa, ser amado é coisa verdadeira; e eles amam apenas para serem amados. A coisa básica não é amar, a coisa básica é ser amado.

Eis por que os amantes ficam reclamando um do outro: "Você não me ama o bastante". Nada é o bastante. Jamais algo será o bastante, porque a necessidade é infinita. Consequentemente a escravidão é infinita, não pode ser satisfeita. Seja o que for que o amante faça, você sempre sente que algo mais é possível; você ainda assim espera por mais, ainda assim pode imaginar mais. E, então, essa é a carência. E então você se sente frustrado. E todo amante, toda amada pensa: "Eu amo, mas o outro não está respondendo bem". — e outro pensa nos mesmos termos. O que é que há?

Ninguém ama. E a menos que você se torne um Jesus ou um Buda, você não pode amar, porque somente aquele cuja necessidade desapareceu pode amar.

No lindo livro de Kahlil Gibran, *Jesus O Filho do Homem*, ele criou uma história ficcional, mas bela — e às vezes, a ficção é mais factual do que os fatos. Maria Madalena olhou para fora de sua janela e viu Jesus sentado no seu jardim sob uma árvore. O homem era lindo. Ela já tinha conhecido muitos homens. Ela era uma prostituta famosa. Até os reis batiam à sua porta — ela era uma das mais adoráveis flores. Mas ela nunca tinha visto tal homem — porque uma pessoa como Jesus traz uma aura invisível ao redor de si, que lhe dá uma beleza de algum outro mundo. Ele não pertencia a este mundo. Havia uma luz ao seu redor, uma graça, o jeito como ele andava, o jeito como se sentava, como se ele fosse um imperador nas roupas de um mendigo.

Ele tinha uma aparência tão de outro mundo, que Madalena pediu aos seus empregados para convidá-lo, mas Jesus se recusou. Ele disse: "Estou bem, aqui. A árvore é bela e muito sombrosa".

Então, Madalena teve de ir ela mesma pedir, solicitar a Jesus que viesse. Ela nunca podia acreditar que alguém pudesse recusar a solicitação. Ela disse: "Venha até minha casa e seja meu hóspede".

Jesus disse: "Eu já entrei na sua casa, já sou um hóspede. Agora, não há mais necessidade".

Ela não pôde compreender. Ela disse: "Não! Venha, e não me recuse. Ninguém nunca me recusou. Será que você não pode fazer uma coisa tão pequena? Seja meu hóspede. Coma comigo hoje, fique comigo esta noite".

Jesus disse: "Eu já aceitei. E lembre-se: aqueles que dizem que a aceitam, eles nunca a aceitaram; e aqueles que dizem que a amam, nenhum deles jamais a amou. E eu lhe digo: eu a amo, e somente eu posso amar você". Mas ele não entrou na casa. Descansado, ele foi embora.

O que foi que ele disse? Ele disse: "Somente eu posso amá-la. Aqueles outros que dizem que a amam, não podem amar, porque o amor não é algo que se possa fazer — é uma qualidade do seu ser".

No estado em que vocês estão, vocês não podem amar; no estado em que vocês estão, o amor de vocês é falso. Vocês simplesmente mostram que amam, de modo que possam ser amados. E o outro também está fazendo o mesmo. Eis por que os amantes estão sempre em confusão: ambos estão se enganando, e ambos sentem que estão sendo enganados. Mas eles nunca olham para si mesmos e veem que eles estão enganando. Você realmente já amou alguma mulher, algum homem? Você pode dizer com todo o seu coração que você amou? Não! Você nunca se preocupou com isso, você garante que ama. O problema é sempre o outro, você nunca olha para si mesmo.

> *Mulla Nasruddin fez noventa e nove anos de idade, e um repórter do jornal local foi entrevistá-lo, porque ele era o homem mais velho do vale. Depois da entrevista, o repórter disse: "Espero que eu possa vir no próximo ano também, quando você atingir os cem, quando você tiver completado os cem anos de idade. Espero que eu possa vir".*

> *Mulla Nasruddin olhou para o homem, de olhos bem abertos e disse: "Por que não, jovem? Você me parece bastante saudável!".*

Ninguém olha para si mesmo: os olhos olham para os outros, o ouvido ouve os outros, as mãos apontam os outros — ninguém aponta para si mesmo: ninguém ouve, ninguém olha. O amor acontece quando você alcançou uma alma cristalizada, um si-mesmo. Com o ego, nunca acontece; o ego quer ser amado, porque esse é um alimento que ele precisa. Você ama de modo que você se torne uma pessoa necessária. Você tem filhos, não porque você ame as crianças, mas apenas de modo a ser necessário, de modo que você possa ir por aí e dizer: "Olhe quantas responsabilidades estou cumprindo, quantos deveres estou carregando! Eu sou um pai, eu sou uma mãe..." Isso é só para glorificar o seu ego.

A menos que essa necessidade de ser necessário caia, você não pode ser um solitário. Vá para os Himalaias — você criará uma sociedade. E, se essa necessidade de ser necessário cair, onde quer que você esteja, vivendo no mercado, bem no centro da cidade, você estará sozinho.

Agora tente compreender as palavras de Jesus:

Jesus disse:

Abençoados são o solitário e o eleito, pois você encontrará o reino; e como você vem dele, para ele você deve voltar novamente.

Penetre uma a uma, cada palavra: *Abençoado é o solitário....* Quem é "o solitário"? Alguém cuja necessidade de ser necessário caiu; alguém que fique completamente contente consigo mesmo, assim como ele é; alguém que não precise de ninguém para dizer "você significa muito para mim". Sua significância está dentro dele mesmo. Agora, sua importância não vem dos outros... — ele já não precisa mendigar por isso, não mais clama por isso — sua importância vem do seu próprio ser. Ele não é um mendigo e pode viver consigo mesmo.

Você não pode viver consigo mesmo. Sempre que fica sozinho, você fica inquieto: imediatamente você sente um incômodo, um desconforto, uma profunda ansiedade. O que fazer? Aonde ir? Vá ao clube, vá à igreja ou ao teatro... — mas vá a algum lugar, encontre o outro. Ou simplesmente vá às compras. Para as pessoas que são ricas, ir às compras é apenas um jogo, o único esporte: elas vão comprando... Se você for pobre, não precisa entrar na loja, simplesmente ande pela rua, olhando as vitrines. Mas vá!

Ser sozinho é muito difícil, muito incomum, extraordinário. Por que essa ânsia? Porque sempre que você está sozinho, toda a sua importância desaparece. Saia e compre alguma coisa da loja: pelo menos, o vendedor lhe dará importância... — não a coisa em si, porque você sai comprando coisas inúteis. Você compra só por comprar. Mas o vendedor, ou o dono da loja, eles olham para você como se você fosse um rei. Eles se comportam como se dependessem de você — e você sabe perfeitamente bem que isso é apenas uma fachada. É assim que os lojistas exploram: o vendedor não está se importando com você, absolutamente; seu sorriso é apenas um sorriso pintado — ele sorri para todo mundo, não é nada particular para você. Mas você nunca olha para essas coisas. Ele sorri e cumprimenta e o recebe como um convidado bem-vindo. Você se sente bem, você é alguém, há gente que depende de você — este lojista estava esperando por você.

Você está, por todo lado, em busca de olhos que possam lhe dar uma certa importância. Sempre que uma mulher olha para você, ela lhe dá importância. Agora os psicanalistas descobriram que, quando você entra numa sala — numa sala de espera no aeroporto, ou numa estação, ou num hotel — se uma mulher olha duas vezes para você, ele está pronta para ser seduzida. Mas se uma mulher olha uma única vez, não a importune, esqueça-a. Eles filmaram e estiveram observando, e isso é um fato, porque uma mulher olha duas vezes somente quando ela quer ser apreciada e olhada.

Um homem entra num restaurante: a mulher olha uma vez, mas se ele não vale a pena, ela não olhará outra vez. E mulheres-caçadoras sabem disso muito bem, sabem disso há séculos; os psicólogos vieram a saber só agora. Eles observam os olhos. Se a mulher olha novamente, ela está interessada. Agora, muito é possível, ela deu a pista, ela está pronta para ir com você ou jogar o jogo de amor. Mas se ela não olhar para você novamente, então, a porta está fechada; melhor bater em uma outra porta, esta está fechada para você.

Sempre que uma mulher olha para você, você fica importante, muito importante; nesse momento, você é único. Eis por que o amor lhe dá tanta radiância: o amor lhe dá muita vida, vitalidade.

Mas isso é um problema, porque a mesma mulher, olhando para você todo dia, não vai adiantar muito. Eis por que os maridos ficam fartos de suas esposas, esposas ficam fartas de seus maridos — porque... como você pode ganhar a mesma importância dos mesmos olhos nova e novamente? Você fica acostumado com aquilo: ela é sua esposa, não há nada a conquistar. Daí a necessidade de se tornar um Byron, daí a necessidade de se tornar um Don Juan e ir de uma mulher para outra. Isso não é uma necessidade sexual, lembre-se disso. Não tem nada a ver com o sexo, absolutamente, porque o sexo se aprofunda mais com uma só mulher, em profunda intimidade. Não se trata de sexo, não se trata de amor, absolutamente não, porque o amor quer ficar só com um, cada vez mais e mais, de um modo cada vez mais e mais profundo. Isso não é nem amor nem sexo, é outra coisa: uma necessidade do ego. Se você pode conquistar uma nova mulher todo dia, você se sente muito, muito importante, você se sente um conquistador. Mas se você fica com uma mulher só, fixado ali, e ninguém olha para você, nenhuma outra mulher ou nenhum outro homem lhe dá importância, você se sente acabado. Eis por que as esposas e os maridos parecem tão sem vida, sem langor. Você pode simplesmente olhar e dizer de longe se o casal que está chegando são marido e mulher ou não. Se eles não são, você sentirá uma diferença: eles estarão felizes, rindo, falando, alegres um com o outro. Se eles são maridos e esposas, então, estão apenas se tolerando.

> *O aniversário de vinte e cinco anos de casado de Mulla Nasruddin chegou, e ele estava saindo de casa naquele dia. Sua esposa se sentiu um pouco irritada, porque estava esperando que ele fizesse alguma coisa e ele simplesmente seguiu a sua rotina diária. Então, ela perguntou: "Nasruddin, você se esqueceu de que dia é hoje?".*
>
> *Nasruddin disse: "Eu sei".*
>
> *Então ela disse: "Então, faça algo fora do costume!".*
>
> *Nasruddin pensou e disse: "Que tal dois minutos de silêncio?".*

Quando quer que você sinta que a vida está parada, isso mostra que você pode ter pensado que aquilo era amor... Não era amor, era uma necessidade do ego — uma necessidade de conquistar, de se sentir necessário todo dia com um novo homem, uma nova mulher, com gente nova. Se você faz sucesso, então, você se sente feliz por um tempo, porque você não foi um homem comum. Essa é a luxúria dos políticos: serem necessários por todo o país. O que Hitler estava tentando fazer? Ser necessário por todo o mundo!

Mas essa necessidade não lhe pode permitir ser solitário; um político não pode se tornar religioso — eles se movem na direção oposta. Eis por que Jesus diz: "É muito difícil a um homem rico entrar no reino de Deus. Um camelo pode passar pelo olho de uma agulha, mas não um homem rico entrar no reino de Deus". Por quê? Porque um homem que esteve acumulando riquezas está tentando ser importante através da riqueza. Ele quer ser alguém, e seja quem for que queira ser alguém, a porta do reino está fechada para ele.

Somente "ninguéns" entram lá, somente aqueles que alcançaram o estado de "nada ser", somente aqueles cujos botes estão vazios; cujas necessidades do ego foram compreendidas como inúteis e neuróticas; aqueles que penetraram as necessidades do ego e descobriram-nas inúteis — não somente inúteis, mas nocivas também. As necessidades do ego podem lhe deixar louco, mas nunca podem preenchê-lo.

Quem é um solitário? Aquele cuja necessidade de ser necessário desapareceu, que não pede nenhuma significância vinda de você, dos seus olhos, das suas respostas. Não! Se você lhe der seu amor, ele lhe será grato, mas se você não dá, não há reclamação: se você não dá, ele fica tão bem quanto sempre. Se você for visitá-lo, ele ficará feliz, mas, se você não vai, ele fica feliz do mesmo jeito. Quando ele anda no meio das pessoas, ele desfruta, mas, se ele viver num eremitério, ele desfrutará também.

Você não pode fazer um solitário infeliz, porque ele aprendeu a viver com ele mesmo e ser feliz com ele mesmo. Sozinho, ele é suficiente. Eis por que as pessoas que estão num relacionamento, nunca gostam que o outro seja religioso: se o marido começa a se mover na direção da meditação, a esposa se sente perturbada. Por quê? Ela pode nem estar ciente do que está acontecendo, ou de por que ela se sente perturbada. Se a esposa começa a orar, começa a se mover na direção da religião e de Deus, o marido se sente perturbado. Por quê?

Um medo inconsciente vem para o consciente. O medo é de que ela ou ele esteja tentando se tornar suficiente em si mesmo, ou em si mesma: este é o medo. Assim, se for dada uma escolha à esposa — "Você preferiria que seu marido se tornasse um meditador ou um bêbado?" —, ela preferiria que ele se tornasse um bêbado ao invés de um meditador. Dada a escolha: "Você prefere que sua esposa se torne uma *saniássin* ou que trilhe caminhos errados e se extravie?" — um marido escolheria a última opção.

Um *saniássin* significa aquele que é suficiente em si mesmo, que não precisa de ninguém, que de modo algum é dependente. E isso dá medo: então, você se torna inútil. Toda a sua existência gira em torno da necessidade do outro, de que o outro precisava de você. Sem você ele não era nada, sem você a vida dele era inútil, um deserto — somente com você ele floresceu. Mas se você vem a saber que ele pode florescer estando solitário, então, haverá perturbação, porque seu ego ficará ferido.

Quem é um solitário? E Jesus diz: *Abençoado é o solitário...* — as pessoas que podem viver consigo mesmas, tão facilmente como se o mundo todo estivesse com elas, que podem deleitar-se consigo mesmas exatamente como as crianças.

Crianças bem pequenas podem deleitar-se consigo mesmas. Freud tem um termo especial para elas: polimorfas. Uma criança pequena deleita-se consigo mesma, ela é autoerótica, ela chupa o próprio dedo. Se ela precisa de outra pessoa, essa necessidade é apenas do corpo; você lhe dá leite, você a vira de lado, muda suas roupas — necessidades físicas. Ela não tem realmente nenhuma necessidade psicológica ainda. Ela não está preocupada com o que as pessoas estão pensando sobre ela, se acham que ela é bela ou não. Eis por que toda criança é bela — porque ela não se importa com a sua opinião.

Nenhuma criança nasce feia, e todas as crianças se tornam, pouco a pouco, feias. É muito difícil encontrar um homem idoso belo — raro. É muito difícil encontrar uma criança feia — raro. Todas as crianças são belas, todos os idosos são feios. O que é que há? Quando todas as crianças nascem belas, elas deveriam morrer belas! Mas a vida faz alguma coisa... Todas as crianças são autossuficientes — essa é a sua beleza. Elas existem como luz em si mesmas. Todos os idosos são inúteis, eles perceberam que não são necessários. E quanto mais velhos se tornam, mais aumenta a sensação de que não são necessários. As pessoas que precisavam deles, desapareceram: os filhos cresceram, foram embora com suas próprias famílias; a esposa morreu, ou o marido morreu. Agora, o mundo não precisa deles, ninguém vai a suas casas, ninguém lhes presta respeito. Mesmo quando saem para uma caminhada, ninguém os reconhece. Eles podem ter sido grandes executivos, chefes nos seus escritórios, presidentes nos bancos, mas agora ninguém os reconhece, ninguém nem mesmo sente falta deles. Sem serem necessários, eles se sentem inúteis: ficam apenas esperando pela morte. E ninguém se importará... mesmo que eles morram, ninguém vai se importar. Até a morte vira uma coisa feia.

Se você pensar que, quando você morrer, milhões de pessoas chorarão por você, você se sentirá feliz: milhares e milhares de pessoas irão prestar suas homenagens quando você morrer. Aconteceu certa vez:

Um homem nos Estados Unidos planejou isso — e ele é o único homem na história do mundo que fez isso. Ele quis saber como as pessoas reagiriam quando ele morresse. Assim, antes de sua morte, quando os médicos disseram que dentro de doze horas ele morreria, ele declarou sua morte. E ele era um homem que possuía muitas praças para divulgação, espaços para exibições, agências de publicidades. Assim, ele sabia como anunciar o fato. De manhã, seu agente declarou para toda a imprensa, para o rádio, a televisão, que ele estava morto. Então, foram escritos artigos e editoriais, chamadas telefônicas começaram a chegar. Houve muita comoção. E ele leu tudo que foi publicado e realmente desfrutou aquilo.

As pessoas são sempre boas quando você morre: imediatamente, você se torna um anjo, porque ninguém pensa que vale a pena dizer alguma coisa contra você quando você já morreu. Quando você está vivo, ninguém dirá nada para você. Lembre-se: quando você estiver morto, eles ficarão felizes — pelo menos, você fez uma boa coisa: morreu!

Todo mundo estava prestando seus respeitos àquele homem, e isto e aquilo... e fotografias saíram nos jornais... — ele desfrutou mesmo aquilo tudo. E, então, ele morreu, completamente tranquilo, com as coisas se passando tão bem.

Você não precisa dos outros apenas na vida, até na morte... Imagine sua morte: somente duas ou três pessoas, seus criados e um cachorro, acompanhando-o para o último adeus — ninguém mais; nenhum jornalista, nenhum fotógrafo, nada — nem seus amigos. E todos se sentindo muito felizes de que a carga se foi. Basta pensar nisso e você ficará doente. Até na morte a necessidade de ser necessário permanece. Que tipo de vida é esta? Só as opiniões dos outros são importantes, não você? Sua existência não significa nada?

Quando Jesus diz "abençoado é o solitário", ele quer dizer isto: um homem que se tornou absolutamente feliz consigo mesmo, um homem que pode ficar sozinho nesta terra e isso sem trazer nenhuma mudança de humor: o clima não muda. Se todo o mundo desaparece numa terceira guerra mundial — isso pode acontecer a qualquer dia — e você é deixado sozinho, o que você fará? Exceto cometer suicídio imediatamente, o que você fará? Mas um solitário pode sentar-se sob uma árvore e tornar-se um buda mesmo sem o mundo. O solitário permanecerá feliz, e cantará e dançará e caminhará — seu humor não mudará. Você não pode mudar o humor de um solitário, você não pode mudar seu clima interior.

Jesus diz: *"Abençoados são o solitário e o eleito"*.... E esses são os eleitos, porque aqueles que precisam de uma multidão, serão jogados repetidamente dentro da multidão — essa é a necessidade deles, essa é a demanda deles, esse é o desejo deles. Deus lhe dá tudo o que você pede, e seja o que for que você é agora, é simplesmente o cumprimento de seus desejos passados. Não culpe ninguém por isso — foi o que você andou pedindo. E lembre-se disto, esta é uma das coisas mais perigosas do mundo: seja ele qual for, seu desejo será realizado.

Pense antes de desejar uma coisa. Há toda a possibilidade de que ela seja realizada — e, então, você sofrerá. Eis o que acontece a um homem rico: ele era pobre, então, ele desejou a riqueza, e desejou e desejou e, agora, realizou-se. Agora ele está infeliz, agora está chorando e se lamentando e diz: "Passei toda a minha vida acumulando coisas sem valor, e agora estou infeliz!". Mas foi tudo desejo dele. Se você deseja conhecimento, será satisfeito: sua cabeça se tornará uma enorme biblioteca, muitas escrituras. Mas, então, no fim, você irá chorar e se lamentar: "Somente palavras e palavras e palavras, e nada substancial. E eu desperdicei toda a minha vida".

Deseje com plena consciência, porque todo desejo está fadado a ser realizado numa hora ou noutra. Pode levar um pouco mais de tempo, porque você está sempre parado numa fila... — muitos outros desejaram antes de você; assim, pode levar um pouco de tempo. Às vezes, seu desejo desta vida pode ser realizado em outra vida, mas os desejos sempre são realizados. Essa é uma das leis mais perigosas. Assim, antes de desejar, pense! Antes de pedir, pense! Lembre-se bem de que aquilo vai ser realizado algum dia — e, então, você sofrerá.

Um solitário se torna um eleito: ele é o escolhido, o escolhido de Deus. Por quê? Porque um solitário jamais deseja nada deste mundo. Ele não precisa desejar, ele aprendeu tudo o que era para aprender neste mundo; esta escola acabou, ele já passou por ela, transcendeu-a. Ele se tornou como um pico alto que permanece sozinho no céu — ele se tornou o eleito, o Gourishankar, o Everest. Um Buda, um Jesus são picos elevados, picos solitários. Essa é a beleza deles: eles existem sós.

O solitário é o eleito. O que o solitário escolheu? Ele escolheu somente seu próprio ser. E, quando você escolhe seu próprio ser, você escolheu o ser de todo o universo — porque seu ser e o ser universal não são duas coisas. Quando você escolhe a si mesmo, você escolheu Deus e, quando você escolhe Deus, Deus escolheu você — você se tornou o eleito.

Abençoados são o solitário e o eleito, pois você encontrará o reino; e como você vem dele, para ele você deve voltar novamente.

Um solitário, um *saniássin* — eis o que significa *'saniássin'*: um ser solitário, um andarilho, absolutamente feliz em sua solitude. Se alguém anda ao seu lado, tudo bem, é bom. Se alguém o deixa, também está bem, é bom. Ele nunca espera por ninguém e nunca olha para trás. Sozinho, ele é completo. Esse estado de ser, essa inteireza, faz de você um círculo, e começo e fim se encontram, o alfa e o ômega se encontram. Um solitário não é como uma linha. Vocês são como uma linha — seu começo e seu fim nunca se encontrarão. Um solitário é como um círculo — seu começo e seu fim se encontram. Eis por que Jesus diz: ... *como você vem dele, para ele você deve voltar novamente...* — você se tornará um com a fonte; você se tornou um círculo.

Há um outro dizer de Jesus: "Quando o começo e o fim se tornarem um, você se tornou Deus". Você já deve ter visto uma gravura — é um dos mais antigos selos das sociedades secretas do Egito — de uma cobra comendo seu próprio rabo. Eis o que significa o encontro do começo e do fim, eis o que significa renascimento, eis o que significa você tornar-se criança novamente: mover-se num círculo, de volta à fonte; alcançando o lugar de onde você veio.

Jesus disse:

Se eles lhe perguntarem...

"Eles" quer dizer a sociedade, a multidão, aqueles que não são os escolhidos, aqueles que estão constantemente necessitando ser necessários — "eles". Se eles lhe dizem... — e eles lhe dirão, porque eles não deixam ninguém ser um solitário. Eles o perseguirão, eles tentarão pressioná-lo a voltar para o seio da sociedade. Eles quererão que você volte para a prisão — eles não podem acreditar como você escapou. E eles se sentirão desconfortáveis com você, se você se tornar um solitário. Por quê? Porque sua própria presença os faz duvidar da existência deles mesmos... — eis o desconforto.

Sempre que um Jesus anda entre vocês, vocês se sentem desconfortáveis, porque, se "este homem" está certo, então, você está errado — e "este homem" anda de tal modo que ele parece certo. Se "este homem" está certo, então... — e quanto a você? O simples movimento de um Jesus na sociedade, e toda a sociedade vive um terremoto — porque "este homem" parece tão feliz, sem precisar de ninguém, sem precisar de ninguém, sem se sentir necessário a alguém, tão solitário, tão sozinho e tão abençoado! E você é quase neurótico, quase louco!

Algo está errado com você, não com "este homem". Você tentará de todo modo provar que "este homem" está errado. Há livros escritos contra Jesus, nos quais fica provado que aquele homem era um caso psicológico, mental; há livros que provam que aquele homem era neurótico. Quem está escrevendo esses livros? "Eles" — eles estão escrevendo esses livros, porque precisam provar que "este homem" está errado, é neurótico, ficou louco — somente assim podem ficar à vontade.

Mas os dois não podem estar certos: se "este homem" está certo, então, você está errado.

Mas qual é a necessidade? Se "este homem" é neurótico, ele é neurótico — qual é a necessidade de provar isso? Por que se incomodar? Por que se incomodar com ele? É devido a ele lhe trazer uma dúvida sobre você mesmo. Eis por que não temos dado as boas-vindas para tais pessoas, nunca! Sempre os rejeitamos quando estão vivos. Nós os saudamos quando estão mortos, porque, então, podemos pintar seus rostos ao nosso modo.

Olhe para a face do Jesus cristão. Ela não é nem mesmo uma caricatura, nem mesmo é um cartum — é absolutamente falsa. Os cristãos dizem que Jesus nunca riu, e eu não posso ver Jesus de nenhuma outra forma que não seja rindo. Ele deve ter sido o riso em pessoa; quer você ouça a risada ou não, não interessa, mas ele deve ter sido como uma fonte borbulhante, gargalhante, fluindo por toda a volta. Mas os cristãos o pintaram tão triste quanto possível. Ele parece neurótico da forma que eles o pintaram; parece tão triste, que estar na companhia dele seria um peso. Vá a qualquer igreja cristã e olhe o retrato de Jesus. Você gostaria de estar com aquele homem, a noite toda numa sala? Você diria: "Está bem, basta esta manhã de domingo". Com aquele homem a noite toda!? A pessoa começaria a tremer e a ficar com medo. E ele é tão triste! Vocês já são tristes o bastante, porque acrescentar mais?

Os cristãos escolheram a cruz como símbolo e, assim, perderam o ponto central. Jesus falou sobre a cruz e foi crucificado, mas o que ele quis dizer foi totalmente diferente. Eles escolheram a cruz, porque ela mostra sofrimento, e nós estamos sofrendo tanto que não podemos acreditar num Cristo risonho. Podemos acreditar num Cristo sofrendo — isso é bem parecido conosco, exatamente como nós, até em mais sofrimento do que nós. Compreendemos o sofrimento. Compreendemos a linguagem da tristeza, do sofrimento e da morte. A vida, não compreendemos. Eis por que há um cristianismo. Mas ao redor de Krishna não pôde haver nenhuma religião.

Os hindus veneram Krishna, mas de má vontade — porque ele é tão contrário à existência de vocês! Tocando sua flauta, dançando com as moças, sempre feliz e rindo. Ele é tão contrário à existência de vocês, que vocês não o podem compreender. Como vocês podem compreender a dança? Vocês podem compreender a morte, vocês podem compreender a crucificação — vocês não podem compreender uma flauta e uma canção.

O cristianismo espalhou-se como um fogo por todo o mundo, e não há um único adorador de Krishna. Os que pensam que são, não são tampouco, eles também têm dificuldades com Krishna. Eles têm de explicar Krishna de muitos modos. Eles não podem acreditar que aquele homem estivesse dançando com a esposa de todo mundo, ou que ele tivesse dezesseis mil namoradas. Impossível! Deve haver um outro significado. Assim, eles interpretam Krishna a seu modo: que essas dezesseis mil namoradas não eram realmente namoradas, eram o sistema nervoso do homem — dezesseis mil nervos. Mas eu lhes digo: aquele homem teve dezesseis mil namoradas; e aquele homem riu e cantou e dançou — ele era o próprio êxtase. E Jesus era o mesmo; eis por que eu digo que seu nome, 'Cristo', pode ter sido derivado de 'Krishna'.

Jesus era o mesmo, não era um homem triste. Mas vocês não podem compreender a linguagem do riso — não, ainda não. Seus corações ainda não estão prontos para um Deus que dança; o mundo ainda não é um lar para um Deus que dança. Krishna parece impossível; Jesus parece ser quase a conclusão da vida de vocês. A crucificação tornou-se o símbolo, a cruz tornou-se o símbolo, mas, para Jesus, a cruz significa algo absolutamente diferente, e eu gostaria de lhes dizer o que ela significa para Jesus.

A cruz tem duas linhas, linhas simples: uma linha horizontal à terra, uma outra linha vertical à terra. É isso que a cruz é — um cruzamento, um ponto cruzado. A linha horizontal é o tempo: passado, presente, futuro; A, B, C andando numa linha. Vocês vivem nessa linha. A linha vertical é a eternidade, o agora. Está sempre presente: não há nenhum passado para ela, nenhum futuro para ela. Ela vai cada vez mais e mais e mais alto; ela dirige-se para o mais alto, não para frente.

Tempo e eternidade encontram-se onde Jesus é crucificado; naquele momento, onde Jesus morre é o agora. Se você morre no agora, você é renascido, você é ressuscitado. Então, não há nenhuma morte para você, porque o tempo desaparece e você é eterno. A cruz é um símbolo do encontro do tempo e da eternidade. E esse ponto deve ser a sua morte. Não pode ser outra coisa, porque, quando você desaparece do mundo, do tempo, você se torna parte da eternidade. E ambos se cruzam... Onde eles se cruzam? Aqui e agora, neste momento eles se cruzam.

Agora é o momento onde a cruz existe. Mas se você continuar se movendo horizontalmente, no futuro, então, você perderá. Se você começar a se mover a partir deste exato momento, verticalmente, você estará na cruz; você morrerá como você é, e você renascerá — um novo nascimento, absolutamente novo. E através desse nascimento, nenhuma morte existe, só vida eterna. Para Jesus, a cruz era um símbolo temporal: o tempo e a eternidade se cruzando. Mas para o cristianismo, ela se tornou um símbolo de uma morte triste, de sofrimento.

Se Jesus tivesse ficado na Índia e não tivesse ido para os judeus, e se nós tivéssemos retratado a cruz, ela seria a mesma, mas Jesus seria diferente. Ele seria exatamente como Krishna: extático, seu rosto sorridente, todo o seu ser sorrindo, porque este é o momento do êxtase: quando o tempo desaparece, você morre para o mundo do tempo e nasce para o mundo da eternidade. Nesse momento, você deve estar extático. Eis o que os hindus chamaram de *samadhi*.

Mas o cristianismo perdeu. Sempre acontece assim, porque Jesus vivo é um desconforto, é como um verme no coração, picando-os. Vocês querem permanecer à vontade. Quando ele está morto, então, vocês podem arrumar tudo de acordo com vocês; então, vocês podem pintar Jesus de acordo com vocês — então, ele não é nada mais que um representante de vocês. *Se eles lhe perguntarem...* — e eles perguntarão! —

> *...de onde vocês se originam, digam-lhes: "viemos da luz, onde a luz se originou de si mesma".*

Nós viemos de Deus, somos filhos de Deus; viemos da fonte de toda a existência. E a fonte de toda a existência não tem outra fonte — ela se origina de si mesma, ela é autocriadora. O pai não tem outro pai, o criador não tem outro criador para si — o criador é uma força autocriadora. *"Viemos da luz, onde a luz se originou de si mesma".*

Se lhe perguntarem qual é o sinal do Pai em vocês...

Eles perguntarão — certamente perguntarão: "Você ficou iluminado? Qual é o sinal? Você conheceu 'o Pai'? Então, qual é o sinal? Mostre-nos sinais!" — como não podem ver diretamente, eles sempre procuram sinais: eles não podem penetrá-lo diretamente. Até quando um Buda está presente, vocês pedem por sinais; até quando um Jesus está presente, vocês pedem por sinais: "Mostre-nos algum sinal, de modo que possamos compreender". E Jesus está presente. Não é ele um sinal suficiente? Não, isso você não pode compreender — ele transcende todos vocês.

As pessoas costumavam ir a Jesus e perguntavam: "Você é realmente o prometido? Você é o escolhido?". E eles viviam perguntando. Eles devem ter perguntado ainda mais aos discípulos, porque "eles" estão sempre contra os discípulos. Eles estão sempre contra o mestre, mas são mais ainda contra os discípulos, porque os discípulos andam mais entre eles. Os discípulos vivem com eles, têm de viver com eles. E eles farão perguntas embaraçosas. Eles perguntarão: "Qual é o sinal do Pai em você? Faça a água virar vinho e nós compreenderemos. Ou reviva este homem que está morto, ou faça algo contra a natureza!". Então, eles compreenderão.

O que Jesus diz? Jesus não diz "façam milagres e deem-lhes sinais". O que ele diz é uma das coisas mais belas já afirmada. Ele diz:

...digam-lhes: "É um movimento e um repouso".

Este é o sinal de Deus em nós: *"um movimento e um repouso".*

Muito difícil de compreender. O que ele quer dizer? Ele está dizendo: "Nós estamos nos movendo e, contudo, em repouso. A contradição se dissolveu em nós. Agora, somos uma síntese de todas as contradições. Estamos falando e, contudo, não estamos falando e, contudo, há silêncio. Amamos e, contudo, não amamos, porque a necessidade de ser amado desapareceu. Estamos sós e, contudo, entre vocês, porque vocês não podem perturbar nossa solitude. Estamos na multidão, mas não somos da multidão, porque a multidão nunca nos penetra. Vivemos e nos movemos neste mundo, mas não pertencemos a este mundo — podemos estar nele, mas este mundo não está dentro de nós".

É isto o que Jesus diz: *"É um movimento e um repouso".* — "Olhe para nós: nós nos movemos e, contudo, não há nenhuma tensão no movimento; andamos, mas, no centro de nosso ser, não há nenhum movimento, porque não há qualquer motivação para se chegar a algum lugar — nós já chegamos. Este é o sinal do Pai. Olhe para nós! Não há nenhum desejo e, contudo, continuamos trabalhando. Não há nenhuma motivação e, contudo, continuamos respirando e vivendo. Olhe para nós: as contradições se dissolveram. Andamos e, contudo, não andamos; vivemos e o tempo desapareceu para nós — entramos na eternidade". Mas esse é o sinal de um perfeito mestre. Se você quer ver um mestre perfeito, este é o sinal: movimento e repouso.

Será fácil para você se um mestre estiver se movimentando, servindo as pessoas, mudando a sociedade, criando um grande movimento para alguma utopia. É fácil para vocês compreenderem um Gandhi: movimento contínuo, atividade política, social, religiosa e devotada aos outros. Será fácil, muito fácil, ver que Gandhi é um *mahatma*, uma grande alma. Isso é muito fácil, porque só há movimento, e movimento devotado aos outros. É um serviço: não se mover para si mesmo, mover-se para os outros, viver para os outros. Ou vocês podem compreender facilmente um homem que se afastou, que renunciou ao mundo e foi para um retiro nos Himalaias — não fala, permanece silencioso, não se mexe, não faz nada; nenhum serviço, nenhuma atividade social, nenhum ritual — ele simplesmente fica sentado em seu silêncio. Vocês também podem compreendê-lo: ele está em repouso.

Mas ambos escolheram uma polaridade. Elas podem ser pessoas muito boas — há pessoas boas —, mas não são perfeitas. Não mostram o sinal do Pai, porque a perfeição é o sinal. Precisam ser como Jesus: movendo-se e, contudo, em silêncio.

Movimento e repouso: viver no mundo, sem renunciar a ele — e, contudo, totalmente renunciado. Onde as contradições se encontram, o supremo aparece. Se você escolhe um, você perdeu, você "pecou", você perdeu a rota. Não escolha! Eis por que Lao Tzu, Jesus e outros dizem: "Não escolha!". Escolha e você perde. Seja sem escolha — deixe o movimento estar presente e deixe o repouso estar presente, e deixe o movimento e o repouso repousarem juntos. Seja uma sinfonia, não uma nota só. Uma nota só é simples, não há muito problema.

> *Ouvi contar que Mulla Nasruddin tinha um violino e que ele tocava uma única nota nele continuamente. A família toda ficava perturbada, a vizinhança ficava perturbada. E eles diziam: "Que tipo de música é essa?! Se você está aprendendo, então, aprenda direito! Você fica fazendo uma nota só o tempo todo! Isso é tão entediante, que até mesmo ao meio-dia a vizinhança toda cai no sono!".*
>
> *A esposa de Nasruddin então disse: "Chega! Durante meses e anos estamos ouvindo isso! Nunca vimos um músico assim! O que você está fazendo?".*

Nasruddin disse: "Os outros estão tentando achar a nota deles, e eu descobri a minha. Eis por que eles mudam: eles ainda estão a caminho, tentando descobrir a nota. E eu já a descobri; assim agora, não há mais necessidade — já alcancei a meta".

Uma nota só é simples, não há nenhuma necessidade de aprender muito, não é complicado. Mas com uma nota só perde-se tudo aquilo que é belo, porque quanto maior a complexidade, mais elevada é a beleza que aparece. E Deus é o mais complexo: todo o mundo está nele, todo o universo se encontra nele. Então, qual é o sinal do Pai? Ele só pode ser uma síntese, ele só pode ser uma sinfonia, onde todas as notas se dissolvem em uma.

"...movimento e repouso" é simplesmente simbólico. "Digam-lhes: 'É um movimento e um repouso'".

Tente seguir isso, tente fazer isso em sua vida. Os extremos são fáceis de serem escolhidos: você pode se mover na atividade e ficar perdido nela, ou você pode renunciar à atividade e ficar perdido no repouso. Mas ambos serão escolhas — você ficará tão longe de Deus quanto possível, porque Deus não rejeitou nada, ele não renunciou a nada.

Ele está em tudo, ele é tudo. Se você também se torna tudo, sem renunciar, sem rejeitar, sem nenhuma escolha, uma consciência-em-si sem escolha, então, você tem o sinal do supremo, o sinal de Deus.

Tome cuidado com os extremos! Eles são caminhos perigosos de onde a pessoa cai. Deixe ambos os extremos se encontrarem, então, surge um novo fenômeno — mais sutil, mais delicado, mais complexo, mais belo.

Chega por hoje.

Décimo Oitavo Discurso

Simão Pedro lhes disse:
"Deixe Maria sair do nosso meio,
porque as mulheres não são dignas da vida.

Jesus disse:
"Vejam, eu a conduzirei,
de forma a torná-la masculina,
pois ela também pode se tornar um espírito vivo
semelhante a vocês, homens.
Pois toda mulher, que se torna masculina,
entrará no reino.

Estaremos navegando em águas turvas hoje. Mas muitas coisas têm de ser compreendidas... — e não tenham preconceito de uma coisa ou de outra, porque o preconceito torna quase impossível a compreensão.

A primeira coisa: homem e mulher diferem basicamente — não apenas diferem, são opostos. Eis por que há tanta atração. A atração pode existir somente entre os opostos: o similar não pode ser muito atraente — o que quer que você seja, você está familiarizado com isso. Para um homem, a mulher é o desconhecido. Ela atrai, invoca, convida; nasce uma indagação, nasce uma curiosidade. Para a mulher, o homem é o desconhecido. Para o homem, Deus penetra neste mundo na forma de uma mulher, porque Deus é o desconhecido. Para a mulher, o homem representa o divino, porque ele é o desconhecido para ela. Daí, o oposto ser tão significativo.

Assim, a primeira coisa a ser compreendida: eles são diferentes; não apenas diferentes, mas opostos — mas não são desiguais, são equivalentes. Existe a diferença, existe a oposição, existe uma polaridade, mas eles não são desiguais, são equivalentes. Dois opostos são sempre equivalentes, caso contrário, não poderiam ser opostos um ao outro.

A segunda coisa a ser compreendida: que o corpo feminino existe para um propósito totalmente diferente; biologicamente, psicologicamente, quimicamente, ele tem uma função a realizar diferente da do corpo masculino. E ele é tão diferente do corpo masculino, que, a menos que você penetre nas camadas profundas da biologia, você não será capaz de compreender a diferença. Eles existem como se em dois mundos à parte.

A mulher carrega um útero. A própria palavra 'mulher' vem de "homem com um útero"[1]. E o útero é muito importante — nada é mais importante do que o útero, porque uma vida inteira surge através dele. Todo o fenômeno do movimento da vida passa por ele, ele é a própria porta de entrada para este mundo. E, devido ao útero, a mulher tem de ser receptiva, não pode ser agressiva. O útero não pode ser agressivo, tem de receber, tem de ser uma abertura, tem de convidar o desconhecido. O útero tem de ser um anfitrião, o homem será o convidado.

Devido ao útero ser um fenômeno central no corpo feminino, toda a psicologia da mulher difere: ela é não agressiva, não perquiridora, não questionadora, não duvidadora, porque todas essas coisas fazem parte da agressão. Você duvida, você perquire, você sai na busca; ela espera, o homem vai buscá-la. Ela não tomará a iniciativa, ela simplesmente espera — e ela pode esperar infinitamente.

---

(1)   Em inglês: *'woman'* vem de *'man with a womb'*. (N. da T.)

Essa espera tem de ser lembrada, porque isso fará uma diferença. Quando uma mulher entra no mundo da religião, ela tem de seguir um caminho totalmente diferente do homem. O homem é agressivo, duvida, perquire, sai do caminho para buscar, tenta conquistar tudo. Ele tem de fazer assim, porque ele existe em torno de um sêmen agressivo. Todo seu corpo existe em torno de uma sexualidade que tem de procurar, penetrar.

Todas as armas que o homem criou até agora — até mesmo a bomba, a bomba H — são puras projeções do sexo masculino, projeções do pênis. A flecha, o revólver, ou a bomba, penetram, alcançam, cruzam a distância. Vão até a lua... Uma mulher simplesmente rirá e pensará que isso é tolice — "Para que ir lá?" Mas para o homem, vale a pena arriscar sua vida, porque aquilo é uma espécie de penetração — penetração nos mistérios da vida.

Quanto mais distante a meta, mais apelo tem. O homem alcançará ao Everest, alcançará a lua, irá bem mais adiante; ele não poderá ser detido, não poderá ser impedido. Tudo que se torna conhecido, torna-se inútil — então, não mais interessa. Os mistérios mais profundos têm de ser penetrados, como se toda a natureza fosse a mulher — e o homem tem de penetrar e saber.

O homem criou a ciência; a mulher nunca pode ser científica, porque a agressão básica não existe nela. Elas podem ser sonhadoras, porque sonhar é uma espera, faz parte do útero, mas não podem ser científicas, não podem ser lógicas — a lógica também é agressão. As mulheres não podem ser céticas e desconfiadas; elas podem confiar, podem ser fervorosas, e isso é natural para elas, porque tudo faz parte do seu útero. E todo o corpo existe de modo que o útero possa sobreviver nele; todo o corpo é apenas um artifício natural para ajudar o útero. A natureza está interessada no útero, porque através do útero a vida entra na existência. Isso dá uma orientação totalmente diferente à mulher.

Para ela, a religião pode ser uma espécie de amor, não pode ser uma busca pela verdade. A própria frase, "busca da verdade", é de orientação masculina. Pode ser uma espera pelo seu amor, pelo ser amado; Deus pode ser um filho, um marido, mas Deus não pode ser a verdade. Isso pareceria tão vazio, tão insípido, tão seco, morto: parece não haver vida na palavra verdade. Mas para o homem, a verdade é a palavra mais significativa. Ele diz: "A verdade é Deus e, se você conhecer a verdade, você conheceu tudo". E o caminho que o homem estará tomando é o do conquistador: a natureza tem de ser conquistada.

Devido a essas distinções, tem havido sempre um problema. Surgiu com Buda, porque todo o método de Buda é de orientação masculina. Tem de ser assim, porque arquitetar métodos é novamente uma agressão. A ciência é uma agressão, o ioga também é uma agressão, porque todo o esforço é o de como penetrar o mistério e dissolvê-lo, como vir a saber; todo o esforço é o de como desmistificar o universo. É isto o que significa conhecimento: ficamos sabendo, agora, não há mais nenhum mistério.

A menos que o mistério se dissolva, o homem não pode descansar em paz. O universo *deve* ser conhecido, nenhum segredo tem permissão de permanecer um segredo. Assim, eles — homens — arquitetaram todos os métodos: Buda é um homem, Jesus é um homem, Zaratustra é um homem, Mahavira é um homem, Krishna é um homem. Nunca houve nenhuma mulher comparável a eles, que tenha arquitetado algum método. Tem havido mulheres que se tornaram iluminadas, mas mesmo assim não puderam arquitetar métodos, mesmo assim elas seguiram. Elas não podem, porque para arquitetar um método, uma metodologia, um caminho, é necessário uma mente agressiva.

As mulheres podem esperar, e podem esperar infinitamente. A paciência delas é infinita. Tem de ser assim, porque um filho tem de ser carregado durante nove meses. A cada dia, ele fica mais pesado e mais pesado e mais pesado, e cada vez mais e mais difícil. Você tem de ser paciente e esperar, e nada pode ser feito quanto a isso. Você tem de amar até mesmo a sua carga, e esperar e sonhar que o filho nascerá. E olhe para uma mulher, uma mulher que está para ser mãe: ela se torna mais bela, porque, quando ela espera, ela floresce. Ela atinge um tipo diferente de graça, uma aura a envolve quando ela vai se tornar mãe, porque, então, ela está no seu auge: a função básica para a qual seu corpo foi arquitetado pela natureza está se cumprindo. Agora, ela está produzindo flores, logo, logo, ela irá florir.

E olhe para os sonhos dela: nenhuma mãe, ou uma mulher que está para ser mãe, pode pensar que vai nascer um menino ou uma menina comum — uma criança única está sempre nos seus sonhos.

Alguns sonhos foram registrados: a mãe de Buda sonhou, a mãe de Mahavira sonhou e, na Índia, eles têm uma tradição de registrar os sonhos da mulher, sempre que nasce uma pessoa iluminada. Mas eu sempre suspeitei que é assim que toda mãe sonha. Você pode não registrar os sonhos dela — isso é uma outra coisa —, porque eles não são necessários... — mas toda mãe sonha que vai dar nascimento a um deus. Não é possível de outra forma. O sonho da mãe de Buda foi registrado, essa é a única diferença; o da mãe de vocês não foi registrado. Caso contrário, vocês viriam a saber que ela também estava sonhando com um Buda, um Jesus, com algo único... Porque não é uma questão de dar nascimento, *ela* vai ser renascida através disso.

Sempre que uma criança nasce, não somente a criança nasce — essa é uma parte da coisa. A mãe também nasce. Antes disso, ela era uma mulher comum; através do nascimento, ela se torna uma mãe. De um lado, o filho nasce, de outro lado, a mãe nasce. E uma mãe é totalmente diferente de uma mulher: existe uma distância, toda a existência dela se torna qualitativamente diferente. Antes, ela pode ter sido uma esposa, uma amante, mas repentinamente isso não mais é tão importante. Um filho nasce, uma nova vida entrou: ela se torna mãe.

Eis por que os maridos têm sempre medo dos filhos. Basicamente, eles nunca gostam dos filhos, porque uma terceira parte entra no relacionamento — não somente entra, mas a terceira parte se torna o centro. E depois disso, a mulher jamais é a mesma esposa, ela fica diferente. Depois disso, se um marido realmente quer amor, ele tem de se tornar exatamente como um filho, porque aquela mulher que se tornou mãe, jamais pode ser uma esposa comum novamente. Ela se tornou mãe, você não pode fazer nada quanto a isso agora. A única coisa que lhe sobra, é se tornar um filho para ela. Esse é o único modo de você conseguir o amor dela novamente, caso contrário, o amor ficará se movendo na direção do filho dela.

Uma mãe atingiu o auge. É como se o marido, o amante, fosse apenas um meio para ela se tornar mãe. Olhe para a diferença: uma mulher está buscando se tornar mãe, esperando se tornar mãe; o marido, o amante, é apenas um meio. Para o marido, os filhos não são a meta: o homem está buscando uma mulher para amar, uma amante e, se os filhos acontecem, eles são simplesmente acidentes. Ele tem de tolerá-los: eles estão ao lado da estrada, eles não são a meta, onde termina a estrada.

Isso fará uma diferença quando a pessoa se move no caminho para Deus. A questão surge nova e novamente. Milhares de mulheres ficaram interessadas em Buda, e elas queriam entrar no caminho, elas queriam ser iniciadas, mas Buda resistiu, Buda tentou evitar. A razão era que o método era basicamente de orientação masculina e, permitir mulheres, corromperia todo o esquema. Mas ele teve de conceder, porque era um homem de compaixão. E como milhares de mulheres vinham insistentemente para serem iniciadas, ele acabou concedendo. Mas ele disse com muita tristeza: "Minha religião ia ser uma força viva por cinco mil anos. Agora, ela será somente uma força viva por quinhentos anos". — porque o oposto entrou; agora, tudo seria um caos. E foi assim que aconteceu: o budismo desapareceu da Índia em quinhentos anos. Ele não pôde permanecer uma força viva, porque, quando uma mulher entra, muitos problemas entram com ela: ela introduz sua feminilidade, e o método é basicamente para o masculino.

Se você puder compreender o ponto de vista de Buda, Jesus parecerá mais compassivo. Então, você não pensará nele como um macho-chauvinista — ele não era: ele não era a favor do homem, contra a mulher. E seu método, que a igreja perdeu completamente, pode ser usado por ambos. E o homem que levantou a questão, é o homem que criou a igreja. Simão Pedro é o homem que criou toda a igreja, o cristianismo — e, é claro, ele tinha de ser o primeiro a levantar a questão.

Simão Pedro lhes disse:

"Deixe Maria sair do nosso meio,

porque as mulheres não são dignas da vida.

A igreja permaneceu antimulher: existiram mosteiros onde nenhuma mulher tinha permissão de entrar — a mulher parece ser a raiz causal do mal. O estranho sempre parece ser o mal, porque vocês não podem compreender. Se você puder compreender, então, algo pode ser feito. A mulher permanece sendo o mistério e, uma vez que uma mulher entre na sua vida, ela começa a dominá-lo. E a dominação dela é tão sutil, que você não pode se rebelar contra isso.

O homem sempre teve medo disso. Assim, aqueles que estão em busca de algum segredo na natureza, ou em Deus, gostariam de evitar a mulher, porque, uma vez que ela chegue, ela começa a dominar tudo. E ela quer sua total atenção: ela não gostaria de que Deus estivesse ali como um competidor, ela não gostaria de que a verdade estivesse ali como uma competidora; ela não permitiria nenhum competidor, ela é ciumenta. Assim, se alguém está querendo buscar, é melhor evitar as mulheres.

Consta que Sócrates disse... Um jovem perguntou a ele o que ele sugeria, se ele deveria ou não se casar. E ele perguntou ao homem certo. Ele pensou que estava perguntando ao homem certo, porque Sócrates tinha sofrido muito com o casamento. Ele teve uma mulher, Xantipa, uma das mulheres mais perigosas em toda a história da humanidade. E ele sofreu demais: continuamente, ela o importunava e o dominava, atirando coisas nele. Ela chegou até a derramar chá no seu rosto, deixando a metade do rosto dele marcada por toda a vida. Assim, o jovem estava certo ao perguntar àquele homem — Sócrates sabia. Sócrates disse: "A pessoa deve se casar. Se você conseguir uma boa esposa, você será feliz, e se você conseguir uma esposa como a minha, você se tornará um filósofo. Em ambos os casos, você lucrará".

Simão Pedro lhes disse — aos seus amigos e aos outros discípulos: *"Deixe Maria sair do nosso meio, porque as mulheres não são dignas da vida".*

Era perigoso dar permissão à entrada de mulheres — porque, então, os territórios ficariam anuviados, você não saberia aonde estava indo, você não saberia o que estava acontecendo. Para o homem, a mulher simboliza o misterioso, o desconhecido, o estranho; para o homem, a mulher simboliza o poético, o nebuloso, o ilógico, o irracional, o inconsciente. A mulher simboliza o absurdo. É sempre difícil descobrir alguma lógica no comportamento de uma mulher. Ela pula de um ponto para outro, há intervalos, ela é imprevisível. Aconteceu certa vez:

Houve uma briga demorada entre Nasruddin e sua esposa. E no final, como acontecia sempre, Nasruddin pensou que devia se render. É difícil brigar com uma mulher. Ela tem de vencer, caso contrário, ela criará tamanho problema, que não vale a pena, a vitória não vale a pena. Assim, Nasruddin pensou: 'Por que perder três ou quatro dias inteiros? E depois tenho que me render sempre! Assim, por que não me render agora?'. Assim, ele disse: "Tudo bem, concordo com você".

A esposa disse: "Agora não adianta mais — eu mudei de ideia".

E aqueles que estão em busca de Deus, têm sempre medo, porque, com mulheres, você nunca tem certeza. E é melhor não torná-las companheiras de viagem — elas criarão problemas, e o problema é multidimensional. O comportamento delas é ilógico, a mente delas é imprevisível. E não é somente isso, sempre há também uma profunda possibilidade de se apaixonar, uma profunda possibilidade de ser atraído para elas, uma profunda possibilidade da entrada do sexo. E uma vez que o sexo entre, todo o caminho é perdido, porque, agora, você está se movendo numa outra direção. Os monges, os buscadores, têm sempre de ter medo: o medo deles é compreensível. E este homem, Simão Pedro, estava dando a direção para os séculos vindouros, que a pureza da religião seria perdida, a racionalidade seria perdida...

Assim, ele disse: *"Deixe Maria sair do nosso meio..."* E Maria não era uma mulher comum — a mãe de Cristo! Nem essa deveria ter permissão... — *"..., porque as mulheres não são dignas da vida".* Que vida? A vida que eles estavam buscando, a vida eterna. Agora, tente compreender por que as mulheres não são capazes dessa vida.

Todo o foco da mulher é natural, ela vive na natureza, ela é mais natural do que o homem. Na Índia, nós a chamamos de *prakriti*, a própria natureza, a terra, a base de toda a natureza. Ela é mais natural: suas tendências, suas metas são mais naturais. Ela nunca pede pelo impossível, ela pede por aquilo que é possível. O homem tem algo nele, que sempre busca o impossível, ele nunca fica satisfeito com o possível — simplesmente tornar-se um marido satisfeito não é nada. Uma mulher ficará feliz se ela puder ser apenas uma esposa profundamente contente, uma mãe; então, sua vida está cumprida.

Os biólogos dizem que há uma razão: no homem, há um desequilíbrio fisiológico, um desequilíbrio hormonal; a mulher é mais completa, ela é como um círculo, equilibrada. Eles dizem que a primeira célula da qual você decide se você será homem ou mulher... Vinte e três cromossomos são dados pela mãe e vinte e três são dados pelo pai. Se os vinte e três da mãe e os vinte e três do pai fizerem vinte e três pares simétricos, então, há um profundo equilíbrio: uma menina nascerá. Eles se equilibram, fazem uma simetria; assim, uma menina nascerá. Mas o pai tem um par avulso de cromossomos, que, na mulher, são equilibrados. Se uma célula contendo vinte e três cromossomos incompletos entra e encontra o óvulo da mãe, então, nascerá um homem, nascerá um menino, porque haverá um desequilíbrio.

E vocês podem ver esse desequilíbrio até no primeiro dia em que nascem uma menina e um menino: o menino é inquieto desde o primeiro dia, a menina é tranquila desde o primeiro dia. Mesmo antes do primeiro dia, ainda no útero, as mães sabem, porque os meninos são inquietos; eles chutam, eles fazem coisas, mesmo no útero; uma menina simplesmente repousa, dorme. As mães podem ficar cientes se vai nascer um menino ou uma menina, porque um menino não fica quieto. Existe uma profunda inquietação no homem e, devido a essa profunda inquietação, ele está sempre se mexendo e fazendo alguma coisa, sempre interessado no distante, na jornada.

A mulher é mais interessada no lar, no circundante; uma mulher é mais interessada na fofoca da vizinhança próxima. Ela não fica muito preocupada sobre o que está acontecendo no Vietnã. Isso é muito distante. O que está acontecendo em Chipre, é sem significado. Ela não pode nem conceber porque seu marido continua lendo sobre Chipre... "Como isso entra na vida dele!?" E o marido acha que ela não tem interesse por assuntos mais elevados. Esse não é o ponto. Ela está à vontade consigo mesma; assim, somente o circundante lhe interessa. Se a mulher de alguém for embora com outra pessoa, ou se alguém estiver doente, ou se uma criança nascer, ou se alguém morrer, só essas coisas são notícias. Essas são as notícias — mais pessoais, mais domésticas: basta a vizinhança.

E uma esposa ou mãe mais contente nem se preocupará com a vizinhança, sua própria casa é suficiente. Está perfeito para ela, e a razão é biológica: seus hormônios, suas células estão equilibradas. Um homem tem uma inquietação, e essa inquietação lhe traz perguntas, dúvidas, movimento. Ele não pode ficar satisfeito a menos que descubra o supremo. E mesmo assim você não sabe se ele ficará satisfeito ou não, ou se ele novamente começará a perquirir sobre uma outra coisa. Isso faz uma diferença. E todas as religiões sempre existiram para alcançar o distante.

Assim, sempre que uma mulher vem a um Jesus, ela não está vindo em busca de Deus. Não, essa coisa distante não tem significado para ela. Ela pode ter se apaixonado por Jesus. Quando uma mulher vem a Buda, ela não vem para descobrir o que é a verdade — ela pode ter se apaixonado por Buda; Buda pode tê-la atraído. Essa tem sido minha sensação também: se um homem vem a mim, ele sempre diz: "Tudo o que você diz parece convincente, eis por que eu me apaixonei por você". Sempre que uma mulher fala, ela nunca diz o mesmo. Ela diz: "Eu me apaixonei por você, eis por que tudo o que você diz parece convincente".

Pedro está certamente com medo de que até Maria, a mãe de Jesus, crie problemas. Você estará se movendo em território desconhecido. É melhor permanecer com as fronteiras, com as definições. Não permita a entrada de mulheres! Você pode depender da mente masculina, você sabe como ela funciona, você conhece o próprio funcionamento dela. O homem funciona com o consciente e a mulher funciona com o inconsciente. Assim, o homem acumula detalhes, mas nunca pode ser muito profundo. A mulher não acumula detalhes, mas pode ser muito profunda em simples e pequenos fatos. O homem pode atingir o conhecimento, muito conhecimento, mas não o amor intenso. A mulher pode atingir o amor intenso, mas não muito conhecimento — porque o conhecimento é um fenômeno consciente e o amor é um fenômeno inconsciente.

Simão Pedro lhes disse: "Deixe Maria sair do nosso meio, porque as mulheres não são dignas da vida".

E todas as religiões basicamente permaneceram contra as mulheres, porque elas foram criadas pelo homem. Nada pode ser avaliado por isso, não se trata de uma avaliação, é simplesmente que elas foram criadas pelo homem. Ele tem medo das mulheres, ele queria que seu território fosse bem delineado, ele não gostaria que mulheres entrassem nele.

Assim, todas as religiões permaneceram basicamente homossexuais, elas não são heterossexuais. E todas as comunidades religiosas permaneceram homossexuais: os monges vivem numa sociedade homossexual. Se alguma vez permitiram mulheres, eles permitiram-lhes num *status* secundário: elas não devem decidir nada, simplesmente têm de seguir as regras — seja o que for que os homens tenham decidido que deva ser seguido —, de modo que elas não criem nenhum problema. E elas nunca tiveram a mesma importância, a mesma significância: foram postas de lado, receberam um papel secundário. Elas podem ser freiras, podem ter seus mosteiros, mas nunca serão importantes, não serão os fatores decisivos.

Você não pensa numa mulher se tornando um papa, impossível! Ela destruirá toda a estrutura, todo o sistema estabelecido.

Por estar pensando em termos de criar um sistema, uma igreja, uma grande organização de seguidores, por essa razão, Pedro diz: "As mulheres não devem ter permissão. E nós começaremos com a mãe de Jesus, porque, uma vez que ela tenha permissão, dando-lhe essa preferência por ser ela a mãe de Jesus, então, outras mulheres entrarão — e será impossível reter o caos".

Jesus disse:

"Vejam, eu a condizirei,

de forma a torná-la masculina,

pois ela também pode se tornar um espírito vivo

semelhante a vocês, homens.

Pois toda mulher, que se torna masculina,

entrará no reino".

Jesus disse: *"Eu a conduzirei, de forma a torná-la masculina".* O que ele quer dizer com isso? Tornar uma mulher masculina significa tornar seu inconsciente consciente: trazer sua escuridão interna para dentro da mente consciente; assim, o inconsciente desaparece e ela se torna um todo consciente; fazer seu lado misterioso não um empecilho, mas um degrau. Isso pode ser feito, mas é preciso um grande mestre para isso: um mestre verdadeiramente grande, que seja ambos, masculino e feminino, que tenha atingido à perfeição interna, onde seu próprio masculino e feminino tenham se dissolvido e ele não mais esteja dividido; aquele que se tornou assexual, que não é nem masculino nem feminino.

Só ele pode ajudar, porque ele compreende os dois. Assim, Jesus diz: *"Eu a tornarei masculina"*.

O que ele está dizendo? Irá ele mudar seu corpo? Não, não é esse o caso. O corpo não é o ponto: há mentes femininas em corpos masculinos, e há mentes masculinas em corpos femininos. Uma Madame Curie é possível, e ela pode ser uma cientista tão perfeita e tão racional quando qualquer outra pessoa; o corpo é feminino, mas a mente não é. E há homens que podem ser tão absurdos quanto qualquer mulher. Chaitanya Mahaprabhu era um perfeito homem, ele era um grande lógico, um filósofo. A história o teria registrado como um dos maiores lógicos se ele tivesse permanecido nisso. Mas, então, ele renunciou a toda a lógica, ficou louco, começou a dançar e a fazer *kirtan* nas ruas. Ele ficou feminino, até seu rosto ficou feminino, muito gracioso: até seu corpo foi atrás, ele ficou com formas arredondadas, as curvas entraram no seu corpo. E ele começou a amar a Deus como uma amada, dançando e cantando. Isso aconteceu mesmo.

O que Jesus está dizendo? Ele está dizendo que o inconsciente da mulher pode ser mudado em consciente, então, ela se torna totalmente diferente. "E eu farei isso. *Vejam, eu a conduzirei, de forma a torná-la masculina.*" O que ele quer dizer por *"torná-la masculina"*?

Os homens não devem pensar que estão em alguma posição mais alta. Isso somente se refere à escuridão interna da qual uma mulher comumente vive, a partir da qual ela tem de viver, porque ela é mais orientada pelo corpo. A natureza precisa mais dela do que do homem: o homem fica apenas na periferia, ele é dispensável; a mulher não é dispensável.

O homem não é tão necessário, eis por que vocês não encontram pais na natureza. As mães estão em toda parte — com os pássaros, os animais, os peixes, as mães estão em toda parte — mas não os pais. Somente na sociedade humana você encontra o pai, porque o pai é apenas uma formalidade, uma convenção social; o pai não é um fenômeno natural. Os linguistas dizem que 'tio' é uma palavra mais antiga do que 'pai'; 'pai' entra na existência muito depois. Quando o relacionamento "um homem - uma mulher" fica estabelecido, então, surge o pai. Mas o tio já estava presente, porque todos os homens eram tios para a criança, ninguém sabia quem era o pai. Exatamente como com os animais, ninguém sabe quem é o pai, mas todos os machos são tios.

Pode haver novamente um mundo onde o pai desapareça, há uma possibilidade, porque o pai entrou na existência com a propriedade privada. Surgida a propriedade privada, o pai entrou na existência. Então, ele não somente dominou sua propriedade privada, como também guardou sua mulher particular. A propriedade privada irá acabar um dia ou outro. Uma vez que a propriedade privada acabe, o pai se dissolverá.

No Ocidente, o fenômeno já começou: há muitas mulheres sozinhas com seus filhos, o pai foi dispensado. Isso irá aumentar cada vez mais e mais. Mas a mãe não pode ser dispensada, a natureza precisa mais da mãe. Eis por que a mãe é um fenômeno mais corporal: as mulheres têm mais consciência do corpo do que os homens. Se elas levam muito mais tempo quando estão se vestindo, essa é a razão. Você pode continuar buzinando e elas não vêm e elas não vêm...

Certa vez eu ouvi de uma mulher... Eu estava sentado no carro e o marido dela estava buzinando. Ela olhou para fora da janela e disse: "Eu já lhe disse mil vezes que estou indo em dois minutos!". E ela estava exatamente certa, porque durante uma hora ela esteve dizendo: "Estou indo em dois minutos". Por que tanto tempo para se vestir? Ela é mais consciente do corpo. O homem é mais mente, a mulher é mais corpo.

Uma atriz famosa disse uma vez — quando ela disse isto, as pessoas pensaram que ela era muito humilde, modesta, e não se espera que as atrizes sejam assim —, ela disse: "Eu sei que não sou muito bela, mas o que é a minha opinião contra a opinião do espelho?". O que é a *minha* opinião contra a opinião do espelho?! "Eu sei que não sou muito bela, mas o espelho diz: 'Você é a mais bela'".

Elas ficam horas paradas em frente ao espelho, olhando para si mesmas. Um homem nem pode imaginar o que está acontecendo.

Mulla Nasruddin estava matando moscas certo dia e disse para sua esposa: "Eu matei duas mulheres e dois homens, duas moscas machos e duas moscas fêmeas".

Sua esposa ficou espantada e perguntou: "Como você ficou sabendo qual era macho e qual era fêmea?".

Ele disse: "Duas estavam pousadas no espelho".

As mulheres são mais conscientes do corpo, mais corporais, mais enraizadas — eis por que vivem mais do que os homens, quatro anos a mais do que os homens. Eis por que há tantas viúvas: elas sempre exaurem o marido primeiro. Nascem cento e vinte meninos para cada cem meninas, mas, por volta dos quatorze anos, vinte meninos já morreram, e a natureza mantém seu equilíbrio. Só para manter o equilíbrio, a natureza faz nascer cento e vinte meninos para cada cem meninas, porque aquela centena de meninas, por volta dos quatorze anos, ainda serão cem, mas os vinte meninos desaparecerão.

Se você é muito inquieto, sua inquietude dissipa energia. Se tudo for levado em conta, então, a mulher é o sexo mais forte: ela vive mais tempo, ela fica menos doente — ela pode fingir, isso é uma outra coisa, mas ela fica menos doente. Ela é mais saudável, a vida é mais forte nela, ela pode resistir às doenças mais facilmente do que o homem. Veja: quando é inverno, o homem anda com seus capotes e suéteres, e as mulheres andam sem mangas e nada lhes acontece. Elas têm mais tolerância, mais resistência, são mais protegidas, porque são mais enraizadas no corpo.

O homem vive na cabeça, é mais mental. Eis por que os homens ficam loucos, mais homens cometem suicídio e menos mulheres. As mulheres não são tão fracas; o homem é mais fraco, porque a mente não pode ser tão forte quanto o corpo. A mente entrou na existência muito mais tarde, o corpo tem uma longa experiência. Mas esse enraizamento no corpo se torna um problema quando elas entram no caminho para Deus.

Na vida, na vida natural, as mulheres são as vitoriosas. Mas uma vida espiritual vai contra e além da natureza. Então, seu enraizamento no corpo se torna um problema: a menos que toda a sua mente se torne consciente, o enraizamento no corpo não as vai abandonar. Elas estão muito profundamente enraizadas nele. O homem é como um pássaro, voando, e elas são como as árvores, enraizadas. Elas pegam mais nutrientes, é claro, e quando quer que um pássaro — um homem — queira descansar, ele tem de ir até a sombra de uma mulher, sob a árvore, para ser nutrido, agasalhado. Isso é bom no que tange a vida comum natural, é de ajuda; as mulheres são as vencedoras ali. Mas, quando a pessoa começa a se mover além da natureza, então, a própria ajuda se torna uma barreira.

Jesus diz: *"Eu a conduzirei, de forma a torná-la masculina, pois ela também pode se tornar um espírito vivo..."*.

Ela é um corpo vivo e o caminho é mais longo para ela. Pense três coisas: o corpo vivo, a mente viva e o espírito vivo. Essas são as três camadas. A mulher é o corpo vivo, o homem é a mente viva e, além dos dois, existe o espírito vivo, o *atma*. A partir da mente é uma distância mais curta, mover-se em direção ao espírito; a partir do corpo, uma distância maior tem de ser atravessada. Mas não se desencoraje por isso de modo algum, porque, na natureza, tudo é equilibrado. É difícil, porque a distância é longa, mas, de outro modo, é mais fácil, porque uma mulher é um fenômeno simples. O homem é muito complexo e suas complexidades criam problemas.

A partir da mente, o espírito está mais perto, mas, para dar o salto a partir da mente não é fácil, porque a mente vive criando dúvidas. Uma mulher pode dar um salto facilmente: ela é enraizada no corpo, ela é confiança, ela não tem dúvidas. Uma vez que uma mulher se apaixone por um homem, ela pode ir com ele para o inferno, ela nem liga. Uma vez que haja confiança, ela seguirá. Eis por que uma mulher nunca pode imaginar como um homem pode se enganar tão facilmente, como um homem pode ser tão incrédulo tão facilmente. Isso é impossível para ela conceber, porque ela jamais é assim. Ela está sempre confiando e vive com sua confiança e não pode conceber como um homem pode ser incrédulo tão facilmente.

Assim, há dificuldades; como o corpo fica mais distante da alma, existe uma lacuna. Mas há uma ajuda também: é que a mulher pode dar um salto facilmente. Uma vez que ela se apaixone, em confiança, ela pode saltar. Assim, não tem havido muitos mestres no mundo das mulheres, mas tem havido grandes discípulas. E nenhum homem pode competir com as mulheres no que tange ao discipulado, porque uma vez que confiem, elas confiam.

Olhe, ande pela Índia: você verá monges *jainistas*, e olhe e veja as freiras *jainistas*. Os monges jainistas parecerão bem comuns. Sua roupa é diferente, mas eles são negociantes comuns. Se suas roupas forem trocadas e eles forem postos no mercado, vocês não descobrirão qualquer distinção. Mas as freiras *jainistas* são diferentes: elas têm uma pureza; uma vez que confiem, elas têm uma pureza. Olhe para as freiras católicas. Elas são diferentes dos padres católicos e dos monges católicos. Os monges são espertos e vocês não podem acreditar se eles são realmente celibatários ou não. Se forem absolutamente tolos, então tudo bem; mas se tiverem um pouco de inteligência, eles descobriram um jeito... Mas as freiras? Elas são celibatárias, você pode confiar delas. Uma vez que dão o passo, elas se mantêm firmes.

Assim, há dificuldades, porque a distância é longa, mas há também capacidades que ajudam, porque o salto é certo. Uma vez que decidam, o salto é dado, então, elas não titubeiam. O corpo não conhece nenhuma vacilação, somente a mente conhece vacilações.

Jesus disse: "Vejam, eu a conduzirei, de forma a torná-la masculina, pois ela também pode se tornar um espírito vivo semelhante a vocês, homens. Pois toda mulher, que se torna masculina, entrará no reino".

Esta é uma parte do ensinamento de Jesus, a outra parte não foi registrada. A razão pode ser porque não havia nenhuma mulher para registrá-la — isto também foi registrado por um homem. Mas eu sei que há uma outra parte, e eu devo contar-lhes, de modo que fique registrado.

Na suprema culminação, no crescendo do ser espiritual, o masculino se torna feminino tanto quanto o feminino se torna masculino. Não é via única, não pode ser, porque vocês dois são extremos, opostos. Se a mulher se torna como o homem, então, o que se tornará o homem? Ele se tornará como a mulher, então, os opostos se dissolvem.

Uma mulher terá de transformar seu inconsciente em consciente, sua irracionalidade em racionalidade, sua fé em pesquisa, sua espera em movimento. E um homem terá de fazer exatamente o oposto: ele terá de fazer do seu movimento um repouso, da sua inquietação uma tranquilidade, uma imobilidade, de sua dúvida uma confiança; e ele terá de dissolver seu racional no irracional. Então, um ser suprarracional nasce. De ambos os lados eles têm de se mover: o homem tem de se mover da sua masculinidade, a mulher tem de se mover da sua feminilidade. Porque uma mente que é masculina, é metade; e a metade não pode saber do todo. Uma mente que é feminina, é metade; e a metade jamais pode saber do todo. Ambos têm de se mover de suas posições estáticas, tornarem-se líquidos, fundirem-se um no outro, tornarem-se assexuais.

Os hindus têm muita clareza sobre isso. Seus termos para o supremo, *brahma*, não pertence a nenhum gênero. Em inglês, fica difícil, porque há somente dois gêneros[2], mas em sânscrito eles têm um para o masculino, um para o feminino e um para o que transcendeu a ambos. *Brahma* é o terceiro, o gênero neutro, e alguém que chega a *Brahma*, se torna como *Brahma*: masculino não será masculino e feminino não será feminino: suas oposições desaparecerão. E somente então o ser é completo; então, o ser está livre, então, o ser fica liberado.

Jesus deve ter falado dessa outra parte também. Ela não foi registrada, porque, sempre que registramos, registramos de acordo conosco mesmos. Estou lhe dizendo muitas coisas, sua mente está registrando continuamente, mas você registrará de acordo consigo mesmo. Você deixará de fora muitas coisas e nem ficará ciente de que as deixou de fora. Este é o problema: você pode não estar ciente, você pode não as estar excluindo conscientemente. Você simplesmente não as registrará, sua memória não as registrará; você simplesmente as abandonará, você registrará de acordo consigo mesmo.

E, naquele tempo, isso era um problema maior, porque Jesus ia falando, os discípulos ouviam, e as palavras não eram registradas na mesma hora. Às vezes, anos se passavam, às vezes, centenas de anos se passavam, e aquilo passava de uma pessoa a outra e, então, era registrado. Havia uma completa mudança.

Faça um pequeno experimento, então você saberá: junte vinte amigos e sentem-se em um círculo. Dê um pedaço de papel a todos e, então, escreva uma frase. A primeira pessoa do círculo escreve a frase no seu pedaço de papel e diz a frase no ouvido da pessoa seguinte. Essa pessoa ouve a frase, escreve no seu papel, guarda o papel com ela e diz a frase no ouvido da terceira pessoa. Deixe a

---

(2)   Em português também fica difícil, desde que a língua ignorou o neutro do latim. (N. da T.)

frase ir sendo registrada, e você ficará surpreso: quando ela volta à primeira pessoa, já não é a mesma frase, muita coisa mudou, muita coisa foi acrescentada, muito foi abandonado. Se isso pode acontecer dentro de um experimento de meia hora, então, quando as palavras foram levadas na memória durante séculos, é natural que muito tenha sido mudado. A outra parte está faltando.

Para um homem como Jesus, não é uma questão de masculino e feminino, é uma questão de tornar-se inteiro. A pessoa tem de deixar sua parte e alcançar o todo. Assim, não pense que você é masculino e que dessa forma tem alguma prioridade; não pense que você é um homem, portanto, Deus está mais perto de você, não pense que você é um homem, portanto você não tem nada a fazer, que você já fez muito só por ser um homem. Não, você também terá de se tornar feminino, tanto quanto uma mulher tem de se tornar masculina. Vocês dois têm de se mover do seu estado estático e tornar-se dinâmico, fundindo-se um no outro. Vocês dois têm de ir além das partes e tornarem-se o todo.

Assim, eu gostaria de dizer-lhes que eu conduzirei os homens até tornarem-se mulheres, e eu conduzirei as mulheres até tornarem-se homens, de modo que ambos se dissolvam, de modo que a transcendência seja alcançada e o sexo desapareça, porque o sexo existe na divisão. Você está ciente do que a palavra 'sexo' significa? A raiz original no latim significa "divisão", dividir. Assim, quando você chegar a Deus, você não será nem homem nem mulher. Se você for homem, você ainda está dividido — como você pode chegar ao todo? Assim, não faça desse discurso uma viagem de ego masculino, ele não é. Fizeram isso na igreja.

Tente compreender que a parte tem de ser deixada para trás, de modo que você se torne o todo. Você não deve ficar identificado com nenhuma divisão, de modo que o indivisível possa entrar em você.

Simão Pedro lhes disse: "Deixe Maria sair do nosso meio, porque as mulheres não são dignas da vida".

Essa é a mente de Simão Pedro, não a mente de Jesus. Está fadado a ser assim: é a mente de um discípulo. Ele ainda não é iluminado, não pode ver o indivisível, pode somente ver de acordo com a sua mente. Um discípulo é meio cego. Ele já começou a ver, mas ainda não completamente. Um mestre está completamente aberto, ele pode olhar para todos os fragmentos. Um discípulo ainda está no mundo da ignorância, da divisão. Esse é Simão Pedro, a mente dele. E, quando Jesus se for, Simão Pedro se tornará mais importante do que Jesus, porque Simão Pedro será mais compreensível para as pessoas — ele pertence ao mesmo mundo delas.

Pedro criou a igreja, ele se tornou a pedra — a palavra 'pedro' significa "pedra". E toda a igreja se ergue — ele realmente provou ser uma pedra muito forte! Ninguém provou ser uma pedra tão forte, nenhum discípulo de Buda, nenhum discípulo de Mahavira provou ser como Pedro, porque a igreja católica é a igreja mais forte que já existiu na terra. Mas é por isso que ela é mais perigosa também: força em mãos erradas. E, quando um mestre não existe mais, os discípulos se tornam mestres, eles começam a decidir as coisas. É claro, a atitude deles só pode ser um preconceito, uma verdade compreendida pela metade, uma verdade meio cozida. E lembrem-se bem: uma mentira é melhor do que uma meia verdade, porque uma mentira pode ser exposta algum dia, mas você não pode expor uma meia verdade.

Uma mentira será destronada num dia ou noutro, porque você não pode enganar as pessoas para sempre e para sempre. Mas uma meia verdade é muito perigosa: você não pode expô-la, porque ela leva um elemento da verdade. E esse ensinamento é uma meia verdade: ele carrega um elemento, que o feminino tem de se tornar masculino. Mas isso é uma meia verdade e, se você faz disso a verdade toda, é muito perigoso. A outra metade tem de ser acrescentada. Eis por que eu disse que estaríamos navegando em águas turvas.

Eu gostaria de acrescentar a outra metade: todo homem tem de se tornar como uma mulher, porque ele também tem de aprender a esperar; ele também tem de aprender receptividade; ele também tem de aprender a não agressividade, a passividade; ele também tem de aprender a compaixão, o amor, o serviço — todas as qualidades da mente feminina. Somente então, quando você é inteiro — nem masculino nem feminino — você se torna mesmo capaz de entrar no reino. Então, você é um deus em si mesmo, porque Deus não é nem masculino nem feminino — ele é ambos, ou nenhum dos dois.

Lembrem-se da outra parte da verdade também, caso contrário, você perderá. Ninguém é mais capaz de entrar no divino, ninguém é menos capaz. Há diferenças, mas, no todo, se você leva em conta o todo, todos são igualmente capazes de entrar no divino; todos, eu digo, são *igualmente* capazes. Mas há tolos que sempre usarão suas qualidades negativas e, então, não poderão entrar. E há sábios que usarão suas qualidades positivas e, então, poderão entrar.

Por exemplo: a mente feminina tem ambas as qualidades, a negativa e a positiva. A positiva é amor, a negativa é o ciúme; a positiva é o compartilhar, a negativa é a possessividade; a positiva é a espera, a negativa é a letargia, porque a espera pode parecer espera e não ser; pode ser apenas letargia. E o mesmo acontece com a mente masculina: a mente masculina tem uma qualidade positiva que indaga, vai à busca, e uma qualidade negativa que está sempre duvidando. Você pode ser um indagador sem a dúvida? Então, você escolheu o positivo. Mas você também pode ser um homem desconfiado sem indagar, simplesmente sentado e duvidando.

Um filósofo na segunda guerra mundial foi para o *front*. Então, chegou uma carta e uma foto de sua namorada que ele estava esperando. Ela estava sentada numa praia e um outro casal estava ao fundo, um casal feliz, muito apaixonado um com o outro, em êxtase. E ela estava sentada sozinha, deprimida, triste. Por um momento, ele se sentiu muito feliz de que sua namorada estivesse triste por ele, mas no momento seguinte ele duvidou: "Quem foi o cara que tirou esta foto?". Então, ele ficou preocupado, porque devia haver uma outra pessoa que tinha tirado a foto — "Quem é o cara?". Então, ele não pôde dormir a noite toda.

É assim que a dúvida negativa funciona. Um homem tem uma qualidade positiva, pois ele está em busca do repouso, e uma qualidade negativa, pois ele é inquieto. Só por ser inquieto, não há nenhuma necessidade de ficar identificado com isso. Você pode usar sua inquietação como um trampolim para atingir um repouso tranquilo. Você tem uma energia, um ímpeto para fazer algo — você pode usar esse ímpeto para se tornar um não fazedor, você pode usar esse ímpeto para ser um meditador. O negativo tem de ser usado a serviço do positivo, e cada pessoa tem os dois. Sempre que há uma qualidade positiva, bem ao lado existe a negativa. Se você prestar muita atenção ao negativo, você perderá; preste mais atenção ao positivo e você alcançará.

E macho e fêmea, ambos, têm de fazer isso. Então, acontece o fenômeno mais belo do mundo. Esse fenômeno é uma pessoa indivisível, uma unidade, um todo, um cosmos interno; uma sinfonia onde todas as notas se tornaram auxiliares umas das outras, não um ruído, mas dando um ritmo, uma cor ao todo. Elas fazem o todo, criam o todo, não são contra o todo, não mais são fragmentos, entraram numa unidade. Isso é o que Gurdjieff chama de "cristalização interna", ou o que os hindus chamaram de "atingir o si-mesmo", e o que Jesus chama de "entrar no reino de Deus".

Chega por hoje.

DÉCIMO NONO DISCURSO

Jesus disse:

Um homem tinha convidado amigos para um jantar e,

quando tudo já estava preparado,

enviou seu empregado para chamar os convidados.

Ele foi ao primeiro, e disse:

"Meu senhor vos está convidando".

Ele respondeu:

"Eu tenho algumas questões contra alguns comerciantes;

eles virão esta noite aqui;

tenho que estar presente para lhes dar as minhas ordens.

Rogo ser desculpado pelo jantar".

Ele foi a um outro, e lhe disse:

"Meu senhor vos convidou".

Ele respondeu:

"Eu comprei uma casa e eles me requisitaram por um dia.

Não terei tempo".

Ele foi a um outro, e disse:

"Meu senhor vos convida".

Ele respondeu:

"Um amigo meu vai se casar e estou preparando um jantar;

não poderei ir.

Rogo ser desculpado pelo jantar".

Ele foi a um outro, e disse:

"Meu senhor vos convida".

Ele lhe disse:

"Eu comprei uma fazenda

e terei que coletar o dinheiro do aluguel.

Não poderei ir. Rogo minhas desculpas".

O empregado voltou e disse ao seu patrão:

"Aqueles que vós convidastes para o jantar,

desculparam-se".

O patrão disse ao empregado:

"Vá pela estrada,

traga os que encontrar para virem jantar.

Comerciantes e negociantes

não entrarão nos lugares de meu pai".

Jesus fala por parábolas. As parábolas são muito simples, mas muito significativas. Não são literais; assim, teremos de compreender seu significado simbólico. Esta parábola de hoje está relacionada a um tipo determinado, não exatamente a comerciantes e negociantes, mas ao tipo. Você pode não ser um negociante, mas ser o tipo; você pode ser um negociante e não ser o tipo.

Assim, lembrem-se: há um determinado tipo e esse tipo determinado constitui quase noventa e nove por centro das pessoas: os negociantes e os comerciantes estão por toda parte. Eles podem estar fazendo outra coisa, mas a mente deles é a de um negociante. Assim, a primeira coisa a ser compreendida: quem é um negociante, quem é um comerciante?

Um negociante é aquele que fica ocupado com coisas insignificantes, que fica ocupado com o trivial, que fica ocupado com o exterior, que fica ocupado com coisas, mercadorias, mas não com ele mesmo. Ele se esqueceu completamente de si mesmo, está perdido no mundo. Pensa em dinheiro, posses, mas nunca em consciência, porque a consciência não é uma mercadoria, ela não pode nem ser vendida nem comprada, não tem utilidade. Um negociante é um utilitarista: poesia é insignificante, religião é insignificante, Deus é insignificante, porque não podem ser convertidos em objetos rentáveis, você não pode ganhar dinheiro com isso. E o dinheiro é a coisa mais significativa para esse tipo. Ele pode até se vender, pode se perder, pode destruir toda a sua vida, só para acumular dinheiro. Essa é a primeira característica do tipo.

Eu ouvi contar que dois negociantes se encontraram no mercado. Era a alta estação do ano. E um disse para o outro:

— Você ouviu dizer que o Sheik Fakhrunddin, o fabricante de roupas, morreu esta manhã?

O outro disse:

— O quê!? Logo no meio da temporada!?

Nem a vida é importante, nem a morte, somente a temporada. Sua medida é o dinheiro, ele mede um homem com dinheiro: quanto você conseguiu, não "quem você é" — essa é a importância. Se você tem dinheiro, você é importante, se você não tem dinheiro, você é um ninguém. Se ele lhe presta respeito, ele presta respeito às suas posses, nunca a você. Se você perder suas posses, ele nem olhará para você. Certa vez aconteceu:

Um ricaço ficou pobre. Ele estava na miséria e estava dizendo à esposa:

— *Acreditei que tinha muitos amigos. Cinquenta por cento deles já me deixaram, e os cinquenta por cento restantes ainda não sabem que fiquei pobre.*

Todos irão embora, nunca estiveram com você. Você não pode ter uma amizade com um negociante. Não, ele é amigo apenas do dinheiro que você tem. No momento em que o dinheiro não existir mais, a amizade desaparece — ela nunca esteve dirigida a você.

Você não pode se relacionar com um negociante, é impossível: você não pode ser uma esposa, não pode ser um marido, não pode ser um filho, não pode ser um pai para um negociante, porque ele se relaciona somente com o dinheiro. Tudo o mais está além do ponto, sua meta é o dinheiro. Se o filho dele começa a ganhar dinheiro, o filho tem valor; se o pai é rico, então, ele é seu pai; se ele é pobre, você não gostaria de que as pessoas soubessem que ele é seu pai.

Isso realmente acontece todos os dias na vida: você reconhecerá um pai que é rico; se ele for pobre ou um mendigo, você não o reconhecerá — você reconhece somente o dinheiro. O negociante — o tipo — não pode amar, porque o amor é o fenômeno mais antidinheiro do mundo.

O amor está interessado no ser. O amor é compartilhar, é dar — não somente o que você possui, mas o que você é. Um negociante nunca pode ser um amante, e um negociante sempre pensa que os amantes são um pouco loucos, que ficaram malucos: estão fora dos sentidos, vivem fazendo absurdos. "Por que você está desperdiçando seu tempo? Tempo é dinheiro!" — é isso o que diz um negociante.

Eu ouvi falar de um negociante que comprou cem relógios e os espalhou pela casa inteira. Alguém perguntou:

— *O que você está fazendo?* — *Ele disse:*

— *Eu ouvi dizer que tempo é dinheiro; assim, quanto mais relógios, melhor!*

Todo seu interesse é dirigido para as coisas, não para as pessoas. O amor está interessado em pessoas, a mente orientada pelo dinheiro está interessada nas coisas. E esse tipo de homem está continuamente ocupado: nunca descansa. Não pode, porque há sempre cada vez mais e mais a ser acumulado. Não há fim para isso.

Um homem de amor pode descansar. Há uma satisfação quando ele descansa. Mas um homem atrás de dinheiro não pode descansar nunca, porque não há fim para aquilo. E nunca há satisfação, porque o dinheiro não pode satisfazer a alma: a alma continua vazia, o interior permanece um recipiente vazio. Você vai pondo coisas dentro dele, mas elas nunca tocam o seu vazio interior. Quanto mais você acumula, mais você fica ciente de que está vazio, de que suas mãos estão vazias: o dinheiro está com você, mas você perdeu a si mesmo. Todo o seu esforço é para não olhar para esse fato, porque isso é muito doloroso.

O negociante corre atrás do dinheiro cada vez mais e mais. Ele quer se esquecer completamente dele mesmo no dinheiro — o dinheiro se torna um intoxicante. Ele está sempre ocupado, está sempre ocupado com "coisa-nenhuma". Eu digo "coisa-nenhuma", porque no fim aquilo tudo se prova nada. Tudo o que você possui prova ser exatamente como se você tivesse fazendo desenhos na água: eles desaparecem; a morte vem e todo o seu esforço é anulado. A morte nega o negociante.

Eu gostaria de lhes dizer que somente o negociante morre, mais ninguém — mas eles constituem noventa por cento das pessoas. Somente o negociante morre, porque somente ele acumula coisas, e a morte pode acabar com todas as coisas. A morte não pode levar seu amor, a morte não pode levar seu prazer, a morte não pode levar sua meditação, a morte não pode levar o seu Deus. Mas um negociante somente fica interessado em Deus se houver algum negócio a ser feito. Aconteceu certa vez:

> *O tempo estava ruim e tempestuoso, e um avião estava perdido. A neblina era tão densa que todos ficaram com medo, apavorados. Um reverendo estava a bordo; exceto ele, todos estavam chorando, gritando, transpirando. O momento era perigoso — a qualquer momento, a morte. Até o piloto estava transpirando, nervoso. O reverendo disse a todos para se ajoelharem e rezarem. Todos — exceto o negociante, um homenzinho — se ajoelharam e começaram a rezar. O reverendo perguntou ao negociante:*
>
> *— Por que você não está rezando? — O homem disse:*
>
> *— Desculpe-me, Padre, porque eu não sei rezar. Nunca rezei.*

E não havia tempo para ensinar o homem: a qualquer momento o avião podia cair, a qualquer momento ele podia colidir contra alguma coisa. Assim, o reverendo disse:

— Tudo bem, não há mais tempo agora. Assim, comporte-se como se estivesse numa igreja.

O negociante começou a andar pela aeronave coletando dinheiro das pessoas.

O tipo — até no momento da morte ele conhece somente um jeito de se comportar na igreja: coletando dinheiro. No momento final, o dinheiro ainda permanece o foco. Essa é a primeira coisa a ser compreendida, então, você será capaz de compreender aquelas sentenças.

Segunda coisa: nesta parábola, Jesus diz que o convite de Deus está sempre presente. Muitas vezes ele vem e bate, ou sua mensagem vem e bate à sua porta. Ele o convida para um jantar, mas você está sempre ocupado e não pode ir. Você quer ser desculpado.

Pense sobre si mesmo: se um mensageiro vem e o convida, você está pronto para ir? Você tem tantas coisas para fazer e acabar antes... — e você nunca será capaz de terminá-las, porque não há fim para elas. O convite é rejeitado. Você diz: "Eu teria ido, teria adorado ir..." — mas isso tudo são coisas falsas. Por que você não pode aceitar o convite? Porque coisas mais importantes têm de ser feitas: há um casamento e você tem de ir, porque é um relacionamento de negócio; ou você comprou terras e tem de ir receber o aluguel; ou alguma outra coisa. Deus é sempre o último item na lista de um negociante. E este nunca chega ao último item — antes disso, a morte chega.

Deus é o fenômeno mais inútil. As pessoas vêm a mim e perguntam: "Por que meditar? O que conseguiremos com isso?". Elas estão perguntando: "Qual é o lucro? O que vamos ganhar com isso?". E se eu digo "nada", elas simplesmente não podem compreender.

Por que as pessoas vêm a mim? Para aprender nada? Para não alcançar nada? O negociante precisa de algo visível, tangível. Se ele medita e o dinheiro começa a cair sobre ele, então, vale a pena; se ele medita e se torna bem-sucedido no mundo, então, vale a pena; se ele medita e a doença desaparece, então, vale a pena.

Mas se você diz "nada", ou "Deus" — que significa o mesmo, só a palavra difere, porque Deus é o nada —, se você usa as formas de medir que se usa no mundo, o que é Deus? Você não pode categorizá-lo. Onde você o colocará? Em que categoria? Como você irá rotulá-lo? E como você decidirá o preço? Ele é nada, ele não pertence a este mundo. De que modo você pode usá-lo? Você não pode usá-lo, porque Deus não é uma utilidade, é um êxtase.

Um êxtase não pode ser usado. Você pode desfrutá-lo, mas não pode usá-lo. Qual é a diferença entre desfrutar e usar? Você olha para uma árvore, para o verde, o sol nascendo — você desfruta isso, mas você não pode vender isso. Você olha para uma flor, e se deleita com ela. Mas o negociante colherá a flor para vendê-la no mercado. Você não pode pegar Deus e ir vendê-lo no mercado. Vocês têm tentado; é por isso que existem templos, mesquitas, *gurudwaras*, igrejas. É desta forma que o negociante se comporta com Deus: ele tenta vendê-lo também e ganhar algo com isso. É um grande negócio.

E o sacerdote é o negociante que virou religioso — ele não é religioso, absolutamente. Eis por que ele está sempre contra Jesus, Buda, Nanak, Kabir: ele é contra todos eles, porque essas pessoas são perigosas, elas destroem todo o negócio. Um negociante não está interessado em Deus, em poesia, em oração, em amor, em beleza, em divindade; ele não está interessado em êxtase. Simplesmente desfrutar não significa nada para ele. Ele diz: "Qual é o lucro disso?".

> *Um milionário visitou certa vez uma tribo primitiva. Quando desceu do trem, viu um primitivo deitado na plataforma sob uma árvore. A manhã estava linda, muito ensolarada; o ar estava límpido, fresco e calmo; os pássaros estavam cantando e o homem descansava sob a árvore. O negociante não pôde tolerar aquilo. Ele disse:*
>
> *— Ei, chefe! O que você está fazendo aqui? É hora de se levantar e ganhar a vida! — O homem que estava descansando, abriu os olhos e perguntou muito docemente:*
>
> *— Por quê? — Esse "por quê" não podia ser compreendido pelo negociante. Ele disse:*
>
> *— Por quê?! Para ganhar algum dinheiro! — O primitivo começou a rir e perguntou novamente:*
>
> *— Por quê? — Aquilo era impossível! O negociante ficou aborrecido e disse:*

— *Por quê?! Para ter uma conta no banco, de modo que você possa se aposentar e descansar e, depois, ficar sem precisar trabalhar.* — *O primitivo fechou os olhos e disse:*

— *Já estou descansando agora.*

Isso é impossível. Descansar agora é impossível. Um negociante adia o descanso para o futuro. "Trabalhe aqui, agora. Tenha uma conta bancária, depois se aposente, depois descanse e desfrute!" Mas isso nunca chega, não pode chegar. Um negociante nunca pode se aposentar — isso não está no tipo, essa não é uma qualidade do tipo. Ele pode se aposentar de um negócio, mas imediatamente, ou mesmo antes disso, ele dará um jeito de ter um outro, porque ele não pode descansar. Ele sempre pensa no futuro. Ele adia o momento de desfrutar. Lembre-se: um homem que é religioso desfruta aqui e agora. O paraíso de um homem religioso não está em algum lugar lá no céu, no futuro. Não! Mas é assim que um negociante olha para o paraíso.

O paraíso de um homem religioso é aqui e agora, neste exato momento. Ele desfruta, ele não adia, porque ninguém sabe sobre o futuro. Não há nenhum futuro, para ser exato. Somente o presente existe. O futuro é uma falácia. É apenas um modo para consolar as pessoas de alguma forma: que algum dia você poderá desfrutar. E a sua vida inteira você fica treinando para não desfrutar, para adiar — mesmo que você entre no paraíso. Eu ouvi dizer que aconteceu certa vez:

Quatro negociantes entraram no céu. Eu não sei como eles entraram — devem ter sido contrabandeados para lá, deram um jeito qualquer. Então, morreu um santo que conhecia aqueles quatro comerciantes. Ele entrou e os viu no céu, mas ele ficou muito espantado com o que estava vendo, porque eles estavam presos a ferros, não estavam livres. Ele não podia acreditar naquilo; então, ele perguntou ao porteiro:

— *O que é que há? Eu sempre ouvi dizer que no céu há liberdade total. Por que esses homens são prisioneiros aqui? Por que os amarraram?*

— *São quatro negociantes e eles querem voltar para o mundo. E isso não será bom. De algum modo eles entraram aqui. Mas, agora, permitir que voltem para o mundo...! Todo o prestígio do*

céu será destruído. Eles querem voltar. Eles dizem que não há
negócios aqui. Então, o que fazer? Tivemos que acorrentá-los.

Um negociante permanece um negociante, porque o tipo não pode mudar assim tão facilmente — a menos que você tome consciência de toda a falácia do adiamento, do futuro, do dinheiro, das posses; a menos que você se torne tão intenso em sua consciência, que a própria intensidade queime seu tipo. E se você deixar de ser um negociante, então, você se tornará religioso.

O convite chega todo dia, ele bate à sua porta todos os dias — para ser exato, a todo o momento ele bate à sua porta. Mas você diz: "Desculpe-me, tenho muito que fazer. Depois eu vou!".

Regozijo, felicidade, bem-aventurança, repouso... — não, não são para o tipo negociante; ele tem muito mais a fazer antes de poder descansar. Eis por que o convite foi negado.

Agora, tente penetrar nesta parábola. Ela é bela.

Jesus disse:

Um homem tinha convidado amigos para um jantar e,

quando tudo já estava preparado,

enviou seu empregado para chamar os convidados.

Ele foi ao primeiro, e disse:

"Meu senhor vos está convidando".

Ele respondeu:

"Eu tenho algumas questões contra alguns comerciantes;

eles virão esta noite aqui;

tenho que estar presente para lhes dar as minhas ordens.

Rogo ser desculpado pelo jantar".

Um jantar é simbólico do desfrute da vida. E, para Cristo, o jantar era um fenômeno meditativo. Ele sempre gostou muito que seus discípulos, amigos, viessem para jantar junto com ele. Até na última noite, quando ele ia ser assassinado no dia seguinte, ele teve a última ceia. Ele desfrutou comendo com as pessoas. E o cristianismo elevou todo o fenômeno a um plano religioso. Os hindus são completamente ignorantes em relação a isso. Tente compreender.

Os animais sempre gostam de comer sozinhos, nunca juntos — isso faz parte da animalidade. Se um cão pegar um pedaço de pão, ele imediatamente fugirá para um canto. Ele não gosta que ninguém fique por perto, porque existe o perigo de que o outro possa pegar o pão dele. Ele tem medo, fica temeroso. Ele come, mas come sozinho. Nenhum animal compartilha: compartilhar é absolutamente humano. E se você tentar penetrar seu inconsciente, você sempre encontrará o animal escondido ali.

Você também não gosta de comer com as pessoas, você preferiria ficar sozinho. Olhe para um *brahmin* viajando de trem; ele ficará de costas para todos, se estiver comendo. Isso é uma semelhança com os animais: ele não convida os outros. Um muçulmano convidará os outros, um cristão gostaria de convidar para compartilhar, mas um hindu não. Os hindus perderam algo de grande valor: o sentimento de estar junto e compartilhar. Quando vocês compartilham a comida, vocês se tornam irmãos. Por que você é irmão de outra pessoa? Porque você compartilha o mesmo leite. Caso contrário, não há nada mais que o faça irmão de alguém. Você compartilha o mesmo peito, você compartilha o mesmo seio, você compartilha o mesmo alimento da mesma mãe — a mãe é o primeiro alimento.

Ao compartilhar a comida, você se torna irmão e, quando você compartilha a comida, você não tem medo do outro: nasce uma comunidade. Os hindus têm uma sociedade, mas não têm nenhum sentimento de comunidade. Os muçulmanos e os cristãos são mais orientados para a comunidade, pois podem compartilhar sua comida. E o alimento é muito básico na vida, porque você depende do alimento, você morrerá sem ele. Compartilhar a comida com os outros significa compartilhar sua vida. E Jesus elevou isso ao *status* de oração: você não deve comer sozinho, você deve estar junto enquanto estiver comendo. Isso é uma transcendência da animalidade em você.

Na última noite, quando tinha de partir, ele juntou os amigos, os discípulos, e eles tiveram a última ceia. Mesmo antes da morte, você deve permanecer compartilhando.

E o alimento também é um símbolo de amor. Você já observou por que você ama sua mãe? Por que existe tanto amor entre a criança e a mãe? Porque a mãe é o primeiro alimento: a criança comeu-a, a mãe entrou dentro dela. E a criança, primeiramente, se conscientiza da mãe, não como uma fonte de amor, mas como uma fonte de alimento. Mais tarde, quando ela cresce em consciência, então, pouco a pouco, ela sentirá amor pela mãe.

O alimento vem primeiro, o amor vem a seguir. E o alimento e o amor ficam associados, porque vêm da mesma fonte. Eis por que se você vai a uma casa e não lhe oferecem nenhum alimento, você não se sente bem: eles o rejeitaram, eles não lhe deram seu amor, eles não foram anfitriões para você. Se lhe oferecem alimento — eles podem ser pobres, podem não ter muito a oferecer, mas oferecem o que quer que tenham — você tem uma sensação de bem -estar. Você foi bem recebido, eles compartilharam seu alimento com você — porque o alimento está associado com o amor.

Sempre que uma mulher ama um homem, ela gostaria de preparar seu alimento. Ela gostaria de servir o alimento, ela gostaria de vê-lo comer. E, se uma mulher não tiver permissão de fazer isso, ela se sentirá incomodada, porque o amor flui através do alimento. O amor é invisível, ele precisa de um veículo visível. E a qualidade do alimento muda imediatamente: se uma mulher que o ama prepara a sua comida, essa comida tem uma qualidade diferente. Essa qualidade não pode ser analisada pelos químicos, mas ela tem uma qualidade diferente.

Se um homem que está com raiva, ou uma mulher que seja contra você, que o odeie, prepara sua comida, a comida já está envenenada — porque a raiva, o ódio, a inveja são venenos no sangue. Eles têm uma radiação própria, e essa radiação passa, através das mãos, para a comida. Se uma mulher *realmente* o odeia e prepara sua comida, ela pode até matá-lo, sem saber — nenhum tribunal será capaz de prendê-la. É muito perigoso viver com uma mulher que prepara sua comida e o odeia; é envenenamento lento. Mas se uma mulher o ama, ela lhe dá sua vida através do alimento, ela lhe dá seu amor através da comida. Ela se passa para você através da comida.

O alimento é muito básico. Ele pode ser compartilhado e, através desse compartilhar, você pode deixar sua animalidade para trás, você pode se tornar humano. Os hindus são uma das sociedades mais antigas, mas uma das sociedades mais inumanas, exatamente porque nunca se interessaram pelo compartilhar. Ao invés, criaram todos os tipos de barreiras, a fim de não compartilhar: um *brahmin* não pode comer com um *sudra*[1]; um *brahmin*[2] não pode comer

---

(1)   *Sudra* — significa intocável, da casta mais baixa; ligado aos trabalhos manuais. (N. da T.)

(2)   *Brahmin* — casta superior dos sacerdotes. (N. da T.)

com um *vaishya*[3]; um *brahmin* não pode comer com uma casta inferior. E, se você não pode comer com o outro, você rejeita o outro como humano. Se você não pode comer com alguém, isso mostra que você se acha superior e o outro muito inferior — existe uma fenda separando. Essa fenda é a mais inumana do mundo.

Jesus baseou muito de sua religião no compartilhar. Ele fala muitas vezes de Deus convidando as pessoas para um jantar. Esse homem da parábola convidou seus amigos para um jantar — e jantar é desfrutar, um puro desfrute do ser, do corpo. Desfrutar a comida e se esquecer de tudo é uma gratidão para com Deus.

O empregado foi até o primeiro, mas este respondeu: "Difícil... eu não posso ir, rogo ser desculpado".

Ele foi a um outro, e lhe disse:

"Meu senhor vos convidou".

Ele respondeu:

"Eu comprei uma casa e eles me requisitaram por um dia.

Não terei tempo".

Um negociante nunca tem tempo para si mesmo: nenhum tempo para desfrutar, nenhum tempo para meditar, nenhum tempo para amar. Está sempre com pressa. A ambição o faz tão febril, que ele não pode ter nenhum tempo.

Se você for ambicioso, você não terá tempo. Se você é não ambicioso, você tem a eternidade aos seus pés. Um homem não ambicioso tem tanto tempo para desfrutar e dançar e cantar que você nem pode conceber. Um homem ambicioso não tem nenhum tempo. Mesmo para amar, ele não tem tempo, porque há sempre o futuro, a conta bancária, o dinheiro que ele tem de conseguir com seu tempo se esse tempo for bem empregado. Um negociante até mesmo só sonha com negócios, só pensa em negócios.

Ele foi a um outro, e disse:

"Meu senhor vos convida".

Ele respondeu:

"Um amigo meu vai se casar e estou preparando um jantar;

---

(3)   *Vaishya* — negociante. (N. da T.)

não poderei ir.

Rogo ser desculpado pelo jantar".

Ele foi a um outro, e disse:

"Meu senhor vos convida".

Ele lhe disse:

"Eu comprei uma fazenda

e terei que coletar o dinheiro do aluguel.

Não poderei ir. Rogo minhas desculpas".

Eles todos estavam ocupados, não tinham nenhum tempo. Você também é ocupado? Então, você é um negociante. Ou tem algum tempo para desperdiçar, para meditar, só para estar no aqui e agora, cantar e dançar; ou para não fazer nada, simplesmente deitar-se sob uma árvore e desfrutar a existência? Parece bobagem...? Então, você é um negociante, então, você não é religioso. Mas, se você sente que isso é significativo, significante — simplesmente ser, sem nenhum negócio à volta, sem estar de modo algum ocupado com qualquer coisa, desocupado — então, você é um homem religioso.

Lembre-se: a mente precisa de ocupação, ocupação constante — porque a mente não pode existir sem ocupação. Você deve ter ouvido esta história:

Aconteceu certa vez, um homem fez reviver um fantasma, um gênio. O gênio disse:

— Há somente uma condição: precisarei de trabalho constante. Se você puder me suprir de trabalho constante, então, serei um escravo para você. Mas se você parar de me suprir de trabalho, então, você estará em perigo — eu o matarei imediatamente. — O homem devia ser um negociante. Ele disse:

— É isso o que eu quero! Já tive centenas de serviçais, mas todos preguiçosos, ninguém quer trabalhar. Essa condição é boa, é a meu favor. Eu lhe darei tanto trabalho quanto você goste, mais do que você possa fazer!

Ele não estava consciente do que estava dizendo e do que iria acontecer. Foi para casa muito feliz.

Muitas, muitas ambições de muitos, muitos anos ele ordenou ao gênio. Mas em um minuto elas estavam todas acabadas e o gênio voltou. Ele disse:

— Agora, me dê outro trabalho. — Então, o homem começou a ficar com medo, por que onde encontrar tanto trabalho? Nem ele, um negociante, podia achar! Ele deu um outro trabalho. O gênio voltou.

De manhã, o negociante estava em perigo. Ele foi correndo ao encontro de um santo sufi e perguntou:

— O que fazer? Esse gênio me matará — ele terminou tudo o que pude pensar! — O santo sufi era um matemático. Ele disse:

— Vá e diga-lhe para fazer de um círculo um quadrado. Dê-lhe algo impossível que ele não possa fazer, caso contrário, ele o matará.

O negociante já morreu, mas o gênio ainda está tentando, ainda está ocupado.

Um negociante tem um gênio interno, e *todos* os desejos são impossíveis. Não apenas um círculo não pode ser enquadrado, nenhum desejo pode ser enquadrado tampouco. Todos os desejos são impossíveis. Mas a condição da mente é a mesma: "Dê-me trabalho, não me deixe vazia". Não que a mente o irá matar, mas ela pode matar seu ego se você não lhe der nenhum trabalho. Sempre que você tem trabalho, você está fazendo alguma coisa, você se sente muito bem, você é alguém. Sempre que você não tem trabalho, quando você não está fazendo nada, sua identidade é perdida, você não é ninguém.

Ainda outro dia eu estava lendo um livro, um livro sobre o movimento "Hare Krishna". O nome do livro era *The World of Hare Krishna*[4]. A mulher que escreveu o livro, se refere ao Dr. S. Radhakrishnan, antigo presidente da Índia, como o *falecido* Dr. Radhakrishnan — porque sempre que um político sai do poder, ele já está "morto". Ela pode não saber que ele está vivo, porque os jornais de repente se esquecem do homem que está fora do ofício. Agora[5] onde está Nixon? Esquecido! Onde está Giri? Esquecidos, jogados na lata de lixo, ninguém se importa com eles. Somente

---

(4)   O Mundo de Hare Krishna. (N. da T.)
(5)   Corria o ano de 1974. (N. da T.)

quando eles morrerem haverá uma pequena nota nos jornais. Eis por que todos se agarram ao posto, ao trabalho. Ninguém quer se aposentar, porque, uma vez aposentado, onde fica sua identidade? Você era alguém, agora, você virou ninguém.

O gênio da mente tem uma condição: "se você me der trabalho, eu lhe darei o ego, você será alguém. Se você parar de me dar trabalho, você não será ninguém. Lembre-se: se eu ficar vazia, você ficará vazio — você existe comigo".

Um negociante é um seguidor da mente. Ele permanece fornecendo trabalho. O ego fica fortalecido, mas a alma é perdida. Trata-se de um suicídio, mas muito sutil.

Se você puder viver por alguns momentos sem trabalhar e ainda assim se sentir agradecido a Deus, se você puder ser um ninguém e ainda assim se sentir grato, agradecido à existência, então, você é um homem religioso. Então, seu valor não vem do que você está fazendo, não vem de lá; seu valor não vem do seu fazer, seu valor vem do seu ser; então, seu valor não está no banco: está em você. Então, *você* é valioso. O mundo pode não reconhecer isso, porque o mundo reconhece o negociante. O mundo pode se esquecer de você completamente. Você pode passar pela rua e talvez ninguém lhe deseje bom-dia. É possível que ninguém olhe para você. Isso é possível, isso acontece, porque ninguém jamais olhou para *você*. Era o trabalho que você estava fazendo que era importante. Agora, o trabalho acabou, você não mais existe — você virou uma não entidade.

Mas, se você pode ser feliz se tornando uma não entidade, você se tornou um *saniássin*, você entrou no outro mundo do divino. Agora, você pode desfrutar a beleza e a lua cheia. Agora você pode desfrutar o verdor das árvores e as ondas no lago. Agora você pode desfrutar tudo, e o todo está aberto e convidando a você.

O convite está sempre presente, mas você não tem nenhum tempo para olhar para ele. Você está sempre ocupado e você quer ser desculpado.

Durante muitas, muitas vidas você esteve dizendo: "Por favor me desculpe, eu não posso ir. Alguém está se casando e eu tenho de ir lá. Não posso ir porque tenho de comprar uma casa". O que você está dizendo? A vida o convida para viver em êxtase e você rejeita o convite e, depois, diz: "estou sofrendo", "tenho sido rejeitado".

Então você pergunta por que há tanto sofrimento na vida. Você rejeita todos os convites para ser feliz. As árvores o convidam, a lua o convida, as nuvens o convidam, o rio o convida. Toda a existência o convida de todos lados. Mas você diz "desculpe-me". A rosa o convida e você passa ao largo e diz: "Desculpe-me, não posso ir até aí porque estou indo ao casamento de um amigo".

> *O empregado voltou e disse ao seu patrão:*
>
> *"Aqueles que vós convidastes para o jantar,*
>
> *desculparam-se".*
>
> *... Eles não vêm.*
>
> *O patrão disse ao empregado:*
>
> *"Vá pela estrada,*
>
> *traga os que encontrar para virem jantar.*
>
> *Comerciantes e negociantes*
>
> *não entrarão nos lugares de meu pai".*

Isso tem de ser compreendido: o convite primeiro foi enviado para pessoas respeitáveis, para pessoas que eram "alguém", pessoas que tinham atingido alguma identidade com o ego — o presidente, o primeiro ministro; o convite foi enviado para aqueles que eram "alguém", os *VIPs*. Eles recusaram, porque estavam muito ocupados e não podiam ir. Agora, o convite foi enviado aos mendigos, aos *hippies*, para os que viviam na estrada.

Isso é uma coisa muito significativa de ser compreendida: aqueles que pensam que são muito respeitáveis, perdem o divino. Até os mendigos alcançam e os imperadores perdem, porque os mendigos estão sempre na estrada. Você os convida e eles estão prontos. Eles nunca dirão "Desculpe-me": eles não têm nada do que se desculpar. Eles estão simplesmente esperando. Você chama e eles vêm, eles estão na estrada.

Assim, o mestre disse: *"Vá pela estrada, traga os que encontrar..."* Você não encontrará gente respeitável lá: o prefeito e o presidente e o milionário. Não, você não os encontrará nas estradas, eles nunca estão lá. Vocês encontrarão os mendigos, gente que se extraviou, gente que não tem nada a fazer, vagabundos perambulando — você os encontrará.

Isso é muito significativo. Buda saiu de seu palácio e se tornou um mendigo; Mahavira saiu do seu reino e se tornou um faquir nu, pelas estradas — *paribrajaka*, sempre na estrada. O que isso significa? Agora, essas pessoas receberão o convite. E elas estão sempre prontas, não têm nada que as faça dizer "não posso ir". Não há nenhum casamento que tenham que comparecer, não têm nenhuma casa para vender ou comprar; não têm nada para fazer, estão sempre em repouso e à vontade.

O patrão disse: Agora, "*...Vá pela estrada, traga os que encontrar para virem jantar.*"

Os que são alguém no mundo do ego sempre recusarão o convite, porque o ego precisa de constante ocupação e não pode desfrutar. É como uma ferida: pode fazer sofrer, mas não pode dar prazer. Não é como uma flor, é como uma ferida.

Então, os que são como flores, os que já estão desfrutando, mesmo que não tenham recebido o convite, estão no jantar; os que já entraram na existência e que são alegres; os que não têm preocupações e cargas para carregar — os que estão na estrada...

Aquela pode ter sido uma noite de lua cheia... "Agora vá e traga os 'ninguéns'... porque Deus tem de compartilhar. Se os VIPs não vêm, então, os 'ninguéns'... — mas Deus tem de compartilhar". E os mendigos desfrutam de Deus mais do que os imperadores, porque têm a qualidade de serem desocupados. Não são homens de negócio, não são utilitaristas; vivem no momento, não adiam para o futuro. Ouvi contar sobre um mendigo:

> *Um homem de negócios estava passando e o mendigo pediu dois ou três annas*[6] *para tomar um chá. O negociante estava com pressa, como os negociantes sempre estão. Ele disse:*
>
> *— Da próxima vez, quando passar, eu lhe darei. Agora estou com pressa. — O mendigo disse:*
>
> *— Por favor, eu não sou um negociante e não posso viver de promessas. Ou dá ou não dá, ou diz "sim" ou "não", mas nada de futuro. Sou um mendigo, não posso viver de promessas — não há futuro para mim.*

---

(6)   *Annas* — menor unidade monetária da Índia. (N. da T.)

Um negociante vive de promessas; toda a sua vida é investida em notas promissórias. Ele vende seu presente por algum sonho no futuro.

E Jesus diz: *"Comerciantes e negociantes não entrarão nos lugares de meu pai".*

A situação é a mesma no que diz respeito a Deus, O Pai, e seu lugar, seu palácio. Se você disser "eu virei algum dia no futuro", você perderá. Se você diz: "Estou pronto agora mesmo. Não há nada que me prenda. Estava esperando pelo seu convite para começar a ir ao seu encontro" — ... somente então, você será capaz de entrar no reino de Deus.

Como você pode rejeitar os convites da vida? Mas você os tem rejeitado. Qual é o mecanismo dessa rejeição? As pessoas pensam que os *saniássins* renunciam à vida. Eu lhes digo que isso está absolutamente errado: somente os negociantes renunciam à vida; os *saniássins* desfrutam a vida, eles não renunciam a ela. Parece uma renúncia aos olhos de um comerciante e de um negociante, mas ao contrário, os *saniássins* simplesmente desfrutam a vida: não estão renunciando a nada. Eles desfrutam mais intensamente, eis tudo. Desfrutam tão totalmente, que, se morrem neste exato momento, não haverá reclamação. Eles dirão: "Nós vivemos, desfrutamos. É o suficiente!".

Até mesmo um simples momento de vida de um *saniássin* é um preenchimento. Se ele morre, ele está feliz. Mas um negociante... — mesmo milhões de vidas e ele não terminou seu trabalho; o trabalho é de tal ordem, que não pode acabar.

Há uma velha história nos Upanishads: Certo rei, Yayati, estava morrendo e já completara cem anos de idade. A Morte veio e Yayati disse: "Não é possível levares um de meus filhos? Porque eu ainda não vivi. Estava tão ocupado com os trabalhos do reino, que me esqueci completamente de que tinha de deixar este corpo. Eu ainda não vivi — é muito cruel me levares agora, porque toda a oportunidade está perdida. Eu estava servindo ao povo e ao reino e não pude viver. Assim sê gentil comigo!".

A Morte disse: "Está bem, pergunte a seus filhos".

Yayati tinha cem filhos. Ele perguntou, mas os mais velhos já tinham se tornado espertos. A experiência torna as pessoas espertas, calculistas. Eles ouviram, mas não arredaram pé de suas posições. O mais jovem — ele era tão jovem, tinha apenas dezesseis anos — aproximou-se e disse: "Aceito".

Até a Morte sentiu pena do garoto, porque se um velho de cem anos ainda não viveu, como poderia aquele jovem de dezesseis já ter vivido? Ele não tinha nem sequer começado!

A Morte disse: "Você não sabe nada, você é inocente. Seus noventa e nove irmãos, por outro lado, estão calados. Algum deles já devem ter chegado aos setenta, setenta e cinco anos. Eles estão velhos, e a morte deles virá mais cedo ou mais tarde. É uma questão de alguns anos. Mas por que você?".

O jovem disse: "Se meu pai não pôde viver em cem anos, como eu posso esperar viver? A coisa toda é inútil! Para mim, basta compreender que meu pai não pôde viver em cem anos, mesmo que eu viva cem anos, não há nenhuma possibilidade de viver. Deve haver algum outro modo de viver. Através da vida, parece que a vida não pode ser vivida; assim, tentarei através da morte. Permita-me, e não crie barreiras".

É isso o que um *saniássin* está dizendo: "Se eu não pude viver através da vida do ego, eu viverei através da morte do ego. Assim, leve-me!".

O filho foi levado e o pai viveu mais cem anos. Então, a Morte voltou novamente. O pai ficou novamente surpreso. Ele disse: "Tão cedo!? ...Porque eu pensava que cem anos fosse muito tempo, que não havia necessidade de me preocupar. Eu não vivi ainda. Eu tentei, planejei, e agora tudo está pronto e eu estava exatamente começando a viver, e vens novamente! Assim é demais!".

E isso aconteceu dez vezes: cada vez um filho doava sua vida e o pai vivia.

Quando ele estava com mil anos, a Morte veio e perguntou a Yayati: "Qual é a sua ideia agora? Devo levar um outro filho novamente?".

Yayati disse: "Não, porque agora sei que mesmo mil anos são inúteis. É a minha mente, não é uma questão de tempo. Eu não paro de ficar envolvido nos mesmos absurdos. Fiquei habituado a desperdiçar a existência e o ser. Assim, agora isso não vai adiantar".

Yayati deixou escrito para as gerações vindouras, de modo que vocês possam se lembrar: "Muito embora tenha vivido mil anos, não pude viver devido à minha mente. Ela está sempre interessada no futuro e eu sempre perdi o presente. E a vida está no presente".

Se você não estiver aqui e agora, você continuará perdendo a vida. O convite sempre foi dado a você, mas você nunca estava ali, nunca foi encontrado em casa; você estava envolvido em algum outro lugar. E, então, você diz que sofre, e pergunta: "Por que tanta miséria?". E todos parecem ser miseráveis: os que viveram muito parecem miseráveis; os que não viveram parecem miseráveis. Gente jovem, gente velha, todos parecem miseráveis. Porque a mente é a mesma.

Certa vez eu vi um anúncio na janela de um restaurante. Estava escrito no vidro da janela: "Não fique parado aí fora com cara miserável — entre e farte-se!". Assim, se você permanece parado do lado de fora, você fica miserável e, se você entra, você fica farto e se torna miserável também.

A mente *é* miséria. "Dentro" ou "fora" não adianta; cem anos, mil anos, nada adianta; uma vida, muitas vidas não adianta nada — a menos que você se torne consciente de que esta mente que você está carregando, a mente de um negociante, é a barreira. Abandone esta mente e o sânias acontece.

E Jesus diz: *"Comerciantes e negociantes não entrarão nos lugares de meu pai"*.

Eles perderão por si mesmos — não que as portas não estejam abertas. Eles perderão por si mesmos — não que o convite não tenha sido dado. O convite está eternamente presente; é um convite presente, para sempre e para sempre. E o mensageiro vem todos os dias.

Jesus era um mensageiro, mas os judeus o rejeitaram. Buda era um mensageiro, os hindus o rejeitaram. O mensageiro vem todos os dias, bate à sua porta, mas você diz "estou ocupado".

Aconteceu na vida de Buda:

> *Ele passou por certa aldeia muitas e muitas vezes, quase trinta vezes. E um homem estava sempre pensando em ir ouvi-lo, mas havia sempre uma coisa ou outra: a esposa estava doente, ou a esposa estava grávida, ou havia muitas pessoas, hóspedes na casa, ou havia algum negócio a resolver, ou alguma coisa ou outra. Buda chegava e partia e o homem não conseguia ir vê-lo.*

Trinta vezes em trinta anos, Buda passou pela aldeia. E, então, certo dia de repente, de manhã, quando estava indo abrir sua loja, o homem ouviu dizer que Buda ia morrer naquele dia. Então, ele ficou ciente do que havia perdido, mas, então, era tarde demais. Ele saiu correndo — Buda estava a dez, quinze milhas de distância. Ele chegou à noite.

Buda tinha se recolhido. Ele perguntara aos discípulos: "Vocês têm algo a perguntar?".

Mas eles estavam chorando e se lamentando, e disseram: "Você já disse o bastante e não compreendemos nem mesmo isso. Não temos mais nada a perguntar".

Assim, Buda perguntou três vezes, como era seu hábito, porque, como ele dizia, "vocês são tão surdos, que podem perder repetida e repetidamente". Ele costumava dizer toda frase três vezes, de modo que pudessem ouvir.

Então ele foi para trás de uma árvore. Sentou-se descansadamente, fechou seus olhos e começou a se dissolver no universo.

Então, aquele homem chegou correndo, transpirando, e perguntou: "Onde está Buda? Tenho de lhe perguntar algo. E esperei tanto tempo!".

Os discípulos disseram: "Você chegou muito tarde. Buda passou pela sua aldeia e nós sabemos que ele sempre perguntava por você, e você nunca veio. Trinta vezes ele passou pela sua aldeia. Ele esteve sempre perto de sua casa; a aldeia é pequena — bastava um minuto de caminhada e você teria chegado até ele. E ele sempre perguntava se aquele negociante tinha vindo ou não, e sempre tivemos de dizer 'não'. Às vezes os *bhikkhus*[7] iam até você e o convidavam, e você dizia: 'Desta vez é impossível, porque é a temporada das vendas; desta vez é impossível, porque minha esposa está grávida; desta vez é impossível, porque chegaram hóspedes em minha casa'. E agora você vem, mas é tarde demais."

Esta é uma das histórias de maior compaixão. Buda saiu da sua meditação e disse: "Ele pode ter se desviado, mas meu convite ainda está de pé. Ele pode estar atrasado, mas eu ainda estou vivo. Assim, deixe-o perguntar. Estava esperando por ele, estava retar-

---

(7)   *Bhikkhu* — palavra de Buda para *saniássin*, literalmente significa "mendigo". (N. da T.)

dando minha dissolução, porque esperava que ele viesse agora, ao ouvir dizer que eu estava para morrer".

Abandone a mente negociante! Do contrário, você já perdeu muitos budas antes e pode perder nova e novamente. E perder se torna uma rotina para você, torna-se um hábito. Jesus está certo:

> "...Comerciantes e negociantes não entrarão nos lugares de meu pai".

Este reino não é para eles, porque eles não estão interessados neste reino, absolutamente: o interesse dele é no reino deste mundo. Seus olhos estão focados para baixo, eles olham para baixo, olham para o material, para o mundo. Devido ao modo como o olhar está focado, eles não podem ver acima. Então, o convite fracassa — eles ouvem, mas se desculpam.

Vocês têm escolhido o não essencial e rejeitado o essencial. Vocês têm escolhido o que não tem valor, vocês têm escolhido o que intrinsecamente irá morrer e rejeitado o imortal. Vocês têm escolhido o corpo e rejeitado o interior, o mais interno, a consciência. E, seja o que for que você escolha, você se move naquela direção.

Seja cuidadoso quanto a isso. Olhe para a situação, não comece a pensar sobre os outros: "Aquele homem é um negociante". Olhe para si mesmo, porque de cem pessoas, noventa e nove são negociantes — há toda a possibilidade de que você seja um negociante... Não pense que você é uma exceção, porque essa exceção é totalmente diferente. Essa exceção já entrou, ela já está jantando com Deus.

Chega por hoje.

Vigésimo Discurso

Seus discípulos lhe perguntaram:
"Quando o repouso dos mortos virá
e quando o novo mundo virá?".

Ele lhes disse:
"O que vocês esperam já veio,
Mas vocês não o reconhecem".

Seus discípulos lhe disseram:
"Vinte e quatro profetas falaram em Israel
e eles todos falaram sobre ti".

Ele lhes disse:
"Vocês recusam o vivo que está diante de vocês,
e ficam falando sobre os mortos".

Jesus disse:
"Lancei fogo sobre o mundo e, veja,
estarei vigiando o mundo até que esteja em chamas".

Isso tem acontecido repetidamente: Jesus vem, mas vocês não o reconhecem; Buda vem, mas vocês não o reconhecem. Por que isso acontece...? E depois, durante séculos e séculos, vocês ficam pensando em Jesus e Buda. Então, as religiões são criadas; então, grandes organizações são criadas para aquele que você nunca reconheceu quando estava aqui. Por que vocês perdem o Cristo vivo? Isso tem de ser compreendido, porque deve ser algo muito profundamente enraizado na mente, na própria natureza da mente. Não se trata de um erro individual, não se trata de engano cometido por este ou aquele homem. Durante milênios tem sido cometido pela mente humana.

É preciso penetrar a mente para compreendê-la. Uma coisa: a mente não tem nenhum presente, ela somente tem passado e futuro. O presente é tão fino, que a mente não pode agarrá-lo. No momento em que a mente o agarra, ele já virou passado. Assim, a mente pode lembrar-se do passado, pode desejar o futuro, mas não pode ver o presente. O passado é vasto, o futuro também é vasto; o presente é tão atômico, tão sutil, que, na hora em que você toma ciência dele, ele já se foi. E você não é tão consciente assim! Uma grande intensidade de consciência-em-si é necessária, somente então, você será capaz de ver o presente. Você tem de estar completamente alerta; se você não estiver totalmente alerta, o presente não pode ser visto. Você já está embriagado com o passado e com o futuro. Ainda outro dia aconteceu...

O Mulla Nasruddin veio me ver. Ele chamou um táxi, entrou e disse:

— Motorista, leve-me até a Osho Commune. — O motorista saiu do carro muitíssimo aborrecido, porque o táxi estava parado diante do número 17 da Koregaon Park[1]. Ele abriu a porta e disse para o Mulla Nasruddin:

— Camarada, nós já chegamos na comuna. Pode sair! — Nasruddin disse:

— Está bem, mas não dirija tão depressa da próxima vez.

---

(1)   Exatamente o endereço da Osho Commune então, atualmente, Osho Resort. (N. da T.)

A mente é bêbada. Não pode ver o presente, o que está diante de você. A mente está cheia de sonhos, desejos. Você não tem uma presença. Eis por que se perde Jesus, perde-se Buda, perde-se Krishna e, depois, durante séculos, vocês choram e se lamentam; depois, durante séculos, vocês se sentem culpados. Durante séculos vocês pensam, oram, imaginam e, quando Jesus está presente, vocês perdem. Jesus só pode ser encontrado se você alcançar uma presença de espírito, uma presença tal que não exista nenhum passado, que não exista nenhum futuro. Somente tal presença pode olhar para o presente. E, então, o presente é eterno. Mas a eternidade está na profundidade, não é um movimento linear, não é horizontal — é vertical.

A segunda coisa a se lembrar: você pode compreender o passado, porque para compreender qualquer coisa você precisa de tempo para pensar, teorizar, filosofar, sistematizar, argumentar. Então, intelectualmente, você pode classificar as coisas. Mas, quando Jesus está presente, você não pensa — você não tem nenhum tempo para pensar. A mente precisa de tempo para pensar. Ela tateia no escuro. De algum modo, ela cria uma espécie de compreensão, que não é compreensão absolutamente. Se você tem compreensão, então, você pode olhar diretamente dentro do fato e a verdade do fato é revelada. Se você não tem compreensão, você tem de pensar.

Lembre-se: um homem de compreensão nunca pensa, ele simplesmente olha para o fato. O próprio olhar revela. Um homem sem compreensão pensa. Ele é apenas como um cego que quer sair desta casa: antes de sair da casa, ele tem de pensar: "Onde fica a porta, onde fica a escada, onde fica o portão?". Mas um homem com olhos, se ele quiser sair, ele simplesmente sai. Ele nunca pensa: "Onde está a porta, onde está a escada, onde está o portão?". Como ele pode olhar, não há necessidade de pensar.

Se você é cego, então, há muita necessidade de pensar. O pensamento é um substituto, ele esconde sua cegueira. Um homem que pode ver diretamente, nunca pensa: Jesus não é um pensador, Aristóteles é um pensador; Buda não é um pensador, Hegel é um pensador. Um homem que é iluminado, nunca pensa, ele simplesmente olha, ele tem olhos de ver. E o próprio olhar revela onde está o caminho, onde está a porta, onde está o portão e, então, ele vai.

Quando Jesus está presente, o portão está aberto. Mas você é cego: há toda a possibilidade de que você pergunte ao próprio Jesus: "Onde está a porta? Onde está o portão? Para onde devo ir?".

Há uma famosa pintura de William Hunt. Quando ela foi exibida em Londres pela primeira vez, os críticos levantaram questões. É uma pintura de Jesus, uma das mais belas: Jesus está parado numa porta. A porta está fechada e parece que esteve fechada por toda a vida, pois as ervas daninhas cresceram ao seu redor; ninguém a abriu, parece, durante séculos. Ela parece muito velha, carcomida. Jesus está em pé junto à porta e a pintura é intitulada "Olhe, estou à porta!". Há uma aldrava na porta, e uma das mãos de Jesus segura aquela aldrava.

A pintura é bela. Mas os críticos sempre procuram por algum erro; toda a mente deles se move em direção ao que possa estar faltando. Eles realmente encontraram um erro: a aldrava está ali na porta, mas não há maçaneta. Assim, eles disseram a Hunt: "A porta está bem, Jesus está bem, mas de uma coisa você se esqueceu: não há nenhuma maçaneta na porta".

Hunt riu e disse: "Esta porta abre por dentro". — Jesus está em pé junto à porta do homem, do seu coração. Ele não pode abrir por fora; assim, não há necessidade de nenhum puxador, há somente uma aldrava. Abre por dentro, a porta do coração.

Jesus vem e bate à sua porta... mas você começa a pensar. Você não abre a porta; ao invés, você pode até ficar assustado e fechá-la ainda mais: "Quem sabe que tipo de homem está parado aí fora? Parece um mendigo! E quem sabe o que ele irá fazer uma vez que você abra a porta?". Quando você abre o coração você fica vulnerável; então, você não está tão seguro e a salvo. E este homem parece um absoluto estranho. Você não pode confiar. Eis por que quando Jesus vem até sua porta, você perde.

Primeiramente, você é cego, não pode ver, pode somente pensar. Em segundo lugar, você tem medo, fica apavorado com o desconhecido. Mas, no que diz respeito ao passado, você fica à vontade, porque muito tempo já passou, muitas pessoas já pensaram, já criam teorias, já lhe supriram com tudo o que você precisava. Agora, você pode olhar nos livros — os livros são mortos. Mas você pode pensar sobre Jesus e chegar a uma convicção. E, então, não há nenhum perigo tampouco, porque mesmo que você abra seu coração para um livro, nada vai acontecer. Assim, milhões de cristãos continuam lendo a *Bíblia* todos os dias, os budistas continuam lendo o *Dhammapada* todos os dias. Eles repetem de um modo mecânico, todos os dias o mesmo, repetidamente. Não há nenhum perigo, porque o livro não é um fogo.

Mas Jesus é um fogo: uma vez que você abra seu coração, você será queimado totalmente. Uma vez que um estranho entre no seu coração, o desconhecido penetrou o conhecido. Agora, sua mente como existia antes, não pode existir nunca mais; você não pode ser mais o mesmo novamente. Uma descontinuidade aconteceu, o passado morreu — até mesmo em sonhos ele não pode mais ser refletido; tudo o que você tinha acumulado se foi. Este homem vai queimá-lo completamente, este homem será uma morte. Mas você fica apavorado, porque você não sabe que depois de toda morte há nascimento. Quanto maior a morte, maior o nascimento — quanto mais total a morte, mais total o nascimento. E este homem irá lhe dar uma morte total.

Você tem medo. Quem é esse que tem medo? Esse que tem medo dentro de você, é precisamente aquele que não é você. É o ego, sua acumulação do passado, sua identidade: você é um homem de posição, de prestígio, de poder, um homem de conhecimento, de respeitabilidade. Esse ego vai ser despedaçado completamente por este homem. Esse ego lhe diz: "Fique alerta! Não abra a porta tão facilmente. Ninguém sabe quem é esse homem. Primeiro se assegure". E quando você já tiver se assegurado, Jesus já terá ido embora, porque ele não pode esperar à sua porta para todo o sempre. É um fenômeno tão raro: a penetração do desconhecido no conhecido, a penetração da eternidade no tempo. O encontro de Jesus com você é um fenômeno tão raro, que acontece somente em certos momentos e, então, se vai. Você perde — você não tem a presença de espírito.

Ouvi dizer que aconteceu certa vez:

Um miserável ganhou cinquenta mil rupias do governo, porque ele estava viajando num trem quando houve um desastre. E ele fez uma petição. Seus ossos quebraram, houve muitas fraturas, mas ele ficou muito feliz quando conseguiu cinquenta mil ru-

pias. Ele andou por toda a cidade contando às pessoas as boas novas:

— Ganhei cinquenta mil rupias e minha esposa ganhou vinte e cinco mil rupias! — Então, um amigo perguntou:

— Mas a sua esposa também foi ferida no desastre? — O miserável disse:

— Não! Mas mesmo naquele caos, na hora do desastre, naquele acidente, eu tive a presença de espírito de chutar os dentes dela. Ela não estava ferida, absolutamente, mas eu tive a presença de espírito de dar um chute nos dentes dela. Assim, ela também conseguiu vinte e cinco mil rupias.

Neste mundo, às vezes, você usa a presença de espírito — por razões erradas, é claro. Mas, quando Jesus vem, quando Buda vem, você nunca usa a presença de espírito, porque é perigoso. Aquilo não irá lhe dar nada; ao invés, pelo contrário, irá tirar-lhe tudo que você tem. Você não irá ganhar vinte e cinco mil rupias do seguro, ou do governo; ao contrário, todo o tesouro que você tem acumulado, simplesmente irá por água abaixo. Assim, sempre que um Jesus está presente, você nunca olha para seus olhos diretamente. Você olha desse e daquele jeito, olha de lado... Você nunca o encara. Seus olhos se movem para a esquerda e para a direita, sua mente se move para o passado e para o futuro... Mas, diretamente, imediatamente, você é esperto. Você perde, porque lá no fundo você queria mesmo evitá-lo.

Jesus é um desconforto. Encontrá-lo é inconveniente, porque ele despedaça seus ajustamentos completamente. Ele o faz ciente de que você tem sido absolutamente errado, ele o faz sentir que você tem pecado, ele o faz sentir que você perdeu a rota. Ele o faz sentir que sua vida toda foi um desperdício, que você não chegou a lugar nenhum, que você tem estado parado no mesmo lugar por milhões de vidas.

É claro, você fica inquieto diante dele, você começa a balançar e a tremer lá no fundo. O único meio é evitar, e você é muito esperto quando se trata de evitar. Você evita de tal modo, que nem você fica ciente de que está evitando. Agora, tente compreender estas palavras:

Seus discípulos lhe perguntaram:

"Quando o repouso dos mortos virá

e quando o novo mundo virá?".

Os judeus estão esperando há séculos pelo dia em que os mortos serão ressuscitados, pelo dia em que nascerá uma nova ordem mundial de paz, de bênção — uma ordem divina. Este mundo é feio. Da forma que é, é como um pesadelo. E o único meio de tolerá-lo é esperar que, algum dia, isso não mais seja assim, que o pesadelo terminará. Algum dia, este mundo horroroso desaparecerá e um novo mundo de beleza e verdade e bondade nascerá. Isso é um truque da mente. Isso é intoxicante, dá esperança a você. E a esperança é a maior bebida alcoólica — nada pode ser comparado a ela. Se você pode esperar, você pode permanecer bêbado para todo o sempre. Isso lhe dá uma possibilidade para esperar: "Este mundo não é o derradeiro, essa feiura não é derradeira, esta vida não é a verdadeira vida. A vida real está para vir". É assim que uma pessoa não religiosa pensa.

Uma pessoa religiosa aceita seja o que for, não fica esperando por outra coisa acontecer; ela aceita este mundo como ele é, esta vida como ela é. Ela tem uma profunda aceitação: é agradecida até por isso, não fica reclamando. Ela não diz "isto é feio e isto é ruim e isto é um pesadelo". Ela diz: "O que quer que seja, é belo. Eu o aceito". E através dessa aceitação, ela nasce, ela se torna um novo homem e um novo mundo está presente. Este é o modo de se entrar no novo mundo. Se você simplesmente esperar, ficar esperando que algum dia este mundo mude, ele nunca irá mudar — ele sempre foi assim. Desde que Adão e Eva deixaram o jardim do Éden, ele permaneceu assim.

Na China, há um provérbio: 'Progresso' é a palavra mais velha.

Sempre, mente humana tem pensado que estamos progredindo. Nós não estamos indo para lugar nenhum, o mundo tem permanecido o mesmo. Os detalhes podem mudar, mas a substância permanece a mesma; é sempre a mesma roda e ela se move no mesmo trilho.

Uma pessoa religiosa é aquela que aceita este exato momento — seja qual for o caso — e, através dessa aceitação, ela nasce renovada, o morto é ressuscitado. Isso é um renascimento. E, quando seus olhos ficam diferentes, o mundo todo fica diferente, porque o mundo não é a questão: o jeito que você olha para ele é a questão. O jeito que você olha para ele é a questão, o jeito que você o aborda é a questão — sua atitude é seu mundo. Este mundo é neutro: para um buda ele se parece com *moksha*, a suprema beleza e êxtase; para você ele se parece com o inferno, o último, o sétimo — nada pode ser pior do que isso. Depende de como você olha para ele.

Quando *você* renasce, tudo renasce com você: as árvores serão as mesmas e, contudo, não serão as mesmas; os montes serão os mesmos e, contudo, não serão os mesmos — porque *você* mudou. Você é o centro do seu mundo, e, quando o centro muda, a periferia tem de seguir, porque o mundo é apenas uma sombra ao seu redor. E aqueles que estão esperando e pensando que algum dia a sombra irá mudar, são tolos.

Os judeus estavam esperando, como todo mundo está esperando, pelo dia do porvir, em que o mundo renasceria e os mortos seriam ressuscitados. Haveria paz, eterna paz, e vida. Assim, eles perguntaram a Jesus: *"Quando o repouso dos mortos virá e quando o novo mundo virá?"*.

Eles estão perguntando sobre o futuro, e é assim que vocês perdem Jesus. Não pergunte a Jesus sobre o futuro, porque para um Jesus não existe nenhum futuro: toda a eternidade está presente para ele. E, para um Jesus, não existe nenhuma esperança, porque a esperança é um sonho. Para Jesus, somente a verdade existe, não a esperança. A esperança é uma ilusão, a esperança é intoxicante; ela dá tamanha embriaguez aos seus olhos, que, devido a essa embriaguez, você olha para o mundo e tudo fica diferente. Para Jesus, somente a verdade, a facticidade, — a existência nua, despida — existe. Ele não tem nenhuma esperança. Não que ele esteja em desespero — lembre-se: desespero faz parte da esperança. Se você espera no futuro, o desespero seguirá no passado. O desespero é uma sombra da esperança: se você tem esperança, você ficará frustrado. Quanto mais esperança, mais frustrado você ficará, porque a esperança cria um sonho e, então, ele não é realizado. Jesus não está em desespero, nem em frustração. Ele nunca espera; assim, tudo é preenchimento. Ele nunca tem expectativas; assim, tudo é como deve ser. Ele nunca sonha; assim, não há nenhum fracasso.

Nada pode desapontá-lo, se você não estiver atrás do sucesso e nada puder frustrá-lo, se você não estiver olhando para o futuro. Não! Não há nenhuma miséria se não há nenhum sonho.

Os sonhos trazem a miséria; a existência é puro êxtase. Jesus vive aqui e agora, essa é a única existência para ele. Eis por que digo que é muito difícil para Jesus encontrá-lo, porque você está sempre no futuro e ele está sempre aqui e agora. Como encontrar? A distância é *enorme*!

Há dois caminhos. Um: Jesus poderia começar a sonhar como você — o que é impossível, porque conscientemente você não pode sonhar. Conscientemente não há nenhuma possibilidade para o sonho, porque, se a consciência está presente, o sonho não pode vir. O sonho vem somente quando se está dormindo profundamente. Assim, Jesus não pode vir para o seu nível. Isso é impossível. Seja de que forma que ele tente, isso não pode ser feito. Ele gostaria, um buda gostaria, de vir exatamente para onde você está a fim de encontrá-lo, mas isso é intrinsecamente impossível, porque ele não consegue adormecer, ele não consegue ficar inconsciente, ele não consegue entrar no sonho, ele não consegue ter esperança. Então, onde encontrá-lo? Se ele se movesse num sonho, no futuro, então, poderia haver um encontro. Mas isso não é possível, é impossível. A única possibilidade é ele o sacudi-lo até acordá-lo.

Assim, Jesus continua dizendo aos discípulos: "Acorde, fique alerta! Observe, veja, olhe!". Ele continua dizendo: "Seja cuidadoso, tenha presença de espírito aqui e agora!". Mas até os discípulos perguntam sobre o futuro. Eles não estão olhando para Jesus, estão pensando no futuro, porque eles sofreram no passado. Esse é o equilíbrio: sofreram no passado, serão bem-aventurados no futuro. Esse é o equilíbrio da vida deles; caso contrário,tornam-se insanos.

Nos velhos tempos, todo imperador tinha um sábio na corte, e um bobo também. Parece absurdo — um sábio é necessário, mas por que um bobo? Para equilibrar; caso contrário, a corte ficaria desequilibrada. E é correto. Aconteceu certa vez:

> *Um grande rei tinha um sábio, mas não tinha um bobo. E as coisas começaram a dar errado. Então, começaram umas buscas e foi encontrado um homem que era um bobo perfeito. A perfeição*

é rara: encontrar um sábio perfeito é raro, encontrar um bobo perfeito é mais raro ainda. Mas a perfeição é bela, onde quer que esteja. Até um bobo perfeito tem uma qualidade, que você não pode desafiar — a perfeição. A perfeição tem sua própria beleza, ela dá uma graça. Se você quer ver o que é um bobo perfeito, leia o romance de Dostoievsky, O Idiota.

Um bobo perfeito foi encontrado. O rei quis fazer um teste para ver se ele realmente valia a pena. Então, disse para o bobo:

— Faça uma lista dos dez maiores bobos da minha corte. — Havia cem membros na corte. — Faça uma lista de dez pessoas, e ponha os nomes em ordem: o maior bobo primeiro e, depois, o segundo e depois o terceiro...

E foram-lhe dados sete dias. No sétimo dia, o rei perguntou:

— Já fez a lista? — O bobo disse:

— Sim. — O rei ficou curioso e perguntou:

— Quem é o primeiro?

— Você! — respondeu o bobo. — O rei ficou irritado e perguntou:

— Por quê!? Você terá de me dar uma explicação! — O tolo disse:

— Ontem, até ontem, eu não tinha preenchido o primeiro lugar. Para um de seus ministros você deu milhões de rupias, e enviou-o para um país distante para comprar diamantes grandes, pérolas e outras pedras preciosas. Eu lhe digo que o homem nunca mais vai voltar. Você confiou nele — você é um bobo. Somente um bobo confia. — O rei disse:

— Está certo. Mas se ele voltar?

— Então, eu riscarei seu nome e porei o nome dele no lugar — respondeu o bobo.

Nas antigas cortes era uma obrigação, porque isso dava um equilíbrio. Sua vida é um contínuo esforço para manter o equilíbrio. Se você for muito numa mesma direção, o equilíbrio é perdido e haverá enfermidade e desconforto. 'Des-conforto' significa que o equilíbrio foi perdido; 'desconforto' — a própria palavra significa desequilíbrio. Assim, quando seu passado é feio — um longo sofrimento, um fenômeno tedioso, um enfado — como você vai equilibrar isso? Você tem de equilibrar, caso contrário, ficará louco. Você equilibra isso com um belo futuro, você pinta um retrato romântico do futuro; isso dá um equilíbrio.

Mas Jesus não precisa de nenhum equilíbrio, porque ele mesmo é o equilíbrio. Jesus não precisa de nenhum sábio e de nenhum bobo.

No que se refere a você, seu passado é como um sábio, porque você ganhou experiência: você ganhou sabedoria através da experiência. Seu futuro é como um bobo: ele sonha. Se você não tiver nenhum futuro, o que acontecerá? De repente, você ficará furioso. Se você não tiver nenhum futuro, você ficará louco.

Eis o que aconteceu no Ocidente, principalmente nos Estados Unidos. Devido à bomba H, a energia atômica, o futuro não existe mais. Se os Estados Unidos se tornaram a terra dos *hippies* e dos *beatniks* etc., a razão é que os Estados Unidos estão mais alertas. Eles usaram a bomba atômica na segunda guerra mundial, e ficaram alertas: o futuro não existe mais, e o passado é apenas uma enorme feiura, um pesadelo. O que fazer? O futuro não existe mais para perder o tempo com ele, para sonhar e manter o equilíbrio: nasce o *hippie* — ele ficou perturbado, não está equilibrado.

Um buda também nasce de um modo semelhante, mas o método é diferente. Um Jesus também nasce de um modo semelhante, mas o método é diferente: ele simplesmente joga o passado fora, para de pensar sobre o futuro e para de se lembrar do passado. Então, de repente, ele mesmo é o equilíbrio. Você não pode desequilibrar um Jesus, não. Você pode desequilibrar qualquer um que esteja apenas ajustado. Uma pessoa ajustada pode ser desequilibrada por qualquer acidente, mas Jesus não pode ser desequilibrado, não pode ficar louco, porque a própria base mudou. Ele não vive no passado, ele não vive no futuro.

Os discípulos perguntam a Jesus sobre o futuro. Como o encontro pode ser possível? Como eles o encontrarão? E esses são discípulos. O que esperar das massas?

Ele lhes disse:

"O que vocês esperam já veio,

Mas vocês não o reconhecem".

O que vocês esperam já veio... Os mortos *estão* ressuscitados, eles alcançaram o repouso. O novo mundo já chegou, já está aqui, mas vocês não reconhecem. Jesus está falando dele mesmo: "Eu sou o novo mundo, sou o morto ressuscitado, sou a vida, o próprio centro da vida — e estou aqui, diante de vocês, e vocês não percebem. Vocês fazem perguntas sobre o futuro e o futuro está aqui".

Ele lhes disse: "O que vocês esperam já veio, mas vocês não o reconhecem".

Na eternidade, não há nenhum futuro. O futuro faz parte do presente, mas, devido à estreiteza de nossa mente, não podemos ver o todo. Somos exatamente como um homem que foi trancado num quarto e fica olhando através do buraco da fechadura: ele não pode ver o todo. Através do buraco da fechadura, você não pode ver o todo — a menos que você tenha usado haxixe! Caso contrário, através do buraco da fechadura, você não pode ver o todo.

Vou lhes contar uma história.

> *Certa vez aconteceu de três homens chegarem a uma cidade quando o sol estava se pondo. Eles tentaram de todo modo chegar antes do pôr-do-sol. Eles correram, porque as portas podiam ser fechadas — no momento em que o sol se punha, as portas eram fechadas. E durante toda a noite eles teriam que permanecer do lado de fora dos muros. E seria perigoso... — animais selvagens e assassinos e tudo o mais. Eles correram mas não puderam chegar na cidade a tempo. Quando chegaram lá, as portas já estavam fechadas, o sol já tinha se posto.*

> *Um deles começou a bater no coração e chorar alto, de modo que o porteiro que estava atrás do muro pudesse ouvir. Ele gritou alto, bateu na porta, as mãos começaram a sangrar, e ele caiu desmaiado. Um outro começou a procurar em volta do muro. Podia haver uma outra pequena porta, uma porta na parte de trás, ou algum lugar por onde pudessem entrar, um sistema de esgoto, ou qualquer outra coisa. O terceiro era um fumante de haxixe: ele simplesmente fumou seu haxixe, então, olhou pelo buraco da fechadura e disse:*

> *— Olhem! Não há nenhuma necessidade de ir a lugar algum: podemos entrar pelo buraco da fechadura!*

É isso o que acontece quando você está numa viagem de droga. Acontece isto: o buraco de fechadura parece ser tão grande, que você acha que pode até entrar no reino de Deus pelo buraco da fechadura. Você permanece do lado de fora e, quando voltar a si, você rirá da coisa toda.

Pense num homem fechado num quarto, que pode olhar somente pelo buraco da fechadura: ele não pode ver todo o lado de fora, ele vê só uma parte. E imagine também que ele mexa os olhos olhando pelo buraco da fechadura: então, uma árvore pode chegar ao campo de visão; ele mexe os olhos, então, uma outra árvore entra no campo de visão. A primeira árvore saiu da existência; a primeira se tornou passado e ele pensa que ela desapareceu. A segunda árvore tornou-se o presente, e a terceira, que ainda não apareceu, está no futuro. Ele continua mexendo os olhos: então, a segunda vai para o passado e a terceira aparece, e esse homem pensa — e ele pensa logicamente — que "o que eu não posso mais ver, não existe mais, e o que eu ainda não posso ver, ainda não existe".

É isso o que estamos fazendo. E esse homem não pensará que seu olho está se movendo através de um buraco de fechadura. Ele pensará que as árvores estão se movendo para dentro da existência e para fora da existência. É isso o que estamos dizendo: dizemos que o tempo passa. Lembre-se: o tempo não está passando, apenas sua mente se move. Onde o tempo pode se mover? Você já pensou nisso? Onde o tempo pode se mover? ...Porque o movimento precisa de tempo novamente: se seu tempo está se movendo, então, um outro tempo será necessário, porque o movimento precisa de tempo.

Você vem da sua casa até esta casa. Você leva meia hora. Você se move de um ponto a outro — o tempo é necessário. Se seu tempo está se movendo como pensamos que o tempo está se movendo — como um rio, vindo do passado, indo para o futuro —, então, um outro tempo é necessário, no qual este tempo possa se mover. Então, você cairá num eterno retorno: então, o outro tempo estará se movendo em algum outro tempo. Não, isso não pode ser.

O tempo não está se movendo. Justamente ao contrário, é sua mente que se move, mas você não vê. É exatamente como quando você viaja de trem e o trem corre e você vê as árvores passando, correndo depressa: você está indo na direção oposta. Se você não puder olhar bem e observar, você pode ter essa sensação. E às vezes, você tem mesmo essa sensação, quando seu trem começa a andar e o outro trem está parado na plataforma: de repente, você pensa que o outro trem está andando.

Há milhões de anos, o homem existe na terra. A terra sempre esteve girando, mas ninguém ficava ciente disso; todo mundo pensava que o sol é que estava girando. E, contudo — embora a ciência continue dizendo isso — a linguagem não mudou: nós dizemos "nascer do sol", "pôr-do-sol". O sol nunca nasce, o sol nunca se põe, mas, ainda pensamos como se fosse assim. Até um cientista pensa do mesmo modo. Ele sabe do fato, mas o pensamento está tão profundamente arraigado, que ele nunca pensa que a terra está se movendo. O "nascer da terra", o "pôr-da-terra" — não, não há tais expressões; o sol ainda gira ao redor da terra.

A mesma falácia existe sobre o tempo. O tempo não está se movendo, ele é eterno. Somente sua mente se move e, quando ela se move, você tem uma fresta estreita: o que vem diante dela é o presente, o que sai dela é o passado, o que ainda não entrou nela é o futuro. Mas aonde o presente pode se mover?

A coisa toda é absurda se você pensar sobre ela. Como pode o presente, de repente, ir para a não existência? Como pode a existência se tornar não existência? O passado não está em algum lugar que possa ser encontrado, ele se tornou não existência. E como pode o futuro, que é não existencial, entrar na existência? Isso parece absolutamente absurdo. A existência permanece existência, a não existência permanece não existência — somente sua mente se move. E você não pode ver o todo, eis por que a divisão é criada.

Jesus vive no todo. Eis por que ele diz: *"O que vocês esperam já veio, mas vocês não o reconhecem"*. E não veio somente agora: o que você tem esperado sempre esteve aqui. Eis por que Jesus diz de um outro modo: "Antes de Abraão existir, eu já existia; eu sempre estive aqui". Sua mente diz que Jesus virá no futuro. A mesma mente negou Jesus, porque é impossível para a mesma mente ter alguma comunicação com o presente. Desse modo, os judeus dizem: "Este não é o homem certo pelo qual estamos esperando".

E ninguém jamais vai ser o homem certo. Quem quer que venha será o homem errado, porque não é uma questão do homem, dele ser certo ou errado; a questão é da mente, vivendo no futuro, investindo no futuro. E quando Jesus chega, não há mais nenhum futuro — então, todos os seus sonhos caem. Jesus se torna um destruidor dos seus sonhos, e vocês investiram tanto neles, que fica difícil, fica muito difícil.

Um médico estava dizendo a um bêbado:

— Pare de beber, senão sua audição se vai e você não será capaz de ouvir mais. — O bêbado disse:

— Eu não vou parar coisa nenhuma, porque o que estou ouvindo não é tão bom quanto o que estou bebendo. Mesmo que a audição se vá, não vou perder nada, porque o que estou ouvindo não vale a pena.

Vocês investiram tanto no futuro, que os seus sonhos se tornaram muito valiosos. Eles lhe dão equilíbrio contra o passado, eles lhe dão motivação para ir adiante e agir, eles o ajudam a correr. Na verdade, eles ajudam você e seu ego a existirem absolutamente. É difícil abandonar isso. Assim, sempre que um Jesus vem, ele lhe dirá: "Eu estou aqui!". E você dirá: "Não, é o homem errado!". O homem certo nunca vem, não porque ele nunca venha, mas porque você não pode permitir que ele seja o homem certo. Uma vez que você aceite que Jesus é o Cristo, então, você tem de mudar imediatamente. Você não pode continuar no velho padrão; o velho estilo de vida tem de ser jogado fora. Você tem de morrer e renascer.

"O que vocês esperam já veio, mas vocês não o reconhecem".

Seus discípulos lhe disseram... —

— novamente a mesma obsessão, novamente eles disseram:

Vinte e quatro profetas falaram em Israel

e eles todos falaram sobre ti.

Esse número, vinte e quatro, é muito importante, porque os hindus pensam que há vinte e quatro *avatars*, os *jainistas* pensam que há vinte e quatro *tirtânkaras* — "criadores de passagem" — os budistas pensam que há vinte e quatro budas, e os judeus pensam que há vinte e quatro profetas.

Por que vinte e quatro? Por que nem mais nem menos? Porque eles todos concordam quanto a isso? Neste mundo, tudo existe em certa quantidade; até mesmo a sabedoria, essa também tem uma certa quantidade. E essa quantidade é tal, que, quando um homem se torna iluminado, fica difícil para os outros se tornarem iluminados imediatamente. Toda a luz é absorvida naquele homem. Você pode viver na sua sombra, ele tentará ajudá-lo de todo modo, mas fica difícil.

Daí, o fenômeno: Buda morreu, e muitos discípulos se tornaram iluminados quando ele morreu. Mahavira morreu, e muitos discípulos se tornaram iluminados depois que ele se foi. O mesmo fenômeno que acontece sob uma árvore muito grande, onde pequenas plantas não podem sobreviver. Existe uma determinada quantidade e, quando alguém é como um Cristo, ele absorve toda a quantidade. Ele é tão vasto, que de toda parte pequenas quantidades desaparecem. Ele se torna toda a luz. Desse modo, muita matemática foi usada para calcular isso, e todos aqueles que estiveram calculando o fenômeno, chegaram a esse número vinte e quatro. Em um *mahakalpa* — período que vai de uma criação a uma aniquilação — vinte e quatro são as possibilidades, vinte e quatro pessoas podem alcançar o pico mais alto.

Os discípulos disseram a Jesus: *"Vinte e quatro profetas falaram em Israel e eles todos falaram sobre ti"*. E eles todos disseram: "Somos somente os novos arautos. O verdadeiro ainda vem, o derradeiro, o supremo está por vir. Somos somente as boas novas". Essa é a diferença entre um profeta e um cristo. Um cristo é a acumulação de todas as aspirações, de todos os anseios profundos, de todos os sonhos, de tudo o que foi pensado sobre o outro mundo; um cristo é o ponto culminante, é o pico, o Everest. Um profeta indica, ele aponta o caminho, ele lhes dá a nova de que aquele um está vindo; um profeta é um mensageiro. Vinte e quatro profetas declararam que o cristo estava vindo, o ponto ômega, onde toda a humanidade e toda a consciência da humanidade chegaria a um ápice.

Seus discípulos lhes disseram: "Vinte e quatro profetas falaram em Israel e eles todos falaram sobre ti".

Ele lhes disse:

"Vocês recusam o vivo que está diante de vocês,

e ficam falando sobre os mortos".

"Por que trazer à baila esses vinte e quatro profetas? Vocês não estão olhando para *mim*! Vocês ainda estão falando sobre aqueles vinte e quatro profetas que estão mortos. Eles falaram sobre mim, vocês falam sobre eles — e eu estou aqui. Eles me perderam, porque estavam olhando no futuro; vocês me perdem porque estão olhando para o passado, e eu estou aqui!."

Jesus disse: "Lancei fogo sobre o mundo e, veja,

estarei vigiando o mundo até que esteja em chamas".

Isso tem de ser compreendido muito profundamente, muito conscientemente. É muito fácil falar sobre os mortos, porque você está morto: você tem a mesma qualidade, você tem uma similaridade com os mortos. É muito difícil olhar para Jesus, porque então você tem de estar vivo. Somente o semelhante pode sentir o semelhante; para se conhecer, o similar é necessário. Como você pode conhecer a luz se você está na escuridão? Como você pode conhecer o amor, como você pode conhecer a vida se você não é isso? Você perde Jesus porque você não está vivo. Sua vida é obtusa, vida morta. Sua vida passa-se no mínimo e Jesus existe no máximo dela. Você existe como o alfa, e ele existe como o ômega. Você é o A e ele é o Z, ele é a derradeira culminação.

Vocês continuam falando, até mesmo diante dele, vocês não param de falar absurdos. Teria sido melhor se os discípulos tivessem ficado em silêncio, teria sido melhor se tivessem simplesmente permanecido com ele. Mas ficaram fazendo perguntas tolas. Essas perguntas podem ser respondidas por um erudito, não há nenhuma necessidade de se ir até um Jesus. E os eruditos estão disponíveis, são baratos, nunca há escassez deles. Um Jesus somente acontece às vezes — no ponto culminante do crescimento humano, ele acontece; quando o círculo chega ao seu pico, ele acontece. Ele é raro, e vocês ficam fazendo perguntas tolas, curiosidades infantis como esta: *"Vinte e quatro profetas falaram em Israel e eles todos falaram sobre ti".*

Jesus simplesmente rejeita a coisa toda. Ele diz: "Bobagem! Não façam perguntas bobas. *Vocês recusam o vivo...* — ao fazerem a própria pergunta... — *vocês rejeitam o vivo".*

503

Como pode uma pessoa fazer uma pergunta diante de Jesus? A pessoa deveria olhar, a pessoa devia bebê-lo, a pessoa deveria comê-lo, a pessoa deveria permitir que ele entrasse no seu âmago mais profundo, na mais recôndita parte do seu ser. A pessoa devia fundir-se nele, e permitir-lhe fundir-se nela.

E vocês ficam fazendo perguntas! E ficam perguntando sobre profetas! Eles falaram, agora vocês querem a confirmação de Jesus. Você quer um certificado de Jesus, uma assinatura na qual ele também diga: "Sim, eles falaram sobre mim!". Você não pode ver Jesus diretamente? Precisa de um certificado? Se Jesus não for o bastante, de que servirá o certificado? Mesmo que Jesus diga — ele esteve dizendo continuamente: "Eu sou aquele por quem estão esperando" —, vocês continuam fazendo perguntas tolas sempre e novamente. Em algum lugar lá no fundo, há dúvida, e a pergunta surge da dúvida. O discípulo que está perguntando deveria estar olhando para Jesus naquele momento para ver como ele responde.

E esse é o truque da mente: se Jesus disser "sim, eu sou aquele que todos os profetas declararam estar para chegar", então, você pensará que aqueles profetas também disseram que aquele que é verdadeiro não proclamaria, não diria "eu sou aquele". E, se Jesus disser "não, eu não sou aquele", então, você dirá "ele mesmo disse que não é aquele".

Olhe para o truque da mente, como ela quer escapar dele.

As pessoas perguntam: "Você se realizou?". Se eu disser "sim", eles dirão que nos *Upanishads* está dito que aquele que diz "eu me realizei", não se realizou. Se eu disser "não", eles dirão: "Então, está bem. Então devemos ir procurar alguém que tenha se realizado. Por que perder tempo com você?".

A mente está em busca de como evitar, e a questão é tola — eis por que Jesus não a responde. E a pergunta é um truque. De um modo sutil, Jesus está dizendo uma coisa e os discípulos estão perguntando outra coisa. Ele não está respondendo diretamente, porque, se responder diretamente, o que quer que ele diga, servirá para você deixá-lo.

Você está pronto para deixá-lo a qualquer momento. É um milagre que você não o tenha deixado ainda, que continue deixando-se ficar? Talvez seja pela imprecisão de sua resposta, talvez seja por ele não dizer nem "sim", nem "não". Talvez seja devido ao modo como ele está falando, que você não pode compreender e, dessa forma, ainda não decidiu o que fazer. Se ele disser "sim, eu sou aquele", você ficará cheio de suspeitas: "Como pode aquele que se realizou dizer 'eu sou aquele'!?".

Jesus lhes disse: *Vocês recusam o vivo.* "Eu estou aqui e vocês falam sobre os profetas, os mortos..."

Vocês recusam o vivo que está diante de vocês, e ficam falando sobre os mortos.

Isso está acontecendo continuamente. Se eu digo alguma coisa, e você é um hindu e isso está escrito no seu *Gita*, você inclina a cabeça: "Sim, você está certo". Você não está inclinando a cabeça para mim, você está recusando o vivo; você não está inclinando a cabeça para mim, você está inclinando a cabeça para o seu hinduísmo e para seu *Gita*. Você diz: "Sim, ele deve estar certo, porque isso está escrito no *Gita*". Se eu digo algo que seja contrário ao *Gita*, você não inclinará a cabeça, você dirá: "Ele deve estar errado, porque isso não está escrito no *Gita*". Se você estiver olhando para o vivo, se eu disser algo que seja contrário ao *Gita*, o *Gita* estará errado, não eu. Se eu disser algo que está escrito no *Gita*, o *Gita* estará certo porque eu disse assim.

Mas não é esse o caso. Se você é um judeu e eu digo algo, imediatamente sua mente judaica fica perturbada. Os judeus têm ficado perturbados durante todos estes discursos. Eles estão aqui, muitos deles estão aqui, e eles ficam perturbados. Eles escreveram cartas enormes para mim — cartas de trinta páginas! — dizendo que não é assim: "Você não compreende os judeus!". Se digo algo que vai contra sua mente judaica, imediatamente, sou rejeitado, não a mente judaica. Se digo algo que se ajusta, você me aceita — mas isso não é aceitação, você está simplesmente se enganando. Se eu confirmo sua mente, então, você me aceita. Sua mente permanece o centro.

Isso é o que Jesus está dizendo: "*Vocês recusam o vivo.* Olhem para mim, eu estou aqui! O sol surgiu e vocês estão falando sobre a noite em que alguém disse que logo, logo, chegaria o sol, mas não olham para o sol: 'Logo, logo, surgirá a manhã e surgirá uma alvorada, e a escuridão desaparecerá'. Vocês ainda estão falando sobre aqueles que viveram na escuridão. Vocês falam sobre mim, e eu estou aqui e vocês não estão olhando para mim!". É muito difícil ficar alerta! Quando o hindu sente-se ferido, o judeu sente-se ferido, o cristão sente-se ferido, lembre-se: isso não é você, é simplesmente seu condicionamento. Ponha esse condicionamento de lado.

Olhe como os discípulos e os inimigos são parecidos. Eles não são muito diferentes, não há uma diferença básica. Os judeus dizem para Jesus: "Você não é aquele que foi prometido para todo o sempre, porque aqueles vinte e quatro profetas deram alguns sinais para nos ajudar a julgar. Você não é aquele, porque nós temos um critério vindo dos mortos, para conhecer o vivo". Eles dizem: "Não podemos acreditar em você. Prove! Porque estes são os sinais: reviva um morto, ressuscite-o!". E Jesus não pôde nem sequer salvar a si mesmo da cruz! Então o que ele faria!? Como poderia ressuscitar alguém da morte? Ele mesmo não pôde escapar da própria morte. Na cruz, ficou provado que ele não era o prometido.

E o que seus discípulos têm feito? Eles acreditam que ele curou o doente, acreditam que ele ressuscitou o morto, acreditam que ele não morreu na cruz e que, após três dias da sua morte, ele foi visto por algumas pessoas.

Mas ambos dependem dos mortos. O critério é fornecido pelos mortos, como se Jesus tivesse de seguir, simplesmente seguir os vinte e quatro profetas mortos que forneceram o critério; como se ele não tivesse permissão para ser espontâneo. Se você disser que ele nunca fez nenhum milagre, os judeus ficarão felizes. Eles dirão: "Sim, eis o que temos estado a dizer!". E os cristãos ficarão infelizes, porque, uma vez que seja provado que ele nunca fez nenhum milagre, então, ele não mais é um Cristo.

O Cristo não é o bastante em si mesmo? Como ele é, já não é uma luz? Como ele é, já não é a verdade? Como ele é, já não trouxe uma graça, uma graça desconhecida para este mundo?

Não, você tem um critério, ele deve se ajustar ao seu critério. Se ele se ajusta, ou se você pensa que ele se ajusta, então, está bem. Se ele não se ajusta, ou se você pensa que ele não se ajusta, então, ele não mais é a pessoa certa. A coisa toda parece ser a mesma: ambos estão vivendo com os mortos — os discípulos e os inimigos. Ninguém está olhando diretamente para o fenômeno que é Jesus.

Ele lhes disse: "Vocês recusam o vivo que está diante de vocês, e ficam falando sobre os mortos".

Jesus disse: Lancei fogo sobre o mundo...

Por que ele está dizendo isso? Porque os velhos profetas disseram que ele traria paz, eterna paz. Ele diz: Não!

Jesus disse: "Lancei fogo sobre o mundo e, veja, estarei vigiando o mundo até que esteja em chamas. Completamente. Eu não trouxe nenhuma paz".

Ele contradiz, só para ver se os discípulos se curvam ou não; ele contradiz, para ver o que eles dizem, como eles reagem. Ele não está contradizendo na verdade, porque a paz somente pode vir depois que o fogo tenha estado aqui.

Quando o mundo estiver em chamas, e o velho tiver sido queimado e deixado morto, somente então o novo poderá surgir. O novo vem sempre quando o velho está morto. O velho deve deixar de ser, para o novo ser, o morto deve desaparecer para o vivo aparecer. O conhecido deve ir, deve dar espaço para o desconhecido entrar.

Ele não está contradizendo, ele não pode contradizer; não há nenhuma possibilidade, porque os profetas realmente falaram sobre ele — mas ele contradiz os discípulos. Muitos devem tê-lo deixado então, porque: "Os ancestrais dizem que ele trará a paz, e este homem diz 'eu trouxe o fogo'. Ele é bem o oposto. Já temos muito fogo aqui, porque trazer mais fogo? Já estamos queimando, o mundo já está em chamas, pegando fogo, na miséria, na ansiedade, na angústia. Por que trazer mais fogo!? Precisamos de paz".

Mas lembrem-se: a paz não pode vir como você está. A paz não pode existir para vocês. Não é uma questão de paz, é uma questão sua: como você está, tudo o perturbará; como você está, você criará angústia ao seu redor. A angústia não é um acidente que acontece a você, ela é um desenvolvimento. Assim como as folhas surgem nas árvores, as ansiedades surgem em você — elas fazem parte de você. Você pode cortar as folhas, mas isso não vai adiantar; isso será apenas uma poda e, ao invés de uma folha, quatro folhas virão — haverá mais ansiedade. A menos que você seja completamente queimado, a menos que não exista mais, a ansiedade virá.

Os hindus, principalmente Patânjali, usaram duas expressões para esta transformação: uma é *sabeej samadhi*, transformação com uma semente; e a outra é *nirbee samadhi*, transformação sem uma semente. E a primeira não é nada, *sabeej samadhi* não é nada, porque a semente permanece, ela vai brotar outra vez e outra vez e outra vez; a semente não é queimada. Você carrega a semente; não há nenhuma árvore, mas a árvore virá, porque você carrega a semente. Você pode ter se reprimido completamente e, então, a árvore desapareceu — você se tornou uma semente.

O que é uma semente? Uma árvore comprimida, tão comprimida que você não pode vê-la. Mas dê uma oportunidade a essa semente, uma situação, o solo adequado, e a semente brotará e a árvore toda se mostrará. A semente carrega o plano geral, uma pequena semente carrega o projeto da árvore inteira. Em todos os detalhes, a semente carrega o plano geral: que tipo de folhas, que tipo de flores, que cor, a altura, a duração — tudo está trazido na semente. Se você puder ler a semente, você poderá fazer um retrato de como a árvore toda será.

A árvore é apenas um desdobramento da semente. O que quer que você seja, não é a questão; a questão é o tipo de semente que você está carregando dentro de você. Seja o que for que você seja, é apenas um desdobramento da semente. Você pode continuar moldando os galhos e cortando aqui e ali, mas tudo isso serão apenas modificações; você pode se enfeitar, mas você não mudará. E você pode enfeitar seu inferno, mas ele não pode ser o céu.

Patânjali usa uma outra palavra, *nirbeej samadhi*. Ele diz que, a menos que o *samadhi* sem semente seja alcançado, nada é alcançado — a menos que a semente seja queimada completamente, de modo que toda a miséria, angústia, ansiedade morram, porque o plano geral foi queimado. É isso o que Jesus quer dizer.

Ele diz: *"Lancei fogo sobre o mundo...* Eu trouxe o fogo para queimar vocês. Não estou aqui para consolá-los, não estou aqui para confortar vocês. Estou aqui para *destruir* vocês, porque sua semente está errada". A semente deve ser queimada e, quando sua semente estiver queimada, quando você estiver vazio, somente então, a semente do divino entrará no seu útero. Então, um novo florescimento, um novo desabrochar acontece.

"Lancei fogo sobre o mundo e, veja, estarei vigiando o mundo até que esteja em chamas."

E isso é uma promessa. Ele diz: "Eu guardarei o mundo, eu permanecerei aqui até que todo o mundo esteja em chamas".

Sempre que um homem se torna um cristo ou um buda, ele nunca desaparece. Somente *você* desaparece, porque você não existe, você é apenas uma aparência. Você vem e vai, você é uma forma. Você é apenas como uma onda no mar: você não tem nenhuma substância em você, você não é cristalizado. Você vem e vai, exatamente como um sonho vem e vai. Toda noite você vem e toda manhã você desaparece. Milhões de vezes você vem e milhões de vezes você desaparece. Mas sempre que um cristo acontece... O que significa ser um cristo? Significa aquele que alcançou o substancial: que não mais é a forma, mas que alcançou a ausência de forma, que não pode desaparecer; aquele que não mais é uma onda, que se tornou o oceano; que não pode desaparecer.

Um Buda permanece, um Cristo permanece, ele permanece na existência. É isso o que se quer dizer por: *estarei vigiando o mundo até que esteja em chamas* — "eu estarei aqui". Mas você não o pôde ver quando ele estava no corpo; assim, como você será capaz de vê-lo quando ele não está no corpo? E veja o estranho fenômeno: muitos cristãos o veem quando estão com os olhos fechados, orando. Eles têm uma visão... — e os discípulos mais próximos não puderam vê-lo quando ele estava presente. O que está acontecendo?

Esses Cristos que vocês veem nas suas orações, são sua pura imaginação, alucinações, projeções. Vocês os criaram, é a sua mente. Eis por que um cristão vê Cristo, um judeu jamais pode ver Cristo, e um hindu... — impossível até pensar nisso! Um hindu vê Krishna, ele tem seus próprios pontos de imaginação, seus próprios objetos de imaginação. Um *jainista* jamais pode ver Krishna. Mahavira virá nas suas visões. O que está acontecendo? Sua mente está imaginando. Você pode brincar com a imaginação. Isso é auto-hipnótico e é muito prazeroso. É muito prazeroso, você criou um Cristo dentro de você. Você se sente muito feliz, mas essa felicidade é simplesmente como aquela de um belo sonho. De manhã, você se sente muito feliz, porque você teve um sonho muito bonito. Mas mesmo que seja bonito, é um sonho e inútil.

Por que se perde Jesus? Quando ele está presente, ele mesmo diz: "Vocês não olham o vivo". E, então, quando ele está morto, milhões de pessoas fecham os olhos e o veem e desfrutam dele — as mesmas pessoas que o crucificaram quando ele estava no corpo. As mesmas pessoas continuam imaginando e pensando sobre ele — porque essa imaginação não é um fogo, é um consolo. Ela os consola: "Eu vi o Cristo".

As pessoas vêm a mim e dizem: "Eu vi o Cristo". E elas olham para mim, de modo que eu diga: "Sim, você o viu!". Então, elas podem sair muito felizes — crianças se divertindo com brinquedos. Se eu digo: "Isso é tolice, abandone toda a imaginação!", elas se sentem muito infelizes; elas nunca mais voltam a mim. Por que ir a um homem que destrói, que destrói seus sonhos bonitos?

Cristo, quando está vivo, você o perde; como você pode encontrá-lo quando ele não existe mais no corpo? Mas o mesmo fenômeno volta novamente à existência: agora os cristãos falam sobre Jesus como falavam diante dele sobre os vinte e quatro profetas. Agora ele está morto. Agora você fala sobre o morto e perde o vivo.

Aconteceu de um cristão ir a um monge zen. Ele levou a *Bíblia* consigo e disse ao monge: "Eu gostaria de ler algumas frases de Jesus". E o homem a quem ele tinha ido, era ele mesmo um mestre vivo.

O mestre riu e disse: "Está bem".

Então, o cristão leu algumas frases do Sermão da Montanha. Depois de duas ou três frases, o mestre disse: "Perfeito, o homem que disse essas palavras era um iluminado". O homem ficou muito feliz, porque Cristo tinha sido reconhecido, e ele quis ler mais. Ele recomeçou a leitura. O mestre disse: "Sim, muito bom. Quem quer que tenha dito essas palavras era um iluminado".

O cristão agradeceu ao mestre e saiu, completamente feliz porque Jesus tinha sido reconhecido por um budista — e perdendo completamente o momento, porque aquele homem era ele mesmo um Cristo. E o mestre tentou duas, três vezes. Duas, três vezes ele disse: "Está bem!". Ele estava dizendo: "Deixe seu livro fechado. É o suficiente! Já confirmei. Já disse: 'Sim, esse homem era um iluminado'".

Se aquele homem estivesse realmente interessado na verdade, ao ouvir aquilo, teria olhado para o mestre, porque teria querido saber: "Quem está dizendo que o homem que pronunciou essas palavras era um iluminado?". Ele teria largado o livro. "Por que ficar preocupado sobre o morto? Olhe para este homem!". Mas ele saiu com seu livro. Deve ter ido procurar os companheiros cristãos e deve ter dito: "Jesus era *realmente* um iluminado. Eu fui a um budista... é muito difícil para um budista reconhecer Jesus. Esse homem é muito importante e ele o reconheceu!".

Você busca reconhecimento para o morto, de um vivo. Lembre-se disso, porque você pode estar fazendo o mesmo.

Chega por hoje.

Vigésimo Primeiro Discurso

Jesus disse:

"Se vocês derem à luz ao que está dentro de si,
aquilo que vocês têm os salvará.
Se vocês não têm isso dentro de si,
o que vocês não têm os matará".

Jesus disse:

"Deixe que aquele que busca, não cesse de buscar
até que encontre.
E, quando ele encontrar,
será perturbado, maravilhar-se-á, e reinará sobre tudo".

E ele disse:

"Quem quer que encontre explicações para estas palavras
não sentirá o sabor da morte".

A busca é por si mesmo. O que quer que busque, lá no fundo você está procurando por si mesmo. Eis por que toda busca externa se prova finalmente fútil. Você pode estar buscando riqueza, mas você está buscando a si mesmo. Quando você alcançar a riqueza, então, você perceberá a futilidade disso; a riqueza é alcançada, mas você permanece não preenchido. Não era a riqueza que você estava buscando, absolutamente. A direção estava errada: você escolheu ir para bem longe de si mesmo, e você queria buscar a si mesmo.

O que exatamente um homem está buscando através da riqueza? Ele está buscando a vida através da riqueza, mais vida, vida abundante. A mente diz: "Sem riqueza, como você pode viver?". A mente diz: "Sem riqueza como você pode estar seguro?". A mente diz: "Sem riqueza, como você se protegerá da morte?". A riqueza é uma proteção contra a morte. A busca é pela vida. Mas, quando você alcança a riqueza, de repente, é revelado que a riqueza não pode protegê-lo. E se a riqueza não pode protegê-lo contra a morte, como ela pode lhe dar uma vida mais longa e abundante? Não, você estava buscando numa direção errada.

Um outro homem está buscando poder, prestígio. O que ele está buscando? Ele está buscando ser onipotente, ele está buscando ser tão poderoso que a morte não possa destruí-lo. Mas isso é lá no fundo, ele nem está consciente disso. Quando ele alcançar o poder, então, a pobreza será revelada.

Daí, o paradoxo: sempre que você tem sucesso no mundo, você sente o supremo fracasso. Eu digo repetidamente que, na vida, nada fracassa tanto como o sucesso. Se você não tem sucesso, então, a ilusão pode ser mantida, então você pensa: "Num dia ou noutro eu farei sucesso e alcançarei". Mas se você faz sucesso, como você pode manter a ilusão por mais tempo? Você teve sucesso, e o vazio interior permanece o mesmo. Ou melhor, bem ao contrário, agora você pode sentir isso muito mais devido ao contraste: a riqueza existe por toda volta e, dentro, a pobreza; a luz existe por toda volta e, dentro, a escuridão; a vida existe por toda volta e, dentro, a morte. Eis por que sempre que uma sociedade se torna enriquecida, rica, de repente a religião se torna significativa.

Numa sociedade pobre, a religião não pode ser significativa, porque as pessoas ainda não fracassaram. A busca que empreendem ainda tem significado, a busca externa. Elas pensam que se puderem conseguir uma boa casa, tudo ficará bem; elas pensam que se puderem conseguir um pouco de dinheiro, então, tudo ficará bem. Um homem pobre pode viver de ilusão, mas não um homem rico. E, se você vê um rico também vivendo de ilusão, lembre-se bem, ele ainda é pobre, ele ainda não é bem-sucedido.

Um buda deixa o palácio, um Mahavira deixa o reino. Eles tiveram sucesso e o sucesso mostrou-lhes o fracasso. Eles se alertaram de que toda a direção estava errada; então, deram uma virada. Eles se moveram totalmente para a direção oposta: eram reis, viraram mendigos; vestiam as roupas mais caras possível, ficaram nus. Isso se torna uma conversão: o sucesso fracassa e o fracasso se torna uma conversão.

Mas por que o sucesso fracassa? Ele fracassa porque você estava buscando não pela riqueza, você estava buscando não pelo poder, você estava buscando não por segurança e proteção; você não estava buscando por uma casa, você estava buscando por algo mais. Você estava buscando pelo lar eterno onde não há nenhum modo de ir-se embora. Você estava buscando por um repouso eterno, você estava buscando por uma paz que dura para sempre, atemporal. É isso o que é a busca: a busca pelo lar. É uma busca por um estado de ser, onde você se sente em casa. Você não estava buscando por riqueza, você estava buscando proteção contra a morte; você estava buscando uma vida que nenhuma morte pode destruir.

Esta vida vai ser destruída. A toda hora o medo está presente. Como você pode viver esta vida, quando ela existe como se você estivesse sobre um vulcão? A qualquer momento, a explosão, a qualquer momento você pode ser jogado para dentro da morte. Você pode viver cem anos, mas tremerá durante cem anos.

Há alguns anos, os cientistas começaram a pensar sobre esse problema, porque agora existe a possibilidade de que a vida do homem possa durar tanto quanto ele queira. Dentro deste século, será possível mudar a programação original no cromossomo, na célula básica. E então, você poderá sustentar a célula básica, de forma que "este corpo" viva trezentos anos. E, então, o corpo viverá trezentos anos. Exatamente agora, ele vive setenta anos, porque seu pai e sua mãe viveram quase setenta anos; inconscientemente, eles sustentaram isso assim... A célula traz uma programação básica que determina que dentro de setenta anos você morrerá. Se pudermos mudar a programação na célula, então, o homem pode viver tanto quanto queira. Esse tem sido um dos maiores sonhos: vencer a morte, prolongar a vida tanto quanto se queira.

Há alguns anos, os cientistas se depararam com o fato. Agora, pode ser realizado, tornou-se exequível dentro deste século. Mas surgiu um novo problema.

Eles pensavam que, se isso pudesse ser feito, então, todo mundo ficaria feliz e o medo da morte desapareceria, a ansiedade em relação à morte desapareceria. Mas não! Quando eles ponderaram sobre o problema, eles ficaram cientes de que, se um homem vive por setenta anos ele tem medo da morte durante setenta anos. Se ele viver trezentos anos, ele terá medo da morte durante trezentos anos. O medo aumentará, não diminuirá. Como o medo pode ir embora? Você pode viver por trezentos mil anos, não faz nenhuma diferença — apenas que durante trezentos mil anos você ficará sobre o vulcão; a qualquer momento ele pode irromper, e o medo continua.

A busca é por uma existência sem morte. E essa existência está dentro de você — *você* está dentro de você. Eis por que você não pode se tocar: as mãos não podem entrar lá dentro, elas se movem por fora, elas foram inventadas para manipular o mundo exterior; as pernas não podem viajar para dentro, não há nenhuma necessidade, não há nenhum espaço para se viajar; os olhos não podem ver lá dentro, não há nenhuma necessidade — porque seu ser inventou todo esse mecanismo a fim de coexistir com as coisas, as pessoas, com o lado de fora.

Dentro, nada é necessário. Dentro, você é perfeito. Dentro, nada tem de ser feito, tudo é como deve ser, já é o caso.

A busca é por esse ser interior — e esse ser interior é onipotente. Nenhum poder pode se tornar um substituto dele. Você pode se tornar um Napoleão ou um Hitler ou qualquer pessoa que você imagine, mas você permanecerá sem poder. A menos que você se torne um Buda ou um Jesus, você não pode se tornar onipotente, você não pode ser todo poderoso. Você pode se tornar um Einstein ou um Bertrand Russell, mas você não pode ser onisciente. Você pode juntar informação, tanta quanto possa, mas sua ignorância interna permanecerá a mesma, a menos que você se torne um Jesus, um Zaratustra — então, você se torna onisciente.

A busca é por onipotência, onisciência, onipresença. Lembre-se dessas palavras. Elas derivam de uma raiz sânscrita, *aum*. Em sânscrito, *aum* é o símbolo de todo o universo. Ela carrega os três sons básicos: a-u-m. Através desses três sons básicos, todos os sons evoluíram. Assim, *aum* é o som básico, a síntese de todos os sons, a síntese de todas as raízes básicas. Eis por que os hindus têm dito que esse *aum* é um mantra secreto, o maior mantra, porque ele envolve toda a existência.

As três palavras inglesas — *omnipresent, omnipotent, omniscient* — derivam de *aum*. Elas significam aquele que se tornou tão poderoso quanto o *aum*, aquele que se tornou tão conhecedor como o *aum*, aquele que se tornou tão presente como o *aum* — aquele que se tornou universal, aquele que se tornou o todo. E, a menos que o todo seja alcançado, não pode haver nenhum contentamento, não pode haver uma satisfação profunda, suprema. Você permanecerá um mendigo, e continuará mendigando, de uma vida a outra; você se moverá como um mendigo, não poderá ser um imperador.

Agora, devemos tentar penetrar essas lindas palavras de Jesus. Ele está dizendo coisas muito estranhas.

Jesus disse:

"Se vocês derem à luz ao que está dentro de si,

aquilo que vocês têm os salvará.

Se vocês não têm isso dentro de si,

o que vocês não têm os matará".

Muito estranho! Ele diz: *"Se vocês derem à luz ao que está dentro de si"* — se você permiti-lo crescer, se você ajudá-lo a crescer, se você ajudá-lo a se manifestar, revelar-se, o que já está aí, a semente de mostarda... Ela já está aí; a semente do divino, a semente do reino de Deus já está aí. Se você ajudá-la, se você permitir que ela cresça... *"aquilo que vocês têm os salvará"*. Vocês já a têm, ela os salvará. Mas se você perder... *"se vocês não têm isso dentro de si, o que vocês não têm os matará"*.

Se você perder isso... — como eu lhes disse, a palavra 'pecado' em hebreu significa "perder a rota" — se você se perder, você é um pecador. Você carrega a semente de mostarda, ela já está aí, mas você não lhe dá o solo, o solo certo, não a rega; você não se tornou um jardineiro. Você carrega a semente, morta, encerrada na cela, você não a põe na terra. Você tem medo de que a semente possa morrer. O medo é verdadeiro em um sentido: a semente terá de morrer, somente a árvore nascerá. Todo desabrochar é uma morte e um nascimento. O passado tem de morrer, o velho tem de morrer, somente então, o novo nasce. A semente terá de morrer — eis por que você tem medo; assim, você protege a semente. Eu ouvi contar que aconteceu certa vez:

> *Um rei ficou intrigado, porque ele tinha três filhos, e todos eles eram sábios, fortes, talentosos, e ficava difícil decidir a quem passar o reino, quem seria o regente depois dele. E ele estava ficando mais velho a cada dia. Era muito difícil decidir, pois eles eram todos iguais de todos os modos, eram igualmente talentosos. Assim, ele perguntou a um sábio o que fazer. O sábio traçou um plano e disse ao rei: "Vá a numa peregrinação". E seguindo o plano do sábio, o rei chamou seus três filhos e lhes deu uma mesma quantidade de sementes de belas flores. Ele lhes disse: "Preservem estas sementes tão cuidadosamente quanto possível, porque toda a vida de vocês depende delas. Quando eu voltar, vocês terão de me dar conta do que aconteceu com as sementes". E o rei partiu.*

O primeiro filho pensou... — ele era o mais velho, mais experiente nos caminhos do mundo, mais esperto e mais calculista. Ele pensou: "O melhor meio será trancar essas sementes em segurança, porque, quando meu pai vier, ele perguntará pelas sementes. Eu as devolverei a ele exatamente como ele me deu. E disso depende muita coisa, parece". Assim, ele tomou todo cuidado para encontrar o melhor cofre e trancou as sementes. Trancou o cofre e passou a carregar a chave consigo durante vinte e quatro horas por dia, porque toda a sua vida podia depender das sementes.

O segundo filho pensou: "As sementes têm de ser preservadas, mas se eu trancá-las como meu irmão mais velho, pode acontecer que elas apodreçam no cofre de ferro. E meu pai pode dizer: 'Essas não são as sementes que lhe dei. Elas apodreceram, ficaram inúteis'. Então o que fazer?". Ele foi ao mercado e vendeu as sementes, que eram de flores raras. Ele pensou: "Este é o melhor modo: vendê-las, guardar o dinheiro e, quando meu pai voltar, comprarei as sementes novamente e quem saberá a diferença? Sementes são sementes. Dou a meu pai as novas sementes, elas estarão frescas, vivas. Por que se incomodar com essas sementes velhas? E além do mais, ninguém sabe quando o pai voltará — um ano, dois anos, três anos... Ele não marcou nenhuma data. Pode levar alguns anos. Eu não preciso ficar preocupado com as sementes". Ele vendeu-as e guardou o dinheiro.

O terceiro filho pensou: "As sementes foram dadas — deve haver algum significado nisso". Ele era o mais jovem, o menos treinado nos caminhos do mundo, um pouco tolo e inocente. Ele pensou: "Sementes existem para crescer".

A própria palavra 'semente' significa um crescimento, a própria palavra. Ela não é a meta, é uma ponte. A própria palavra significa um movimento na direção de algo. Uma semente em si mesma é insignificante, a menos que ela cresça, a menos que ela se torne alguma coisa. Uma semente é apenas uma fase passageira: não é a meta. Não é o estado final, é apenas como uma ponte que você tem de atravessar. Assim, ele foi para o jardim e plantou as sementes.

Então, depois de um ano, o pai chegou e perguntou aos filhos sobre as sementes. O primeiro filho estava muito feliz, porque pensou: "O mais jovem destruiu-as. Como ele pode devolver as sementes, as mesmas sementes? Como ele pode devolvê-las? Agora, elas viraram plantas e estão florindo. E o segundo também perdeu, porque ele trocou as sementes, ele comprou novas. Ele foi ao mercado e comprou novas sementes".

O segundo pensou: "O primeiro perderá, porque suas sementes já estão podres, inúteis, mortas. E o terceiro já perdeu, porque as sementes tinham de ser preservadas — exatamente, literalmente — e ele não as preservou. Eu vou vencer!"

Mas o terceiro nunca pensou em vencer, ele não estava interessado em nenhuma vitória. Ele estava simplesmente interessado em uma coisa: "O pai disse que as sementes tinham de ser preservadas. E as sementes são uma fase, não uma meta. A única maneira de preservá-las é permitir que cresçam. E agora as flores surgiram e logo, logo, sementes estarão chegando aos milhões". Ele estava apenas feliz porque seu pai ficaria feliz.

Então, o pai veio e disse ao primeiro filho: "Você é estúpido. As sementes não eram para serem preservadas em cofres de segurança, elas não existem para serem preservadas em bancos, porque, se você preservar uma semente assim, você a matará. Uma semente só pode ser preservada se ela puder morrer no solo e nascer novamente".

Ele disse ao segundo filho: "Você fez melhor do que o primeiro, porque você compreendeu que as velhas sementes morreriam. Mas a quantidade permanece a mesma, e uma semente, se preservada, multiplica-se em milhões; se uma semente é preservada, ela se multiplica em milhões. Você fez melhor do que o primeiro, mas você também perdeu".

E, então, ele perguntou ao terceiro filho, que levou seu pai ao jardim e disse: "Eu não as preservei no cofre, não as vendi no mercado, eu as joguei na terra. Essas são as sementes, mas, agora, elas se tornaram plantas. As plantas estão florindo, e logo, logo, haverá muitas sementes. Se o senhor quiser as sementes, eu as devolverei aos milhares".

O pai disse: "Você venceu! Você será o rei deste reino, porque o único meio de se preservar uma semente é deixá-la morrer, de modo que ela renasça".

Eis o que Jesus diz: *"Se vocês derem à luz ao que está dentro de si, aquilo que vocês têm os salvará. Se vocês não têm isso dentro de si, o que vocês não têm os matará".*

Mas você não tem olhado para dentro, absolutamente; você nem mesmo teve um único vislumbre. Assim, seja o que for que você tenha, irá destruí-lo, não pode lhe salvar. Você pode ter riqueza, pode ter poder, pode ter muitas coisas do mundo, mas nada irá salvá-lo. Ao contrário, esse peso do mundo irá afogá-lo. Você juntou muito peso e é isso o que já o está afogando, seu barco já está meio afundado. Você não consegue sair do barco tampouco, porque todas as suas posses estão nele; você tem de carregá-las até a outra margem. Mas as posses pertencem à margem de cá, e elas não podem ir para a outra margem. Ninguém nunca foi capaz de levar nada deste mundo para o outro.

Quando você morrer, como poderá carregar alguma coisa deste mundo para o outro? Quando você morre, seu corpo sucumbe. Tudo que podia ser carregado só podia ser carregado pelo corpo, e tudo o que você possuía foi possuído através corpo. Quando o corpo sucumbe, o próprio meio, o próprio veículo sucumbe. Então, você não pode carregar nada. Então, você não pode carregar mais nada deste mundo, é impossível. Eis por que muitas pessoas espertas pensam: "Não junte mercadorias deste mundo, junte apenas conhecimento, porque o conhecimento pode ser carregado". Lembre-se bem: o conhecimento não pode ser carregado tampouco, porque, quando o corpo sucumbe, o cérebro sucumbe, e o cérebro é o acumulador de conhecimento.

Seu cérebro é o computador no qual o conhecimento, a informação, se junta. Ele também está do lado de fora: se você tirar o cérebro de Einstein, ele será um idiota comum, porque o conhecimento desaparece junto com o cérebro. Mas, se você tirar o cérebro de Jesus, não haverá nenhuma diferença, ele permanecerá o mesmo, porque Jesus acumulou consciência-em-si, não conhecimento.

Assim, há três tipos de pessoas: as de orientação mais externa — estas juntam coisas, mas essas coisas não podem ser carregadas para a outra margem. Então, o segundo tipo — que não têm uma orientação tão externa, mas, ainda assim, externa. Essas pessoas juntam conhecimento, escrituras, teorias, filosofias. Elas são mais inteligentes, mas, ainda assim, estúpidas, porque o conhecimento é acumulado no cérebro e o cérebro faz parte do corpo — a parte mais interna, mas, ainda assim, parte do corpo. E, quando o corpo sucumbe, o cérebro sucumbe. Então, há o terceiro tipo de pessoa, que acumula consciência-em-si, cuja meta da vida inteira é ser cada vez mais e mais consciente.

Essa consciência é seu ser mais profundo. Somente essa consciência vai para a outra margem, somente essa consciência pertence à outra margem. No corpo, existem os dois mundos: este e aquele, o da matéria e o da consciência. E entre esses dois mundos existe um elo interno. Esse elo interno é seu conhecimento. Abandone as coisas e abandone o conhecimento. Cresça cada vez mais e mais em consciência, em consciência-em-si, torne-se cada vez mais e mais alerta. Quanto mais alerta, mais você levará deste mundo para o outro; você não irá como um pobre, você irá rico. Neste mundo você pode parecer pobre, como um buda, como um mendigo, como um *bhikkhu*, mas no outro mundo você será como um rei, porque você carregará somente você mesmo. Isto aconteceu:

Quando Pompeia foi destruída por uma erupção vulcânica, a cidade toda foi incendiada no meio da noite, as construções desmoronaram e as pessoas foram fugindo. Todos estavam carregando uma coisa ou outra, porque a cidade era muito rica. E as pessoas carregavam suas coisas mais valiosas: uns carregavam seu ouro, uns seus diamantes, outros seu dinheiro; os eruditos carregavam suas escrituras, os livros — o que quer que pudesse ser salvo, eles estavam carregando. Mas havia um homem que não estava carregando nada, apenas seu cajado. E aqueles que estavam carregando as coisas estavam muito perturbados, preocupados — toda a vida deles estava sendo destruída. Somente aquele homem estava caminhando no meio da multidão como se estivesse indo para o seu passeio matinal. Aquela era sua rotina normal: às três horas da madrugada, ele saía para uma caminhada matinal, e aquela era a hora.

Quem quer que olhasse para ele, dizia: "Como!? Você não pode salvar alguma coisa? Perdeu tudo!?".

O homem disse: "Eu não tenho nada, e tudo o que tenho estou levando".

"Então, por que você está andando como se estivesse passeando? Em tamanha crise, as vidas todas destruídas, as pessoas arruinadas!".

O homem riu e disse: "Porque o que quer que vocês tenham acumulado, é deste mundo — a morte arruína tudo, o fogo queima tudo. Eu acumulei somente consciência. Pode ser uma crise para vocês, para mim é hora do meu passeio matinal".

Este homem é o místico, este homem é o iogue, este homem é aquele sobre quem Jesus está falando.

"Se vocês derem à luz ao que está dentro de si, aquilo que vocês têm os salvará. Se vocês não têm isso dentro de si, o que vocês não têm os matará."

Se você for pobre internamente, pode ser rico externamente, mas você irá ser destruído por suas próprias posses. Se você é rico internamente, então, não se preocupe. Então, quer você tenha algo ou não, a morte não pode arrebatar nada de você. Somente a consciência transcende a morte; ela é o único raio de luz na vida humana que transcende a morte. Você pode morrer completamente consciente? Essa é a única questão, toda a questão. Mas se você não viveu completamente consciente, como você pode morrer completamente consciente? Mesmo na vida, você é tão inconsciente! — como pode ficar consciente na morte?

Lembre-se de que sempre que há muito sofrimento, o corpo tem um mecanismo automático para jogá-lo na inconsciência, porque, caso contrário, seria intolerável. Os médicos inventaram a anestesia muito recentemente, mas a natureza conhece a anestesia, ela sempre conheceu a anestesia. Sempre que você chega ao ponto limite, quando a dor é demasiada, de repente, você se torna inconsciente, desmaia, porque seria intolerável. Assim, o corpo tem um termostato interno. Você pode estar dizendo às pessoas que "está intolerável, a dor está intolerável", mas você está errado, porque, se estivesse intolerável você ficaria inconsciente.

Não existe dor que possa ser chamada de intolerável. Todas as dores são toleráveis, todos os sofrimentos são toleráveis. Eis por que você permanece alerta, caso contrário, desmaiaria. E a morte é a coisa mais dolorosa. Quando a morte vem, ela é a maior cirurgia possível, porque todo seu ser tem de ser levado embora, ser separado do corpo com o qual você se tornou tão identificado e uno. Não se trata de cortar um dedo, não se trata de cortar a mão, não se trata da remoção do apêndice — trata-se da remover, de você, de todo o seu corpo. Nenhum médico pode fazer isso ainda. O corpo todo está sendo removido, separado. E você tem vivido com este corpo durante setenta anos, oitenta anos; não somente vivido com ele, você tem vivido na identificação com ele: você pensa que você é o corpo. A dor é tamanha, que você ficará inconsciente.

A vida toda é uma preparação para ficar consciente na morte. Eis o que um *saniássin* deve fazer, eis o que um buscador deve fazer: ficar pronto! Não perca um único momento, porque uma vez perdido, não pode ser recuperado. E a única riqueza que você pode tirar dele é ser mais consciente. Faça o que for, mas faça-o em estado de alerta, com consciência. As vidas de vocês podem ser diferentes, mas a busca interna não pode ser diferente: é a mesma.

Você pode ser um negociante, você pode ser um professor, você pode ser um médico, um engenheiro, ou um trabalhador, mas isso não faz nenhuma diferença. A busca interna é a mesma: é como se tornar cada vez mais e mais consciente. Chega um ponto em que você está tão consciente, que nem a morte pode torná-lo inconsciente. É isso o que Jesus quer dizer: desenvolva o que está dentro de você. Se você tiver isso, você será salvo, se você não tiver isso, você será afogado.

E em um outro discurso, Jesus diz uma coisa muito estranha. Ele diz: "Àqueles que têm, deve ser dado mais. E àqueles que não têm, até o que têm será tirado". Parece absurdo! Jesus diz: "Àqueles que têm, deve ser dado mais. E àqueles que não têm, mesmo aquilo que têm deve ser tirado".

Ele está falando sobre a consciência, porque consciência atrai mais consciência. Se você se torna consciente, você se torna capaz de ser mais consciente; cada passo conduz a um passo mais adiante. Se você não está consciente, então, todo passo o conduz para mais longe. Ouvi contar:

> *Mulla Nasruddin bateu certa noite em uma porta, às três horas da madrugada. Ele estava completamente bêbado. O estalajadeiro abriu a janela, olhou para baixo e disse: — Nasruddin, eu já lhe disse muitas vezes que essa porta é a porta errada! Essa não é a sua porta. Vá para sua casa e bata lá — você está batendo na porta errada! — Nasruddin olhou para cima e disse:*
>
> *— Como pode estar tão certo assim? Talvez você esteja olhando da janela errada — como pode estar tão certo assim?*

A embriaguez do homem é tanta, que fica impossível ele pensar que "eu estou errado". O outro é que vai estar errado.

Se você sofre em sua vida, você sofre porque você está perdendo sua consciência em algum lugar: você está errado, mas você pensa que o outro possa estar olhando pela janela errada, você pensa que você sempre está batendo na porta certa.

Você esteve sempre batendo na porta errada, porque todas as portas neste mundo são erradas — a menos que você bata na porta interna, que não faz parte deste mundo. Ela anda com você, mas não faz parte deste mundo. Você carrega alguma coisa dentro que não pertence a este mundo. Esse é o seu tesouro, e essa é a sua porta, através da qual, Deus pode ser acessado.

Jesus diz: "Cresça naquilo que você já está carregando". O raio único já aconteceu: você não está ciente, ou apenas um pouquinho: uma consciência difusa, uma luz indistinta, muito indistinta — você não pode ver. Mas o raio já aconteceu, é dessa forma que vocês estão num nível mais elevado que os animais — nem isso os animais têm.

O primeiro raio de consciência já os penetrou, mas esse raio de consciência é apenas uma semente de mostarda: você tem de lhe dar o solo. O que é o solo para ele? Os hindus chamaram esse solo de *satsang*. Vá para perto daqueles que já cresceram mais alto que você, fique perto deles, na presença deles, e seu raio de consciência se tornará cada vez mais e mais elevado — ele precisa de um desafio. Mas a tendência comum da mente é sempre andar junto com os inferiores, sempre andar junto com as pessoas que estão menos alertas do que você. Por quê? Porque lá você se sente superior, lá você sente que você é alguém.

Todo mundo busca o inferior e, através dessa busca, a pessoa torna-se ela mesma inferior. Sempre que você encontra um homem como Jesus, você fica perturbado, porque você não pode afirmar sua superioridade ali. Você *é* inferior, não se trata de um complexo de inferioridade. Você simplesmente é inferior diante de um Jesus, porque sua consciência é nada, e ele é uma luz tão tremenda, que você se torna quase escuro diante dele. Até mesmo sua luz bruxuleante, o raio único de consciência, parece não ser nada. Não pode deixar de ser assim: você leva sua vela terrena para fora, no dia claro de sol, e o que você perceberá? É como se a vela terrena, a chama, tivesse se tornado escura diante do sol. Leve sua vela terrena para a escuridão do quarto e ela se torna um sol em si mesma.

Daí a tendência da mente de buscar o inferior. É exatamente como a água: assim como a água sempre busca um nível cada vez mais e mais baixo, a mente sempre busca o inferior. Um marido não gostaria de se casar com uma mulher mais sábia do que ele, não. Ele não se casará com uma mulher mais alta do que ele, não. Ele não se casará com uma mulher mais velha do que ele, não! Por quê? Biologicamente seria melhor se um marido se casasse com uma mulher que fosse pelo menos cinco anos mais velha do que ele, porque então eles poderiam morrer juntos... — porque uma esposa vai sempre viver cinco anos mais do que o marido, ela tem uma vida mais longa. Então, não haveria viúvas no mundo — e isso é uma coisa muito triste... Biologicamente, seria o método mais certo, que o rapaz de vinte se casasse com uma moça de vinte e cinco anos, mas o ego se sente ferido. Nem você gostaria de se casar com uma moça mais alta, porque o ego se sente ferido — nem se casaria com uma mulher mais sábia. Não! A mente sempre busca o inferior.

Olhe para seus amigos — por que você os escolheu? Lá no fundo, você descobrirá que a causa é esta: eles são inferiores a você, com eles você se torna uma luz maior; caso contrário, você se torna uma chama comum de uma vela terrena. A mente busca o inferior para provar que é superior. As pessoas adoram os animais. As pessoas não podem amar os seres humanos. Então, como elas podem amar os animais? Mas um cão o apoia tão belamente como nenhuma pessoa pode fazer. Quer você bata nele ou lhe faça festa, não faz nenhuma diferença, ele continua abanando o rabo; ele está sempre lhe festejando. Ele sempre vai com você aonde quer que você vá, você não pode encontrar um melhor seguidor do que um cão. Por que as pessoas gostam da amizade de um cão? O inferior ajuda, você se sente superior.

> *Mulla Nasruddin estava jogando cartas com seu cão. Um homem olhou, ficou surpreso — o cão estava realmente jogando. Assim ele disse:*
>
> *— Nasruddin, você realmente tem um cão estranho e sábio.*
>
> *Nasruddin disse:*
>
> *— Não é bem assim... Ele não é tão sábio quanto aparenta ser, porque sempre que pega uma boa mão, ele balança o rabo. Não tão sábio quanto parece!*

A mente está sempre buscando o inferior, e chega um ponto em que até mesmo um cão pode às vezes ser superior a você. De muitos modos, ele é! Ele é mais forte; se lutar com ele, você estará em maus lençóis. As pessoas vão caindo cada vez mais abaixo. Então, elas buscam coisas: um carro se torna seu objeto de amor. Faça o que quiser e o carro não faz nada. Depois uma casa, depois objetos, posses. Com as coisas, você se sente como uma pessoa, muito superior.

Satsang significa sempre escolher a companhia do superior. A mente o ajudará a escolher a companhia do inferior. Fique alerta e evite isso, porque com o inferior você se tornará inferior. Cada vez mais e mais o raio da consciência ficará perdido na escuridão.

Escolha sempre o superior, siga na direção do superior. Mas seu ego se sentirá ferido. O ego tem de ser deixado. *Satsang* significa viver contra o ego, transcender o ego, sempre buscando o superior. E você quer encontrar Deus... E você não fica feliz em encontrar Jesus e Buda?! Então, como será possível? ...Porque Deus é o máximo da luz, o clímax de toda a existência, o florescimento de toda a vida. Se você sempre escolhe o inferior, como pode realmente desejar entrar no reino de Deus? Você está seguindo um caminho errado.

Lembre-se disso, e somente um único ponto tem de ser mantido em mente continuamente, e este é: circule — com as pessoas, com os amigos, com os livros — sempre se lembrando de que existe algo superior, de modo que você possa abandonar seu ego; você pode se sentir inferior e abandonar o ego. Sempre busque o superior. Pouco a pouco, passo a passo... você será capaz de encontrar Jesus. E somente se você puder encontrar Jesus, você será capaz de encontrar Deus.

Este é o significado quando Jesus diz: "Exceto através de mim, você não pode chegar a ele". Este é o significado: se você não pode me encontrar, como pode pensar em encontrar o supremo? Se você encontra o filho, então, há a possibilidade de que você possa ser capaz de encontrar o pai, porque o filho é apenas um representante. Avatares, budas, *tirtânkaras* são apenas os representantes, são uma luz do supremo. Se você não pode encontrá-los, se você não pode viver com eles, se seu ego não pode permitir que eles existam com você, então, não há nenhuma possibilidade para a derradeira e suprema verdade.

Jesus disse:

"Deixe que aquele que busca, não cesse de buscar

até que encontre."

A mente é letárgica e, sempre que se move para cima, ela é mais letárgica ainda. Se você se move para baixo, ela tem muita energia, porque um movimento para baixo não precisa de nenhum esforço. É simplesmente água caindo de uma cascata, indo para baixo — nenhum esforço é necessário. Para alcançar o inferno, nenhum esforço é necessário, você chegará lá automaticamente: não faça nada e você chegará lá. Você já está fluindo em direção a níveis cada vez mais e mais e mais baixos, e o mais baixo estado de mente é o inferno. Ele não é algo externo, ele é o degrau mais baixo da sua escada, onde a consciência desaparece: você se torna como um fenômeno vegetativo. Mas se você começa a se mover mais alto, mais acima, então será necessário esforço, muito esforço será necessário. Eis por que Jesus diz: *"Deixe que aquele que busca, não cesse de buscar até que encontre"*.

Muitas vezes virão momentos em que a mente dirá: "O que você está fazendo? Por que você está fazendo tanto esforço? Relaxe, desfrute, descanse!". E se você ouvir a mente, você será jogado de volta. Não ouça a mente! Um buscador deve persistir e continuar fazendo esforços até que encontre.

Mas essa afirmação parece ser contrária ao zen — isso tem de ser compreendido, pois não é — porque os mestres zen dizem: "Não se esforce. Não faça nenhum esforço, caso contrário, você perderá. Um leve movimento e você já terá perdido. Esteja em repouso, fique totalmente relaxado, entregue, como se você não existisse, e você alcançará". Eles dizem: "Busque e você perderá, não busque e você encontrará". As palavras de Jesus parecem contrárias ao zen. Não são, porque, como você está, você não pode ficar numa entrega total. Mesmo que você tente, mesmo que você relaxe, a atividade continua.

O zen não é para vocês como vocês estão, Jesus é para vocês como vocês estão. E se você seguir Jesus, chegará um momento em que o zen será para você. Quando será esse momento? Quando você tiver exaurido todo o esforço, quando você tiver feito tudo que possa ser feito, quando você tiver chegado ao último pico do seu esforço. Agora, nada mais pode ser feito, agora, não há mais o que fazer; você pôs tudo que pôde nisso. Agora, não sobrou mais nada, toda a sua energia se moveu para o esforço. E não é "agora" que *você* para, mas como toda a energia se moveu para o esforço, chega um momento de parada, vem um relaxamento. Isso acontece, o relaxamento-entrega acontece — você não pode fazê-lo. É como um homem que esteve correndo, correndo e correndo e, então, chega um momento em que ele não pode correr mais. Mesmo que você ponha uma baioneta atrás dele e diga "Ande!", ele dirá: "É impossível!". Ouvi contar sobre uma rã:

A rã entrou numa vala estreita de uma estrada lamacenta. Ela entrou ali naquele sulco da estrada, mas não conseguia sair. Era muito difícil. Ela tentou e tentou — e nada! Seus amigos ajudaram, fizeram o que podia ser feito. Então a noite começou a chegar. Num estado depressivo, de frustração, os amigos tiveram de deixá-la à sua sorte. No dia seguinte, os amigos estavam pensando que ela já estaria morta àquela hora, pois ela estava bem na estrada, presa naquela vala estreita. Assim, eles foram vê-la, e eles a encontraram pulando daqui para ali numa perna só. Eles perguntaram:

— O que aconteceu? Como você pôde sair do sulco? Parece impossível, um milagre! O que aconteceu? — A rã disse:

— Que nada! Veio um caminhão e eu tive de sair. O caminhão estava se aproximando; eu tinha de sair!

Todo o esforço não fora aplicado quando não havia nenhum perigo. Se você vir a morte chegando, o caminhão chegando perto, você porá todo o esforço do seu ser naquilo, você sairá da vala. Você tem perdido, porque você se contém. Você faz coisas, você medita sem entusiasmo. É um esforço morno, você não pode evaporar através dele, porque existe uma determinada lei: um certo grau tem de ser alcançado, somente então, a evaporação acontece. Você faz isto e aquilo, mas você sabe que está só pela metade naquilo. Pela metade, nada acontece. O caminhão ainda não apareceu, você está na vala: metade do seu ser quer sair, mas metade de seu ser não quer sair. Você quer ser livre, mas a vala também lhe dá uma certa proteção, e a vala também lhe dá uma segurança, ela parece um lar — sair dali parece requerer muito esforço.

Jesus diz: "Busque e busque até encontrar". Continue fazendo o esforço, leve o esforço ao máximo, a um crescendo, então, o zen se torna aplicável. Se você estuda o zen no começo, você pode se mover numa direção errada. E isso está acontecendo no Ocidente, porque as pessoas no Ocidente, que escreveram sobre o zen, não sabem que esforço as pessoas do zen fizeram antes de relaxar. E ele apela muitíssimo para a mente preguiçosa. Eis por que há tanta atração pelo zen no Ocidente: não faça nada — isso apela, porque nada é preciso, você já é o caso. Ele apela, mas não vai ajudar.

Muito tem de ser feito antes de você chegar a um ponto onde o relaxamento é possível. E esse relaxamento não vem de você, ele acontece: como toda a energia se moveu, não sobrou nada para ficar inquieto; o repouso chega. E o zen está certo, porque somente nesse repouso é que o supremo é revelado. E Jesus está certo, porque esse repouso vem somente quando você colocou todas as suas energias no esforço. Jesus é a primeira parte e o zen é a última parte do mesmo processo; o zen é a conclusão, Jesus é o começo.

E eu gostaria de sugerir-lhes que Jesus é melhor para vocês, porque vocês são todos iniciantes. O zen pode desviá-los, o próprio apelo pode ser por razões erradas. Você pode começar pensando: "Nada a ser feito. Estou bem como estou". Você não está bem como você está, caso contrário, não haveria nenhum problema. Por que você viria a mim? Por que você iria ao zen? Por que você buscaria Jesus? Se você já está bem, então, não há nenhum problema. Então, por que você busca? Então, por que desperdiça seu tempo na busca? Então, tudo é inútil, se você já está realmente bem; então, não há nenhuma necessidade de nenhum ioga para você, de nenhum tantra, de nenhum método. Mas esse não é o caso. Como você está, algo está errado: você não está feliz, você não é bem-aventurado, você não é extático. Você é muito miserável, está na miséria, numa profunda angústia — seu ser está doente. Não, você não está bem, tudo está errado.

Ouça a Jesus: *"Deixe que aquele que busca, não cesse de buscar até que encontre"*. E somente no fim você descobrirá que as pessoas do zen estão certas, porque, quando você fez tudo que podia ser feito, o esforço desaparece, a ausência de esforço vem a você. Nesse repouso, nessa quietude, onde não há nenhum movimento, nenhuma atividade, nenhuma energia para fazer alguma coisa, há o *samádhi*, a porta definitiva. Acontece sempre na ausência de esforço, mas a ausência de esforço acontece através de muito esforço.

Busque, e não pare de buscar até encontrar.

E, quando ele encontrar, será perturbado —

— uma coisa muito difícil.

E, quando ele encontrar, será perturbado,

maravilhar-se-á, e reinará sobre tudo.

Por quê? Quando você encontrar, por que você será perturbado? Você será perturbado porque a coisa é enorme. É tão vasta, infinita, que, quando a encontrar pela primeira vez, você ficará completamente perdido. Quando você fica consciente dela pela primeira vez, é como se um homem que tivesse vivido toda a sua vida num quarto escuro, numa célula escura, tivesse sido trazido para o céu aberto, para a luz do sol. Ele ficará perdido, seus olhos não serão capazes de se abrir. Mesmo que ele abra os olhos, ele ficará tão desorientado que a luz parecerá escuridão.

O primeiro encontro com o divino é uma crise, porque você viveu muitas e muitas vidas de um modo errado. Você viveu muitas vidas tão miseravelmente, que, quando a bem-aventurança acontece, você não pode acreditar naquilo: você ficará perturbado. Você nunca esperou por aquilo, você nunca soube o que estava para acontecer. Você fala sobre Deus — você o conhece? O que você quer dizer? A palavra 'deus' não é Deus, as teorias sobre Deus não são Deus. Você pode conhecer definições do dicionário, das escrituras, mas o que você quer dizer realmente quando você diz "Estou buscando Deus"? Ouvi contar:

Um garotinho estava fazendo um desenho, uma pintura, e a mãe perguntou:

— O que você está fazendo? — O menino estava tão absorto naquilo, que disse:

— Espere, não me perturbe: estou fazendo um retrato de Deus. — A mãe disse:

— Mas ninguém sabe como Deus se parece, ninguém sabe onde ele está. Como você fará um retrato dele? — O garoto respondeu:

— Não se preocupe. Quando eu acabar, as pessoas saberão como Deus é.

E todo buscador está nessa situação: você não sabe o que você está procurando, você não sabe qual é o alvo, você não sabe aonde você está indo, por que você está indo. Existe um grande ímpeto, isso é certo; existe uma profunda sede, isso é certo. Mas você nunca provou isso do qual se tem sede. Você vai, tateia — quando de repente acontecer, você ficará perturbado.

Esta frase mostra que Jesus conheceu. Um homem que não tenha conhecido Deus, não pode escrever esta frase, um homem que não tenha conhecido Deus, não pode dizer: "quando você encontrá-lo, você ficará perturbado". Ele dirá: "Então, você ficará abençoado, absolutamente abençoado".

A bênção vem, mas ela vem somente quando a crise tiver passado. Deus é a maior catástrofe com a qual você pode cruzar, porque você ficará completamente despedaçado, você não mais existirá, você será atirado num abismo sem fundo, você se tornará um zero, toda a sua existência desaparecerá como vapor. De repente, você é disperso como uma nuvem, e o sol surge — a luz é demasiada e a verdade é demasiada. Você sempre viveu nas mentiras, toda a sua vida tem sido um tecido urdido de mentiras e mais mentiras e mais mentiras. Você será despedaçado, completamente despedaçado. Você morrerá quando Deus surgir; quando a verdade for revelada, você simplesmente desaparecerá. E Jesus está certo, você ficará perturbado.

Muitos voltaram dessa situação, muitos foram embora, muitos fugiram da situação. E, então, nunca mais voltaram, ficaram com medo.

Sinto que essas pessoas que são ateias são pessoas que de algum modo, em suas vidas passadas, chegaram a essa situação, e ficaram tão incomodadas, que fecharam seus olhos e fugiram. Agora elas não querem voltar a essa situação, e o melhor caminho é negar que Deus existe.

Elas são como crianças pequenas. Se você diz a uma criança pequena "não coma doces, não coma isto e aquilo", e se você a forçar muito e a fizer ficar com muito medo de que se ela comer doces ela ficará doente e com diarreia e com muitos outros problemas, então, olhe para esse menininho: se ele entrar num mercado ele fechará os olhos; sempre que houver uma possibilidade de uma loja de doces ou algo parecido, ele fechará os olhos. Amedrontado, ele se recusa a ver. Ele está dizendo "não há nenhuma loja, nada", porque, se houver, se houver doces, então, será difícil não ser atraído novamente.

Os ateus são aquelas pessoas que em algum ponto de suas vidas passadas encararam essa situação, e ficaram tão apavorados que agora negam, dizem que não existe nenhum Deus. Essa negação está baseada no medo profundo. É psicológica, não é filosófica.

Tenho cruzado com muitos ateus e, sempre que penetro fundo, descubro que eles são pessoas que de algum modo ficaram tão apavoradas, que agora o medo da possibilidade toma conta delas: se Deus existe, então, novamente, ele os atrairá; se Deus existe mesmo, então, novamente, eles começarão a se mover. "Não! Não existe nenhum Deus, nenhuma verdade, nada! Tudo é uma mentira, e a vida toda é simplesmente um acidente". Então, elas ficam à vontade, então, elas podem evitar a catástrofe final.

Jesus está certo: *"E, quando ele encontrar, será perturbado..."* — E você também chegará a essa situação.

Muitos de vocês já chegaram algumas vezes, não exatamente ao ponto sobre o qual Jesus está falando, mas a algum bem próximo. E vocês vêm a mim e me dizem: "É muito difícil agora, eu não posso meditar, eu não quero meditar. Um medo me pressiona, e parece que vai ser a morte. Eu vim a você para buscar a vida, não a morte. Mas estou apavorado e tenho ansiedade: sempre que fecho meus olhos e vou mais fundo, de repente eu sinto que vou morrer". Muitos de vocês já vieram e me disseram isso. Eis um bom sinal, isso mostra que você está realmente indo fundo, isso mostra que a meditação aconteceu. Não fuja daí, porque aí está o tesouro do Todo.

Basta um pouco mais, e você chegará ao ponto onde será incomodado, tão incomodado que todo o seu ser estará em jogo — e há toda a possibilidade de que você fuja. Mas se você fugir, então, durante muitas vidas você não será capaz de juntar coragem para vir nessa direção, você simplesmente evitará essa dimensão. Quando surgir o incômodo no seu ser interno, fique alerta. Não tente escapar. Vá adiante — todos têm de passar por isso.

A escola à qual Jesus pertencia, a dos Essênios, tem uma expressão para esse estado de incômodo. Eles o chamam de "noite escura da alma". Todo mundo tem de passar por isso. Somente então, a alvorada vem, quando você já passou pela noite escura da alma. Quanto mais escura a noite, mais feliz você deve se sentir, porque mais cedo haverá a alvorada. Logo, logo, do útero dessa noite, um sol vai nascer; logo, logo... — não está muito longe. Quanto mais escura a noite, mais próximo de vir ele está. Não tente escapar, porque toda manhã precisa de uma noite escura como um útero.

A noite escura prepara o terreno para a manhã chegar. Esse estado de incômodo é o útero através do qual a suprema bênção nascerá.

Jesus está certo — ouçam-no e lembrem-se dele. Isso irá chegar até vocês, a qualquer dia vai acontecer a vocês, e quanto mais cedo acontecer melhor. Sinta-se abençoado quando você se sentir perturbado no seu ser, não devido a alguma ansiedade deste mundo, mas devido à ansiedade que vem quando a verdade está chegando, quando você está perto dela.

A mesma ansiedade é sentida também perto de uma pessoa iluminada. Sempre que você vai a ela, um certo medo o pressiona. Você começa a tremer por dentro, você encontra razões para escapar, para não ir até aquele homem. Você é atraído, mas um medo profundo racionaliza: como ir embora, como não chegar até esse homem? Você não fica à vontade — você não consegue ficar com um Jesus, com um Buda. E você tem de passar por isso, faz parte do crescimento.

"E, quando ele encontrar, será perturbado..."

Mas, se ele não tiver escapado, não tiver dado as costas e corrido mundo afora, então: *"...ele maravilhar-se-á"*. Então, ele sentirá o *mysterion*, o misterioso. Então, ele rirá e sorrirá, porque, vinda dessa noite, uma tão bela manhã! A partir desse estado perturbador, desse inferno e medo e dessa angústia, tamanha bênção! De espinhos, tão belas flores! Então... Ele *"maravilhar-se-á, e reinará sobre tudo"*.

Então, ele já não é um mendigo. Quando os desejos desaparecem — e eles desaparecem somente quando você já alcançou o seu ser, porque todos os desejos são basicamente desejos de alcançar o ser, a consciência interior —, quando você alcançou o mais recôndito, os desejos desaparecem, você já não é um mendigo. Você se tornou um imperador, você se tornou um rei: ... *"e ele reinará sobre tudo"*. Agora, toda esta existência é seu reino.

E ele disse:

"Quem quer que encontre explicações para estas palavras não sentirá o sabor da morte."

"Quem quer que encontre explicações para estas palavras"... não explicações *em* palavras, isso não ajuda. Eu lhes expliquei em pa-

lavras: isso não os deixará sem morte. Não, não explicações em palavras — explicação na vida, numa experiência vivida. As palavras nunca explicam, ao invés, pelo contrário, elas impedem a explicação. Somente a experiência pode explicar, somente a experiência pode ser a explicação. E Jesus disse: *"Quem quer que encontre explicações para estas palavras"*... Isto é, quem quer que encontre experiência, quem quer que atravesse esse estado perturbador — a ansiedade, a angústia, a noite espiritual — e quem se maravilhou e chegou a ver o *mysterion*, o misterioso.

Há duas palavras... Rudolf Otto, um dos pensadores mais profundos, mais penetrantes desta época, escreveu um livro muito profundo, de profundidade mesmo. Esse livro é *The Idea of The Hole*[1]. Ele usa duas palavras nesse livro: uma é *tremendum*, a outra é *mysterion*. Quando você encontra aquele ponto de perturbação pela primeira vez, a coisa toda é um fenômeno tão tremendo, é *tremendum*. Você fica perdido naquilo, você não pode descobrir o que está acontecendo; você simplesmente enlouquece, como se a mente não pudesse funcionar. Esse é o último ponto em que a mente pode funcionar. Agora, a mente tem de ser deixada para trás. Um *tremendum* acontece — um terremoto, uma erupção vulcânica: tudo do passado é quebrado, jogado fora e despedaçado.

Se você puder passar por esse *tremendum*, então, surge o *mysterion*, o misterioso. O que é o misterioso? O misterioso é aquilo que não pode ser explicado de modo algum, o mistério é aquilo que é abençoado, belo, extático, mas não pode ser esclarecido. Ele é a fonte da existência — você não pode ir além dele, não há nenhum além. Você o experiencia, mas não pode analisá-lo. Você pode conhecê-lo, mas não pode fazer conhecimento a partir dele. Você pode senti-lo, mas não pode criar nenhuma *theoria*, nenhuma teoria a partir dele. Daí ele ser o *mysterion*, o supremo mistério.

E ele disse: "Quem quer que encontre explicações para estas palavras não sentirá o sabor da morte".

Aquele que sentiu o sabor do mistério final da existência, não sentirá o sabor da morte. A morte não é para ele. A morte existe apenas por causa da mente, a morte existe apenas devido ao ego, a morte existe apenas porque você está identificado com o corpo.

---

(1)   *A Ideia do Sagrado*. (N. da T.)

Se você não estiver identificado com o corpo, se não tiver um ego louco dentro de você, se você estiver centrado em seu ser, a morte desaparece. A morte existe porque você é uma mentira.

Se você se tornar verdadeiro, a morte desaparece. Não há nenhuma morte para a verdade; ela é eterna, é a vida eterna. Assim, este é o círculo vicioso: como você é uma mentira, há a morte; e devido a haver morte, você fica com mais medo, cria mais mentiras à sua volta para se proteger. Então você fica emaranhado num círculo vicioso. É necessário ficar alerta e saltar fora disso.

A morte é um problema porque o ego existe. E o ego é a coisa mais falsa possível, a coisa mais ilusória possível: ele não existe realmente — você tem de sustentá-lo de algum modo, ele tem de ser constantemente sustentado —, ele não é um fenômeno real. Se você deixá-lo até mesmo por vinte e quatro horas, ele morrerá. Vinte e quatro horas é muita coisa, vinte e quatro minutos bastam — vinte e quatro segundos. Você tem de alimentá-lo continuamente, você tem de puxá-lo para cima, você tem de manipulá-lo, você tem de apoiá-lo. Toda a sua vida você trabalha para ele, de modo que o sonho de que você é alguém possa ser sustentado. E, então, na morte ele tem que desaparecer. Então, você sente o medo: você fica inconsciente, você renasce num outro corpo em estado de inconsciência, e todo o círculo começa novamente.

Não seja uma mentira! Comece a abandonar as mentiras, comece a deixar as máscaras caírem, seja um homem autêntico. E tente ser o que quer que você seja, não tente fingir ser aquilo que você não é, porque fingimentos não irão salvá-lo — eles são a própria carga que o fará afundar. A verdade salva.

Jesus disse: "A verdade libera, a verdade salva. A verdade se torna vida eterna".

E ele disse: "Quem quer que encontre explicações para estas palavras não sentirá o sabor da morte".

E o mesmo eu digo a vocês: Se você puder sentir seu próprio sabor, você não sentirá o sabor da morte; se você puder conhecer o seu ser, você nunca conhecerá a morte.

E aquilo que pode salvá-lo já está aí, mas é uma semente de mostarda. Ajude-a a crescer. E a primeira ajuda que você pode dar é ajudá-la a morrer. Não se apegue à semente, porque a semente é uma ponte, não é a meta. Ajude-a a morrer, a se dissolver, de modo que a vida interior que está escondida nela seja liberta e a semente se torne uma grande árvore. Pequena é a semente, mas a árvore será muito grande. Quase invisível é a semente — e a árvore? A árvore se tornará uma grande proteção. Milhões de pássaros do céu virão se abrigar nessa árvore.

A verdade não apenas o salva, ela também salva outros através de você. A verdade não apenas se torna uma liberdade para você, ela se torna uma porta para a liberdade de muitos outros também. Se você se tornar uma luz, não é apenas sua vida que será iluminada — se você se torna uma luz, então, você também se torna uma luz para milhões; muitos podem viajar e alcançar a meta através de você. Se você se torna uma luz, você se torna um representante, você se torna um Cristo.

Eu não quero que vocês se tornem cristãos — isso é inútil, isso é uma mentira. Eu gostaria que vocês se tornassem cristos. E vocês podem se tornar cristos, porque vocês têm a mesma semente.

Basta por hoje.

Sobre o Autor

Osho desafia categorização. Suas milhares de palestras abrangem desde a busca individual por significado até as questões sociais e políticas mais urgentes que a sociedade enfrenta atualmente. Os livros de Osho não são escritos, mas são transcritos de gravações de áudio e vídeo de suas palestras extemporâneas para audiências internacionais. Como ele diz: "Então, lembre-se: o que eu estou dizendo não é só para você ... eu estou falando também para as futuras gerações". Osho foi descrito pelo *Sunday Times*, em Londres, como um dos "1000 Criadores dos século XX" e pelo autor americano Tom Robbins como "o homem mais perigoso desde Jesus Cristo". *Sunday Mid-Day* (Índia) selecionou Osho como uma das dez pessoas — junto com Gandhi, Nehru e Buddha — que mudaram o destino da Índia. Sobre o seu próprio trabalho, OSho disse que está ajudando a criar as condições para o nascimento de um novo tipo de ser humano. Ele, muitas vezes, caracteriza esse novo ser humano como "Zorba, o Buda" — capaz de desfrutar dos prazeres terrenos de um Zorba, o grego, e da silenciosa serenidade de um Gautama, O Buda. Percorrer por todos os aspectos das palestras e meditações de Osho é uma visão que engloba tanto a sabedora atemporal de todas as eras passadas quanto o mais alto potencial da ciência e tecnologia de hoje (e de amanhã). Osho é conhecido por sua contribuição revolucionária à ciência da transformação interior, com uma abordagem à meditação que reconhece o ritmo acelerado da vida contemporânea. Suas Meditações Ativas OSHO exclusivas são projetadas para primeiro liberar as tensões acumuladas de corpo e mente, de modo que é mais fácil levar uma experiência de quietude e relaxamento livre de pensamentos para a vida diária.

OSHO® MEDITATION RESORT

O Balneário Osho de Meditação (*Osho Meditation Resort*) é um local onde as pessoas podem ter uma experiência pessoal direta de um novo modo de viver, de forma mais atenta, relaxada e divertida. Localizado a cerca de 100 milhas de Bombaim, em Puna, na Índia, o balneário oferece uma variedade de programas para milhares de pessoas de mais de cem países diferentes que o visitam a cada ano.

Originalmente desenvolvida como uma cidade de veraneio para Marajás e colonizadores britânicos opulentos, Puna é agora uma próspera cidade que abriga várias universidades e indústrias de alta tecnologia. O Balneário de Meditação cobre uma área de 40 acres em um bairro arborizado conhecido como *Koregaon Park*. O campus do balneário oferece acomodação para um número limitado de hóspedes, em uma nova *Guest House*, mas há uma enorme variedade de hotéis e apartamentos particulares disponíveis nos arredores, onde se pode hospedar por alguns dias ou vários meses.

Todos os programas do balneário estão baseados na visão de Osho para um novo tipo de ser humano que seja capaz tanto de participar criativamente na vida do dia a dia como de relaxar em silêncio e meditação. A maioria dos programas acontece em espaços modernos e com ar-condicionado, e incluem uma variedade de sessões individuais, cursos e *workshops* que se estendem desde artes criativas até tratamentos holísticos de saúde, passando por terapias para transformação pessoal, ciências esotéricas, abordagem *"zen"* para esportes e recreação, trabalhos sobre relacionamentos e processos de transições significativas de vida especificamente para homens e para mulheres. As sessões individuais e os *workshops* são oferecidos durante o ano todo, paralelamente a uma programação diária de meditação. Cafés e restaurantes, dentro da área do balneário, servem tanto pratos indianos como atendem a uma escolha de pratos internacionais, todos produzidos com vegetais organicamente cultivados no próprio solo do balneário. O *campus* tem suprimento próprio de água seguramente filtrada.

Encontra-se disponível em língua portuguesa um trabalho autobiográfico do autor:

Autobiografia de um Místico Espiritualmente Incorreto. São Paulo: Editora Cultrix.

Para maiores informações:

www.OSHO.com

Um *site* multilíngue abrangente, incluindo uma revista OSHO Books, OSHO TALKS em formatos de áudio e vídeo, o arquivo de texto da Biblioteca OSHO em inglês e hindi e informações abrangentes sobre as Meditações OSHO. Você também encontrará o cronograma do programa da *OSHO Mutiversity* e informações sobre o *OSHO Internacional Meditation Resort.*

Websites:

http://OSHOTIMES.com
http://OSHO.com/Resort
http://www.youtube.com/OSHOinternational
http://www.Twitter.com/OSHO
http://www.facebook.com/pages/OSHO .internacional

Para entrar em contato com a Fundação Internacional OSHO:

www.osho.com/oshointernational
oshointernational/oshointernational.com

Osho International
Nova Iorque
e-mail: oshointernational@oshointernational.com
www.osho.com/oshointernational